DE OFFERS

KEES VAN BEIJNUM

Over het IJ
Dichter op de Zeedijk
De ordening
De oesters van Nam Kee
De vrouw die alles had
Het verboden pad
Paradiso
Zoon van
Een soort familie

DE BEZIGE BIJ

Kees van Beijnum

De offers

ROMAN

2014
DE BEZIGE BIJ
AMSTERDAM

De auteur ontving voor het schrijven van dit boek een werkbeurs
en een reisbeurs van het Nederlands Letterenfonds.

Deze roman heeft een historisch feit als uitgangspunt maar is
fictie en staat los van de werkelijkheid. Voor zover verhaallijnen
raakvlakken hebben met gebeurtenissen uit het verleden, geldt dat
de auteur deze geheel naar zijn hand heeft gezet en tot fictie
heeft gemaakt. Datzelfde geldt voor in het boek
voorkomende personen en plekken.

Eerste druk (gebonden editie) september 2014
Tweede druk (paperbackeditie) september 2014
Vormgeving omslag Studio Jan de Boer
Omslagbeeld Bridgeman Art Library
Foto auteur Keke Keukelaar
Vormgeving binnenwerk Adriaan de Jonge
Druk Koninklijke Wöhrmann, Zutphen
ISBN 978 90 234 8628 2
NUR 301

www.debezigebij.nl
www.keesvanbeijnum.nl

DEEL I

I

Het is donderdag, vanavond zal hij haar ontmoeten. Een
uur per week een zachtaardige onderbreking van de recht-
bankzittingen en de dossiers. Meer verwacht hij niet. Meer
wenst hij niet. Brink sluit zijn ogen. In gedachten ziet hij de
schaduw van haar schouders, de kleine borsten, die, naar
hij heeft begrepen, tot het traditioneel Japans ideaal van
vrouwelijke schoonheid behoren. Het kost hem moeite om
zijn aandacht bij Keenan, de Amerikaanse hoofdaanklager,
te houden. Uit de gewelddadige voorstellingen die de woorden van de hoofdaanklager oproepen, de rokende puinhopen van Nanking, stijgt zij op als een lichtgevende lelie.
In de getuigenbank neemt een inwoner van Nanking
plaats. De stem van de Chinese jongeman klinkt zo zacht en
fragiel dat Keenan hem tot tweemaal toe moet verzoeken
luider te spreken, omdat de tolk hem niet kan verstaan.
Met zijn blik omlaag gericht vertelt de getuige hoe hij zich
urenlang in een heuvel van lichamen schuil had weten te
houden.
Brink maakt aantekeningen en observeert de verdachten,
achtentwintig in totaal. In rijen achter elkaar, als toeschouwers in een klein theater, zitten ze tegenover hem. Hun gladde gezichten, bleek door maanden van opsluiting in de Su-
gamo-gevangenis, bijten spookachtig wit uit in het felle licht
van de lampen aan het plafond. Ondoorgrondelijkheid als

7

eerste en laatste verdedigingslinie tegen de rechters, griffiers, aanklagers, advocaten en journalisten, fotografen en cameramannen. Op de tribune zijn de Japanse toehoorders van de westerse gescheiden.

De Chinees vertelt dat een Japanse officier zijn leren laarzen inwisselde voor rubberen en over de berg lichamen liep. De overlevenden schoot hij met een pistool door het hoofd. Door hun koptelefoons luisteren de verdachten naar de vertaling van zijn woorden. Of ze doen alsof. Tot het moment van de uitspraak is hun wereld behalve onzeker en bedreigend, vooral eentonig en beperkt. In de gevangenis worden ze in leven gehouden om hier dagelijks te verschijnen. De tijd van generaalsuniformen en ministersposten, van mythes en doctrines, is voorbij. Zij bestaan nog slechts als oorlogsmisdadigers 'categorie A', verantwoordelijk gehouden voor twaalf miljoen slachtoffers – het kan een miljoen meer of minder zijn. Voor de duur van het tribunaal zijn hun levens verbonden met dat van hem, Brink, de jongste van de elf rechters.

Na de zitting vertrekt hij niet meteen naar Ginza, waar hij haar zal ontmoeten. Hij hecht eraan de dingen volgens een vaste volgorde te doen en leeft naar een dagindeling die hij in het halfjaar dat hij hier nu verblijft heeft gevormd. Meer uit routine dan uit noodzaak. Omdat het donderdag is, drinkt hij eerst aan de bar van het Imperial Hotel een whisky met ijs, één glas, niet meer. Tijd, de hoeveelheid die je is toebedeeld en wat je daarin tot stand kunt brengen, is de basis van alle plannen, groot en klein. Twee weken geleden is een nieuw element aan zijn agenda van regelmaat en discipline toegevoegd. Het was de dag waarop zijn zelfopgelegde periode van onthouding verliep. Precies een halfjaar was hij in Tokio. Hij stond zichzelf een meisje toe.

Naast hem neemt zijn collega Higgins plaats, een man met een kaarsrechte rug en een smal, schrander gezicht. Higgins vist zijn sigarettenkoker uit de binnenzak van zijn colbert en steekt een Lucky Strike op.

'Volgende week ga ik terug naar Boston.' Higgins blaast de rook langs zijn vooruitgestoken onderlip omhoog.

'Terug?' reageert hij verbaasd.

'Ik heb een rekensom gemaakt,' zegt de Amerikaan. 'Gelet op het tempo van de aanklagers gaat het minstens nog een halfjaar duren voor de verdediging aan zet is... Achtentwintig advocaten die iedere letter van de bewijslast zullen proberen te ontkrachten... Tel daarbij op het reces, de kruisverhoren, het requisitoir en de pleidooien, dan ben je algauw een jaar onderweg. En dan heb ik nog niet eens het vonnis meegerekend. Het klinkt misschien niet erg loyaal, maar het niveau van sommige collega's, en de ego's van andere, doen het ergste over de samenwerking vrezen.'

'Je kunt het nu toch niet meer in de steek laten?' houdt hij Higgins voor.

'Mij was verteld dat het een halfjaar ging duren,' zegt de Amerikaan.

Ook Brink was door Buitenlandse Zaken voorgehouden dat hij een halfjaar van zijn vrouw en kinderen weg zou zijn.

'Weet je, Brink, het heeft me vijftien jaar gekost om een van de best lopende advocatenpraktijken in Boston op te bouwen. Ik weiger mezelf te ruïneren. En als ik jou was, zou ik mijn voorbeeld volgen. Nu het nog kan.'

'We hebben deze opdracht toch aanvaard,' werpt Brink tegen, 'juist omdat we niet alleen maar verantwoordelijk willen zijn voor onszelf, voor ons kantoor of voor ons land.'

Higgins knikt langzaam en grijnst. 'Het enige wat erger is dan omgaan met naïevelingen, is er zelf een zijn.'

Dat haat en bewondert hij in de Amerikanen, hun gevatheid, hun gebrek aan schuchterheid. 'Dit is ons werk,' zegt hij.

'Wat,' vraagt Higgins luchtig, 'je carrière naar de filistijnen helpen?'

'Nee, de jappen die miljoenen onschuldige mensen de dood in hebben gejaagd berechten. Hoop brengen waar wanhoop heerst, rechtspreken waar onrecht regeert?'

De nauwelijks verholen spotlach van Higgins doet zijn woorden nog hoogdravender lijken dan hij ze zelf al vindt klinken. Maar, zedenprediker of niet, hij meent ze wel. Een voorwaarde voor beschaving is dat de schuldigen zich moeten verantwoorden.

'Je hebt mij niet horen zeggen dat ik tegen dit tribunaal ben.' Higgins' ogen dwalen lui door de ruimte die langzaam volloopt op dit borreluur. Soms lijkt het of de bar en de lobby van het Imperial Hotel het eigenlijke middelpunt van het tribunaal zijn. Elke dag opnieuw worden hier zittingen besproken, verdachten gewogen, voorschotten op het vonnis genomen door rechters, aanklagers, deskundigen en Amerikaanse stafleden van General Head Quarters, GHQ.

'Ik pik zaterdag nog wel de excursie naar de bergen mee, die wil ik niet missen,' zegt Higgins. 'Hebben jullie in Holland watervallen?'

Brink schudt het hoofd.

'Nee? Let op mijn woorden: je zult het geweldig vinden.'

Op zijn kamer is het afschuwelijk heet. Hij draait de knop van de plafondventilator naar de hoogste stand, maar nog komt de drukkende hitte nauwelijks in beweging. In zijn ondergoed tikt hij met klamme vingers de aantekeningen van die dag uit en bergt ze op in een van de grijze ordners die bij het raam op zijn bureau staan. Dan doet hij de radio aan en begint in de lauwe luchtstroom van de ventilator aan zijn kniebuigingen. Om zeven uur stapt hij de badkamer binnen. Het is een riante ruimte met marmer en spiegels en een badkuip waarin alle drie zijn kinderen tegelijk zouden passen. Alles vele malen gerieflijker dan de eenvoudige, wat spartaanse uitvoering in zijn huis in Doorn, de villa die vroeger van zijn schoonouders is geweest. Inmiddels is hij aan de luxe van zijn verblijf gewend, de dubbele suite met zwaar meubilair van donker tropisch hout en leer. Het hotel in koloniale stijl is ontworpen door Frank Lloyd Wright, volgens sommigen de reden dat de Amerikaanse luchtmacht het tijdens de hevige bombardementen op Tokio gespaard heeft. Als hij zich na het douchen bij de spiegel staat te scheren verbaast hij zich nog steeds over het onzinnige besluit van Higgins. In tegenstelling tot de Amerikaan is hij er juist van overtuigd dat dit tribunaal hem vooruit zal helpen in zijn carrière.

Met tintelende, geschoren wangen en gekleed in een zomerkostuum stapt hij om halfacht in bij zijn chauffeur sergeant Benson die voor het hotel op hem wacht in de Buick met een rood-wit-blauw vlaggetje op het voorspatbord. Hij zinkt weg in het leer van de bank en geeft zich over aan het verlangen, de zindering, dat vreemde hoopvolle gevoel, waarmee hij precies een week eerder naar Ginza reed.

Het laatste stuk naar het slecht onderhouden, oude herenhuis, waar zij hem mee naartoe nam, gaat hij te voet. Dat lijkt hem geen al te groot risico in deze redelijk fatsoenlijke buurt nu het bovendien nog licht is. Hij wil sergeant Benson niet wijzer maken dan nodig. Het gerucht gaat dat de chauffeurs rechtstreeks rapport uitbrengen aan de Amerikaanse inlichtingendienst.

Ze staat niet, zoals een week eerder, bij de deur op hem te wachten. Hij aarzelt en kijkt om zich heen. Een magere man met een puntige strohoed en met twee draagmanden aan een lange stok loopt voor hem langs. Op de rijbaan komt een open Amerikaanse legertruck met witte ster op het portier tot stilstand. In de laadbak zitten de bezetters te kletsen en te roken. Een van de militairen gebaart naar hem en dan zijn plotseling alle ogen in de laadbak op hem gericht. Hij draait zich om en stapt het huis binnen. In de hal wijzen schoenen met hun kale neuzen naar de buitendeur. Een adellijk geraamte in een versleten hemd en een krijtstreeppantalon die met een touw wordt opgehouden, verschijnt op kousenvoeten in de hal. De oude man buigt voor hem terwijl achter hem zijn vrouw verschijnt, krom en grijs.

Omdat hij alleen de vrouw tijdens zijn vorige bezoeken heeft opgemerkt, richt Brink zich tot haar.

'Ik heb een afspraak met Yuki,' zegt hij in het Engels. Zodra hij de naam uitspreekt, beseft hij dat het waarschijnlijk een alias is.

De vrouw buigt en werpt een vluchtige blik op zijn schoenen. Hij herinnert zich hoe Yuki in de hal voor hem had geknield om hem uit zijn schoenen te helpen. Wordt er van hem verwacht dat hij ze nu zelf uittrekt? De vrouw wisselt enige Japanse woorden met haar man, die na een nadenkende stilte het woord neemt.

'Ze is weg,' zegt hij en vervalt dan weer in zwijgen. Brink voelt het zweet langs zijn rug lopen. Het is zo afschuwelijk benauwd in de hal. De houten vloerdelen glimmen in het licht van de lage zon dat achter hem binnenvalt. Niets weet hij over Yuki, of hoe ze heten mag, niets buiten wat tussen hun lichamen is voorgevallen. Misschien huurt ze bij deze bescheiden mensen een kamer, woont ze bij hen in. Het is ook goed mogelijk dat ze hier uitsluitend beroepshalve verblijft en per uur betaalt.

'Komt ze terug?' Hij is zich bewust van zichzelf, de grote, blanke man in het onberispelijke zomerkostuum van linnen. Op zijn lederen schoenen, als het opzichtige symbool van schending, van huisvredebreuk.

'Nee, niet terug,' antwoordt de man.

'Vandaag?' vraagt hij.

'Nooit,' is het antwoord.

Nooit? 'Waar is ze heen?' wil hij weten.

De man buigt, verdwijnt in een kamer en keert even later terug met een woordenboek dat bijna uit elkaar valt. Kalm laat hij de pagina's achter zijn magere duim wegschieten, tot hij heeft gevonden wat hij zoekt.

'Meisjes verdwijnen. Niemand weet waarheen.'

Hij laat sergeant Benson twee keer de hoofdstraat op en neer rijden en dan dirigeert hij hem naar de veel donkerdere, armoedigere zijstraten met de verwoeste huizen. Nergens in de steeds dreigender en havelozer wordende buurt met steeds sjofelere bars en restaurants ziet hij haar. Ook geen andere meisjes. Sergeant Benson houdt hem in het spiegeltje in de gaten. Hij voelt zich betrapt en geeft opdracht terug naar het hotel te rijden. Het ergert hem dat hij van slag is. Zijn leven heeft hij zo ingericht dat er weinig ruimte voor teleurstelling is. Des te pijnlijker vindt hij het dat iemand, een meisje dat hij nauwelijks kent en dat zich bedient van een 'artiestennaam', invloed op zijn gemoedsrust uitoefent. Ze passeren het hoge, verlichte gebouw van GHQ van waaruit generaal MacArthur Japan bestuurt. In zijn hotelkamer bewaart Brink een exemplaar van de *Stars and Stripes*, waarin hij naast de generaal zelf op de foto staat, gemaakt tijdens een ontvangst van de rechters. Ze rijden langs de uitgestrekte, met grote, donkere stenen ommuurde tuinen van het keizerlijk paleis en beginnen aan het laatste rechte stuk naar

13

het hotel. Hij weet dat hij er nu verstandig aan zou doen dat meisje en hun mislukte afspraak te vergeten, het hierbij te laten. In plaats daarvan vraagt hij sergeant Benson bij het kruispunt links af te slaan en naar Tokio Station te rijden.

2

Michiko stapt uit de Ginza-lijn en loopt in de stroom van passagiers mee naar de controlepoortjes aan het einde van het perron. Bevrijd uit de mensenmassa, het zweet en de luizen, is het alsof ze plotseling herstelt van een ziekte. Vóór haar schuifelt een doodvermoeide oude man. Een van de vele passagiers die terugkeren van het platteland, de knapzakken, tassen en bundels gevuld met de laatste restjes bij elkaar gescharreld voedsel – rijst, bonen, fruit – waar de boeren tegen woekerprijzen of familiesieraden nog vanaf willen. De oorlog is op de dag af een jaar voorbij. Bij de schrijnen van de tempels smeken de mensen niet langer om een overwinning voor het keizerlijk leger, maar om eten. Alles draait om eten. Michiko is een van de gezegenden die zich iedere dag van minstens één fatsoenlijke maaltijd verzekerd weten. Dat voorrecht heeft ze te danken aan haar stem. Haar leven wordt bepaald door slechts twee keuzes, die op het moment dat ze gemaakt werden om heel andere redenen belangrijk leken. De beslissing van haar ouders om van een bergdorpje in de prefectuur Nagano naar Tokio te verhuizen toen zij nog een kleuter was. En haar besluit als zeventienjarige om alles op alles te zetten om aan het conservatorium van Tokio toegelaten te worden. Haar stem werd haar redding.

Op de smerige trappen van het station zitten hele families

bij elkaar. In gerafelde lorren hangen ze over hun bagage of leunen ze tegen de muren. Voor het station bedelen jongens met geschoren koppen bij Amerikaanse militairen om kauwgum en sigarettenpeukjes.

Bij de stalletjes in het park loeren kinderen met grote, onverzadigbare ogen naar de zoete aardappelen en gedroogde vis die in de schaduw van rietmatten uitgestald liggen. Langs de kant van de weg, in de brandende zon, zit een man met blote voeten en met zweren in zijn ongewassen gezicht. Een gescheurde rijstzak van jute bedekt zijn naakte lichaam. Als ze langsloopt steekt de man zijn hand met een gebarsten kommetje uit voor een aalmoes. Rechtop en zonder een blik in zijn richting te werpen loopt ze door. Enige meters verder heeft de volgende positie gekozen, een bewegingloze man met hoed op in een veel te warm, versleten kostuum. Op zijn schoot rust een stuk karton met in keurige karakters geschreven: 'administrateur zoekt werk'.

Ze nadert Asakusa, haar oude buurt. Vroeger woonde ze er met haar ouders in een eenvoudig houten huis, nu is het een onafzienbare woestenij van verkoolde ruïnes waaruit nog altijd stof opstuift en waar de enkele boom die overeind bleef zwart en bladloos tegen de hemel afsteekt. De warme wind drijft de branderige geur in haar richting. Aan de rand van die verschroeide vlakte zijn werklui met hamers, zagen en boren bezig barakken te bouwen. Voor de overlevenden. Voor de toekomst.

Een paar keer per maand komt ze naar Asakusa. Een tocht naar de wereld van de geesten, over deze stoffige straat vol kuilen en opgeschoten onkruid. Deze straat die geen straat meer is en waar de mensen geen mensen meer zijn, voert haar terug naar haar jeugd, haar familie, naar gezichten van buren en naar kleine houten veranda's met planten in potten, naar winkeltjes en werkplaatsjes en kippenhokken in de achtertuin.

De felle zon teistert haar gezicht en schouders als ze de uit sloophout opgetrokken bouwsels nadert. Een eenvoudige vrouw van midden vijftig met een grijsachtige huid en diep verzonken ogen staat op haar te wachten. Ze is mager als een zwerfkat, haar wangen zijn ingevallen doordat ze enkele kiezen en tanden mist.

'Welkom Michiko.' In haar verbleekte kimono knielt mevrouw Takeyama, haar vroegere buurvrouw, neer in de deuropening van haar hutje. Ze buigt.

Michiko buigt ook en mevrouw Takeyama verwelkomt haar opnieuw. Haar begroeting gaat, zoals gebruikelijk, vergezeld van de verontschuldiging voor de armzalige staat van haar onderkomen, met ruimte voor een futon om op te slapen, een kastje, wat potten en pannen, niet meer dan dat. Iemand binnen ontvangen is onmogelijk.

Naast haar krot, in de schaduw van de roestige platen die als muur dienstdoen, heeft ze een kleed neergelegd. In kleermakerszit drinken ze thee, waarschijnlijk getrokken van de bladeren die Michiko tijdens haar laatste bezoek heeft meegebracht.

'Je jurk is klaar,' zegt mevrouw Takeyama zacht, 'de voering heb ik iets in moeten korten.'

'Dank u.'

'Wanneer is je optreden?'

'Vanavond.'

'Het zal mooi worden.' De hals van mevrouw Takeyama kruipt mager en recht uit de opening van haar kimono.

Vroeger was mevrouw Takeyama naaister bij een atelier dat op een zekere faam kon bogen door de kunstzinnige kimono's die daar werden gemaakt. Tijdens de laatste jaren van de oorlog, in de vallei der duisternis, naaide ze in plaats van kimono's, parachutes voor het leger. Tegenwoordig doet ze thuis verstelwerk. Veel is het niet, want de mensen dragen hun oude uniformen van de burgerwacht en alles wat ze nog in de kast hebben tot op de laatste draad af en iedere Japanse huisvrouw is haar eigen naaister geworden.

Vanuit het naastgelegen hutje, waar de oude meneer Kimura met zijn kat woont, klinkt een zacht geween. Een minimale verheffing van haar dunne wenkbrauwen verraadt mevrouw Takeyama's ongemak, maar ze zegt niets. Ook Michiko veinst het geluid niet op te merken.

Mevrouw Takeyama komt overeind en gaat naar binnen om Michiko's jurk te pakken. Ze toont de vrijwel onzichtbare reparaties aan de voering. Met een snelle beweging plukt ze een minuscuul draadje van de zwartfluwelen stof. Ze vouwt de jurk voorzichtig en precies op en geeft hem aan Michiko. Mevrouw Takeyama buigt en bedankt Michiko voor de honderdvijftig yen. Dan overhandigt Michiko haar een papieren zakje met plakjes gerookt varkensvlees en wat rijst, plus twee gekookte eieren. De restjes van wat er de afgelopen dagen bij mevrouw Haffner thuis op tafel kwam en die zij in de keuken, toen de kokkin even de deur uit was, heeft weten veilig te stellen. Mevrouw Takeyama buigt met de zak met restjes in haar handen heel diep. Ze heeft niets meer te verliezen, behalve haar waardigheid, en het is eervoller om een vergoeding – geld, voedsel – voor een werkje te krijgen dan aangewezen te moeten zijn op liefdadigheid. Dus bezorgt Michiko mevrouw Takeyama steeds opnieuw wat werk. De restjes van deze restjes, weet Michiko, geeft mevrouw Takeyama weer aan haar buurman, die wat hij uit zijn mond spaart weer zijn kat gunt. De restjesketen is lang en barmhartig.

'Waar mag het optreden van vanavond zijn,' vraagt mevrouw Takeyama, 'bij mevrouw Haffner thuis?'

'Ja. En morgen staat er een engagement voor een recital in het Imperial Hotel op het programma.'

Mevrouw Takeyama knikt goedkeurend. 'Het Imperial Hotel? Niet alles is weg. Daar kwamen de voorname mensen. Maar de voorname mensen van toen zijn niet meer de voorname mensen van nu.'

De inhoud van hun gesprekken is voorspelbaar. Ze weten van elkaar wat ze willen horen. Steeds opnieuw schenken ze elkaar dezelfde woorden. Michiko vertelt mevrouw Takeyama wat ze zoal meemaakt. Aanvankelijk was ze daarin vrij terughoudend, had ze zich beperkt tot feitelijkheden: de partij die ze had gezongen in een oratorium, de rol in een opera, een optreden met mevrouw Haffner voor de radio. Ze was bang geweest dat deze vrouw die zulke armzalige, bedroevende omstandigheden het hoofd moet bieden, haar verhalen over soirées musicales, optredens op ambassades en recepties waar Franse wijn werd geschonken, aanmatigend zou vinden. Niets bleek minder waar. Mevrouw Takeyama ziet juist uit naar gedetailleerde verslaggeving van haar belevenissen in die andere wereld. Ze wil horen wat er tijdens het diner bij mevrouw Haffner thuis gezegd, gespeeld en gezongen werd, wie er waren, wat er geserveerd werd. Geen verse aardbei wil ze missen. En terwijl ze met heel haar uitgeteerde lichaam naar Michiko luistert, neemt ze woord voor woord alles in zich op.

Het is wederzijds, die nieuwsgierigheid naar wat ze elkaar te vertellen hebben. Op haar beurt is Michiko onverzadigbaar waar het mevrouw Takeyama's getuigenissen van de bombardementen betreft. Tijdens die nacht in maart toen Michiko na een optreden bij mevrouw Haffner moest overnachten omdat het aanhoudende luchtalarm het haar onmogelijk maakte nog naar huis terug te keren. De vijandelijke vliegtuigen naderden. Niemand wist op welk deel van Tokio de B-29 toestellen hun bommen dit keer zouden laten vallen. Niet hier, smeekte ze. Niet hier. In het donker bij mevrouw Haffner, weggekropen in een kast met een berg jassen over haar hoofd, hoorde ze de sirenes huilen, het luchtafweergeschut knetteren, de zware motoren van de vliegtuigen overkomen, gevolgd door de bominslagen, de een na de ander. De doffe dreunen van de luchtdrukgolven deden haar in de kast met heel haar lichaam trillen. Niet hier, smeekte ze de duisternis. Pas toen het alles-veiligsignaal klonk, dacht ze aan haar ouders.

Mevrouw Takeyama was thuis die avond. Samen met haar man, haar dochter en kleindochter van zeven maanden oud. De inslagen van de brandbommen deden de huizen als stro vlam vatten. Mannen, vrouwen en kinderen spoedden zich alle kanten op, niemand leek te weten waarheen. Mevrouw Takeyama volgde haar man in de opstekende gloeiend hete wind die haar gezicht en longen schroeide. Ze struikelden over oude mensen die niet op tijd uit hun huizen waren gekomen en met brandend haar over de straat lagen te rollen. Ze volgde haar man tot een volgende bominslag alles om haar heen in duisternis zette. Verbaasd dat ze nog leefde had ze geprobeerd zich uit de aarde en het puin omhoog te graven, naar het getrappel en het geschreeuw.

Toen ze bovenkwam was ze weer terug in het vuur en de hitte en de rook. Overal brandende en smeulende lichamen. Ze zocht naar haar familieleden, maar zag ze niet. Een man van de burgerwacht greep haar arm en loodste haar door de vlammen en over de lichamen naar de rivier. Vóór haar sprongen mensen in het donkere water. Ze aarzelde maar een andere vrouw gaf haar een hand en ze sprongen samen.

Met haar kin boven de schommelende waterspiegel zag ze hele straten als enorme fakkels branden in de nacht. Ze kon de hitte en de rook in haar longen voelen bijten. Net als de anderen liet ze zich met de stroom meedrijven. Tot ze in een boot werd gehesen en een stem sprak: 'Je hebt het gered.'

Uit het hutje van meneer Kimura klinkt opnieuw geschrei, zwakker nu, nog nauwelijks hoorbaar. Dit keer negeert mevrouw Takeyama het verdriet van haar oude buurman niet. 'Vandaag is het precies een jaar.'

'Al een jaar,' zegt Michiko en ze kijkt voor zich uit. Toen het net vrede was, leek het of de tijd stilstond. Of het land en de mensen en de toekomst werden weggezogen in een draaikolk waaruit geen ontsnappen mogelijk was. Dat mocht misschien nog het grootste wonder heten, dat het leven uiteindelijk weer zijn loop had genomen, dat dagen weken waren geworden, weken maanden.

'De keizer.' Mevrouw Takeyama maakt een beweging met haar hoofd in de richting van meneer Kimura's hutje.

Wie kan zich de keizer van vóór die dag, een jaar geleden, nog voorstellen? Toen hij nog een god was, onbereikbaar, onaanraakbaar. Hij mocht keizer blijven op voorwaarde dat hij zijn plek tussen de goden opgaf. Zijn stem, die niemand ooit gehoord had, klonk over de radio, als van een mens. Zonder dat de hemel donderend op de aarde was neergestort. Overgave, had hij gezegd, capitulatie. Dat de keizer als een mens had gesproken, was voor mannen als meneer Kimura nog verdrietiger dan alle doden bij elkaar.

Gearmd lopen Michiko en mevrouw Takeyama over de verschroeide vlakte, waar alleen nog onkruid wil groeien, en een enkele wilde bloem. Na die nacht van de bommen, toen de vooruitgang van hun buurt een paar honderd jaar werd teruggedraaid, had Michiko zich bij het eerste licht naar Asakusa gehaast. Op deze vlakte waar nu niets dan as opstuift, had ze tussen de smeulende en rokende puinhopen gezocht en gezocht. In het zonlicht lagen de lichamen opgestapeld. Van alle gezichten kan ze zich er nog maar één scherp voor de geest halen. Een meisje aan de kant van de weg. Haar wangen en mond vol vlekken en blazen, haar handen en knieën zwart, haar bril en kleren versmolten met haar huid. En ze had zich afgevraagd hoe het kon dat dit meisje zo helemaal alleen lag, waar haar moeder was, haar vader, broers en zusters.

Michiko en mevrouw Takeyama zijn de overlevenden. Ze blijven staan en staren naar de verte, naar de hoop stenen vermengd met gesmolten metaal, die ooit het textielfabriekje was waar haar vader gewerkt had. Het enige leven dat Michiko hier ziet is dat van de hoog op de thermiek zwevende roofvogels die kleine cirkels beschrijven boven het land en de lucht van de nederlaag die opstijgt van de heuvel, het massagraf van de slachtoffers zonder naam.

Ze weet niet of haar ouders in dit graf rusten. Evenmin als mevrouw Takeyama weet of haar man, haar dochter en haar kleindochter er liggen. De meeste lichamen waren verminkt, verkoold, onherkenbaar. Ze werden op vrachtwagens afgevoerd of door de rivier op het getij naar zee meegevoerd. Alles wat Michiko en mevrouw Takeyama nog konden doen, was in de tempel kaarsjes aansteken en soetra's laten reciteren.

'Wij hebben het overleefd,' zegt mevrouw Takeyama zoals ze altijd zegt als ze hier staan.

'Ja, wij hebben geluk gehad,' beaamt Michiko zoals ze altijd doet als mevrouw Takeyama haar rituele woorden spreekt.

'De gelukkigen,' vult mevrouw Takeyama haar aan.

'De gelukkigen,' herhaalt Michiko. Heel levendig herinnert ze zich hoe haar vader met een kaarsrechte scheiding in zijn haar en een lunchtrommel onder zijn arm vroeg in de ochtend de deur uit ging.

Als ze terugkeren naar het hutje van mevrouw Takeyama staat meneer Kimura, klein en mager, in zijn deuropening. Hij kauwt op iets wat een rietstengel lijkt. Het doet haar goed dat hij niet meer binnen zit te jammeren. Als mensen hun honger kunnen stillen met wat strikt genomen oneetbaar is, als ze stoppen met huilen om de keizer, hun tranen drogen, als ze op hun eigen eenvoudige manier dingen doen die ze vroeger voor onmogelijk hadden gehouden, dan moet er in hen diep vanbinnen iets zijn wat de moeite waard is om voor te leven.

'Mevrouw Haffner heeft een zijden blouse waarvan de manchet gescheurd is,' zegt Michiko. 'Ze is blijven hangen achter de sluiting van haar gouden armband. Het is een winkelhaak, misschien wel niet te herstellen...'

'Ik zal graag proberen het in orde te maken.'

Op de butsudan, het huisaltaar, niet meer dan een sinaasappelkistje, steekt mevrouw Takeyama voor Michiko weggaat twee kaarsjes aan. Op een kaartje zijn met de hand de namen van de man, de dochter en de kleindochter van mevrouw Takeyama geschreven. Achter een verdord twijgje van een pijnboom ligt de foto van mevrouw Takeyama's dochter die haar baby in haar armen houdt.

In de deuropening staart Michiko een poosje naar de vlam van de kaarsjes.

'Er was vanochtend een jongeman hier,' zegt mevrouw Takeyama, 'in een oud legeruniform. Hij kwam rechtstreeks uit het ziekenhuis. Zijn gezicht was aan één kant verminkt en hij liep met een kruk. Wel een halfuur stond hij maar te kijken naar wat er niet meer is.'

'Kwam hij uit Asakusa?' wil Michiko weten.

'Nee, hij zei niet veel, maar uit zijn accent kon ik opmaken dat hij uit het noorden kwam. Hij ging terug naar huis, zei hij, naar zijn dorp.'

Nog een laatste maal buigen ze voor elkaar, voordat Michiko in de brandende zon aan de terugweg begint. Over haar arm hangt de jurk die ze lang geleden van haar ouders voor haar verjaardag kreeg en die nu versteld is. Samen met een paar schoenen is hij haar enige bezit van vóór de bommen.

De zwerver met de kapotte rijstzak van jute om zijn schouders, zit nog op straat. Bedwelmd door de hitte hangt hij half onderuit. Ze recht haar rug en met haar kin omhoog passeert ze hem.

Sta op, denkt ze. Sta op.

3

De huid van zijn oksel schrijnt en steekt, de kruk lijkt bij iedere stap dieper in zijn vlees te drukken. Op de gang van het ziekenhuis heeft Hideki de laatste weken met de kruk geoefend, maar nooit langer dan een halfuur achtereen, en nu is hij, sinds hij vanochtend het ziekenhuis verliet, al een uur of zes op pad. Misschien had hij er beter aan gedaan niet eerst naar Asakusa te gaan. De verpleegsters hadden hem al gewaarschuwd dat het zinloos zou zijn. De huizen, de straten, de bomen, zijn familie, alles weg. Vervolgens had hij uren in rijen gestaan om zijn ID-kaart, zijn demobilisatiepas en wat hij aan invaliditeitsuitkering tegoed had te bemachtigen. Stiekem had hij gehoopt dat hem als invalide veteraan van het keizerlijk leger die lange wachttijden bespaard zouden blijven. Een enkele blik op de uitgeputte en harde gezichten in de rijen bewees het tegendeel.

De ID-kaart bungelt aan een koordje dat hij aan het knoopsgat van zijn oude uniformjasje heeft vastgemaakt, precies zoals hij het bij anderen op straat heeft gezien. De demobilisatiepas en tweeduizend yen bewaart hij in zijn broekzak. Onderweg naar het station hompelt hij langs het postkantoor waar twee Amerikanen van de militaire politie met stalen helmen op de wacht houden. *Hello John, how are you today?* In het ziekenhuis luisterden de verpleegsters naar de Engelse les op de radio, die steevast met hetzelfde opgewekte liedje begon: *Come, come, English!/ Come, come everybody/ How do you do and how are you?* De taal van de bezetter, de taal van de nieuwe tijd. En al die maanden in bed had hij meegedaan. *Fine, and how are you, Peter?* Westerse mannen en vrouwen gaan het postkantoor in en uit. Als een rustende schaapherder met twee handen gespreid over de kruk blijft hij ze van een afstandje bekijken, die reusachtige wezens met hun welgevormde lichamen en hun stijlvolle zomerkleren. De hakken van hun glimmende leren schoenen tikken zelfverzekerd op het plaveisel. In de glazen ruit naast hem vangt hij een glimp op van zichzelf: het stugge kortgeknipte haar en het verschroeide deel van zijn gezicht als een wazige, sponsachtige vlek. Snel draait hij zijn hoofd weg. Als een van de MP's in zijn richting kijkt, hinkt hij verder.

Aan de overkant van de straat zit een soldaat in een grauw geworden uniform van de artillerie op een stuk karton. De zon davert neer op de met verstellapjes beklede schouders. Daags voor zijn verscheping naar het front was Hideki met honderden jonge soldaten door Tokio gemarcheerd. Door de argeloze, opgewonden geest van avontuur in zijn zuiverste vorm bevangen. Hoe fier droegen ze hun gloednieuwe uniform en hun senninbari, de riem van duizend steken, iedere steek door een andere vrouw genaaid. Waar zouden ze gebleven zijn, al die riemen die de overwinning moesten afdwingen? Hij buigt voor de artillerist, maar zijn lotgenoot kijkt dwars door hem heen.

Als hij na uren uitgeput en dorstig het Shinjuku-station bereikt, blijken de rijen wachtenden bij de loketten onwaarschijnlijk lang. Met zijn laatste krachten hijst hij zich de trappen op en ziet vanaf het bewaakte toegangspoortje hoe op het perron een massa passagiers zich op de wagons van een binnengelopen trein stort. Zelfs oude mensen en vrouwen worden daarbij weggeduwd en afgebekt. Hij spreekt een verpleegster van het Rode Kruis aan die de wacht houdt bij een oude vrouw op een brancard. Haar vogelachtige gezicht steekt boven een laken uit. Haar ogen zijn gesloten, een sandaal van stro ligt op haar buik. Hij informeert bij de verpleegster hoe hij nog op tijd aan een kaartje voor de Chuo-lijn kan komen.

'Voor vandaag?' vraagt ze. 'Onmogelijk. Dan moet je 's ochtends voor vijven al in de rij staan.'

Hij blijft nog even bij haar wachten, in de hoop dat ze hem verder van advies zal dienen, maar zonder nog iets te zeggen kijkt ze langs hem heen, alsof ze in de mierenhoop van mensen naar iemand op zoek is.

'Ik ben vijf jaar van huis geweest,' stamelt hij, ieder woord een bedelarij.

De verpleegster knikt zonder hem aan te kijken. De littekens in zijn gezicht noch de kruk naast zijn lamme been maken indruk. Het dringt tot hem door: niemand in deze stad zal zich om hem bekommeren. Nog even staart hij naar die sandaal van stro op de buik van de oude vrouw. Dan buigt hij voor de verpleegster en zoekt hij zich in de haastige, krioelende menigte een weg naar de trap omlaag.

Op het stationsplein koopt hij bij een stalletje een rijstbal met ei en zeewier en een kop thee. Het is benauwd. Grauwe wolken drijven over. Massa's mensen, bepakt met plunjezakken of karren voortduwend, haasten zich weg. Zelf bezit hij niets anders dan wat hij aanheeft en bij zich draagt. Hij heeft geen plan, hij heeft geen idee wat hij tot morgenochtend vroeg moet doen. Voor het eerst die dag voelt hij iets anders dan nerveuze vertwijfeling. Dit komt in de buurt van angst. En angst is moordend voor de geest, net als pijn. Aan het front had hij het ondervonden, hoe de rede op de loop gaat, een blind beest achterlaat, bereid tot alles om aan die angst en pijn te ontsnappen. Daarin waren ze gelijk geweest, soldaat, korporaal, generaal, op een enkeling na. Meestal een gek, heel soms iemand achter wie niemand uitzonderlijke moed gezocht had. Zij, zij alleen waren de echte helden, deze stuntelige, teruggetrokken figuren zonder macht, zonder geldingsdrang; zij hielden stand terwijl de officieren niet wisten hoe snel ze in de schuilkelders moesten komen. Tussen de wolken door schijnt kort en venijnig de zon en zet de stalletjes, de huizen en de vertrekkende treinen in een troebel licht.

Hij verlaat het plein om een geschikte plaats te zoeken, niet te ver bij het station vandaan zodat hij de volgende ochtend op tijd zal zijn voor een kaartje. Tijdens het lopen wordt zijn schouder steeds verder omhoog gedrukt door de kruk. Hij zwoegt voort als een vogelverschrikker waarvan de stokken uit het lood staan. Bij een braakliggend terrein rust hij op de stoep wat uit en verjaagt met zijn kruk kakkerlakken zo groot als sigarenstompjes.

Meer en meer trekt de hemel dicht, donker en dreigend. Maar in plaats van verkoeling brengt het wolkendek een nog afmattendere hitte. Met zijn mouw veegt hij het zweet van zijn gezicht. De eerste regendruppels vallen neer.

'Hé, maat,' klinkt het naast hem.

Hij kijkt omhoog. Er staat een jonge vent met glanzend, achterovergekamd haar. Een windvlaag blaast het overhemd van de man open en plooit zijn broek vol vlekken en rafels, maar zijn ogen knipperen niet.

'Waar ga je heen?' wil de man weten.

'Waar ik heen ga? Naar huis. Morgen, als ik een treinkaartje voor de Chuo-lijn heb gekocht.'

'Dan moet je vroeg zijn, maat.'

'Dat heb ik begrepen.'

'Of iemand kennen die achter het loket werkt.' De man diept een pakje Golden Bat uit zijn broekzak op en biedt hem een sigaret aan. Hij zakt door zijn knieën en maakt van zijn handen een kommetje om Hideki een vuurtje te geven.

'Ben je nu pas gerepatrieerd?' vraagt de man.

'Een halfjaar geleden al, maar ik belandde rechtstreeks in het ziekenhuis.'

'Waar kwam je vandaan?'

'China.' De rook prikt in zijn longen. 'En jij?'

'De Zuidzee-eilanden. Er was op het laatst helemaal niets meer te eten, geen korrel rijst, geen sprinkhaan. Een luitenant is daar door zijn eigen onderdeel opgevreten.' Hij tuurt de weg af. 'Wat is er met je gezicht gebeurd?'

'Ik zat achter in een vrachtwagen. Het was allemaal al voorbij. Maar de communisten hadden een afscheidscadeau voor ons. Onze vrachtwagen werd met bazooka's opgeblazen. Mijn gezicht een open stuk vlees en mijn been verbrijzeld. In het krijgsgevangenenkamp ben ik door mijn maten in leven gehouden.' Hij blaast de rook uit. 'Dit is mijn eerste sigaret sinds tijden. Dank je.'

'Honderd yen doet een pakje vandaag de dag. Een leraar verdient driehonderd per maand.'

'Dat is krankzinnig.'

De man knikt. 'Welkom thuis. Heb je iets te ruilen?'

'Nee, ik denk het niet.'

'Een horloge, een ring, slaaptabletten, pijnstillers?'

'Nee, niets.'

'Wil je saffies kopen?'

'Nee, dank je.'

'Je krijgt ze liever gratis, zeker?'

'Nee, sorry, ik dacht…'

'Maakt niet uit. Ik ken iemand die achter het loket werkt, het kost wat extra, maar dan hoef je niet vier uur in de rij te staan, met het risico dat je alsnog naast een kaartje grijpt.'

Hij zwijgt. Hij weet niet goed wat hij van deze man moet denken.

'Het hoeft niet, hoor.' De man kijkt omhoog. Naar de dichte massa donderwolken die maar blijven komen aanzetten vanaf de baai. Een gele, droge bliksem flitst boven zijn hoofd en kronkelt in de lucht, maar zonder geluid.

'Waar slaap je vannacht?'

'Weet ik nog niet.'

'Ik zou er maar niet te lang over nadenken, want het wordt beestachtig weer.' De man zuigt aan zijn sigaret, inhaleert diep en houdt de rook lang vast. 'Daar zit je nou, in dat oude rotuniform. Je was bereid te sterven voor de vlag en de keizer, en toch moet je helemaal achter aansluiten. Was je niet liever in die legerwagen de pijp uit gegaan?'

Zonder een antwoord af te wachten, loopt de man verder, in de richting van een aftandse bestelauto met een open laadbak, waar hij met de chauffeur een praatje maakt terwijl hij zijn pakje sigaretten tevoorschijn haalt. Hideki kijkt toe vanaf zijn plek op de stoep. De regen valt in schuine banen omlaag. Het water lekt vanaf zijn kraag zijn nek in als de man weer terugkeert.

'Weet je het al, soldaat?' vraagt de man. 'Als je niet te hoge eisen stelt en belooft me niet op mijn zenuwen te werken, kan ik je aan een slaapplaats helpen.'

'Is het ver?'

'Te ver voor een hinkepoot.' Hij knikt met zijn hoofd naar de bestelauto. 'Ik heb voor vijf sigaretten een lift geregeld.'

'En morgen? Ik moet morgenochtend vroeg op het station zijn.'

'Mag ik je een raad geven?' Hij gnuift. 'Eén dag tegelijk, maat.'

Zonder nog iets te zeggen, draait hij zich om en loopt naar de bestelauto. Hideki aarzelt even en komt dan moeizaam overeind. Met zijn kruk tast hij de natte, gladde stenen af om niet uit te glijden en hinkt achter de man aan.

In de laadbak, met een zeil over hun hoofd getrokken, leunen de man en hij tegen theekisten en jutezakken. Deze straten en ingestorte huizen, ze lijken allemaal hetzelfde voor hem. Kruisingen, viaducten, kanalen, en dan weer nog meer natte straten met nog meer natte mensen. Hij loert van onder de rand van het zeil, op zoek naar het grote park waar ze werden uitgezwaaid met banieren en een muziekkapel en busladingen schoolkinderen die zongen en zwaaiden met hun vlaggetjes, op die verre, triomfantelijke dag. De avond valt en bliksemflitsen verlichten de donkerende hemel, vertakken zich en doven ver achter de huizen uit.

'Hoe heet je, maat?' vraagt de man.

'Hideki.'

'Toru.'

Ze schudden elkaar de hand. Hideki wendt zich van Toru af en tast in zijn broekzak om er voorzichtig een biljet uit te trekken. Maar het lukt hem niet, hij kan ze niet van elkaar krijgen zonder ze allemaal uit zijn zak te vissen. Toru ziet zijn gestuntel en kijkt de andere kant op. Snel pakt Hideki een briefje van vijftig yen en stopt de rest weer terug in zijn zak.

'Hier, voor de sigaret.'

'Het hoeft niet,' zegt Toru.

'Jawel, je hebt de chauffeur ook gegeven.'

'Dank je, maat,' zegt Toru en neemt het biljet van hem aan.

Na een poosje stopt de wagen en klimmen ze uit de laadbak. Te voet gaan ze verder en al snel worden ze opgeslokt door smalle donkere straatjes. Zijn kruk en soldatenkistjes zakken weg in de modder. Het wordt steeds drukker op straat. Kerels met opgeslagen kragen staan met hun ruggen tegen muren gedrukt en volgen hem met hun ogen. Ze naderen een bar waarvan het neon uithangbord niet brandt. Achter het gordijn in de deuropening klinkt muziek.

'Waar gaan we heen?' vraagt hij.

'Maak je niet druk.'

Toru buigt voor twee militairen die met hun armen over elkaars schouder naar buiten komen, en hij volgt zijn voorbeeld. In de bar wordt gedanst. Een Amerikaan tilt een gillend meisje van de vloer en zwaait haar hoog op.

'Dat noemen ze vrede,' mompelt Toru.

Tegen het eind van de oorlog was Hideki voorgehouden dat ze niet mochten opgeven, nooit. Anders zouden de Amerikanen Japan en het Japanse volk van de aardbodem vagen. Het was anders gegaan: hij, en hij niet alleen, leeft nog en de Amerikanen dansen met hun meisjes.

Ze trekken verder in de regen, door soortgelijke straatjes met bars en salons. Waar hij ook kijkt, overal is diezelfde opdringerige vermenging van muziek, sigarettenrook en sissende meisjes met opgekamd haar. Hij begrijpt niets van deze stad. Alsof hij halverwege de film de bioscoop is binnengelopen. Hij wil hier weg.

'Hoe ver is het nog?' vraagt hij.

'Bevalt het je niet wat je ziet?' lacht Toru. 'Wen er maar aan.' Toru lijken deze donkere, groteske straatjes juist energie te geven, alsof er een aantrekkelijk soort spanning op hem overslaat.

Bij een huisje met houten platen voor de ramen maant Toru hem te wachten en gaat zelf naar binnen. Hij staat voor de deur en denkt aan de volgende ochtend. Niets mag hem ervan weerhouden om uit Tokio weg te komen. Als Toru weer naar buiten komt, is hij in het gezelschap van een meisje in een gebloemde rok. Ze houdt een stuk karton als regenscherm boven haar hoofd en lijkt oogcontact met Hideki welbewust te vermijden, waardoor hij haar gezicht niet goed kan onderscheiden. In stilte lopen ze verder en het kost hem steeds meer moeite om die twee bij te houden.

'Gaat het, maat?' informeert Toru. 'Nog een kwartier volhouden, dan zijn we er.'

Af en toe werpt hij een blik opzij, maar geen enkele keer kijkt het meisje terug. Op de vrouwenafdeling van het ziekenhuis waren meisjes opgenomen met god mag weten wat onder de leden. Eenzame zielen die vanuit de provincie naar Tokio waren getrokken op zoek naar een beter leven. Ze hadden er geen vrienden en geen familie. Volgens de verpleegsters hadden ze alles achter zich gelaten. Misschien was dit zo'n meisje, een meisje dat hier eigenlijk niet thuishoorde. Net als hij. Met dit verschil dat hij morgen terug naar huis ging.

Ze bereiken een brede weg waar de lantaarns allemaal branden en opvallend veel Amerikaanse legervoertuigen rijden. De kruk pookt in zijn oksel. Zijn slechte been voelt zwaar als lood. Hij kijkt recht voor zich uit. Donkere vlekken dansen voor zijn ogen.

Juist als hij denkt dat hij flauw gaat vallen, blijven ze tegenover een groot gebouw van baksteen aan de andere kant van de straat staan. Voor een draaideur van glas weerspiegelt een vijver de lichten van smeedijzeren buitenlampen. 'Hotel', leest hij op de gevel.

'Niet weggaan,' zegt Toru tegen hem, 'het kan even duren, maar ik kom terug.' En dan tegen het meisje: 'Ik ga eerst.'

Met zijn handen in zijn zakken steekt Toru de straat over, het meisje en Hideki achterlatend.

Voor het eerst kijkt het meisje hem aan. 'Hoe heet je?' wil ze weten.

'Hideki. En jij?'

'Etsu.'

Ze heeft een zachte, bijna kinderlijke stem.

Toru staat inmiddels aan de overkant en wenkt het meisje met zijn hoofd. Etsu kijkt naar Toru en dan weer naar Hideki. Het is niet alleen maar gelaten moedeloosheid die hij in haar ogen opmerkt, er ligt ook een smekende vraag in, een eis waaraan hij kan beantwoorden noch ontsnappen. Dan steekt ze de straat over en hij kijkt haar na. Haar gebloemde rok plakt als een kletsnatte vaatdoek aan haar magere benen vast.

Als Toru en het meisje in een zijstraat verdwenen zijn, leunt hij met beide handen zwaar op zijn kruk en vergaapt hij zich aan het hotel met de lichtjes en het glas in lood. De stenen muren zijn niet recht en glad, maar bestaan uit vele verspringende lagen, met plastisch uitgelichte zuilen en nissen. Als er een auto stopt, haast de portier, gehuld in zijn uniform met gouden tressen en epauletten, zich er met paraplu heen. Uit de auto's stappen westerse mannen met gezichten als gekookte hammen en hun vrouwen in avondkleding.

Tegen de tijd dat Toru terugkeert – zonder het meisje – zit hij op straat, uitgeput als een bedelaar zonder dak. Misschien heeft hij zelfs wel even geslapen. Moeizaam krabbelt hij op en volgt Toru naar de overkant van de straat.

'Waar is ze?' vraagt hij, nauwelijks in staat Toru's hoge tempo bij te benen als ze de ene straathoek na de andere omgaan tot ze een braakliggend stuk terrein met bergen puin bereiken.

'Afgeleverd,' luidt het antwoord.

'Waar?' vraagt hij.

'Het hotel. Hier wachten.' Met een gespreide hand op zijn borstbeen houdt Toru hem tegen. In het donker verschuilen ze zich gebukt achter een berg stenen en zand.

'Bij wie,' fluistert hij, 'wat moet ze in het hotel?'

'Een potje schaken, sst! Zie je die MP daar?' Toru wijst naar een man die met een geweer tegen zijn schouder langs een muur van baksteen loopt, de achtergevel van het hotel, lijkt het.

Hij knikt.

'Zodra hij de hoek omslaat, gaan we.'

'Waarheen?' vraagt hij, maar Toru knikt met zijn hoofd ten teken dat het zover is en begint te lopen. Weer zit er niets anders voor hem op dan Toru te volgen. Tussen enkele kieptonnen door bereiken ze een deur in de achtergevel van het hotel waarop een bordje met 'dienstingang' hangt. En even denkt hij dat ze hier naar binnen zullen gaan. Maar Toru is al doorgelopen naar een hoog hek van bamboestokken dat tegen de muur leunt. Onder zijn soldatenlaarzen maakt het plaveisel plaats voor een drabbige ondergrond waarin zijn kruk wegzakt. Toru trekt het met rietmatten bespannen hek naar zich toe en gebaart hem door de opening te glippen. Als ze beiden langs het hek zijn, tilt Toru het weer op zijn plaats. Een deel van de hotelmuur is hier ingestort, voor hen is een gat van enige meters. Snel en behendig laat Toru zich erin afzakken.

Hijzelf staat nog aan de rand van het donkere gat dat dreigend als een hellepoort onder hem gaapt. 'Wat is dit?' brengt hij met een geknepen stem uit.

'Geen zorg, maat,' zegt Toru en steekt zijn hand naar hem uit. Hij laat zijn kruk los en werpt hem in het gat. Nog eenmaal haalt hij diep adem en dan grijpt hij de uitgestoken

35

hand van Toru, die koel en ruw aanvoelt. Het volgende moment laat hij zich met zijn rug over het zand het gat in glijden. Het is alsof hij in een put valt. Op de bodem zakt hij door zijn benen. De duisternis is nu volledig. Een plek zonder licht, zonder hoop.

4

Na het spoorviaduct bereiken ze de buurt waar tussen de verkoolde ruïnes enkele gebouwen staan die de bombardementen en branden op wonderbaarlijke wijze doorstaan hebben. Borden met de tekst *Off Limits* waarschuwen de GI's dat ze hier niets dan een douw van de militaire politie en een druiper made in Japan te zoeken hebben. Met zijn zakdoek dept hij het zweet in zijn nek. Weer houden de ogen van sergeant Benson hem in het spiegeltje in de gaten. Alsof zijn chauffeur aanvoelt wat hij zoekt, want zonder dat hij erom vraagt, begint de auto langzamer te rijden. Vanaf zijn plekje op de achterbank kijkt hij naar de meisjes op straat. Haar hier terugvinden is onwaarschijnlijk, maar van opgeven wil hij nog niet weten. Hij ziet zichzelf graag als een man die gedijt op kansen, hoe klein ook. De meisjes verdwijnen, zei de oude man. Maar waarheen? Op een vlak en leeg stuk grond staat een enkele muur die als een scherm los in de ruimte lijkt te hangen. Het licht van de koplampen glijdt langs onkruid. In een olievat brandt een vuur. De dansende vlammen boven de rand werpen hun oranjeachtige gloed als nachtvlinders op de gezichten van drie meisjes. Hij laat sergeant Benson een stukje verder rijden en stapt uit.

Steengruis kraakt onder zijn schoenen als hij het olievat met vuur nadert. Met kloppend hart herinnert hij zich de waarschuwing van de Nederlandse ambassadeur. 'Ga onder geen voorwaarde alleen op pad.' Nooit heeft hij zich aangetrokken gevoeld tot de armoedige, rauwe wereld van de achterbuurt. Naast de wereld waarin hij leeft, het leven dat hij met grote inspanning en toewijding heeft opgebouwd, voelt hij zich alleen thuis in de strenge en heldere wereld van de rechtszaal en de wetboeken. Daarin kan hij zijn weg vinden. Hier in Tokio voelt hij geen enkele verbondenheid, noch met de straten en gebouwen, noch met de drie meisjes bij het vat die hun zwaar opgemaakte gezichten naar hem toe draaien. Alsof ze op hem stonden te wachten, komen ze hem tegemoet. Hun rode lippen en hun bloesjes die met de punten losjes op hun buik zijn vastgeknoopt doen hem denken aan de filmsterretjes in de Amerikaanse tijdschriften die in de hotellobby rondslingeren. Ze is er niet bij, stelt hij vast.

'Where you from?' vraagt een meisje op hakken en met een gebloemde rok. Haar langwerpig gesneden ogen schitteren onnatuurlijk.

'The Netherlands,' zegt hij.

'United States okay.' Ze blaast opmerkelijk veel lucht tussen haar tanden tijdens het spreken.

Het geluid van een auto achter de meisjes trekt hun aandacht. Een Amerikaanse jeep rijdt tot aan het vuur. Een van de meisjes roept: 'Hi Jim!' Samen met haar vriendin spoedt ze zich waggelend op haar hakken naar het voertuig. Met enthousiaste kreetjes begroeten ze de twee militairen, die loom uitstappen. Het meisje dat hem heeft aangesproken lijkt even te twijfelen of ze haar collega's zal volgen, maar dan geeft ze hem zonder iets te vragen een arm.

'Waar gaan we heen?' wil hij weten als hij merkt dat ze hem meevoert.

'Alles schoon,' zegt ze, 'United States okay.'

'Ken je een meisje dat Yuki heet?' vraagt hij.

'Yuki?' herhaalt ze. 'Yuki okay.'

Dit is zinloos. Hij aarzelt of hij zal terugkeren naar zijn wagen. Er schijnen in Tokio ook chique huizen van plezier te zijn, met geisha's die eerst muziek maken en thee schenken en pas daarna hun door de overheid op bordeelziekten gecontroleerde lichaam laten spreken. Het meisje trekt hem bezitterig mee. Het is donker en stil op straat. Twee kinderen met smerige gezichten en op blote voeten komen uit het donker naar voren, klein, mager en op hun hoede. Het meisje drukt zich tegen hem aan. Haar deinende en schurende heup lijkt hem, alsof dat nog nodig is, van een zekere seksuele avontuurlijkheid te willen overtuigen. In de verte, waar een enkele lantaarn brandt, klinkt gitaarmuziek.

'Sigaretten?' vraagt het meisje.

Hij biedt haar een sigaret aan en kijkt naar haar opgestoken haar terwijl ze zich vooroverbuigt naar het vlammetje van zijn aansteker.

'Lucky Strike okay,' klinkt haar stem enthousiast.

Hij laat haar het pakje houden.

Bij een huisje met houten muren gaat ze hem voor door een gordijn. In de hal zit een oude vrouw met een brutale blik in haar ogen. Wijdbeens hangt ze onderuit voor een grote ventilator en ze werkt met stokjes in zeewier gewikkelde rijstballen uit een kom naar binnen. Op de gang boven liggen aan weerszijden kleine kamers, afgeschermd door wanden van riet. Uit een van de kamertjes stapt een roodharige Amerikaanse GI met sproeten op zijn ronde gezicht. In het kamertje ligt een naakt meisje op de futon op de vloer. Hij schrikt, zo jong is het magere kind dat op haar buik ligt en als in trance voor zich uit staart. Als hij en de Amerikaan in de nauwe gang borst aan borst langs elkaar schuiven, kijken ze elkaar even aan. Aan het eind van de gang volgt hij zijn meisje een kamertje in, waarbij hij moet bukken om zijn hoofd niet te stoten. Er ligt een bevlekte futon op de vloer en er staan een houten bademmer met water en een kabouterkruk. De rieten wanden ruiken naar antiseptische middelen. Erachter klinkt gekreun. Het meisje legt een sprei over de futon. Ze kleden zich uit.

'Jij grote man.' Naakt nadert ze het krukje waarop hij zit. 'United States okay.'

Hij herinnert zich de vriendelijke, ingetogen stem. De handen die zijn rug hadden gemasseerd. Ze rook naar amandel. In de warmte waarmee ze hem in het huis van de oude mensen had behandeld ontdekte hij ook een serene koelheid, een terughoudendheid die hij waardeerde, omdat ze gepast en oprecht leek.

'Hoe heet je?' vraagt hij aan het meisje.

'Kumi.'

Ze doet nog een geruisloze stap in zijn richting, drukt nu bijna haar naakte, platte buik tegen zijn gezicht.

'Hoe oud ben je?' vraagt hij.

'Negentien? Okay? United States okay,' vervolgt ze.

Het gekreun in het andere kamertje neemt toe en gaat over in een diep gegrom. Ze knielt voor hem neer en werkt zich tussen zijn behaarde dijen. Hij leunt achterover tegen de klamme muur.

'Okay?' Onzeker kijkt ze in de halfschemer naar hem op.

'Het spijt me.' Hij komt overeind en kleedt zich aan. De biljetten die hij in haar hand drukt lijken haar teleurstelling te temperen.

In de nacht gaat hij op zoek naar sergeant Benson.

In het hotel staat hij voor de tweede keer die avond onder de douche en overdenkt zijn vergissing. Hij is een gelukkig man, die zekerheid heeft hem zelfs tijdens dit moment niet verlaten. Op achtendertigjarige leeftijd loopt hij voor op de plannen die hij in zijn leven heeft gemaakt, op alles waarop hij heeft gehoopt. Hij heeft een intelligente vrouw uit een goed milieu, hij heeft een dochter en twee zoons, waarvan de jongste, Basje, last van benauwdheid heeft, maar zijn zwager, hoofd van het Academisch Ziekenhuis in Utrecht, heeft hem verzekerd dat hij daaroverheen zal groeien. Hij is rechter in Breda en Middelburg geweest, en als hoogleraar Nederlands-Indisch recht in Leiden heeft hij twee invloedrijke werken op zijn naam staan. Buitenlandse Zaken heeft hem naar Tokio uitgezonden.

Een halfjaar had hij het zonder zijn vrouw of een meisje volgehouden. Toen het eenmaal duidelijk werd dat hij veel langer van huis zou zijn, besefte hij dat hij aan zijn fysieke behoeften tegemoet moest komen. Lijden onder zijn natuurlijke hunkering zou hem afleiden van zijn werk, zou van Dorien de vrouw maken die tussen hem en de bevrediging van zijn lichaam in stond. Door een net, geschikt meisje te vinden dat hij eenmaal per week kon ontmoeten zonder dat er liefde in het spel was, zou hij zijn lichaam helpen om het zijn geest mogelijk te maken op een zuivere manier aan Dorien te blijven denken. Misschien dat hij het haar allemaal zou uitleggen als hij terug in Nederland was.

Maar zijn ervaring in dat van wandluizen en vlekken vergeven kamertje had die verwachtingen aan stukken geslagen. Hij had zich vergist, vunzigheid verward met erotiek. Nooit heeft hij zich laten demoraliseren door laagheid, door smerigheid, noch in zijn jeugd, noch later als rechter. Ook nu zal dat niet gebeuren.

Hij zet een grammofoonplaat van Beethovens vijfde pianoconcert op en schrijft een brief aan zijn jongste dochter, die zal moeten worden voorgelezen door Dorien omdat ze nog maar drie jaar oud is. Hij maakt er een tekening bij van de Japanse man die hij heeft gezien, met de puntige strohoed en over zijn schouder de stok met draagmanden. Dan schrijft hij een brief aan zijn jongste zoon, gevolgd door een uitgebreidere aan zijn oudste. Tot in detail beschrijft hij de grote lotusbloemen die in de vijver van het park bloeien, zijn ritten te paard in de ochtendnevel, de baby's die door jonge moeders in doeken op de rug gedragen worden. Beide jongens drukt hij op het hart hun best op school te doen en hun moeder zo veel mogelijk bij te staan met huishoudelijke karweitjes. Tot slot schrijft hij een brief van drie vellen aan Dorien. Hij zet de plaat opnieuw op en, opgaand in het uitbundige en verheven concert, leest hij de brieven na, woord voor woord.

Diep in de nacht zet hij zijn naam onder de laatste brief. De hitte hangt nog steeds zwaar in de kamer als hij het bedlampje uitdoet. In de duisternis klinkt een ijzingwekkende kreet, en na een korte stilte nog een die in gekerm lijkt over te gaan. Iemand, een vrouw, lijkt in nood en pijn. Vrouwenbezoek in de hotelkamers ontvangen is verboden, maar met die huisregel schijnt de hand te worden gelicht. Het gerucht gaat dat de piccolo's tegen betaling via de dienstingang aan de achterkant van het hotel meisjes binnensmokkelen. In gedachten loopt hij de kamers op zijn etage af. Aan de overkant van de gang logeert sinds enige weken een tengere, zwijgzame Japanse man met waterige ogen, die witte kostuums met een bijpassende hoed draagt. Twee kamers verder aan zijn kant van de gang verblijft de Amerikaanse kolonel van wie beweerd wordt dat hij een hoge positie bij de inlichtingendienst bekleedt, maar niemand schijnt precies te weten wat hij in Tokio uitvoert, behalve dat hij handjecontantje Japanse meisjes op zijn kamer laat afleveren.

Het is stil nu. Misschien was het geluid niet afkomstig van

een wanhopig meisje op de kamer van de kolonel maar van
de zwerfkatten die volgens de manager van het hotel tussen
de aan de achterzijde van het gebouw openliggende fundamenten en kelders leven en geluidsoverlast veroorzaken. Ze
laten zich niet vangen, ze komen nooit onder de grond vandaan. Slechts in hun nachtelijke kreten van lust en strijd bestaan ze.

5

'De gasten worden vanaf zeven uur verwacht,' begint mevrouw Haffner haar instructies voor de soirée culturelle. De kapster is net vertrokken. Van het blonde, met bijna witte strepen doorschoten haar heeft ze een waar kunstwerk gemaakt, hoog opgestoken en aan de achterkant in een volmaakte omgekrulde golf vastgezet met een klem van schildpadleer. Rijzig, naar Japanse maatstaven reusachtig voor een vrouw, en met een immer blinkend licht in haar bleekblauwe ogen staat mevrouw Haffner naast de concertvleugel, die is afgedekt met een doek van zijde. Michiko is nog net zo onder de indruk van haar uitstraling als tijdens haar kennismaking met de grande dame van de klassieke muziek op het conservatorium van Tokio, zes jaar geleden. Mevrouw Eva Haffner, muziekpedagoge, gaf er behalve piano- en klavecimbelles, ook zangles. Haar reputatie in kringen van muziekliefhebbers viel nauwelijks te overschatten. Door haar eigen optredens in de theaters en concertzalen en door haar kennis van de muziekliteratuur. Als lerares was ze zelfs tot het hof van de keizer doorgedrongen. Omdat Michiko's stem mevrouw Haffner deed denken aan haar in Europa wonende dochter, eveneens een klassiek vocaliste, groeide Michiko al snel uit tot haar beschermelinge. Dagelijks genoot ze bij mevrouw Haffner thuis privézangles, waarbij behalve haar stemgeluid ook haar lichaamshouding en mimiek strenge aandacht kregen. Daar bleef het niet bij, want al snel werd ze naar Tokio's meest vooraanstaande taleninstituut gestuurd om op kosten van mevrouw Haffner Engels en Duits te leren. Van meet af aan was duidelijk geweest dat ze grootse plannen met Michiko had.

'Ik verwacht veertien gasten, onder hen meneer Mitsui en zijn dochter, meneer en mevrouw Kawabata, en de hoofdredacteur van de *Asahi Shimbun*. Jij assisteert mevrouw Tsukahara met het aannemen van de jassen en het rondgaan met de aperitieven en de hapjes. Let erop dat de schoenen naar de dienstbodekamer worden verplaatst, ik wil absolute orde in de entree. Je draagt de turquoise kimono. Om acht uur start het programma met een jonge dichter die voorleest uit zijn bundel. Om halfnegen speel ik Chopins etude nummer elf. Daarna kom jij van achter het scherm op. Ik begeleid je op de vleugel. We doen Schuberts *Heidenröslein* en *Frühlingsglaube*, gevolgd door *Wiegenlied*. Zwarte jurk, zwarte schoenen, haar opgestoken, duidelijk?'

'Ja, mevrouw Haffner.'

'Nog één ding, meneer Mitsui heeft bloemen laten bezorgen. Ik wil ze in de grote vaas in de salon.'

In de keuken, bij mevrouw Tsukahara, die mopperend tussen het fornuis en de tafel met schalen alle kanten op schiet, eet ze soep met kleine garnalen en witte rijst. Ze kauwt en slikt langzaam, geniet van iedere hap, van iedere korrel die op haar tong smelt.

Dan, onder het oog van de courtisanes op de oude inkttekeningen aan de muur, werkt ze snel een voor een haar taken af. Om iets voor zevenen steekt ze gehuld in haar kimono de kaarsen in de salon en de hal aan. Buiten op de veranda steekt ze ook de gekleurde lampions aan, die aan draden tussen de bomen hangen. Ze blijft even staan en kijkt de voortuin in. Het grote, elegante huis in westerse stijl van mevrouw Haffner staat in een straat met bomen. Voor de bezetting woonden hier de Japanse families uit de betere kringen, maar zij hebben hun huizen moeten afstaan aan Amerikaanse generaals en westerse diplomaten. Mevrouw Haffner woonde toen al hier, met haar concertvleugel en haar uit Duitsland overgebrachte antieke klavecimbel. Zij is gebleven, heeft voor niemand plaatsgemaakt. Tijdens de oorlog bezochten belangrijke figuren haar huiskamerconcerten, recepties of soirées culturelles, waarop naast klassieke muziek ook de schone letteren op het programma stonden. De gasten waren voornamelijk Japanse industriëlen, diplomaten, bankiers of aristocratische cultuurliefhebbers, maar ook kunstenaars van naam. Soms ook landgenoten van mevrouw Haffner. Na de capitulatie, die van de Duitsers en de Japanners de verliezers hadden gemaakt, van de aloude, onaantastbare gezagsdragers de verdachten in de beklaagdenbank van het tribunaal, kon mevrouw Haffner gewoon doorgaan met wat ze al die jaren had gedaan. Voor haar lijkt er niets veranderd. Michiko weet dat er wordt gespeculeerd over mevrouw Haffners politieke voorkeuren. Er zijn mensen die geloven dat ze altijd tegen de nazi's is geweest, zoals ze zelf verkondigt, maar er zijn er ook die beweren dat de *ehrwürdige Professorin* ongeacht de hoek waaruit de politieke wind waait altijd goed bevoorraad wordt uit de winkels waar alleen de geprivilegieerden kunnen kopen.

Michiko buigt voor de gasten zonder ze recht aan te kijken en heet ze welkom. Hun jassen en schoenen brengt ze naar de dienstbodekamer. Ze serveert de delicate hapjes van mevrouw Tsukahara op zilveren, gegraveerde schalen. Zodra in de salon de jonge dichter met een hoog, theatraal geluid aan zijn voordracht over de seizoenen begint, trekt ze zich terug in haar kamer om zich te verkleden. De geelgroen glanzende tatami's op de vloer zijn nieuw, vullen de kleine ruimte met de geur van vers stro. Ze zijn afgebiesd met een boord van zachtroze zijde. Geen luizen hier, geen honger. De jurk die mevrouw Takeyama voor haar heeft vermaakt hangt klaar. Na de bombardementen had ze hem lang niet gedragen. Tot mevrouw Haffner haar vroeg om weer op te treden.

'Ik weet dat je denkt dat je het nog niet kunt,' zei mevrouw Haffner toen ze haar bedrukte gezicht opmerkte, 'maar ik wil toch dat je het doet. Je mag je stem niet voor jezelf houden, anders kan ik niets meer voor je doen. Het is de essentie van kunst dat je een publiek hebt, en dat wat je hebt meegemaakt je kunst naar een hoger plan brengt. Het hoeft technisch niet volmaakt te zijn, maar ik eis van je dat je zingt wat je voelt.'

Sinds het verlies van haar familie twee maanden eerder had ze niet meer voor publiek gezongen. Ze wist zeker dat ze hopeloos zou falen.

Die avond stonden in de salon minder stoelen dan gewoonlijk. Geen ontvangst vooraf, geen hapjes en drankjes. Het luchtalarm loeide en mevrouw Haffner liep nerveus heen en weer tussen de salon en de voordeur. Kort na het alles-veiligsignaal reden drie zwarte auto's met grote snelheid de straat in.

Ze wachtte in de kamer naast de salon tot ze het sein kreeg om binnen te komen. Mevrouw Haffner zat achter haar concertvleugel. De elektriciteit was uitgevallen; alleen de kaarsen verlichtten de ruimte. Er waren niet meer dan zes, zeven gasten aanwezig, Duitsers, hun gezichten vol schaduwen stonden kil en gespannen. Het waren niet de eerste buitenlanders die ze hier in huis tegenkwam. Ze was inmiddels gewend aan de vrouwen met hun forse neuzen en

47

lange jurken en de grote, zelfverzekerde mannen in hun donkere kostuums. Maar op dat moment durfde ze nauwelijks in hun richting te kijken. Er hing een ongrijpbare, dreigende sfeer alsof het luchtalarm ieder moment weer zou afgaan. Mevrouw speelde de eerste maten van Mozarts *Wiegenlied*. Zij viel in. Ze zong, onzeker over haar timbre, onzeker of ze in de taal van haar publiek de geest en de atmosfeer van het lied wist over te brengen. Ze sloot af met *Heidenröslein*, waarna een doodse stilte volgde. Ze voelde dat ze gefaald had, maar toen klonk een zacht gesnik. Ze keek op en zag in het kaarslicht een van de vrouwen met een zakdoek voor haar mond. En ook de man op de eerste rij, die ze, nu ze wat langer durfde te kijken, herkende als de Duitse ambassadeur, keek verdrietig. Zwijgend kwamen de mannen en vrouwen overeind en verlieten de salon. Even later hoorde ze de wagens wegrijden. Verstijfd wachtte ze de terugkeer van mevrouw Haffner af, voorbereid op een reprimande over haar ondermaatse prestatie.

'Dank je voor je optreden,' zei mevrouw Haffner toen ze in haar lange jurk de salon binnenkwam. 'De Duitse ambassade heeft vanmiddag het nieuws ontvangen dat ons vaderland zich heeft overgegeven. We hebben ons land verloren.'

Michiko's glanzende haar is gekamd en opgestoken. In haar zwarte jurk luistert ze naar het pianospel van mevrouw Eva in de salon, Chopin. Achter de schuifpanelen waarvan het latwerk met papier is bespannen wacht ze het slotakkoord af. Aan de andere kant van de panelen zitten vanavond geen Duitsers maar Japanners. Ze zal dezelfde liederen zingen als toen. In dezelfde jurk. Op de dag af een jaar nadat de keizer op de radio heeft gesproken. Opnieuw zal ze zingen voor de verliezers.

6

In de duisternis, nauwelijks in staat een rilling te onderdrukken, kruipt Hideki achter Toru aan door wat op een onderaardse gang lijkt. Hij kan niet begrijpen hoe hij hier terecht is gekomen, het enige wat hij wil is met de trein naar huis. Als een verdwaalde speleoloog die zich richt op een sprankje ver daglicht volgt hij het dansende vlammetje van Toru's aansteker. Zijn tastende handen raken de stenen fundering van het hotel. Met zijn hoofd naar voren werkt hij zich door een nauwte als door een baringskanaal. Hij schaaft zijn knieën aan de scherpe randen van kapotte stenen en snuift een bittere geur van kattenpis op in zijn prikkende longen. Hij sleept zijn slechte been door het gat en belandt in een ondergrondse ruimte van het hotel. Met behulp van zijn kruk werkt hij zich langs een klamme muur overeind. Toru steekt kaarsen aan, de nis waar ze zich bevinden, ergens tussen de fundamenten en de kelder van het hotel, aan de duisternis onttrekkend. Op de ruwe betonnen vloer liggen onder een afvoerbuis een opgerolde futon met een deken en nog wat spulletjes.

'Was je bang?' Toru's stem klinkt hees. Hij klopt het zand van zijn knieën en gaat rechtop staan.

'Waarvoor?' vraagt hij.

'Voor wat er kon gebeuren.'

'Nee,' liegt hij. 'Wat er kon gebeuren, is me al overkomen. In Mantsjoerije.'

'De geharde oorlogsheld spreekt.' Toru knikt langzaam en rolt dan de futon uit. 'Rust maar even uit, dat is het minste wat een vermoeide strijder mag verwachten.'

Hij strekt zijn afgematte lichaam uit op de futon en met zijn handen in zijn nek gevouwen kijkt hij toe hoe Toru in een metalen kroes water kookt op een spiritusbrander.

'Toen de Amerikanen ons eiland in de Zuidzee innamen, verstopten we ons in grotten en tunnels,' zegt Toru. 'Maar ze bliezen gewoon hele heuvels op en alles stortte in. Ik kon ze horen, mijn maten, bedolven onder de grond. Weet je wat voor geluid een rat maakt op het moment dat hij zijn nek breekt in een val? Zo klonk het, als honderden stervende ratten.'

Toru neemt een slok en geeft de gebutste kroes aan hem door. Hideki gaat zitten, zet zijn lippen aan de rand en drinkt de hete thee. 'Woon je hier?' vraagt hij nadat hij een slokje heeft genomen.

'Ziet het daarnaar uit?' Een spottend lachje speelt om Toru's mond. 'Dit is een van de plekken waar ik slaap.'

'Waar is het meisje?'

'Op een betere plek dan dit, de kamers schijnen een groot bad met warm water te hebben. Verder weet ik niets. Ik lever ze alleen maar af en een knaap die in het hotel werkt zorgt voor de rest.'

Hideki schudt zijn hoofd. 'Dat is vreselijk.'

Toru's mond hangt een beetje open en zijn tanden glinsteren in het kaarslicht. Hij kijkt voor zich uit en er is iets in zijn ogen, alsof hij iets ziet wat voor Hideki verborgen blijft.

'Weet je,' zegt Toru na een poosje, 'we moeten opnieuw beginnen. Niet te veel piekeren, zou ik je willen adviseren, grijp je kansen.'

Ergens in de gewelven van de kelder klinkt een ijzige kreet. 'Wat is dat?' vraagt Hideki verschrikt.

'Het stikt hier van de katten.' Uit zijn broekzak haalt Toru een mes. Hij vouwt een doekje open waarin een plat stuk gebakken deeg ligt. Hij snijdt het doormidden en geeft hem een stuk.

'Crackers, noemen de Amerikanen het. Niet echt smakelijk, maar het stilt de honger.'

In de droom is hij met zijn moeder en zuster bij het badhuisje langs de rivier. De stroom ligt in verblindende pracht te schitteren. Ze kijken naar het ruisende water dat over de grote, platte stenen schiet. Er klopt iets niet, want hij is een jaar of vijftien maar toch heeft hij zijn uniform aan, het is nog nieuw, inclusief de insignes en de duizendstekenriem. Het is alsof ze iets in het schuimende water zoeken, iets wat ieder moment voorbij kan drijven en niet onopgemerkt mag blijven. Daarna ligt hij ergens op een harde vloer, zijn lichaam doortrokken van pijn, en als in een ijlkoorts ziet hij de keizer in een stralend licht op hem neerkijken. Een galmende stem: 'Ben je bereid te sterven als de keizer je dat vraagt?' En alles is weer zoals het ooit was, teruggebracht tot die eenvoudige essentie van de keuze tussen verraad en trouw. Dit keer wil hij 'nee' zeggen, het lukt hem echter niet om te spreken. Hij strijdt tegen zijn falende spraak, gadegeslagen door de keizer die in een waas van licht nog steeds boven hem hangt. Zijn lichaam schudt heen en weer als hij wakker schiet van de schreeuw die aan zijn eigen mond ontsnapt. Hij weet dat hij belaagd wordt, dat iemand aan zijn broekzak zit, maar het duurt even voor hij beseft dat het Toru is. Hij rolt zich op zijn zij, maar Toru trekt hem ruw op zijn rug. Er volgt een worsteling, hij weigert zijn beschermende hand bij zijn broekzak met de bankbiljetten weg te halen en met zijn vrije hand weet hij Toru van zich af te slaan. Hij kronkelt bij zijn belager vandaan, maar Toru is alweer boven op hem en drukt zijn arm achterover, zet die klem onder een knie van staal. Met een grommend geluid diep in zijn keel tracht hij weg te draaien. Dan voelt hij zijn gezicht nat worden, ruikt hij de spiritusgeur in zijn neus, een fractie van een seconde voor zijn ogen beginnen te gloeien. Hij schreeuwt het uit en veegt zijn mouw langs zijn ogen. De hand van Toru glijdt in en uit zijn broekzak. Hij hoort de spiritusbrander naast hem op de vloer kletteren en ziet door een waas dat Toru met de bankbiljetten in zijn hand staat.

'Het spijt me, maat.' Toru's stem klinkt gedragen als van een priester die zijn gehoor een boodschap van het hogere brengt. Toru kijkt op hem neer en zegt: 'Morgen, probeer het morgen opnieuw.'

En dan grist Toru zijn kruk van de grond en verdwijnt ermee door het gat in de muur.

Het duurt lang voor hij de kracht en wil in zichzelf vindt om op te krabbelen en te gaan zitten. Met zijn rug tegen de muur staart hij naar de stompjes kaars, die hooguit nog een uurtje licht zullen geven. Een uur om na te denken over hoe hij zo stom heeft kunnen zijn en hoe het nu verder moet. Zonder zijn kruk de kuil aan de straatkant uit klimmen lijkt hem een vrijwel onmogelijke opgave. Zonder kruk en zonder geld op tijd het station bereiken, is uitgesloten. Hij staart naar de kaarsen en concentreert zich. De rest van zijn leven zal hij het moeten stellen met dat waardeloze lichaam van hem. Alles zal steeds opnieuw op zijn geest aankomen. Hij is maar de zoon van een bosarbeider uit een klein bergdorp in de prefectuur Nagano, niet gemaakt of geschoold voor ingewikkelde vraagstukken. In de tijd dat ze geroepen werden om de wapens op te nemen had hij alles geloofd wat hem verteld werd over de mythische gevechten van verleden tegen heden, van vaderlandsliefde tegen lafheid. Als alle anderen had hij zich zonder eigen gedachten laten opzwepen tot haat en bereidheid om te doden, desnoods gedood te worden. Maar nu zit hij hier opgesloten en moet hij zelf een oplossing voor zijn problemen bedenken. Niemand die hem komt vertellen wat hij moet doen.

De kaarsen smelten langzaam weg.

Er is een tijdperk afgesloten, voelt hij, ofschoon hij geen idee heeft wat ervoor in de plaats zal komen. En de verandering gaat niet alleen hem aan, die betreft iets veel groters. De oorlog was zo anders dan hij zich voorgesteld had maar misschien is de vrede nog veel vreemder.

In de afvoerbuis boven zijn hoofd klinken stemmen, gedempt en op afstand, lijkt het. Met grote inspanning luistert hij naar het gezoem als van bijen in een korf. Hij stelt zich het meisje, Etsu, voor in een van de hotelkamers. Half dommelend staart hij naar de vlammetjes tot hij in volledige duisternis voor de tweede keer die nacht wakker schrikt. Hij weet niet hoe laat het is, maar het is tijd. Op handen en voeten zoekt hij naar het gat in de muur.

In zijn slaap had Brink de donder gehoord en de wind die de takken van de bananenboom tegen zijn balkon zwiepte. Hij kon de regen ruiken, die zijn kamer vulde met herinneringen aan de Brabantse akkers van zijn jeugd, de diepe, volgelopen wielsporen en de natte zwartbonte koeien. Een onverklaarbare heimwee was diep in hem doorgedrongen toen hij wakker werd van een ijzige kreet. Hij stond op en liep naar het raam, waar zijn smoking te luchten hing. De vochtige nevel sloeg neer op zijn handen en zijn gezicht. In de verte sloeg de bliksem in op de bovenste verdieping van een hoog gebouw met een geluid alsof de muren ervan in tweeën scheurden. En weer klonk die kreet, een schreeuw, van een vrouw of een meisje. Hij belde naar de receptie en vroeg of ze konden uitzoeken wat er gaande was. Daarna stapte hij in bed en viel bij het ruisen van de regen weer in slaap.

Hij herinnert zich de donder en de schreeuwen als hij bij het raam zijn rijbroek en hoge laarzen aantrekt. De tuin van het hotel glinstert in het ochtendlicht. Twee jongens in hoteluniform zetten omgevallen stoelen recht en vegen de scherven van bloempotten bij elkaar. Regendruppels lekken van de dakgoot omlaag en maken een tikkend geluid als ze de grote bladeren van de dakmoerbei treffen. Voor hij zijn kamer verlaat, blijft hij even voor de spiegel staan en bekijkt de foto van zijn vrouw en kinderen die achter de lijst is geschoven. Iedere ochtend opnieuw bewijzen zijn kinderen dat zijn opofferingen in het verleden de moeite waard zijn geweest. Hun genealogische route is een betere dan de zijne.

Zijn wagen staat voor de ingang van het hotel, maar vreemd genoeg is sergeant Benson nergens te bekennen. In de zuurstofrijke ochtendlucht speurt hij de straat af. Een ambulance komt in zijn richting gereden en slaat een zijstraat in. Van de portier verneemt hij dat sergeant Benson zich hoogstwaarschijnlijk aan de achterzijde van het hotel bevindt.

Daar treft hij behalve de ambulance een jeep van de Amerikaanse MP aan. Te midden van een groepje mannen ontdekt hij zijn chauffeur, die evenals de anderen het gesprek tussen de MP's en twee in sleetse uniformen van de Tokiose politie gestoken mannen met opschrijfboekjes probeert te volgen. Het kost ze ondanks de tolk zo'n moeite om elkaar te begrijpen dat geen van hen oog heeft voor het lichaam dat op enkele meters afstand onder een laken ligt. Twee voeten, bloot en smal, steken uit en langs de zijkant van het laken schemert een strook stof met bloemmotief. Het zou de rok van het meisje dat hem op straat oppikte en meevoerde naar het armoedige hoerenhuis kunnen zijn.

Hij spreekt de Amerikaanse MP die regelmatig voor de entree van het hotel op wacht staat aan.

'Wat is er gebeurd?' wil hij weten.

'Een schoonmaakster heeft een meisje gevonden,' zegt de MP.

De ambulancemedewerkers leggen een brancard naast het afgedekte lichaam neer. Een van de mannen hurkt, slaat het laken weg en tilt haar met zijn collega de brancard op. Met enkele onzekere passen komt Brink dichterbij. Hij voorvoelt dat er geen genade zal zijn, dat hij niet gespaard zal worden. Het meisje ziet eruit als een slachtoffer van een verkeersongeval. De neus is geplet, vermorzeld alsof er een wiel overheen is gereden. Een oog puilt uit zijn gebroken oogkas. De huid onder de jukbeenderen is opengereten en in de hals tekenen zich paarse vlekken af. Achter rafels van nylonkousen schemeren haar benen, bezaaid met rauwe putjes die in het zonlicht lijken te leven als rijtjes volgezogen teken. Niet een auto maar een of andere maniak moet haar pad gekruist hebben. In het vale ochtendlicht dragen de mannen het meisje naar de ambulance. Ze is zo toegetakeld dat het niet meevalt om zeker te zijn van zijn zaak, maar de lengte van het met opgedroogd bloed doorschoten haar, kort, en de vorm van haar ledematen, stakerig, geven tezamen de doorslag. Ze heeft zo'n zelfde soort rok, maar dit vernielde wezen is niet Yuki, niet Kumi, niet iemand die hij kent.

Hij wendt zich weer tot de Amerikaanse MP. 'Ik weet niet of het iets met elkaar te maken heeft,' begint hij aarzelend, 'maar vannacht hoorde ik in het hotel een meisje of een vrouw schreeuwen, alsof ze werd afgetuigd.'

'Een Japans meisje?' vraagt de MP.

'Dat weet ik niet, ik heb haar niet gezien. Ik heb haar alleen maar gehoord. Ik slaap op de derde etage...' Hij twijfelt of hij de Amerikaanse kolonel op zijn verdieping moet noemen, maar nog voor hij een beslissing heeft kunnen nemen, is de MP al aan het woord.

'De collega's van de Tokiose politie hebben een verdachte aangehouden. Een piccolo van het hotel. Hij schijnt bij te verdienen als souteneur. Hij heeft eerder meisjes afgetuigd. En vannacht is hij op deze plek door een getuige gezien. Maar ik zal doorgeven dat u iets heeft gehoord.' Hij knikt kordaat. 'Prettige dag, rechter.'

De rit door het park biedt nauwelijks afleiding. Met het rijzen van de zon stijgt ook de hitte op, als een warme deken van vocht boven de gazons en vijvers. De stralen treffen hem recht in het gezicht. Hij geeft het zwetende paard de sporen en in galop schiet hij weg – achtervolgd door de beelden van het meisje.

Pas later die ochtend hervindt hij zijn kalmte. In het archief van het gerechtsgebouw haalt hij de blauwgrijze dossiermappen met publicaties en documenten op. Hij neemt plaats aan het tafeltje tussen de hoge dossierkasten van staal. Het is zaterdag en hij geniet van de stilte om hem heen. Geduldig neemt hij de papieren door: notulen van vergaderingen van het oorlogskabinet, afschriften van diplomatieke post en correspondentie tussen de regering in Tokio en de zetbazen in China, verslagen van besloten bijeenkomsten met de keizer, rapporten van inlichtingendiensten, analyses van buitenlandse diplomaten, zakenlui en geestelijken die het bloedbad van Nanking hebben meegemaakt. Hij vult bladzijde na bladzijde van zijn kladblok. Eigenlijk zou hij selectiever te werk moeten gaan, maar hij kan het niet laten om alles waar hij de hand op weet te leggen te lezen. Hij bladert in boeken, rapporten, zelfs in brochures van het ministerie van Landbouw uit die tijd. Hij wil de aanloop naar de oorlog begrijpen, het politieke en economische idioom uit die dagen doorgronden. Een van de aanklachten van het tribunaal luidt: 'Misdaden tegen de vrede'. Om die aanklacht te onderzoeken moet hij weten onder welke omstandigheden de Japanse regering tot het verklaren van de oorlog overging. Was het om de westerse kolonisatie in Azië terug te dringen en de bedreigde economische belangen van Japan veilig te stellen, zoals de militairen en machthebbers beweren, of was het, zoals de aanklagers stellen, uit gewelddadige, nietsontziende expansiedrift ten koste van de andere landen in de Oostelijke Pacific?

De aanklacht *misdaden tegen de vrede* bezorgt hem een ongemakkelijk gevoel. Niet omdat hij er principieel iets op tegen heeft. Integendeel, hij vindt het een stap voorwaarts in het internationaal strafrecht, dit beginsel dat het maken van plannen voor een agressieve oorlog of het voeren ervan strafbaar stelt. Maar het is een nieuw concept, zo groen dat hij zich afvraagt of er al voldoende juridische onderbouwing voor bestaat. Net als zijn collega's heeft hij het handvest van het tribunaal, inclusief deze dubieuze aanklacht, ondertekend. Heeft hij daar goed aan gedaan? Hij weet gewoon te weinig van volkenrecht en alle internationale verdragen om zeker van zijn zaak te zijn. Het schrijnendste vindt hij nog dat ze die aanklacht helemaal niet nodig hebben. Schrap hem en er blijft genoeg over, een overvloed aan 'gewone' oorlogsmisdaden – uithongeren, verkrachten en vermoorden van burgers; beestachtig behandelen van krijgsgevangenen – om de voormalige bevelhebbers en verantwoordelijke politici te veroordelen. Tot de strop aan toe.

Hoe zou zijn grote voorbeeld Grotius *misdaden tegen de vrede* gewogen hebben? Zou de zeventiende-eeuwse grondlegger van zuivere en onaantastbare ideeën over recht en oorlog dit concept verworpen hebben?

Hij zou in ieder geval niet gestopt zijn met denken, ook al is dat op dit moment eenvoudiger: genoegen nemen met het argument dat bij het tribunaal in Neurenberg tegen de nazikopstukken dezelfde aanklacht wordt gebruikt, 'en daar zijn ze ook niet gek'.

Hij kijkt om zich heen. Dit archief met zo'n beetje alle documenten die de grote verbranding van bewijsmateriaal in de dagen na de capitulatie hebben overleefd, is een plek van duizend vragen. Maar ook van duizend theorieën. Op basis van het materiaal kun je tot conclusies komen die elkaar bevestigen, maar ook tot conclusies die recht tegenover elkaar staan. Om te kunnen beoordelen of de verdachten verantwoordelijk zijn voor de misdaden zoals in de aanklacht omschreven, moet hij zichzelf op een plaats met het juiste perspectief verankeren. Alleen dan kan hij de vraag beantwoorden of de verdachten op de hoogte waren of hadden moeten zijn van de daden, en of ze de macht hadden om te voorkomen wat er was gebeurd.

De verdachten en hun daden, dat beschouwt hij als de eerste lijn. Een lijn van politiek, strategie, samenzwering en gemeenschappelijk nationaal belang. En dan is er nog een tweede lijn, die voortkomt uit dromen, obsessies en angsten. Deze is individueel en persoonlijk van aard en loopt dwars door de keten van oorzaak en gevolg heen, dwars door de tijd. Ze kent geen afgebakende periode, geen afgeronde geschiedenis die zich laat duiden in fonkelende analyses, maar ergens doorkruist ze de eerste lijn, daar waar de spelers bij elkaar worden gebracht, op het pad van hun bestemming en die van de toekomstige slachtoffers die ze in hun waanzin meeslepen. Op zoek naar dat kruispunt van lijnen bladert hij door de ontslagbrieven, de dienstorders, de promotievoorstellen en kladt hij opnieuw een pagina vol. Hij geniet van het doorvorsen en noteren. De voldoening is des te groter omdat hij op dit moment als enige aan het werk is. Meer doen dan nodig, dan anderen. Studiegenoten luierden in de zon en hij blokte in de uitgestorven studiezaal van de bibliotheek. Dat was zijn kracht. Dat is het nog steeds.

Terug de stad in passeert zijn auto de huizenblokken van twee verdiepingen die hij iedere dag aan zich voorbij ziet trekken. Toen hij in Tokio aankwam, lagen ze nog volledig in puin. Amerika had de complete vernietiging van de Japanse industrie voorgestaan. Geen enkele steen mocht nog overeind staan, geen enkele elektromotor mocht nog functioneren, geen enkele benzinemotor, geen enkel chemisch laboratorium; vernietiging tot en met de technische handboeken. Toen dat niet werkte, waren de woonwijken en de winkels aan de beurt. En toen zelfs dat niet hielp Hiroshima en Nagasaki. Maar onder zijn ogen zijn deze huizen in een halfjaar tijd opgebouwd. Dag in dag uit is eraan getimmerd, gemetseld en geschilderd. In een van de huizen is sinds kort een kleine winkel met levensmiddelen gevestigd. Voor de deur staat de eigenaar met een jongen van een jaar of twaalf, waarschijnlijk zijn zoon. Samen tillen ze een zware zak van een houten kar en sjouwen hem de winkel in. Hun gezichten staan nog hol, maar ze zullen erbovenop komen. Het leven is te kort om af te wachten, om niets voor te stellen. Aan bitterheid kun je werken, moet je werken. Aan bitterheid kun je een belofte ontlenen. Die Japanse vader en zijn zoon begrijpen dat.

Zijn gedachten dwalen af naar zijn eigen vader. Ondernemer, eigenaar van een groothandel in fototoestellen. Eenmaal geslagen en nooit meer opgestaan. Hij ligt achteraf op een katholiek kerkhof in de Brabantse grond. Met zijn grote verhalen en zelfmedelijden. Brink heeft het graf nooit bezocht, er geen belangstelling voor op weten te brengen. Zijn vader heeft hij lang geleden van zijn rug geworpen. Op oude, gelige foto's rookt zijn vader sigaren of staat hij afgebeeld met zijn hand aan het glanzende portier van zijn nieuwe auto. Alles een grote leugen. Eenmaal geslagen en nooit meer opgestaan. Nee, hij heeft geen vader meer. Maar hij heeft er lang genoeg een gehad om te begrijpen wat er van hem, de zoon, in het leven verwacht wordt.

Aan het eind van de middag wordt hij door een Japanse vrouw in een diepgele kimono met het dessin van roestbruine bladeren in het fraaie huis binnengelaten. Ze heet hem welkom en nadat hij zijn schoenen voor een paar slofjes heeft verwisseld leidt ze hem naar de salon. Mevrouw komt zo, zegt ze in onberispelijk Engels en verdwijnt met lichte, geruisloze pasjes alsof ze over water schrijdt. De vleugel is afgedekt met een dunne doek. Enkele dagen geleden speelde mevrouw Haffner in het hotel. De luisterrijke avond met muziek en zang bracht in hem het verlangen naar de piano boven. Niet het lichaam van een meisje maar het klavier van een piano zou zijn afleiding, zijn wekelijkse intermezzo worden. Na afloop van het recital had hij mevrouw Haffner gevraagd of hij les van haar kon krijgen. Pas toen ze begreep dat hij een van de rechters van het tribunaal was, stemde ze toe, hoewel ze helemaal vol zat.

Hij bestudeert de gewassen inkttekeningen aan de muren en het traditionele meubilair. De schuifdeuren bieden zicht op een achtertuin die in strenge lijnen is opgedeeld. Geen kiezelsteen die niet op zijn plek ligt.

Mevrouw Haffner maakt haar opwachting in groot tenue, met hoog opgestoken haar en een lange zijden japon. Ze glimlacht met een knikje van haar hoofd als hij haar hand schudt. Hij kan haar parfum ruiken. Ze nemen plaats aan de lage houten tafel. Onder het blad is een in de vloer verzonken ruimte voor zijn benen.

'Ik heb genoten van het optreden,' zegt hij naar waarheid, niettemin klinkt het behaagziek.

'Hoe lang speelt u?' Haar bepoederde kin richt ze omhoog.

'De laatste jaren heb ik geen piano aangeraakt, maar van mijn dertiende tot mijn negentiende heb ik les gehad.'

Ze knikt. 'Zoals ik u al zei, heb ik eigenlijk geen tijd. Ik zal proberen twee-, driemaal per maand een uur voor u vrij te maken.'

'Ik had gehoopt op meer.'

'Als rechter heeft u in Tokio toch over afleiding niet te klagen, dacht ik.'

Haar sarcastische toon ontgaat hem niet. 'Ik heb de muziek nodig,' zegt hij.

'Wat had u gedacht?'

'Een keer per week, een vaste dag,' waagt hij.

'Uitgesloten, die tijd heb ik niet. Maar u kunt hier op een vaste dag wel op de vleugel oefenen, al zal ik er zelf niet altijd zijn.'

'Dank u.'

Ze informeert naar zijn achtergrond, hoe hij in Tokio terecht is gekomen. Hij vermoedt dat ze wil weten waarom zijn regering hem, juist hem, heeft afgevaardigd.

In vloeiende, de laatste maanden regelmatig beproefde zinnen schetst hij het promotionele beeld van zichzelf: rechter, professor aan de universiteit, specialist Indisch recht. Langs zijn neus weg vermeldt hij zijn publicaties in boekvorm. Als hem in zijn studententijd gevraagd werd wat hij deed, was zijn antwoord kort: rechten, Leiden. Uit zijn mond klonken die woorden als twee paukenslagen. Het moet de snob in hem zijn, hij weet het.

'Mag ik u iets vragen over het tribunaal, iets wat mij bezighoudt? Hoe is de selectie van de verdachten tot stand gekomen?' Ze tuit haar lippen en houdt haar hoofd iets schuin in afwachting van zijn antwoord.

Hij laat een stilte vallen. Voor de piano, de muziek, is hij hier, en niet om voor zijn beurt over het tribunaal te spreken. Maar dit is een onschuldige vraag waar hij vrij op kan antwoorden. 'De Amerikanen hebben gekozen voor een spreiding van de eerstverantwoordelijke verdachten over de gehele periode van de oorlog, over de verschillende regio's, en over de militaire, diplomatieke en politieke sectoren van de Japanse regering. De selectie van de verdachten moet als representatief beschouwd worden.'

'Ik vraag u dit omdat het sommigen heeft verbaasd dat bijvoorbeeld een man als Shigemitsu een van de verdachten is. Hij staat bekend als een gematigd politicus, ja, als een fatsoenlijk mens.'

Sommigen? Hoort zij daar ook toe? Het is geen onzinnige opmerking. Shigemitsu was minister van Buitenlandse Zaken in het oorlogskabinet, maar geen ultranationalist en zeker geen hitser. Hij had zijn best gedaan om de oorlog te voorkomen en toen dat niet lukte om hem zo snel mogelijk te beëindigen. Om die reden hadden de Amerikanen hem vrijuit willen laten gaan, maar de Russen eisten dat Shigemitsu aangeklaagd zou worden. Ze hadden nog een rekening te vereffenen met de voormalig ambassadeur in Moskou. Hij was het geweest die namens zijn regering de vervelende boodschappen had moeten overbrengen aan de Russen. Iets wat hem als ambassadeur, een spreekbuis en geen beleidsmaker, niet persoonlijk aangerekend zou mogen worden, maar daar dachten de Russen anders over. Ze hadden de Amerikanen net zo lang onder druk gezet tot die aan de Russische eis toegaven. Een politiek gemotiveerde, op zijn minst dubieuze gang van zaken.

'Op de persoon Shigemitsu kan ik inhoudelijk niet ingaan,' zegt hij. 'Het is misschien niet volmaakt wat hier gebeurt, maar ik sta er voor de volle honderd procent achter. Dit tribunaal is net zo nodig als dat van Neurenberg.'

Hij weet niet of hij haar als Duitse met die laatste opmerking gekwetst heeft, maar mocht dat het geval zijn, ze laat niets merken. Mevrouw Haffner doet hem denken aan een andere vrouw, zonder wie hij hier vandaag niet had gezeten. Zijn eerste pianoles. Bij mevrouw Hadewijck thuis. Hij was nog maar dertien en zat in de tweede van het gymnasium.

Van de rector had mevrouw Hadewijck vernomen dat hij de schoolbanken moest verlaten. Het faillissement van zijn vader was uitgesproken. De deurwaarder had de auto in beslag genomen en de vergulde spiegel, een erfstuk van zijn moeder, samen met alles wat van enige waarde was. Brink had ondervonden hoe zijn moeder van een goedgelovige, tot bewondering geneigde vrouw in een nu eens apathische, dan weer hysterische egoïste veranderde. Ze kwam de deur niet meer uit en lag op bed, zonder nog naar hem om te kijken. Zij, die altijd zo goed voor haar gezin had gezorgd. In de woonkamer zat hij op een van de twee overgebleven stoelen, hongerig, in zijn eentje, de lichten gedoofd. Gekreun klonk uit de slaapkamer. Zijn vader pofte in de kroeg. Brink was al enige dagen niet naar school geweest en zou na het weekeinde bij de steenfabriek aan de slag gaan. Hij wist zeker dat zijn leven mislukt was. De volgende dag had hij zijn eerste pianoles.

Mevrouw Haffner is achter in de veertig, ongeveer zo oud als mevrouw Hadewijck toen hij voor die eerste keer bij haar thuis kwam en hij in de salon warme chocolademelk dronk. Hij luistert naar mevrouw Haffners heldere stemgeluid als ze uitweidt over haar genegenheid voor en mededogen met het Japanse volk; haar bewondering voor de Japanse esthetiek. Hij is er maar half bij met zijn gedachten, die alsmaar heen en weer schieten tussen Tokio en het Brabant van zijn jeugd. Hij glimlacht naar haar terwijl ze hem vraagt wat hij weet van de Japanse geschiedenis en cultuur.

'Niet veel,' antwoordt hij.

Dan is het haar beurt om te glimlachen. 'Vat u uw werk op als een strijd tegen het kwaad?'

'Zo heb ik er zelf nooit over gedacht. Wat verstaat u onder het kwaad?'

'Welbewust de verkeerde, schadelijke keuzes maken.'

'Ook als die een goed doel dienen?' vraagt hij.

Ze antwoordt met een wedervraag. 'Bedoelt u te zeggen dat het kwaad ook nuttig kan zijn?'

'Als tegenstander van het goede misschien. Het kwaad dwingt het goede zich steeds opnieuw te scherpen, ook in de rechtspraak.' Aan haar gezichtsuitdrukking leest hij af dat ze zijn woorden, die hijzelf enigszins idioot vindt, waardeert. Kennelijk is ze meer op filosofische gesprekken gesteld dan hij.

De Japanse komt binnen met een dienblad. Ze loopt nu op slippers, haar voetstappen zijn nog steeds geruisloos.

'Heeft u al eens een theeceremonie meegemaakt?' vraagt mevrouw Haffner.

'Eenmaal.' Hij herinnert zich het uitstapje met de rechtersgroep, waarbij ze op één dag een zestal tempels en een paleis of drie te verstouwen kregen. Van de theeceremonie kan hij zich niet veel meer herinneren dan de oude lord Patrick, die als enige weigerde op de tatami's van het paviljoen plaats te nemen.

Zodra hij en mevrouw Haffner in kleermakerszit zitten, buigt de jonge vrouw en neemt ze op haar knieën naast hen plaats. Haar koolzwarte haar glanst en wiegt. Op het dienblad staan een metalen ketel, twee kommen van donker aardewerk en een lakdoos. Met een schepje aan een houten steel neemt ze wat poeder uit de lakdoos en doet dat op een houten spatel. Hij neemt haar knappe gezicht met de kleine concentratielijntjes rond de fijngesneden ogen rustig in zich op. Het is alsof hij haar eerder heeft gezien. Met zorgvuldige, elegante gebaren geeft ze de houten spatel met het poeder eerst aan mevrouw Haffner en dan aan hem door. Hij volgt nauwgezet het voorbeeld van zijn gastvrouw door het poeder op de bodem van de kom te strooien. De Japanse schenkt kokend water op. Een bitter geurende stoom stijgt op uit de kom. De ceremonie wordt in aandachtige stilte vervolgd en hij probeert zich open te stellen voor het 'hogere' karakter ervan als de Japanse een kwastje van bamboe door het geelgroene vocht haalt. Hij krijgt een kom aangereikt en kopieert wat hij mevrouw Haffner ziet doen, neemt de kom aan met zijn linkerhand en draait hem daarna met zijn rechter 360 graden. Het duurt nog even voor het met de aanstekelijke geheimzinnigheid is gedaan en mevrouw Haffner een klein slokje neemt. Hij volgt haar voorbeeld en proeft van het vocht. De smaak kan hem niet bekoren. Om dat laatste schijnt het juist niet te gaan, herinnert hij zich van zijn eerste ervaring met de ceremonie. De reis, niet de bestemming, als doel – zoiets.

Pas als de vrouw met haar attributen de kamer heeft verlaten, spreekt mevrouw Haffner weer.

'De betekenis van de ceremonie wordt samengevat in een begrip,' doceert ze, 'wa-kei-sei-jaku. Harmonie, respect, reinheid, rust.'

Hij doet zijn best om het te voelen, een oceanische rust. Echt ver komt hij niet, maar dat wil hij niemand aanrekenen. 'Jaren geleden heb ik de kerk, de Bijbel, de liturgie en de mystiek achter me gelaten,' merkt hij op. 'Op goede gronden. Nu zit ik hier met u, de benen gevouwen op de vloer, in een poging ontvankelijk te zijn voor een ander soort, door oosterse monniken uitgedacht mysterie.'

'Dacht u daar van de week ook aan tijdens het concert, of uw ontvankelijkheid van twijfelachtige aard was?'

'Nee, in het geheel niet. Ik heb zonder enige bijgedachte of voorbehoud genoten. Van uw spel, maar ook van de cellist en van de sopraan. Zij was ontroerend, melancholiek maar zonder huilerige ondertonen.'

'Ja, zij is getalenteerd. In meer dan één opzicht.' In haar helblauwe ogen ontdekt hij een plagend lichtje.

'Heeft u het niet opgemerkt? Tijdens de theeceremonie.'
En dan, met terugwerkende kracht, herkent hij de Japanse in de kimono. Tijdens het recital ging ze gekleed in zwart fluweel. Haar serene, statige houding op het podium en haar vertolking van *Der Fischerknabe* hadden een diepe indruk op hem gemaakt. Maar zelfs met een uiterste inspanning van zijn verbeeldingskracht lukt het hem niet om die twee in overeenstemming met elkaar te brengen; de vocaliste in het spotlicht naast de piano en de stille, op haar knieën gezeten figuur in kimono, een en dezelfde vrouw willen ze maar niet worden.

8

Vanuit de salon klinkt een houterige, zo nu en dan haperende versie van Chopins prelude in b-mineur.

'Een volwassen man die pianospeelt als een kind,' hoont mevrouw Tsukahara in de keuken. Met haar ogen volgt Michiko de snelle, bekwame handen van de kokkin, die met garnalen en zoetzuur gevulde rijstballen in zeewier rollen.

'Een Amerikaan zeker?' veronderstelt mevrouw Tsukahara.

'Nee, een Europeaan. Hij is de rechter voor Nederland bij het tribunaal.'

'Ah!' Mevrouw Tsukahara knijpt haar ogen half toe en knikt langzaam met haar hoofd.

De keuken is de plek waar mevrouw Tsukahara en zij de leerlingen, kennissen en gasten van mevrouw Haffner veilig kunnen bespreken. Dat misprijzende 'ah!' van mevrouw Tsukahara komt haar bekend voor. Het laat zich raden wat mevrouw Tsukahara door het hoofd speelt. Een rechter van het tribunaal, een grote, invloedrijke meneer, uit het kamp van de overwinnaars. Dat moet de reden zijn van het uitzonderlijke privilege, een primeur in dit huis van strikte regels en vaste gewoonten, om op de concertvleugel te mogen oefenen – zelfs als mevrouw niet thuis is.

Buiten sist het gloeiend hete zink van de dakgoten. De hitte maakt haar lethargisch, in tegenstelling tot mevrouw Tsukahara, die zich, met zweetdruppels op haar platte neus, energiek aan haar werk wijdt. Michiko neemt een slok van haar citroenlimonade zonder de met rijstkorrels bespikkelde handen van mevrouw Tsukahara uit het oog te verliezen.

'Vanochtend was meneer Shikibu er alweer,' zegt mevrouw Tsukahara. 'Heb jij hem ooit één noot op de piano horen spelen?'

'Hij speelt niet.'

Mevrouw Tsukahara schikt de rijstballen op een schaal en dekt ze af met keukenpapier. Michiko zucht.

'Vanbuiten Japanner, maar vanbinnen? En maar vragen en maar luisteren, alles verdwijnt in die oren van hem. Maar niets in zijn mond. Eten en drinken raakt hij niet aan. Maakt niet uit wat je hem voorzet. Niets, nog geen slokje water. Alles keert onaangeraakt weer terug naar de keuken. Ik denk dat hij doodsbang is om vergiftigd te worden.'

De echtgenoot van de kokkin bekleedde tijdens de oorlog een functie bij de militaire inlichtingendienst. De oorzaak, vermoedt Michiko, dat mevrouw Tsukahara er een uitgesproken achterdochtig wereldbeeld op na houdt. Haar man kwam soms ook bij mevrouw Haffner op bezoek en ook hij speelde geen piano. Misschien wilde hij dezelfde dingen horen als meneer Shikibu. Blijkbaar weet mevrouw Haffner dingen die waardevol zijn. Informatie die ze uitwisselt met de een of misschien juist nog even bewaart voor de ander, op het juiste moment. Sinds de capitulatie is de rol van de militaire inlichtingendienst en die van meneer Tsukahara uitgespeeld. In de chaos van die eerste dagen van de bezetting is hij verdwenen. Niemand wist wat de Amerikanen van plan waren. Niemand wist wie er voor wie werkte. De veiligheidsdiensten hadden tot dat moment op kopstukken van de ondergrondse oppositie gejaagd. Op pacifisten, landverraders, schrijvers, communisten, spionnen, iedereen die in het openbaar de overheidspropaganda in twijfel durfde te trekken. Maar volgens mevrouw Tsukahara waren de rollen van de ene op de andere dag omgedraaid en werd er op haar man en zijn collega's gejaagd. Door de Amerikanen – met als speurhonden hun eigen Japanse collega's die het snel op een akkoordje met de bezetters hadden gegooid. Niemand was nog te vertrouwen. Niemand was veilig. Onder die omstandigheden was meneer Tsukahara op de vlucht geslagen en had hij zich, waarschijnlijk onder een valse naam, verstopt. Waar, dat wist mevrouw Tsukahara niet, beweerde ze. Ze wilde er niet meer over kwijt dan dat hij ver weg was en afwachtte tot het veilig zou zijn om tevoorschijn te komen.

Mevrouw Tsukahara licht het keukenpapier van de schaal en neemt er een gevulde rijstbal in zeewier af. Ze legt hem op een schoteltje en zet hem voor Michiko op tafel neer. Michiko slikt. 'Meneer Shikibu,' zegt mevrouw Tsukahara, 'die vertrouwt zijn eigen moeder nog niet.'

Michiko luistert nog maar half, ze kan haar ogen niet van de rijstbal afhouden en haar mond loopt vol met speeksel. Ze maakt zich een voorstelling van de lichtzure smaak van het zeewier, maar raakt het voedsel niet, nog niet, aan. Onbegrijpelijk, denkt ze, dat meneer Shikibu met zijn bleke handen en vochtige ogen niets van al het heerlijks durft te eten. Vanochtend voelde ze dat hij voor de deur stond. Ze kon meneer Shikibu nog niet zien, maar hij was er al, als een naderende aardbeving. Op het moment dat ze zijn sloffen voor hem neerzette, hield ze haar hoofd strak omlaag gericht, bang om in zijn richting te kijken.

'Ai,' zegt mevrouw Tsukahara, 'en juist vandaag, als ik een diner voor veertien personen heb, doet de telefoon het weer niet. Hoe moet ik zeebaars bestellen?' Mevrouw Tsukahara verwenst de dieven die het voor de zoveelste keer op het koper van de telefoonkabels hebben voorzien, stelt ze persoonlijk aansprakelijk voor haar problemen met de zeebaars en spreekt in één adem haar vermoeden uit dat het waarschijnlijk die corrupte armoedzaaiers van de Tokiose politie zelf zijn die erachter zitten. 'Hoe kun je anders verklaren dat er nooit eens iemand opgepakt wordt?' Michiko geeft zich gewonnen en neemt een hapje van de rijstbal. Traag en met gesloten ogen begint ze te kauwen. 'Ze spelen onder één hoedje met de zwarthandelaren van de Shinbashi-markt, dat weet toch iedereen. Mooie politie.' Ze snuift verachtelijk en vervolgt haar jammerklacht: 'Ik moet zeebaars hebben en het zilver moet gepoetst, maar ondertussen kan ik geen kant op, meneer de rechter moet als hij eindelijk klaar is iets te drinken hebben. Eigenlijk zou ik allang onderweg moeten zijn naar de visboer, anders is de zeebaars op. Veertien personen, en niet de minste, heb je het gehoord? De directeur van Sumitomo Steel en zijn vrouw, zijn tweede, komen.'

Ze slikt het voedsel in haar mond door. 'Gaat u maar,' zegt ze. 'Als hij klaar is met spelen, breng ik hem zijn citroenlimonade.'

'Dank je. Vergeet niet er wat geschaafd ijs in te doen en leg een paar plakjes cake op een schaaltje van het gebloemde servies. De president van de Japanse Bank komt ook.' Ze doet haar schort af en vouwt het op. 'De een moet onderduiken, de ander wordt president van de bank. Wat moet je ervan denken? Eerst samen met de politieke kliek kapitalen aan de oorlog verdienen, en nu nog grotere winsten maken met de wederopbouw onder de Amerikanen. Ik zal geen namen noemen, maar voor bepaalde mensen maakt het niet uit wat er gebeurt. Oorlog, vrede, Japanners, Amerikanen – zij staan altijd aan de goede kant.'

Als mevrouw Tsukahara de deur uit is en slechts het geluid van de piano in huis klinkt, neemt ze het laatste stukje van de rijstbal in haar mond en laat het voedsel een poosje op haar tong liggen. Jane Austen, *Pride and Prejudice*, ligt voor haar op tafel. Meer nog dan de lotgevallen van de hoofdfiguren representeert het boek zelf voor haar een gedroomde wereld, die van het verre continent in het Westen, waar concertzalen zijn, operagebouwen, orkesten, sopranen die het verwende publiek tot een enkel bloedend hart doen smelten en waar avond na avond applaus klinkt als een hagelbui op een glazen dak.

Uit die wereld komt mevrouw Haffner voort. Ze heeft Michiko beloofd haar contacten in Wenen en Berlijn te benaderen om een beurs voor Michiko in de wacht te slepen. Misschien dat ze volgend jaar al aan een van de grote conservatoria daar kan studeren. Voor de oorlog wist ze al dat ze zangeres wilde worden. Ze had veel geoefend, veel geleerd. Maar iets had haar ervan weerhouden om ook echt te geloven in haar mogelijkheden. Niet de schroom voor de mensen in de zaal, nee, het waren de vermanende, ondermijnende dogma's geweest. In dit land wordt iedere vrouw die op haar vijfentwintigste niet getrouwd is, geacht zich diep te schamen. En dan had zij ook nog een hoofd vol plannen – wat al helemaal niet kon. Verwacht niets, hoop niets, je bent het niet waard: de gesel van de voorschriften en geboden slaat alle ambities aan flarden. Vreemd genoeg zijn het de droevige gebeurtenissen van de oorlog geweest die iets tot leven hebben gewekt. Het verlies van haar ouders had haar aanvankelijk versteend, zo zelfs dat ze dacht dat het gedaan was met de zangeres in haar, maar vrees om haar familie te schande te maken – door niet te trouwen, door een zelfgekozen doel na te streven – hoeft ze niet meer te hebben. Haar ouders zijn dood. Zij leeft. Tussen de zwaarte van haar verlies en de lichtheid van haar vrijheid zoekt ze haar weg. Volgens mevrouw Haffner is haar stem aangrijpender geworden.

De muziek eindigt met een wat te lang aangehouden, amechtige noot. Met de citroenlimonade en de plakjes cake op een dienblad loopt ze naar de salon. Gehuld in luchtige witte tenniskleding staat hij met zijn rug naar haar toe, leunend tegen de deurpost van de openstaande schuifdeuren naar de tuin.

Hij draait zich om en aan de ernstige frons boven zijn ogen leest ze zijn gezwoeg met Chopin af, de ongelijke strijd tussen de onbeholpenheid van de dilettant en de tedere, sierlijke melancholie van de Poolse romanticus. Hij is een lange man met een gebruinde huid van de tennisbaan, een welgevormde westerse neus en donkere, volle wenkbrauwen. In de groep rechters op de foto die ze in de krant heeft gezien, sprong hij eruit, zoals het gerechtsgebouw waar de elf mannen voor poseerden eruit sprong tussen de lagere gebouwen in de omgeving. Er hangt een onmiskenbare sfeer van eerzucht om hem heen, een man van wilskracht, een man die weet hoe je dingen moet bereiken.

'Ik heb niet eerder de gelegenheid gehad u dat te zeggen,' begint hij, 'maar ik heb van de theeceremonie genoten.'

Ze zet het dienblad neer en bedankt hem, onzeker over hoe te reageren. Als je begint te praten, ben je vrijpostig; als je te vriendelijk lacht, ben je ongemanierd. Mevrouw Haffner zou wel raad weten met de situatie, aanvoelen hoe ze moest kijken, wat ze moest zeggen. Daar benijdde ze haar misschien nog meer om dan om haar muzikale genialiteit, die onbekommerdheid, de souplesse waarmee ze zich als vrouw onder alle omstandigheden, ook in het gezelschap van mannen, wist te gedragen. Als er iets is wat ze van mevrouw Haffner hoopt te leren, geleidelijk, is het wel dat.

'Ik vond de hele sfeer zo mooi stil en... zuiver,' voegt hij eraan toe.

'Dank u,' zegt ze. 'Het doet me plezier dat u het kon waarderen.' Het was niet zuiver, zou ze willen zeggen. Iedere keer dat mevrouw Haffner bezoek heeft en haar in kimono laat opdraven voor de ceremonie, voelt ze zich ongemakkelijk, gebruikt als de inheemse attractie waarop mevrouw Haffner haar gasten trakteert. Deze man verwart zuiver met gemaakt. In haar beleving is ze vooral een bezienswaardigheid, de uitvoerster van een kunstje, waarbij sommige gasten het bestaan haar tijdens de ceremonie te vragen om even in de lens van hun fotocamera te kijken.

'Heeft u ook genoten van uw oefening?' vraagt ze.

'Zeer,' zegt hij. 'Het verbaast me dat ik zovele jaren zonder heb gekund.' Hij zet enkele passen in haar richting om het glas met citroenlimonade te pakken en neemt een slok. 'Van mevrouw Haffner hoorde ik dat uw familie bij de Amerikaanse bombardementen is omgekomen.'

Ze schrikt, niet bedacht op deze directe, persoonlijke wending. 'In maart 1945.' Ze probeert de trilling in haar stem te onderdrukken.

'Het moet voor u vreselijk moeilijk zijn om onder de bezetting van de Amerikanen te leven.'

Ze knikt. Vergiffenis is het woord dat bij haar opkomt. Vroeger in Asakusa woonden christenen bij haar in de straat, de enige christenen in de hele wijk, de enige christenen die ze kende tot ze mevrouw Haffner ontmoette. Wat haar trof in hun geloof was de opvatting dat er vergiffenis bestaat voor je daden, hoe afschuwelijk ook. Ze vraagt zich af of deze man, Europeaan en waarschijnlijk ook christen, dat van haar wil horen, of ze de Amerikanen vergiffenis schenkt. Maar niemand heeft haar om vergiffenis gevraagd.

'Hoe denkt u over deze nieuwe tijd?' vraagt hij als haar zwijgen hem kennelijk te lang duurt.

'Het is de uitkomst van de oorlog. Er is geen Japanner die niet blij is dat het voorbij is.' Maar tegelijk maakt iedere Japanner zich zorgen over wat komen gaat, over het programma van de Amerikanen om het land en de inwoners te hervormen. De bange vraag die niemand kan en durft te beantwoorden is of zij de laatste schakel zijn in de keten van een rijke traditie voordat de heropvoeding onder leiding van MacArthur deze zal vernietigen. Deze laatste gedachte houdt ze voor zich. De kans dat hij er iets van zou snappen, acht ze klein.

'En in relatie tot wat uw familie is overkomen?' boort hij dieper.

'Als iedereen verantwoordelijk is voor wat hij heeft gedaan, dan zijn ook de Amerikanen dat,' zegt ze.

'Zoals de Japanse regering verantwoordelijk was voor de machtspolitiek die tot de Amerikaanse bombardementen heeft geleid?'

Ze glimlacht en vraagt zich af of hij haar met deze opmerking terechtwijst: de schuld voor de slachtoffers, alle slachtoffers, ligt bij de Japanners en bij hen alleen. Overmand door spijt en woede omdat ze zich heeft laten verleiden tot openhartigheid, buigt ze en maakt ze zich op om weg te lopen, maar opnieuw richt hij het woord tot haar.

'Ik ontmoet vrijwel geen Japanners.' Zijn stem is zacht nu. 'Ik leef een beetje op een eiland, begrijpt u?'

In zijn blik leest ze dat hij haar niet obligaat wat vragen stelt, uit beleefdheid of om de tijd tot zijn glas leeg is te doden, nee, hij lijkt, zo voelt het, oprecht nieuwsgierig naar wat haar beweegt. Dat is ze niet gewend, praten met een man die ze nauwelijks kent. Al helemaal niet over dit onderwerp. Er *niet* over praten, dat wordt altijd van haar verwacht.

'De Verenigde Staten zijn een jonge natie,' vervolgt hij, 'gebouwd op prachtige principes, maar deze oorlog zijn ze niet schuldeloos doorgekomen. Zo denk ik erover.'
'Niet voor alle schuld wordt verantwoording afgelegd.'
Het is eruit voor ze het weet.
'De Amerikanen staan niet terecht, dat klopt.' Hij tuurt naar het restje limonade met het vrijwel gesmolten schaafijs. Dan tikt hij met zijn nagel tegen het glas. 'Wat is het woord voor glas in het Japans?'
'Garasu,' zegt ze.
Hij heeft grijsblauwe ogen, een ontspannen mond, hij lijkt te glimlachen door een prettige gedachte. 'Garasu,' herhaalt hij.

Als ze hem heeft uitgelaten, brengt ze het dienblad naar de keuken. Met haar vinger veegt ze de laatste cakekruimels van het schoteltje en stopt ze in haar mond. Ze vraagt zich af wat haar heeft bezield om haar dwaze hart te laten spreken in een taal die ze zo gebrekkig beheerst. Wat was er in hemelsnaam bij haar binnengeslopen en had haar de grenzen van de bescheidenheid doen overschrijden? Met hem praten, hem zeggen wat ze denkt en vindt. Het moest door de hitte komen. Ze kan het zich nauwelijks voorstellen, maar ze heeft met deze man een echt gesprek gevoerd. Het maakt haar bang, maar ook een beetje trots.

9

De rivier, de bergen, de bossen. Vijf jaren heeft Hideki ernaar verlangd, vijf lange jaren schemerden de contouren
van deze plek aan de rand van zijn bewustzijn. Zijn dorp.
Zijn familie. Soms woelde het gemis zo hevig in hem dat hij
zich doodziek voelde. Na de stank en de drukte van Tokio is
het weerzien met de in zomers licht glinsterende belofte van
de plek waar hij is opgegroeid overweldigend. De eerste weken na zijn terugkeer zit hij zo veel mogelijk op de veranda
van zijn ouderlijk huis, naast de butsudan met de zwartge-
lakte houten tabletten waarop de namen van zijn voorouders zijn gekalligrafeerd. Hij snuift de geur van wilde bloemen en dennennaalden tot diep in zijn longen op. Eindeloos
staart hij naar de torenhoge ceders met hun bolle kronen,
naar de donkere ruimte tussen de stammen waar de ochtendnevel optrekt en het geruis van de rivier in het dal klinkt.
Zijn vaders haar is grijzer geworden, zijn moeders schouders krommer, maar zijn ouders zijn nog steeds twee sterke
en gezonde mensen die met zelfbeheersing en bereidheid tot
afzien het leven tegemoet treden. Zijn twee jaar jongere zuster Sada is uitgegroeid tot een vrouw met borsten en hoge
jukbeenderen. Als knapste meisje van het dorp is ze ver-
loofd met een jongeman die als assistent-afdelingshoofd in
de machinefabriek van Nagano werkt.
   Ze is de eerste die het vraagt. 'Heb je iemand gedood?'

Hij knikt. 'En nog een en nog een. Te veel om op te noemen.'

Hij moet het kwijt, ook al beseft hij goed wat voor indruk zijn woorden op haar maken.

's Avonds zit hij met zijn vader, die een lange dag van zagen en snoeien in het bos achter de rug heeft, in de schemering op de veranda. Zijn vader drukt de tabak met zijn geelbruine pink in de ijzeren kop van zijn pijp aan en stopt de bamboesteel in zijn mond. Met een lucifer uit een klein metalen doosje steekt hij, zuigende geluidjes makend, zijn pijp op en luistert naar de verhalen van zijn teruggekeerde zoon. Over hoe ze China binnenvielen en hun divisies oprukten, lopend, op motoren, in trucks en pantserwagens; over de bezetting van Nanking en over de barre koude tijdens de succesvolle lange wintermarsen dieper het land in, met een laag van bevroren sneeuw en modder op hun beenwikkels. Ze hadden gehakt van de Chinezen gemaakt, en zo grondig dat zelfs de paarden in de wei voor hen op de vlucht sloegen.

Ook beschrijft hij zijn vader de afloop, het moment van de explosie, een dag na het eind van de oorlog, die een invalide van hem maakte, het knetterende spervuur, de vlammenzee, de in lichterlaaie staande canvas huif van de truck die op hem stortte en met zijn huid versmolt, en hoe hij buiten westen raakte met de geur van zijn eigen verschroeide vlees in zijn neus.

Zijn vaders gelooide en verweerde gezicht vangt het licht van de olielamp en knikt instemmend als hij hoort van de barmhartigheid van zijn kameraden en de door hen geritselde morfine die hem de eerste weken in leven hield. 'Je hebt geluk gehad dat je met je eigen mensen in dat kamp zat.' Zijn vaders stem klinkt gedempt, levenloos.

Hideki beaamt: 'Zonder hen had ik het niet gered.'

Was dat het fundament onder alles? vraagt hij zich af. Je

eigen mensen. Dode Chinezen voor dode Japanners. Dode Japanners voor dode Chinezen. Het sneuvelen van een enkele kameraad betekende meer dan de dood van duizend mannen van het Rode Leger. Geen betere vijand dan een dode vijand. Vraag maar aan de generaal. Vraag maar aan de keizer. Vraag maar aan hemzelf. Je eigen mensen. Toch waren het twee Amerikanen in uniform die hem in Tokio hebben geholpen. Hij aarzelt even of hij het zijn vader zal vertellen, maar besluit van niet.

's Ochtends vertrekt zijn vader met de andere mannen naar het bos. Om hun broekspijpen zitten touwtjes met rinkelende belletjes eraan zodat de beren weten dat ze in aantocht zijn. Zijn zuster is op de akkers aan de andere kant van de rivier de soba aan het oogsten. Hideki blijft achter in het schemerige huisje, bij zijn moeder, die op haar hurken in de oven tuurt. Eindelijk pakt het vochtige hout en zet ze een ketel, gebutst en met roet aangekoekt alsof hij zojuist is opgegraven, op het vuur. Hij herhaalt de verhalen die hij zijn vader heeft verteld. Ze luistert, omhelst hem met vochtige ogen. 'Mijn arme zoon.'

Op een door zijn vader getimmerd kastje staat een foto van hem, enkele dagen voor zijn mobilisatie. Hij draagt voor het eerst zijn uniform, zijn gezicht is nog jong en gaaf. Hij staart naar de foto terwijl zijn thee koud wordt.

Hij weet niet goed wat hij verder nog moet zeggen en zwijgt. Het lijkt alsof een defect in hem ervoor zorgt dat er voortdurend tegenstrijdige gedachten in hem opkomen of dat hem pas de juiste woorden te binnen schieten als het te laat is. Zijn moeder is alweer buiten de kippen aan het voeren en hij zit met zijn koude thee nog steeds binnen naar die foto te staren. Het volgende moment blijkt ze weer voor hem te staan en is hij overgeleverd aan haar stille blik.

Met zijn nieuwe kruk strompelt hij door het dorp. Hij was vergeten hoe traag en eentonig het leven er is. Vrouwen hangen de was op of werken met een zuigeling op de rug gebonden in de met bamboestokken omzoomde moestuin. De jongste kinderen, die nog niet naar school gaan, jagen de kippen op. De enige andere man is zijn oom die, als hij niet in zijn schuurtje over de houten bak met gistende rijstwijn hangt, daar wel op de vloer ligt om zijn roes uit te slapen. Zelf denkt zijn oom dat hij op de kar zit, want af en toe klinkt uit zijn mond het geklak waarmee hij zijn paard aanspoort.

En dan is er nog Keiji, een jongen van veertien wiens verstand de moeite van de dagelijkse tocht naar school niet loont. Op zijn fiets volgt de jongen Hideki waar hij ook maar gaat. Ziet hij er aanvankelijk nog de aardigheid van in, na enige dagen begint de jongen hem op de zenuwen te werken. Maar Keiji, kennelijk van het tegendeel overtuigd en doof en blind voor zijn misprijzende blik en stugge zwijgen, laat hem niet ontkomen, achtervolgt hem van de ene naar de andere kant van het dorp, en dwingt hem te luisteren naar zijn onsamenhangende verhalen over de arendsnesten op de kale berg, de finesses van het plakken van banden, of de man uit Tokio die een gouden armband met blauwe stenen had geruild voor rijst en zoete aardappels en die ze de volgende dag met zijn gezicht omlaag in de rivier aantroffen. Je zou denken dat de steile hellingen en de modderige paden het praktisch onmogelijk maken om te fietsen, maar een pad is niet zo nauw, hobbelig, zompig, steil, of Keiji rijdt erover. Eén geworden met zijn rijwiel, flitst hij nu eens met grote snelheid voorbij en dan weer stapvoets staand op de pedalen. Zodra Hideki zijn hoofd buiten de deur van het huis steekt, komt Keiji er rinkelend met zijn bel al aan, waarbij hij zijn achterwerk iets van het zadel optilt als hij door een kuil rijdt. Er is maar één manier om Keiji af te schudden en dat is door het huis weer in te stommelen, of liever het schuurtje erachter. Steeds vaker trekt hij zich daar terug, ook om het zorgelijke medelijden van zijn moeder te ontlopen. Op de vloer van het schuurtje liggen dode spinnen als gemorste gerstekorrels verspreid en door de gaten in de houten muren priemen stralen daglicht naar binnen. Hij strekt zich uit en staart met zijn handen onder zijn hoofd gevouwen naar de dakbalken. Alle mannen naar het bos of de velden om te werken, behalve de kneuzen: een dronkenlap, een debiele fietser en hij, de kreupele die al na een paar weken door zijn oorlogsverhalen heen is. Het beloofde land van zijn heimwee blijkt een saaie, onverschillige plek.

Daar, op de grond van het schuurtje, keert hij terug naar die donkere, steenkoude nacht. In de laadruimte van de open truck wordt hij langs de rivier naar de achterkant van een fabriek gereden. De lange patroonband van zijn machinegeweer rinkelt naast zijn legerlaarzen als de truck stopt. Op zijn pet en uniformjas ligt een laagje sneeuw. Er komen nog enkele trucks met mannen en machinegeweren aangereden. De wagens vormen een halve cirkel. In het licht van de koplampen staan ruim honderd Chinese mannen met hun rug naar de fabrieksmuur. Een jonge officier met een blinkende sabel langs zijn been loopt voor ze heen en weer en bijt zijn manschappen commando's toe. 'Dichter bij elkaar, drijf ze dichter bij elkaar.' De Chinezen worden met kolven bewerkt en toegesnauwd tot ze een stille, huiverende massa vormen, compact genoeg om op ammunitie te besparen. Hij trekt zijn rechterhandschoen uit en steunt op een knie terwijl hij het machinegeweer ontgrendelt. Door het vizier kijkt hij naar de bijeengedreven mannen in het licht van de koplampen, een wolk van stomende adem boven hun hoofd. Het zachte gejammer verandert in gegons, het geluid van wespen in een vertrapt nest onder de grond. Een vaag besef breekt bij hem door: dit is geen vuurgevecht, geen gevaarlijke vijand. De officier trekt zijn sabel. Hij krult zijn vinger om het ijskoude staal van de trekker. Dit is het doden van andere mensen. Hij wacht op het teken van de officier.

Het is windstil en bij iedere stap die de mannen zetten, hoort Hideki de belletjes aan hun broek rinkelen. Het geluid in de vroege ochtend begint hem tot wanhoop te drijven. Weer een dag waarop de mannen aan het werk gaan. Hij verkwist zijn dagen doelloos, ongeschikt om iets te doen. Een keer sluit hij zich 's ochtends bij de mannen aan, zwoegt hij met zijn kruk tegen de heuvel op. Met zijn rug tegen een boom leunend kijkt hij toe hoe zijn vader en zijn neef Benjiro de grote trekzaag tussen hen in heen en weer laten gaan om stammetjes van dezelfde lengte te zagen. Het zaagsel dwarrelt omlaag en landt op hun werkschoenen. Ze zijn goed op elkaar ingespeeld en spreken weinig.

De volgende dag vertrekt zijn vader weer zonder hem. Hij kijkt hem vanaf de veranda na. Bij de bocht van de weg staat Benjiro al op zijn vader te wachten. Het ijle geluid van de berenbelletjes sterft langzaam weg. Hij trekt zich terug in het schuurtje en probeert zijn gedachten te ordenen. Hij kan en wil niet zijn als zijn vader en de andere mannen van het dorp. Zwoegen, eten, drinken, slapen. Zonder na te denken. Leven als een beest. Maar waarover moet hij denken? Dagenlang volgt hij het grillige spoor van zijn gedachten, maar steeds opnieuw voert het hem terug naar dezelfde vragen. Wat gaat hij met zijn tijd doen? Wat gaat hij met de rest van zijn leven doen?

10

De muren van het restaurant zijn betimmerd met mahonie. Het servies en het bestek op de tafels glinsteren in het licht van de kroonluchters. Net als iedere zondag ontbijt Brink aan de 'Angelsaksische tafel', samen met de Brit lord Patrick, de Nieuw-Zeelander Northcroft, de Canadees McDougall en de Amerikaan Cramer, die 'deserteur' Higgins heeft vervangen en een aimabele, bescheiden legerman blijkt te zijn. Het ontbijt op zondag is overvloedig, met vers vruchtensap en aardappelpannenkoekjes overgoten met room en bieslook, eieren met dikke plakken meegebakken ham, verse koffie.

'Stel, je mag er maar één ter dood veroordelen, de anderen gaan vrijuit: Hitler, Stalin of Tojo?' McDougall, klein, met vlugge gebaren, is een even gulle als gewaardeerde leverancier van gespreksstof door zijn raadsels en spitsvondigheden.

'Hitler is, als ik me niet vergis, al dood,' merkt Northcroft droog op.

McDougall laat zich niet van de wijs brengen. 'Stel dat hij nog leeft.'

'Tojo draagt als generaal en minister-president de grootste verantwoordelijkheid voor de oorlog en verdient wat mij betreft de zwaarste straf,' zegt Cramer, 'maar hij was niet de allesbepalende kwade genius zoals Hitler.'

'Waarom Stalin?' wil Brink weten. Hij voelt zich op zijn gemak als hij het woord neemt, in tegenstelling tot de eerste maanden, toen hij nog onzeker was. Tegenwoordig neemt hij zelfs graag het woord omdat hij erop vertrouwt dat de anderen hem respecteren. Allemaal ijdelheid, natuurlijk, maar zijn toegenomen zekerheid maakt zijn omgang met deze mannen, Patrick en Northcroft vooral, een stuk eenvoudiger. 'Stalin wordt toch niets ten laste gelegd?'

'Nog niet,' zegt McDougall. 'Maar als Stalin het voor het zeggen krijgt in Europa, gaan jullie er allemaal aan.' De Canadees grinnikt triomfantelijk alsof hij een val laat dichtklappen. 'De geschiedenis heeft aangetoond,' gaat hij verder, 'dat Hitler en Tojo uiteindelijk het onderspit hebben gedolven. Maar van Stalins plan met de wereld moet de uitkomst nog blijken. Misschien zal hij nog misdadiger en gevaarlijker blijken te zijn dan die twee bij elkaar.'

Een paar tafels van hen verwijderd doopt hun collega van de Sovjet-Unie, generaal Zarayanov, stukjes brood in het geel van zijn gekookte ei. Zijn tolk en assistent zit tegenover hem. Bij het horen van de naam Stalin kijkt Zarayanov met half toegeknepen ogen in hun richting.

Van de generaal krijgt Brink niet veel hoogte, en daarin staat hij niet alleen. Een onverstaanbaar brabbelend uniform met sterren. 's Avonds laat hangt hij onderuit in een van de grote leren fauteuils in de lobby, gehuld in een opgewekte dronkenschap, en laat hij zijn arme tolk zijn schuine mopjes over kozakken en melkmeisjes vertalen voor eenieder die zo roekeloos is om niet uit zijn buurt te blijven.

'Je wilt dus eigenlijk van ons weten of Stalin preventief opgeruimd moet worden?' stelt Brink. 'Een filosofische vraag, lijkt me. Met vier rechters aan tafel valt het wat buiten de orde.' Hij neemt een slok koffie en kijkt naar lord Patrick, die in zijn kostuum van luchtig zomertweed wat achterover-leunt en zorgvuldig zijn dunne lippen met een servet afveegt terwijl hij luistert.

'Iemand preventief laten opknopen is vanzelfsprekend uitgesloten,' mengt Northcroft zich nu in het gesprek, 'maar een doodvonnis – en ik heb het nu over een doodvonnis in het algemeen – zou kunnen voorkomen dat andere war-hoofden, geldwolven en fanatici zich in de toekomst aan de-zelfde misdaden schuldig zullen maken.'

'Nou, wie wordt het,' vraagt McDougall.

'Hitler,' zegt Brink. 'Het kan geen kwaad hem voor de ze-kerheid nog een keer naar de andere wereld te helpen.'

'Ik ben het met Brink eens,' zegt lord Patrick. 'Wij, als in-woners van het oude Europa, hebben het meest onder de Duitsers geleden.'

'Tojo zal de strop niet ontlopen,' zegt Northcroft, die met de achterkant van een lepeltje de schaal van een gekookt ei beklopt. 'Ik geloof niet dat er ook maar iemand onder ons is die nog een cent voor zijn leven geeft.'

'Het is nog maar de vraag of er ook maar één verdachte opgehangen gaat worden,' werpt Cramer op. 'Webb is te-gen de doodstraf. Hij vindt dat zolang de keizer zich tijdens het tribunaal niet hoeft te verantwoorden, de mannen die in zijn opdracht hun misdaden begingen niet ter dood veroor-deeld mogen worden.'

'Als we niet bereid zijn om de zwaarste straf te geven,' lord Patricks opvallend zachte stemgeluid klinkt beschaafd en soeverein tegelijk, 'dan hadden we, en zeker Sir Webb, ons moeten verzetten tegen het handvest van het tribunaal dat die doodstraf mogelijk maakt. Een straf die je niet bereid bent te geven is geen straf, maar een loos dreigement.'

'Bernard is ook tegen,' weet McDougall.

'Bernard heeft nog steeds niet verwerkt dat de Fransen

hier de tweede viool spelen,' zegt lord Patrick, die het dodelijk serieuze graag met het dodelijk ironische vermengt en het onderscheid zo klein mogelijk maakt. 'Die trekt wel bij. Maar Pal...' Hij laat zijn blik langs zijn collega's glijden en knikt langzaam en ernstig met zijn bleke gezicht.

'Die verwerpt de doodstraf,' zegt Brink, 'daar maakt hij geen geheim van.'

'Pal buigt bij aanvang van de zitting voor de verdachten, hebben jullie dat opgemerkt?' vraagt Northcroft.

Brink, die in het gerechtsgebouw naast de Indiase rechter zit, ziet het tot zijn verbazing iedere keer weer gebeuren. Gehuld in hun toga's gaan ze in vaste volgorde achter elkaar de rechtszaal in, lopen naar hun plaatsen achter de tafel, en dan buigt Pal openlijk, demonstratief bijna, voor de verdachten alvorens hij gaat zitten.

'Zijn hele denken is vervuld van de strijd tegen het kolonialisme. Ik vrees dat we hem als rechter niet serieus kunnen nemen.' Lord Patrick strijkt langs zijn zilvergrijze snor en laat zijn kalme onontkoombare blik even op hem rusten. Brink knikt instemmend. Achter hem klinkt een wakkere stem: 'Goedemorgen heren, goed dat ik u hier bij elkaar tref.' Het is Webb, in gezelschap van de Filippijnse rechter Jaranilla, een stille, ernstige man met een stalen bril. Het kostuum van de Filippijn is te ruim voor zijn magere schouders. Hij ruikt naar sigaretten, rookt er op dit moment ook een terwijl hij wacht tot Webb zover is om samen naar de mis te gaan, zoals ze als rechtgeaarde katholieken iedere zondag doen. Het verbaast hem wel van deze twee intelligente mannen, die toch als geen ander weten wat rampen en oorlogen teweegbrengen. Je zou verwachten dat het de mensen wijzer, ongeloviger maakt, maar het gekke is dat al die ellende ze nederiger dan ooit terug naar God laat kruipen. Soms denkt hij dat kerels als Sir Webb en Jaranilla niet zonder contact met hun eigen schuld kunnen leven, de reden dat ze iedere zondag op hun knieën in de kerkbank zitten.

'Morgen beginnen we een halfuur eerder dan gebruikelijk met de vergadering in de raadkamer,' vervolgt Webb. 'We hebben een uitgebreide agenda. Ik heb uw memo ontvangen, lord Patrick. Het punt dat u aankaart, verdient onze tijd en aandacht.'

Lord Patrick knikt.

Er gebeurt iets met de bonkige Sir Webb zodra hij in de buurt van lord Patrick is. Zijn fladderende handen, zijn opgeheven kin, zijn harde stem en, niet te vergeten, zijn overvloed aan woorden, alles lijkt nadrukkelijk in stelling gebracht, theater om zijn gezag als Chief Justice te onderstrepen. De frêle lord Patrick laat zijn bijna doorschijnende vingers rusten op het handgesmede paardenhoofd van zijn wandelstok. Hij luistert, kalm, voornaam als een familiewapen, een granieten gedenkplaat in een kathedraal. Zonder een enkel woord of gebaar is hij alles wat Webb speelt.

'Meneer Jaranilla en ik vertrekken naar de mis.' Webb richt zich tot Brink nu. 'U bent van harte uitgenodigd om ons te vergezellen.'

Als Chief Justice heeft Webb toegang tot alle informatie over de rechters en in Brinks dossier staat achter geloof: 'r.k.'. Maar dat is van lang geleden, al heeft hij nooit de moeite genomen zich officieel uit te laten schrijven.

'Het zou geen zin hebben om mee te gaan naar de kerk,' zegt hij tegen Webb, die kennelijk weigert aan te nemen dat zijn ziel definitief verloren is gegaan. 'Niet meer dan ons uitstapje naar de shintotempel van vorige maand.'

'Dat kunt u toch niet met elkaar vergelijken!' reageert Webb. 'De shinto met dat hele godenstelsel is een bespottelijk samenraapsel van onwaarschijnlijke fabeltjes zonder enige logica. Geen verstandig mens die er iets mee kan.'

'Ik ben niet op de hoogte van de shinto, maar heeft u er wel eens bij stilgestaan wat de gemiddelde Japanner moet vinden van de almachtige God, de barmhartige vader, die niet ingrijpt als zijn zoon tussen twee criminelen aan het kruis wordt genageld?' Hij heeft zich zijn plagerij nog niet laten ontvallen of hij vraagt zich al af hoe lord Patrick zijn weliswaar op ironische toon gebrachte maar daarom voor een gevoelig christelijk oor niet minder blasfemische woorden opvat. Hij gokt erop dat Patricks dedain voor Webb zwaarder weegt dan zijn vroomheid.

Webb schudt het hoofd. 'Morgen negen uur, heren.'

Het gesprek aan tafel wordt voortgezet, maar hij is afgeleid en kijkt Webb en Jaranilla na als ze, voor ze het restaurant verlaten, nog bij Zarayanovs tafel blijven staan. Webb richt zich tot de tolk, die alles braaf voor de generaal vertaalt. Rechter Pal komt nu ook het restaurant binnen en passeert iedereen om in zijn eentje aan de verste tafel te gaan zitten.

Hij wordt overvallen door de afstand die er bestaat tussen hem en Pal, hem en de Rus, hem en Webb, tussen alle rechters onderling. Elf mannen van het recht, fatsoenlijke, intelligente mannen, doordrongen van hun taak. Toch zijn de verschillen van temperament, afkomst en persoonlijke historie zo groot dat het hem bijna onmogelijk lijkt om hun taak gezamenlijk te volbrengen. Natuurlijk wist hij allang dat ze onderling van elkaar verschillen, maar nooit was dat besef zo sterk, zo bewust, op het melancholische af, als nu.

Na het ontbijt zit hij samen met lord Patrick op een bankje in de tuin omgeven door potpalmen en bananenbomen. Hij trekt een sigaret uit het zilveren doosje met zijn monogram op het gehamerde deksel, een cadeau van Dorien voor zijn verjaardag. 'Dat geeft je waardigheid,' had ze gezegd en zo voelt het ook als hij het deksel dichtklapt en zijn sigaret aansteekt. Dit zilveren doosje is zijn wandelstok met paardenhoofd. Twee mannen van waardigheid en wijsheid. Had mevrouw Hadewijck hem maar zo kunnen zien. Drie jaar eerder was ze te midden van haar honden en donkere schilderijen heengegaan. Bezweken aan geïnfecteerde longen, heette het officieel, aan een eenzaam hart, werd gefluisterd tijdens de teraardebestelling. Wat had hij, haar protegé, haar graag het nieuws gebracht dat hij zijn land in Tokio mocht vertegenwoordigen, het bewijs van het rendement van haar investering.

'We kunnen ons geen stommiteiten permitteren.' Lord Patricks woorden halen hem terug uit zijn overpeinzingen. 'Hoe het vonnis eruit zal zien is nog niet bekend. Maar we moeten ervoor zorgen dat het unaniem zal zijn. Afwijkende meningen zouden de geloofwaardigheid van het hele tribunaal ondermijnen. Webb is een prima vent, maar een voorzitter van niets, vandaar dat alles ook zo afschuwelijk traag verloopt. Als we niet uitkijken, zijn de verdachten al een natuurlijke dood gestorven voor we aan het vonnis toekomen. Morgen wordt in de vergadering de kwestie van unanimiteit aan de orde gesteld. Er zal over gestemd worden.' Hij pauzeert even. 'In jouw land is het gebruik om het geheim van de raadkamer te respecteren, nietwaar?'

'Ja,' zegt hij.

'Het land van Grotius,' zegt lord Patrick zacht voor zich uit en zwijgt even. 'Iemand zou morgen een overtuigend verhaal moeten afsteken, een pleidooi voor unanimiteit en geheimhouding. Een man met de juiste capaciteiten.'

Hij knikt. Hij denkt dat hij het begrijpt.

'Toen de Eerste Wereldoorlog voorbij was,' zegt lord Patrick, 'en ik in het sanatorium herstelde van mijn verwondingen en tuberculose, zag ik eindelijk in wat er echt gebeurd was. Op de slagvelden en in de kabinetsvergaderingen. Ik haatte de mensen om hun blinde wreedheid en machtshonger. Ik haatte mijn eigen onvermogen om er iets tegenover te stellen. Misschien ben ik daarom wel rechter geworden. Alleen in de rechtszaal worden de moordenaars en de leugenaars ter verantwoording geroepen.' Hij pauzeert even en vervolgt met zachte stem: 'Laten we één ding afspreken, Brink: we gaan het hier goed doen.'

Ze zitten even stil naast elkaar. 'Ga je vanmiddag mee met dat visuitstapje?' wil lord Patrick weten.

'Nee. En u?'

'Ik kan nauwelijks een primitiever, onnozeler vermaak dan vissen bedenken, of het moet een plattelandskermis zijn, maar ik zou het niet willen missen om aan de waterkant te zitten en naar McDougall en Northcroft te kijken. Geef ze een werphengel en een schepnet en die kerels raken buiten zichzelf.' Hij glimlacht bij de gedachte. 'Heb je nog iets gehoord van de visumaanvraag van je vrouw?'

Hij schudt het hoofd. 'Ze had zich er enorm op verheugd, maar ik denk niet dat het voor de kerst nog gaat lukken.'

'Ik hoop dat ik ongelijk heb, maar ik hoorde op de Britse ambassade dat de Amerikanen alle visumaanvragen voor rechtersvrouwen tegenhouden.'

'Waarom?'

'Ken je dat spreekwoord? Vrouwen of geestelijken aan boord brengen ongeluk.'

's Middags dwaalt hij tussen de hoge boekenkasten van de documentenkamer in het gerechtsgebouw, op zoek naar literatuur om zijn pleidooi voor het geheim van de raadkamer te kruiden. Onderweg naar zijn tafeltje botst hij bijna tegen zijn collega Pal op. Hij is verrast, het is voor het eerst dat hij hier in het weekeinde een van de rechters aantreft. Pal heeft een stapeltje dossiermappen in zijn handen. Hij is lang en slank. Zijn haar is aan de slapen doorschoten met grijs. Zijn degelijke kostuum en zijn kaarsrechte rug geven hem een formeel voorkomen, de gestrengheid van een schooldirecteur. Hij weet niet veel van hem, ze hebben maar een enkele keer persoonlijk met elkaar gesproken. Pal is aan de universiteit van Delhi verbonden en heeft negenendertig kleinkinderen, een getal waarvan hij achteraf denkt dat hij het verkeerd verstaan moet hebben. Ze groeten elkaar en hij aarzelt of hij verder zal lopen en diezelfde gedachte leest hij van Pals gezicht af. Dan valt zijn oog op de bovenste dossiermap: *Pact of Paris, 1929.*

'De volledige tekst van het verdrag?' vraagt hij.

Pal glimlacht met een knikje, een sluw glimlachje dat naar iets vooruit lijkt te wijzen. 'Met dit verdrag hebben de Amerikaanse aanklagers de aanklacht *misdaden tegen de vrede* onderbouwd. Ik vraag me af of ook maar één van de collega's het goed heeft gelezen.' De donkere ogen nemen hem uitdagend op. 'U?'

'Het is algemeen bekend wat erin staat.'

'Dus u heeft er geen bezwaar tegen dat u onderdeel uitmaakt van een gerechtelijke dwaling van historische proporties.'

'Dat is nogal een uitspraak, neemt u me niet kwalijk.'

'In het internationaal recht bestaat geen grondslag voor de aanklacht *misdaden tegen de vrede*, ook niet in het Pact van Parijs. Een eerstejaars rechtenstudent weet dat je iemand niet achteraf kunt veroordelen voor iets wat ten tijde van zijn daad nog niet strafbaar was – het nulla-poenabeginsel.'

'Het Neurenberg Tribunaal werkt met dezelfde aanklacht als wij hier in Tokio, *misdaden tegen de vrede*.'

'Wat wilt u zeggen? Dat daarmee onze plicht vervalt om zelf na te denken, om zelf te onderzoeken of deze aanklacht houdbaar is?'

'Uiteraard niet.' Zijn besluit om Pal aan te spreken was ingegeven door de onverwachte kans om de Indiër te polsen en voor de opvatting van hem en lord Patrick te winnen – naïef gedacht, ziet Brink nu in. Het is duidelijk wie van hen wie polst, wie hier de vragen stelt. Pal houdt zijn hoofd wat schuin en leest hardop de titel van een van de boeken die Brink in zijn handen heeft. 'Het geheim van de raadkamer?' En ook dit klinkt weer als een vraag waarop een antwoord wordt verlangd.

'Het is in mijn land goed gebruik om het geheim van de raadkamer te eerbiedigen. Ik wil daar morgen in de vergadering iets over vertellen. Unanimiteit van het vonnis is belangrijk voor het gewicht en de geloofwaardigheid van het tribunaal. Denkt u ook niet?'

'Nee. Het komt de transparantie van de rechtspraak alleen maar ten goede als afwijkende meningen ook naar voren worden gebracht. Wat stelt die geloofwaardigheid waar u over spreekt anders voor als afwijkende meningen *geheim* moeten blijven?'

Hij begint begrip te krijgen voor lord Patricks afkeer van deze man, maar spant zich in om billijk te blijven. 'Ik hoop u morgen met argumenten te kunnen overtuigen.'

'Verwacht er niet te veel van.'

Met de kaarten op tafel voelt hij zich gelegitimeerd om Pal de vraag te stellen die hij tot nog toe uit beleefdheid voor zich heeft gehouden. 'Bij aanvang van de zittingen buigt u voor de verdachten, mag ik u vragen waarom?'

'Ik vind dat de verdachten ten onrechte aangeklaagd zijn.'

'Allemaal?'

'Allemaal.'

'U heeft de zittingen over het bloedbad in Nanking zelf bijgewoond. U heeft de getuigenverklaringen gehoord en gelezen, u weet welke horreur zich daar heeft afgespeeld. Weinig reden om de verdachten uw eerbied te betuigen, lijkt me.'

Allesbehalve geïntimideerd door Brinks verontwaardiging, sterker, juist geprikkeld door de uitdaging die hij hem biedt, zegt Pal: 'Zij waren daar duizenden kilometers vandaan. Zij zijn niet verantwoordelijk.'

Niet verantwoordelijk? Voor een ogenblik is hij uit het veld geslagen, want hij kan maar nauwelijks geloven hoe deze man, collega-rechter, uitgezonden door zijn land, ondanks de overvloed aan bewijzen die het tegendeel aantonen, het bestaat exact dezelfde dooddoener à decharge als de verdachten in de mond te nemen. Geen van allen zijn ze verantwoordelijk, de mannen met hun koptelefoons op hun grijze koppen in de verdachtenbank. De een was door de omstandigheden verrast, de ander was niet bij de plannen betrokken, en weer een ander had het wel begrepen maar was minister of generaal gebleven om de voortdenderende oorlogsmachine af te remmen.

In het korrelige licht van de plafondlampen staan ze tussen de hoge boekenkasten tegenover elkaar. Hij met zijn literatuur die de wenselijkheid van een unaniem vonnis moet onderbouwen en de ander met twee handen vol papieren bewijslast voor zijn stelling dat de weg naar dat vonnis, het hele tribunaal, van geen kant deugt.

'Weet u,' zegt Pal en zijn stem klinkt nu minder ongenaakbaar en aanvallend, 'het basisprincipe van het recht is gelijkheid. Voor de wet is iedereen gelijk.'

Tegen zo'n dooddoener valt niets in te brengen. Hij zucht, misschien wat te luid.

Pal vervolgt: 'De Japanners hebben Azië bevrijd van het kolonialisme.'

'Met het doel zelf koloniën te stichten,' werpt hij tegen. 'China, de Filippijnen, Nederlands-Indië, overal waar ze een voet aan de grond kregen onderdrukten ze de bevolking.' 'Het werd tijd dat een Aziatisch land opstond tegen de heerschappij van het Westen. Dit tribunaal zie ik vooral als een poging van het Westen om de situatie terug te draaien en zijn belangen weer veilig te stellen.' Hij is het zat. 'Dit tribunaal is er opdat de verantwoordelijken voor de miljoenen slachtoffers hun straf niet ontlopen. Daarom ben ik hier.' Daar, zo simpel is het. Hij ziet geen andere manier om als rechter in dit tribunaal te staan. Het onbereikbare ideaal om de onschuld te herstellen, de slachtoffers tot leven te wekken en het verdriet van de nabestaanden weg te nemen, dat alles maakt dat ze er genoegen mee moeten nemen de balans van schuld en slachtofferschap zo veel mogelijk in evenwicht te brengen. Zie Grotius, zie, nog verder terug, Aristoteles.

'U bent hier,' een vonk van voorpret, het vooruitzicht een oud onrecht te kunnen vereffenen, verlicht Pals gezicht van binnenuit, 'omdat Nederland en Japan in oorlog zijn geweest, met als inzet Indonesia, of Nederlands-Indië, zoals u het noemt. Alleen om die reden is uw land, dat bijna tienduizend kilometer naar het westen ligt, in Tokio vertegenwoordigd. Maar Nederland heeft Indië gestolen, bezet, de bevolking onderdrukt en gaat daar zolang het kan mee door.'

'U haalt de zaken door elkaar, maar laat ik vooropstellen dat ik zeker geen voorstander ben van het kolonialisme en in mijn land sta ik daar niet alleen in.'

'Dat is goed om te horen.' Pal knikt hoffelijk en houdt het exemplaar van het Pact van Parijs omhoog. 'Mocht u belangstelling hebben, u weet me in het hotel te vinden. Goedemiddag.'

11

Hideki spreekt nauwelijks nog een woord en vertoont zich zo min mogelijk buiten het schuurtje. 's Ochtends vroeg of 's avonds laat, als de luiken van de huizen gesloten zijn en er niemand op straat is, wil hij nog wel buitenkomen. Dan is hij veilig voor de ogen, de blikken vol van medelijden maar ook, steeds vaker, van verwijt. Zijn manke poot en verschroeide kop herinneren de mensen in het dorp aan iets waar ze liever niet meer aan denken.

Hij kan zich niet de rest van zijn leven in het schuurtje verstoppen, dan zal hij stikken in zijn grillige gedachten en de onuitgesproken woorden in zijn keel. Hij moet eruit. Op een ochtend, de rode strepen van de dageraad worden juist zichtbaar boven de bergen in het oosten, daalt hij voor het eerst sinds hij terug is de helling af, helemaal tot aan de rivier, die nog in de schaduw van de bomen ligt. Zijn kruk schiet omlaag in de zachte klei van een drooggevallen bedding. Vroeger bracht hij hier zo veel mogelijk tijd door. De genoegens van het leven waren simpel, voor het oprapen. De rivieroever die aan de overkant steil oprijst uit het water is bezaaid met bomen en klimplanten en loodrechte stukken zachtpaarse rots. Boomtakken reiken naar het licht boven het water. Vanaf een rotsblok kijkt hij naar het houten badhuisje in de schaduw. Onder hem staat het stromende water laag en het schiet in zilveren schittering over de kiezels.

Hij dwaalt door een strook bos langs de rivier, in een wolk van geuren van hars en wilde azalea's. Hij kruipt door kloven. Met een net aan een bamboestok vangt hij de in felle kleuren getekende woudzangers die hun nesten hebben in de holen op de steile oevers van klei. Pas na zonsondergang keert hij langs het spoor van trechtervormige afdrukken van zijn kruk weer terug en klimt hij met zijn laatste krachten het steile stuk omhoog naar het dorp. In het schuurtje eet hij wat zijn moeder voor hem apart heeft gezet. Hij is de hele dag geen mens tegengekomen. Hij herinnert zich niets van wat hij gedaan heeft.

Op een zondag volgt hij in het fijne grind langs de rivier een vers hertenspoor. Het pad is koel in de schaduw. Geen ander geluid dan dat van de stroom en zijn ademhaling. Hij gaat verder dan op zijn eerdere tochten, helemaal tot aan de houten brug. Langs het water, op een met korstmos begroeide rotsrichel, staat een man met een hengel. Een lange, magere man, blank en gekleed in het uniform van het Amerikaanse leger. Bij de aanblik van de militair verstijft hij. In dit woeste gebied met diepe, snelle stromen en nauwelijks voor auto's begaanbare wegen komen zelden vreemdelingen. Al helemaal geen Amerikaanse militairen. Aan de andere kant van de kale berg hebben de Amerikanen het buitenhuis van een rijke industrieel geconfisqueerd. Het is verbouwd tot een hotel voor hoge officieren. Maar wat hadden die hier te zoeken? Vanuit het struikgewas bespiedt hij de man, die zijn hengel inhaalt en aas aan de haak doet, op de rotsen gaat zitten en naar het stromende water staart. Zijn haar is heel licht van kleur, bijna wit, met een zweem van oranje erin. Het straalt een zacht, wazig licht uit.

Door het lange, krampachtige staan op één plek is zijn kruk diep weggezakt in de zachte grond van de oever en raakt hij uit balans. Om niet te vallen moet hij een plotselinge stap zetten. De man kijkt op van het gekraak en geritsel. Hideki aarzelt even, trekt zijn kruk los en werkt zich strompelend door de struiken. Tegen het licht van de zon in kijkend lijkt het of het haar van de man een gloed afgeeft als een krans van vuur. Goedmoedig maar waakzaam knikt de man naar hem.

De angst, die heel even ondraaglijk was, begint te wijken en in plaats daarvan welt een broos vertrouwen in Hideki op. Hij glimlacht terug en buigt. *Goodnight; thank you; does this bus stop near the zoo?* In gedachten keert hij terug naar de radio in het ziekenhuis, de tussen de kale muren en het hoge plafond galmende woorden en zinnen van de Engelse les. Koortsachtig pijnigt hij zijn hersenen op zoek naar iets passends. Hij herinnert zich de optimistische vrolijkheid waarmee de verpleegsters de woorden en zinnen op de gang herhaalden, blij met een nieuwe taal, nieuwe woorden.

Welkom, schiet hem te binnen en hij waagt het erop: 'Welcome.' Zijn stem komt nauwelijks boven het geraas van de rivier uit.

'Thank you.' De man trekt zijn hengel omhoog en wijst naar het stukje brood aan zijn haak: 'No fish.'

No fish? Hij heeft geen idee wat dat kan betekenen, maar wat hij wel weet is dat de man het verkeerde aas gebruikt. Met zijn kruk wroet hij in de zachte grond langs de rotsrand en vindt enkele larven. Hij loopt ermee naar de man en schuift de witte, opgezette lijfjes om de haak.

'Thank you,' zegt de man en werpt zijn hengel uit. De goudkleurige strepen op de mouw van zijn uniformjasje zijn indrukwekkend, maar lijken niet die van een hoge officier. De man biedt hem een sigaret aan en neemt er zelf ook een. Rokend en zwijgend zitten ze naast elkaar en turen de stroom af, langs de ijle begroeiing op de oever die rimpelt in de wind, de gladde, steile rotswanden waartussen de rivier in een bocht verdwijnt, een landschap in miljoenen jaren gevormd door ijsverschuivingen, wind en stroming, maar ogenschijnlijk onveranderlijk en onaangeraakt door de tijd.

'Jeff,' zegt de man na een poosje en wijst naar zijn eigen borst.

'Hideki.'

De man herhaalt zacht zijn naam – 'Hi-de-ki' – en steekt zijn hand naar hem uit.

'Prachtig,' zegt de man nadat ze elkaar de hand hebben geschud en hij zijn ogen opnieuw langs de rivier en de rotswand laat glijden.

Zijn vermoeden dat Jeff geen hoge militair is wordt sterker, misschien werkt hij in het hotel of is hij chauffeur van een officier en kreeg hij verlof om er een middagje op uit te trekken. Op de rots naast Jeff ligt een boek. Een kruis siert het omslag. Jeff merkt zijn belangstelling op en neemt het boek in de hand.

'De Bijbel,' zegt hij en slaat zijn ogen op naar het blauw van de hemel. 'God.'

Hij leidt Jeff naar een betere plek, een meter of twintig stroomafwaarts. Achter een paar hoge rotsblokken met wat rustiger water heeft Jeff in korte tijd tweemaal beet. Met zijn mes maakt Hideki de vissen schoon en schuift ze om een spies van bamboe. Hij zoekt wat grote, gladde keien en legt ze in een cirkel neer, iedere handeling aandachtig gevolgd door de Amerikaan. Op een onrustig in de wind flakkerend vuurtje van takjes en droge bladeren roostert hij de vissen. Rook en vonken verwaaien over de stroomversnelling. Boven de toppen van de bomen rijst in grote donkere vlakken de kale berg op. Terwijl ze hun tanden in het warme, zachte vlees van de vis zetten, brengt Jeff hem enige Engelse woorden bij.

Vis, vandaag, bergen, dorp, en... sergeant – Jeffs rang.

Door middel van gebaren en een enkel woord lukt het hem de man uit te leggen dat ook hij sergeant in het leger was. Deze nieuwe woorden, de kordaatheid van hun klank, de wetenschap dat deze Amerikaan die hij amper kent hem begrijpt en andersom hij hem ook, dat alles stemt hem welgemoed. De oude gevoelens van haat en eer zijn eindeloos oproepbaar, dat weet hij heel goed, maar de realiteit van vandaag is dat hij naast een Amerikaan zit die Jeff heet. Wat is een Amerikaan? Wat is een Japanner? Wat is een volk anders dan het idee dat je ervan hebt? Hij had de Chinezen aangevallen. Jeff had de Japanners aangevallen. Hoe vaak moest je elkaar aanvallen en vernietigen voor dat idee? Het is uitgesloten omdat hij zijn taal niet spreekt, maar anders zou hij Jeff misschien verteld hebben hoe zijn landgenoten, twee MP's, Hideki in Tokio hielpen nadat hij uit de kuil achter het hotel wist te klimmen en zonder kruk als een dier langs de hoofdstraat was gekropen.

Thank you. Thank you very much.

Tegen zonsondergang neemt hij bij zijn vader op de veranda plaats en biedt hem een sigaret aan uit het pakje Chesterfield dat Jeff hem bij het afscheid cadeau heeft gedaan.

Met verbaasde achterdocht bestudeert zijn vader het pakje.

'Vandaag gehad beneden bij de brug. Van een Amerikaan.' Ondanks zijn geestdrift probeert hij zo onverschillig mogelijk te klinken.

'De brug, wat moest hij daar? En waarom heeft hij je dat pakje gegeven?'

'Hij houdt van vissen. Hij is sergeant, net als ik was.'

Hij barst los in het verhaal dat eigenlijk voor Jeff bestemd was, over hoe hij in Tokio een slaapplaats nodig had en een schoft van een vent hem midden in de nacht had beroofd en zonder zijn kruk in een donker hol achtergelaten.

'Ik had twee agenten van de Tokiose politie gevraagd om me te helpen naar het station te komen,' legt hij zijn vader uit. 'Op handen en voeten was ik naar ze toe gekropen. Ik had geen kruk, ik had geen geld. Ik smeekte ze me te helpen. Het kon ze geen barst schelen.'

'Die lui in de stad hebben geen hart in hun lijf,' zegt zijn vader.

'Twee Amerikaanse MP's pikten me op,' vervolgt hij. 'In hun jeep reden ze me naar het Rode Kruis om me een nieuwe kruk te bezorgen en daarna brachten ze me naar het station. Ze loodsten me langs de rijen bij het loket en lieten de stationschef een kaartje voor me halen.'

Zijn vader legt de sigaret naast zich op de veranda neer en steekt zijn pijp met de ijzeren kop aan. Hij zuigt aan de steel tot er kleine wolkjes rook bij zijn mondhoek verschijnen. 'Is hij weggegaan, die Amerikaan?'

Hij knikt. Hij weet wat zijn vader door het hoofd speelt: je eigen mensen.

Zijn vader staart naar de steeds donker wordende bomen in de verte. De lucht in het westen is van het allerdiepste paars, bijna zwart. 'Laten we hopen dat hij niet meer terugkomt.'

'Pa,' zegt hij, nauwelijks in staat de trilling in zijn stem te onderdrukken, 'heb je er wel eens bij stilgestaan wie het zijn die ons de verhalen vertellen? Wie de plannen maken waar wij niets van mogen weten, de risico's calculeren die ze anderen laten nemen? Wie miljoenen idioten zichzelf vrijwillig in stukken laten schieten?'

'Ik geloof dat ik je niet kan volgen.'

'Ze bedenken gevaren, bedreigingen, ze laten ons dingen geloven. Ze leren ons haten.'

'Wie? Over wie heb je het?' In een gebaar van afkeurende ergernis vertrekt zijn vader zijn gezicht in een grimas.

'Ze denken dat we stom zijn, pa. En waarschijnlijk hebben ze gelijk. Goedenacht.'

De zondag erna is hij al vroeg bij de houten brug. Hij heeft een oude hengel van zijn vader en een blikje gevuld met verse larven in vochtige aarde meegenomen. Hij gooit zijn hengel uit en wacht af. Niet dat ze iets afgesproken hebben, maar het zou hem niets verbazen als Jeff de afgelopen dagen net als hij naar een volgende ontmoeting heeft uitgekeken. Dat wil hij graag geloven. Hoe kan hij iets van het leven verwachten, hoe kan hij zichzelf serieus nemen als hij zelfs daarin niet durft te geloven? Zittend op de rots staart hij naar het water dat wild aan hem voorbijkolkt. Vlekken licht schemeren door de takken van de bomen als de zon daalt. Misschien heeft Jeff geen vrijaf gekregen, misschien werkt hij, anders dan Hideki veronderstelde, helemaal niet in het hotel en is hij inmiddels in Tokio of ergens anders op Honshu. Vier opeenvolgende zondagen probeert hij het opnieuw, zich concentrerend op ieder ver gerucht op de hellingen. Aan het eind van die laatste zondagmiddag rolt hij teleurgesteld het snoer van zijn hengel op en giet hij het blikje met larven en aarde uit in de rivier, klaar om terug naar het dorp te gaan.

Achter hem klinkt een zwaar en aanzwellend geluid. Hij draait zich om. Een jeep komt over de verharde weg omlaag en dendert over de rammelende planken van de brug. Als de wagen tot stilstand komt, zweeft over het lage struikgewas en de rotsen een stofwolk in zijn richting. De motor van de jeep blijft stationair lopen, niemand stapt uit. Door de donkere weerspiegelingen in de voorruit kan hij niet naar binnen kijken, maar hij twijfelt er niet aan wie er achter het stuur zit. Leunend op zijn kruk richt hij zich verwachtingsvol op. Achter de voorruit van de jeep beweegt iets, niet op de plaats van de bestuurder, zoals hij verwacht, maar ernaast. Het geluid van de motor weerkaatst dreunend tegen de steile oeverwand van de rivier. Dan zwaaien de portieren open en stappen aan weerszijden van de jeep twee Amerikanen in uniform uit. Ze kijken eerst glimlachend naar hem met zijn kruk op de rots, en van hem dwaalt hun blik naar de rivier en de bomen.

De bestuurder is een jonge vent met slordig, donker krullend haar. Hij heeft een tonvormige borst en lange, behaarde armen die uit de opgerolde mouwen van zijn hemd steken. Zijn wat gebolde schouders en de stand van zijn O-benen maken dat hij iets weg heeft van een aap. De andere vreemdeling is ook een jonge vent, maar kleiner en gespierder. Met een frisse, roze huid en gemillimeterd haar dat als een staalborstel op zijn hoofd staat. Zijn uniform is onberispelijk, zijn schoenen glimmen en de metalen sluiting van zijn riem schittert in het zonlicht.

'Hi!' zegt de kleine man en knikt.

Hij buigt en herinnert zich zijn ontmoeting met Jeff. 'Welkom.'

De twee mannen kijken elkaar even aan en dan klinkt er een zachte, hese stem in de jeep. De mannen draaien zich om naar de wagen, luisteren naar de stem en knikken. De grootste van de twee wenkt hem naderbij te komen. Hij klautert van de rots, hinkt naar waar ze staan en werpt een snelle blik in de jeep. Op de achterbank zit een derde militair van wie het hoofd door het dak van de jeep uit zijn gezichtsveld wordt gesneden.

De kleine met het borstelige haar komt nu vlak voor hem staan. 'Village?' vraagt hij.

Village, dorp? Trots over zijn kennis van de betekenis van het woord wijst hij in de richting van de onverharde weg die in een flauwe bocht de heuvel op draait.

De kleine maakt een beweging met zijn hoofd naar de wagen ten teken dat hij in moet stappen.

Hideki schudt zijn hoofd. Om thuis te komen, heeft hij, al loopt hij met een kruk, niemand nodig.

De aap met de lange, behaarde armen lacht zijn tanden bloot en zegt: 'Ja, ja, dorp.' Hij legt een enorme hand met een pinkring op zijn schouder en voert hem voorzichtig maar dwingend naar de bestuurderskant van de jeep, klapt de stoel naar voren en helpt hem in te stappen.

In de achterover hellende auto, met de neus naar de bergtop, spiralen ze langzaam omhoog. De motor giert en loeit, de banden zakken in diepe kuilen weg. Met zijn kruk tussen zijn knieën geklemd wordt hij woest door elkaar geschud. Naast hem op het achterbankje zit de derde man voor zich uit te kijken. Uit zijn ooghoek neemt Hideki het profiel van de man op, de scherp naar beneden gebogen neus, de terugwijkende kin, de onbeweeglijkheid van de dunne, bloedeloze lippen. Dan draait het gezicht langzaam naar hem toe en twee ogen, die de matblauwe wazigheid van iemand met staar lijken te hebben, nemen hem op. Zonder enige uitdrukking op zijn gladde gezicht en zonder een enkele keer te knipperen blijft de man hem aankijken. Nooit eerder heeft hij zo'n blik hoeven weerstaan, het is alsof hij in de ogen van een levenloos wezen kijkt, een rots. Tijdens de oorlog hebben vele gevaarlijke mannen zijn pad gekruist. Chinese kampbewakers die lachend over de wonden van zijn gezicht pisten. Zijn eigen commandanten die een wedstrijd hielden om te kijken wie te paard met zijn zwaard de meeste Chinezen kon onthoofden. Nadat de afgehakte koppen op staken waren gezet en geteld dronken ze samen een komme- tje thee. Gewelddadige idioten die zichzelf in leven hielden met de pijn en vernedering van een ander. Maar deze man. Er was helemaal niets in die ogen, alleen maar leegte. Hij wou dat hij een manier wist om nooit in het dorp aan te ko- men, maar hij kan de eerste huizen al in de verte zien. On- vermoeibaar zwoegt de jeep voort, met een dof gebonk en gesuis van de motor als het geluid van zijn eigen bloed in zijn slapen.

12

De stenen honden bij de hoge toegangspoort van het tempelterrein zijn bedekt met korstmos. Amerikaanse militairen maken foto's van elkaar en knikken vriendelijk naar Michiko als ze, onder een fletse novemberzon, naast de rechter naar de tempel loopt. In de stenentuin kijkt de rechter langdurig en met grote aandacht naar de vijver en de grote zwerfkeien die eeuwen geleden in een zorgvuldige formatie om het water zijn gerangschikt.

'Dit is de tuin?' vraagt hij weifelend.

Ze knikt en vertelt hem over de traditionele betekenis van de stenen, niet te uitgebreid en zeker niet te belerend, want ze wil voorkomen dat het lijkt of ze hem van iets wil overtuigen. Hij heeft haar uitgenodigd om hem te vergezellen op dit zondagse uitje naar de herfstbossen van Nikko. Omdat zij de taal spreekt, omdat zij het land kent, maar vooral omdat de door GHQ georganiseerde uitjes hem vervelen. Zo had hij zijn uitnodiging ingeleid. Als het hem om een deskundige gids te doen was geweest, had hij, veronderstelt ze, wel iemand anders meegenomen. Aan zijn blik meent ze een zekere teleurstelling over de zentuin af te lezen, een indruk die niet verdwijnt als ze na de tuin het smalle houten bruggetje oversteken naar de tempel, waar een groepje westerse dames met hoeden op wordt rondgeleid door een Japanse student kunstgeschiedenis. Als het gezelschap verdwenen is, blijven zij en de rechter alleen achter in de tempel en de stilte. Hij kijkt zo aandachtig. Het is alsof hij de hele tempel met kaarsjes, houtsnijwerk en dwarsbalken in één keer wil verorberen, verwerken, doorgronden. Ze ziet dat hij zijn best doet, maar zijn ogen blijven onrustig dwalen, kennelijk op zoek naar iets wat ze niet kunnen vinden.

'Mooi,' zegt hij eindelijk. Het klinkt alsof hij het heeft opgegeven. Ze vertelt hem over het boeddhistische levensrad dat de mens gevangen houdt. Ze wijst hem de uit hout gesneden haan, de slang en het zwijn aan. Hij knikt opgetogen. Die had hij nog niet opgemerkt.

'Wat is hun betekenis?' vraagt hij, bereid iets te leren.

'Ze staan symbool voor lust, haat en onwetendheid. Zoals u kunt zien, jagen ze voortdurend achter elkaar aan terwijl het rad ronddraait.'

Weer buitengekomen lopen ze over de paden met fijn grind.

'Wat me opvalt,' zegt hij, 'is dat alles zo bescheiden is, zo…' Hij denkt na over het juiste woord.

'Eenvoudig?' vraagt ze.

'De kerken in Europa zijn vergeleken met dit bouwwerk inderdaad immens, met hun torens en gewelven.'

Ze kent de grote kerken en gebouwen van Europa slechts uit de boeken en tijdschriften bij mevrouw Haffner thuis. Ze lijken haar prachtig. 'Ik hoop ze op een dag te zien,' zegt ze. De Weense opera en de Arc de Triomphe staan ook op haar verlanglijstje. Ooit, misschien al snel, als mevrouw Haffner haar relaties in Europa zover heeft.

'De muren om de tuinen en het park van Versailles beslaan veertig kilometer,' zegt hij. 'En er zijn brede lanen, fonteinen met beelden, buxushagen in kunstzinnige vormen.' Hij kijkt om zich heen naar de mossen en asymmetrisch geplante lage varens. 'Wat me verbaast is dat een volk dat toch meent rechtstreeks van de goden af te stammen zo opzichtig matigheid nastreeft.'

'Meer dan wat u ziet is er niet.' Ze haalt haar schouders op.

'Ik hoop dat u me mijn onnozelheid niet kwalijk neemt, ik wijt het aan mezelf, maar ik begrijp het gewoon niet. U bent Japanse. U kent dit. Waar moet ik kijken? Hoe moet ik kijken?'

Hij weet niet waar hij moet kijken? Zij weet niet wat ze moet zeggen. De student kunstgeschiedenis heeft er geen moeite mee. Achter zich hoort ze hem op vlakke toon de dames met de hoeden de symbolische eenheid van eenvoud, rust en balans uiteenzetten, terwijl ze alweer onderweg zijn naar hun gereedstaande auto, klaar voor de volgende culturele verovering van een tempel of stenentuin.

De blik waarmee de rechter haar opneemt is even aandoenlijk als onontkoombaar.

'Ik hoop dat u niet het gevoel heeft dat u uw tijd verdoet,' zegt ze.

'Nee, dat zeker niet, maar het is…' Hij haalt zijn schouders op.

De orde die in en rond de tempel heerst spreekt voor haar voor zich. Het bruggetje, de stenen, het patroon van de varens en mossen, alles houdt elkaar in evenwicht, niets is toevallig. Hij lijkt haar een slimme, sensitieve man. Ze gaat ervan uit dat hij aan moet kunnen voelen dat hier alles klopt, maar niet als een formule, niet als een artikel uit het wetboek. Het zou zijn ergernis verklaren: hij weet dat het er is, maar kan er niet bij komen. Zijn krampachtige poging, zijn verlangen om in een handomdraai te krijgen wat hij verwacht, is hier het enige wat de balans verstoort. Hij staat zichzelf in de weg. 'Misschien moet u genoegen nemen met wat u ziet, los van uw verwachtingen.'

Hij knikt, maar overtuigd lijkt hij niet.

Ze rijden in de glanzende wagen met het rood-wit-blauwe vlaggetje voor op het spatbord over de slingerende weg dwars door de esdoornbossen, hun doel van het uitstapje naderend. Langs de kant van de weg merkt ze een man en een vrouw op met een klein meisje in een lichtblauw jasje tussen hen in. De drie lopen de auto tegemoet en het volgende moment zijn ze elkaar gepasseerd. Ze kijkt om naar het meisje, tot de auto een bocht in draait en het jasje van het meisje als een lichtblauwe vlek in de zee van rode bladeren oplost.

'Waar kijkt u naar?' vraagt hij.

Het zijn net jonge honden, westerlingen, denkt ze, ze gaan op alles en iedereen af, in het onzinnige vertrouwen dat niemand het ze kwalijk zal nemen. 'Waar ik naar kijk?'

'Ja.'

'Ik herinnerde me iets. Houdt u van de bossen?'

'Waar ik als kind woonde, was ook bos,' vertelt hij. 'Ik fietste erdoorheen naar school of naar de kerk. In mijn herinnering is het een dicht en donker bos. Misschien had ik toen geen oog voor de prachtige kleuren in de herfst of nam ik ze gewoon voor lief?'

Opmerkelijk, denkt ze, dat de rit door deze bossen hen beiden naar hun jeugd terugvoert. Die van haar is zoet geweest en heeft ze ten volle geproefd. Ze herinnert zich er nog veel van. Maar ze begrijpt wat hij bedoelt, de twijfel over hoe het was, hoe het precies was, vroeger. Wat je dacht. Wat je voelde. Toen ze een jaar of vijf, zes was, ze woonden nog niet zo lang in Tokio, maakten zij en haar ouders samen met hun buren uit Asakusa een uitstapje naar de omgeving van Nikko. Ze had de heimwee van haar ouders, geboren en getogen in de bergen, naar de natuur, de wereld buiten de grote stad, gevoeld. Eigenlijk weet ze dat laatste niet zeker, misschien heeft ze dat er later bij verzonnen. Hoe houdt ze dat moment van toen zuiver, ongekleurd, ongeschonden door latere ervaringen en herinneringen? Ze voelt een diep gevoel van spijt dat ze die dag niet voor altijd heeft kunnen conserveren, precies zoals hij was.

'Zijn de bossen in Nederland zoals hier?' vraagt ze.

Hij schudt het hoofd. 'De kleuren zijn hier feller, indrukwekkender.'

Hij lijkt zijn frustratie over het tempelbezoek van zich afgeschud te hebben, want zijn gezicht is ontspannen als hij zegt: 'De natuur van dit land heeft minder moeite met een uitbundige esthetiek dan de mensen.'

'Ik geloof dat u het begint te begrijpen,' zegt ze.

Hij neemt haar vragend op, maar ze helpt hem niet verder.

'Plaagt u mij?' wil hij weten.

Ze schudt het hoofd.

In de buurt van de stad gekomen slaan ze een smalle, kronkelende weg omhoog in. Een bordje in de berm geeft aan dat ze op de weg van de achtenveertig bochten rijden.

'Nog iets wat we in mijn land niet hebben,' zegt hij terwijl ze de steile hellingen omhoog gaan. 'Heuvels, bergen.'

'Ik woonde tot mijn vijfde in de bergen,' zegt ze.

'In deze omgeving?'

'Nee, in het noorden, Nagano-prefectuur. De bergen zijn daar hoger.'

'Ik ben een paar keer met mijn vrouw, en later ook met mijn kinderen, naar Oostenrijk en Zwitserland geweest, de Alpen. Ik houd van het hooggebergte. Als je helemaal boven bent en je kijkt omlaag... begrijpt u wat ik bedoel?'

Ze knikt. Dat kan ze zich nog van vroeger herinneren. Het uitzicht vanaf de kale berg, het dal in, en dan dat vreemde, verheven gevoel, de zekerheid dat ze meer wilde dan alleen maar haar tijd uitzitten.

'Valt er waar u vandaan komt ook sneeuw?' wil hij weten.

'Sneeuw? O, zeker. In de winter worden de wegen afgesloten en soms, als het hard waait, kunnen de treinen de tunnels niet meer door, zoveel sneeuw is erin geblazen.'

Hij kijkt haar even aan en verzinkt in gepeins. Waarom, denkt ze, heeft hij haar, juist haar, meegevraagd. Omdat zij de enige Japanse is die hij persoonlijk kent en iets in hem nieuwsgierig is naar 'de Japanner' in het algemeen? Of is het meer dan dat? Ze vermoedt van wel. Zo naast hem zittend is ze zich zeer van zichzelf bewust. Dat komt, weet ze zeker, omdat hij af en toe naar haar kijkt en wanneer zij terugkijkt, wendt hij als betrapt zijn blik af. Soms vindt ze zichzelf knap, maar op dit moment, terwijl ze haar gezicht in het portierraam weerspiegeld ziet, stelt ze vast dat die schoonheid vluchtig, veranderlijk is. Ze verdwijnt onder haar ogen. Hoe zou hij haar zien? Als hij in haar de vrouw in de kimono tijdens de neptheeceremonie ziet, heeft hij het mis.

Zijn hand rust naast haar op de bank. Een waas van zwarte haartjes tekent zich op de rug ervan af. Tijdens zijn houterige pianospel maakt die hand een onbeholpen, lompe indruk, maar hier dicht naast haar is het een welgevormde, elegante hand, ondanks zijn grootte.

Ze hebben ieder hun eigen taal, hun eigen land, leven ieder in hun eigen wereld. Die van haar is afgeschermd door een onneembare verdedigingslinie. De muren ervan zijn hoog en sterk, daar zijn die muren van Versailles waar hij het over had niets bij.

Toen ze jonger was, heeft ze haar romantische dromerijen de vrije loop gelaten en zich verloren in haar eerste en enige verliefdheid – op een twee jaar oudere student van het conservatorium. Hij was ook verliefd op haar, al was hij te verlegen en welgemanierd om dat kenbaar te maken. Alles lag al voor hem vast. De miai had plaatsgevonden: er was door zijn familie al een meisje voor hem uitgekozen. De tradities bepaalden dat hij niet voor haar, Michiko, bestemd was. Pas na het herstel van de pijn, de prijs die ze achteraf moest betalen voor het heerlijke maar kortstondige gevoel van lichtheid, begreep ze dat ook zij niet voor hem bestemd was geweest. Niet voor een leven als echtgenote en moeder. In die tijd was ze er nog niet uit welke conclusies ze moest trekken uit haar eigen beslissing dat ze geen eigen gezin zou hebben, behalve dat ze op zoek zou gaan naar een andere, hogere vervulling van haar leven. Gedreven wijdde ze zich aan haar zangstudie alsof haar lessen en optredens het leven zelf waren. En wat die verlegen, knappe jongen van het conservatorium betreft: hij is nooit getrouwd met dat meisje. Een lok haar en een paar stukjes nagel, weggeborgen in een doosje voor zijn vertrek naar het front, is alles wat van hem kon worden bijgezet in de tempel.

Ze komen uit de achtenveertigste en laatste bocht en rijden door een vlak, dicht bebost landschap naar het meer. Omringd door heuvels en glad als een spiegel doemt het voor hen op, Chuzenji. Vissersbootjes met de Japanse vlag op de achterplecht trekken schuimende strepen in het water. Samen met de rechter maakt ze een wandeling door het plaatsje met zijn gammele, houten steigers in de blinkende herfstzon. Vissers met rieten zori aan hun voeten zitten in kleermakerszit in hun boten en repareren netten. Oude mannen met gezichten als gekreukeld papier pluizen op de kade de touwen uit. Vrouwen sjouwen grote, zware manden aan een bamboestok over hun schouders. Met de grote, elegant geklede rechter aan haar zijde vallen haar nieuwsgierige blikken ten deel, maar ook vriendelijke knikjes. Twee decennia lang zijn deze simpele, goedmoedige mensen uit de provincie met de mythes van militair totalitarisme gevoed. Zij waren het uitverkoren Yamato-volk. Hun zonen en broers werden opgeofferd om te voorkomen dat het menselijk geslacht onder invloed van de westerse wereld duivelse trekken aan zou nemen. Nu alles voorbij is en de balans is opgemaakt, loopt zij, een van hen, met een duivel met een chique dasspeld door hun dorp. Na de weg van vernietiging rest hun domweg geen andere keuze dan de weg van begrip.

Een oude man in een verwassen kimono maakt met een klein scherp mes een vis schoon. Met bloederige handen kijkt hij van onder zijn hoed van stro op naar de rechter en groet hem met zijn ver uiteenstaande oogjes. De rechter beantwoordt zijn groet met een verheugd knikje.

'Weet u,' mijmert hij hardop als ze verder lopen, 'in mijn werk word ik dag in dag uit gevoed met rapportages en getuigenverklaringen, een aaneenschakeling van wreedheid, slechtheid.'

Ze knikt. Waarschijnlijk dacht hij toen hij naar Tokio kwam dat alle Japanse vrouwen camelia's in hun haar dragen en dat hun mannen de sadisten waren die niets liever deden dan dood en verderf zaaien. Daarbovenop kwamen zijn dossiers, waarvan ze wel kan vermoeden wat erin staat.

'Dit zijn de echte mensen van Japan,' zegt ze. 'Ze doen hun best. Met in leven zien te blijven hebben ze genoeg aan hun hoofd.'

'Wat me opvalt is dat de mensen zo zonder haat en afkeer op mij reageren. Datzelfde hoor ik ook van de Amerikanen in het hotel die bij de politieke en economische wederopbouw betrokken zijn, dat de Japanners zich zo coöperatief en welwillend opstellen.'

'Eerst waren we het beste, onverslaanbare volk,' zegt ze. 'Misschien is onze nieuwe ambitie om de beste verliezers, het beste bezette volk ooit te zijn. De mensen beseffen dat ze hoe dan ook vooruit moeten komen.'

Ze lopen naar het eind van een pier die het meer in steekt.

Het is bladstil en onder de diepblauwe hemel weerspiegelen de met rode esdoorns begroeide heuvels zich in het water. 'Dank u dat u me naar deze prachtige plek heeft meegenomen,' zegt hij met een zachte stem. 'Dank u voor deze dag.'

In een klein mintgroen restaurant zitten ze aan het raam. De zon zakt achter de heuvels, de temperatuur daalt. Bij hun tafel gloeien stukjes houtskool in een vuurkorf. De eigenaar van het restaurant neemt de bestelling op en wacht geduldig af terwijl zij zich inspant om de gerechten voor de rechter te omschrijven, wat nog niet meevalt in een vreemde taal. Maar al snel gebaart hij naar haar dat het hem om het even is, hij wil dat zij iets voor hem kiest.

Als de eigenaar van het restaurant naar de keuken is verdwenen, legt hij zijn mooie handen op tafel. 'Een paar maanden geleden maakte ik met de rechters en de aanklagers en nog wat medewerkers van het gerechtsgebouw een excursie. Er reed een trein alleen voor ons, en vanaf het station ging het in een colonne van Amerikaanse legervoertuigen verder naar de tempels en paleizen.'

Ze luistert naar zijn stem en kijkt naar zijn handen terwijl hij ironisch vertelt over dat met militaire precisie georganiseerde uitje. Zo nu en dan waagt ze het hem in zijn ogen te kijken, die behalve van een grote zelfverzekerdheid ook van een scherpe intelligentie getuigen. Alles wat hij zegt wekt de indruk van een zekere waarheid. Ze wordt erdoor meegesleept en zijn handen zo dicht bij haar op tafel wekken een vreemd gevoel bij haar op. Hij praat vrijuit en zijn gezicht ontspant. Hij lijkt haar gezelschap werkelijk te waarderen. Waarschijnlijk voelt hij zich hier in Japan vreselijk eenzaam. Hij geniet van de gegrilde, gezouten snoekbaars, het zoetzuur en de dampende rijst en prijst haar keuze.

'Waarom bent u nooit getrouwd, als ik vragen mag?' Ze

voelt hoe het bloed naar haar gezicht stijgt. Al had ze het kunnen verwachten, toch overvalt zijn onomwonden manier van praten haar opnieuw. Hij stelt vragen waarop ze geen antwoord wil geven, kan geven. Ze brengt een stukje vis naar haar mond en glimlacht zonder een woord.

'Komt het door wat er in de oorlog gebeurd is?' Zijn eetstokjes hangen in de lucht als het stokje van een dirigent bij aanvang, in afwachting van het verstommen van het laatste gefluister in de zaal.

Ze denkt na, maar omdat het de eerste keer is dat ze de juiste woorden zoekt om uit te drukken hoe de oorlog en haar leven zich tot elkaar verhouden, komt ze niet verder dan: 'Ik heb me aan mijn opleiding gewijd. Voor de oorlog, tijdens de oorlog en na de oorlog.' Daar wil ze het bij laten, maar dan, onbezonnen, voelt ze de behoefte er iets aan toe te voegen.

'Ik weet niet hoe het in uw land toegaat, maar in Japan is het huwelijk vaak meer een zaak van het hoofd dan van het hart. Een rationele beslissing. Zingen, mijn streven om een goede zangeres te worden, is een zaak van mijn hoofd én van mijn hart.'

Achter zijn ogen lijkt zich een intense gedachte te verbergen. Hij draait zijn hoofd naar het raam en staart naar buiten, waar de olielampen van de bootjes al in de schemering pinkelen. Het water van het meer heeft dezelfde donkeroranje kleur als de heuvels en de lucht en omdat het licht weerkaatst, zowel op als onder de waterspiegel ligt, lijkt de wereld aan de andere kant van het glas onbegrensd.

Waarom heb je dit gezegd? vraagt ze zich af in de lange stilte die hij laat vallen. Ken je plaats. Wees bedachtzaam, behoedzaam. Verbeeld je niet dat je zoals mevrouw Haffner in een gesprek op gelijke voet met een man kan staan. Gedraag je zoals van je verwacht mag worden.

Dan draait hij zijn hoofd weer naar haar toe en buigt hij zich over tafel. Hij legt zijn grote hand dicht naast de hare. Bijna strelen die donkere haartjes haar huid. 'Het wordt laat,' zegt hij. 'We moesten maar eens gaan.'

Buiten op de kade wacht de wagen in de duisternis van de nevelige avond. De chauffeur, die naast de wagen staat te roken, gooit zijn sigaret weg en houdt het portier voor haar open. De steigers zijn verlaten. Op de plecht van een bootje zit een kat die zodra hij hun voetstappen hoort begint te miauwen. Ze stapt in. Hij blijft nog even aan zijn kant staan en tuurt naar het donkere water, alsof hij het in zijn geheugen probeert te prenten. Hij komt naast haar op de bank zitten. Achtenveertig bochten dalen ze af, door de donkere bossen terug naar de stad. In stilte. Zijn hand ligt naast haar, gebald tot een vuist nu. Misschien is hij boos, misschien probeert hij iets vast te houden.

13

Een luitenant van de Amerikaanse infanterie is naar Tokio gekomen om te getuigen voor het tribunaal. Hij overleefde de Bataan-dodenmars op de Filippijnen, waarbij tienduizenden krijgsgevangenen gedwongen werden onder helse omstandigheden ruim honderd kilometer te voet af te leggen. Velen stierven onderweg. Brink schermt zijn ogen af van het ongenadige licht van de felle lampen boven hem en maakt aantekeningen.

'Het was veertig graden, we liepen in de bloedhete zon.' Het lichaam van de infanterist is recht, schraal en strak geüniformeerd, een man als een stalen veer. 'Er was geen eten, geen drinken,' zegt hij met diepe stem. 'We dronken uit greppels, aten bladeren. We werden geslagen en geschopt door de Japanse bewakers. Wie te uitgeput was om verder te gaan, werd met een bajonet neergestoken of door een van hun jeeps overreden. De sterksten onder ons werd verboden om de zwakkeren te dragen. Wie het toch waagde, werd ter plekke gedood.' Een vlinder laveert rond het getekende gezicht van de getuige. In de loodzware sfeer van de rechtszaal, waar alles verwijst naar de dood of de gevangenis, en waar ieder sprankje hoop op leven en vrijheid welkom is, lijkt de aanwezigheid van een enkele vlinder, als door een wonder langs de Amerikaanse wachten geglipt, voldoende om de aanwezigen voor een ogenblik tot een vreemd soort sentimentaliteit te bewegen. Althans, hen die daar gevoelig voor zijn. Keenan slaat zijn zwarte dossier met aantekeningen dicht. 'Geen vragen meer, edelachtbare.' Hij strijkt met de zijkant van zijn hand over zijn voorhoofd en kijkt tevreden om zich heen. De Amerikaan is een gehard magistraat voor wie zijn assistenten doodsbang zijn. Om nog maar te zwijgen van de verdachten, van wie sommigen, Shigemitsu en Togo onder anderen, tijdens de verklaring hun koptelefoons afzetten. Blijkbaar werden de lugubere details hun te veel. Als Webb de zitting verdaagt, verlaat Brink samen met zijn collega's de rechtszaal. Bij de kasten voor hun toga's richt lord Patrick zich droog-ironisch tot hem. 'Uitstekend werk van Keenan. Aan de advocaten nu de schone taak om bloemen op het graf van de verdachten te schikken.'

Brink herinnert zich de vlinder en Patricks woorden terwijl hij zijn aantekeningen doorneemt. Hij is in de documentenkamer aan het werk, doet in de archieven onderzoek. Om de gebeurtenissen met elkaar te verbinden werkt hij aan een lijn. Die begint bij de Bataan-mars en het eraan voorafgaande Japanse grondoffensief op de Filippijnen waarbij de Amerikaanse militairen en hun Aziatische bondgenoten krijgsgevangen werden gemaakt. Vandaar trekt hij de lijn door naar de commandanten ter plekke, hun bevelhebbers, en vandaar naar het kabinet en de verantwoordelijke ministers in Tokio. Wie heeft op het hoogste niveau bevolen, geautoriseerd en toegestaan dat de krijgsgevangenen zo onmenselijk zijn behandeld? Wie heeft zijn plicht genegeerd om adequate stappen te ondernemen tegen de grueldaden? De hele middag werkt hij door. Hij zou ronduit tevreden zijn geweest over de vorderingen die hij heeft gemaakt, ware het niet dat er op de achtergrond iets, nog steeds, ziekt en zeurt: de aanklacht *misdaden tegen de vrede*. Het Pact van Parijs heeft hij inmiddels letter voor letter gespeld. En alle andere ter zake doende internationale verdragen waar hij de hand op wist te leggen, heeft hij vergeleken. Hoe meer hij zich in het onderwerp verdiept, des te sterker groeit het besef dat hij het met Pal eens is: een solide juridische basis voor de aanklacht ontbreekt. Zijn inzicht heeft hij tot dusverre voor zich gehouden. Hij kan wel raden hoe zijn collega's zullen reageren als hij zich uitspreekt. Wat dat betreft is de uitsluiting en openlijke minachting van Pal een effectief afschrikwekkend voorbeeld. En niet alleen in Tokio, ook in Nederland hoeft hij niet op bijval te rekenen als hij zou 'dwarsliggen'. Buitenlandse Zaken heeft hem niet naar Tokio gestuurd om de grote, kritische geleerde uit te hangen, maar om op gepaste wijze samen met zijn collega's de jappen een lesje te leren. Wie is hij trouwens, om de mening van zijn wijze, gerenommeerde collega's, die volledig achter de aanklacht staan, in twijfel te trekken? Hij is niet Grotius, de autoriteit, hij is maar een eenvoudige Nederlandse rechter. Daarbij heeft hij een vrouw en drie kinderen, plus een carrière om rekening mee te houden.

Hij probeert het van zich af te zetten, te genieten van zijn leven in Tokio, de regelmaat ervan, van de ritten te paard door het park, gedrenkt in winterregen. Het aantal uitnodigingen voor diners, voorstellingen en ontvangsten neemt alleen maar toe. Op de ambassades en in de theaters van Tokio is kennelijk geen feestelijkheid of première compleet als niet minstens een handvol rechters in smoking opdraaft. Als het hem uitkomt, laat hij zich de gastvrijheid graag welgevallen. Zonder dit soort avondjes zou het leven zijn als de wintermaanden zelf, eentonig, koud en kleurloos. Ideale omstandigheden voor de twijfel om eens flink toe te slaan. Wat hem vooral helpt deze periode door te komen zijn de uren met Michiko samen. Ziet hij haar een week niet, dan weet hij met zichzelf geen raad.

Op een zonnige dag nodigt hij haar uit voor een excursie naar de omgeving van Mount Fuji. In het begin van de middag bereiken ze het plaatsje met het, volgens zijn reisgids, 'magnifieke uitzicht' op de volmaakt conische berg. Er is geen woord aan gelogen. Ze stappen uit de wagen en maken een wandeling. In de frisse buitenlucht voelt hij zich jong, sterk, optimistisch. Zijn hart klopt zwaar en onrustig in zijn borst. Als hij langs het pad omhoog naar de berg met zijn sneeuwkap opkijkt, wordt het hem te machtig en begint hij uitgelaten als een schooljongen omhoog te klimmen. Buiten adem bereikt hij een platte rots en draait zich om. Onder hem klimt Michiko, gekleed in een beige cape, omhoog. Hij kijkt neer op haar onberispelijke kapsel, iedere haar dik en glad, met de diepe glans van lavaglas.

'Waar blijf je nou?' roept hij.

Hij trekt haar de rots op. Hand in hand staan ze naast elkaar in de schaduw van de bomen en kijken naar de lijnen en kleuren van kaarsrechte iele berken waarvan de naakte takken als messen door het zachte middaglicht snijden. Mount Fuji kan hij vanaf deze plek onmogelijk zien, maar de aanwezigheid van de vulkaan is voelbaar in de bomen en struiken; in de rots waar hij met zijn schoenhak op stampt.

'Rots?' Hij wacht op het antwoord dat al snel volgt.

'Iwa,' vertaalt ze.

'Iwa,' zegt hij haar na.

Hun communicatie verloopt in een voor hen beiden vreemde taal, die ze, zij nog meer dan hij, gebrekkig beheersen. Hun onbeholpenheid maakt dat ze in hun gesprekken nooit diep op iets in kunnen gaan, maar een enkel woord in haar eigen taal, die hij in het geheel niet beheerst, kan hem diep als een compleet sonnet van Shakespeare raken, de klank ervan vertedert hem, maakt hem gelukkig. Hij probeert het woord op te slaan, een plaats te geven in het groeiende rijtje: glas, boom, vis, berg, rots – *iwa*.

'Ik hoorde op de radio dat de aanklagers van het tribunaal klaar zijn,' zegt Michiko. 'Is het nu snel voorbij?'

'De eerste fase is afgerond, maar we hebben nog een heel eind te gaan.'

'Waarom duurt het zo lang?'

Ja, waarom? Zij is niet de enige die zich dit afvraagt. In media over de hele wereld wordt het trage verloop van het tribunaal openlijk bekritiseerd. Een Engelse krant schreef dat 'het proces van de eeuw het proces van een eeuw' dreigt te worden. Hij probeert haar uit te leggen wat er speelt. In de eerste plaats is Webb niet wat je noemt een efficiënt en doortastend voorzitter, daarbij komt dat de elf rechters, hij niet uitgezonderd, elkaar meer en meer met juridische fijnslijperijen bestrijden over procedurele kwesties. Veel tijd en energie gaan verloren aan het smeden van allianties en verdedigingen in de rug. En, de belangrijkste oorzaak van de vertraging, het gerechtelijk dossier is inmiddels uitgedijd tot een monstrum van duizenden en duizenden pagina's. Elf rechters, achtentwintig verdachten, die stroom van pagina's, het is allemaal te veel. Maar hij heeft zich erbij neergelegd. Dit proces begon als een grote onderneming en zal achteraf misschien het grootste proces ooit blijken. Dat vergt inspanning, toewijding en, ja, geduld. Het hele rechtssysteem is een zaak van geduld. In de loop van eeuwen uitgebouwd, verfijnd tot het fundament onder het ingewikkelde stelsel dat beschaving wordt genoemd. Zo bekeken stelt de duur van het tribunaal niet veel voor.

'Op zijn vroegst eind van het jaar is er een vonnis,' zegt hij.

'Zullen er doodstraffen vallen, denk je?'

'Dat is zeker niet uitgesloten.'

'En jij, ben jij bereid…?'

'Iemand tot de strop te veroordelen?' Hij denkt terug aan de getuige van de Bataan-mars. 'In dit speciale geval wel, op voorwaarde dat het bewijs onweerlegbaar is.'

'Nog meer doden,' zegt ze.

'Het gaat niet om de dood van die mannen.'

'Waar dan wel om?'

'Om de zuiverheid van de rechtsgang.'

Hij helpt haar van de platte rots af en ze klimmen over het pad nog wat verder omhoog tot ze de bomen achter zich hebben gelaten en ze kilometers vrij uitzicht hebben, de lucht helder als geblazen glas. De heilige berg zweeft aan de horizon als in een kinderdroom.

'Fuji,' zegt ze.

'Ah!' zegt hij verrukt over haar uitspraak. Hij proeft het woord: 'Fuji.'

'Als het proces nog zo lang gaat duren,' zegt ze, 'dan ben ik waarschijnlijk eerder dan jij in Europa.'

'Wat?'

'Mevrouw Haffner heeft een bericht ontvangen van het conservatorium in Frankfurt. De directeur daar is de peet-vader van haar dochter. Na de zomer kan ik lessen volgen bij een van de beste zangpedagogen van Duitsland.'

Hij schrikt en slikt moeizaam, alsof hij iets smerigs in zijn mond heeft. 'Maar dat is geweldig nieuws.'

'Het hangt nog af van de beurs voor mijn reis- en verblijf-kosten… Mevrouw Haffner kent de secretaris-generaal van het ministerie van Cultuur, hij speelt zelf ook klavecimbel en is een groot bewonderaar van haar. Zij is ervan over-tuigd dat die beurs er komt, maar ik durf het eigenlijk nog niet te geloven. Als je iets te graag wil, gebeurt het juist niet.'

Het volle licht valt op haar smalle, gladde voorhoofd. Er

spreekt een opzienbarende frisheid, blijheid uit haar ogen. Hij herinnert zich haar woorden van enige tijd geleden: haar zangcarrière was een zaak van haar hoofd en haar hart. Dat 'en het hart' had ze nadrukkelijk uitgesproken alsof ze met drie rake klappen de grenspalen van hun relatie in de grond sloeg. Nu hij haar zo ziet staan, aangrijpend mooi, met haar welgevormde neusvleugels en die onwaarschijnlijk zachte trekken van haar gezicht dat nog niet eerder zo openlijk gelukkig stond, vraagt hij zich af wat zijn plaats in haar leven is.

Na de wandeling treffen ze sergeant Benson onder de opengesperde motorkap aan. Er is iets verontrustends met het oliepeil en Benson vreest een opgeblazen motor. In het plaatsje gaat zijn chauffeur op zoek naar een monteur met gereedschap. Niet ver van waar de wagen geparkeerd staat is een herberg, waar hij met Michiko theedrinkt aan een lage tafel. Er zijn enkele buitenlandse toeristen, maar vooral Japanners, hele gezinnen, die zwijgend hun kommetjes rijst met in zuur ingelegde knolletjes naar binnen werken. Achter kamerschermen vindt een zo te horen vrolijke bijeenkomst plaats. Hij heeft ze bij het binnenkomen gezien, de keurig geklede heren met hun zelfbewuste oogopslag, in het tatamivertrek. De lage tafel waar ze aan zitten is afgeladen met gerechten en kommetjes sake.

'Zakenlui, denk je niet?' vraagt hij haar.

Ze knikt. 'Zij hebben altijd plezier gemaakt en goed gegeten. Voor en tijdens de oorlog, en ook nu weer. De families van de grote bedrijven en banken hebben de oorlog in stand gehouden en er kapitalen aan verdiend. Toch hoeven zij zich niet voor het tribunaal te verantwoorden.'

Het is waar. Aanvankelijk bestond het plan om de zaibatsu, de door rijke families bestierde conglomeraten van bedrijven, strafrechtelijk aan te pakken, maar nu zien de Amerikanen ervan af. De meeste industriëlen die kort na de overgave waren vastgezet, hebben inmiddels zonder proces de gevangenis verlaten en zijn in korte tijd uitgegroeid tot gewaardeerde zakenpartners van de kortgeknipte, gladgeschoren Amerikaanse kerels die bij hem in het hotel logeren en iedere ochtend na het ontbijt met hun optimistisch geheven kin en een aktetas vol contracten de deur uit gaan om de Amerikaanse economische belangen veilig te stellen.

'Ik sta er niet achter,' zegt hij, 'maar opsporing en vervolging vallen buiten de rechterlijke verantwoordelijkheid.'

'Tijdens de laatste salon bij mevrouw Haffner thuis werd er gediscussieerd over wat er gebeurd zou zijn als Japan de oorlog had gewonnen. Iemand vroeg zich hardop af hoe de Japanse aanklacht tegen de geallieerden eruitgezien zou hebben. Niemand gaf antwoord.' Ze zwijgt en kijkt van hem weg, alsof ze bang is dat ze te ver is gegaan. Maar hij waardeert het juist dat ze met hem over zijn werk praat, durft te praten. En de vraag die ze opwerpt snijdt hout. Het is de overwinnaar immers die de aanklacht opstelt.

'Je doelt op wat er met je ouders in Tokio is gebeurd, en op Hiroshima en Nagasaki? Ik denk dat de Japanse aanklacht niet veel verschild zou hebben van de huidige.'

Als ze maar niet concludeert dat hij zich als rechter zou lenen voor *victor's justice*.

'Maar zelfs al zou de aanklacht niet veel verschild hebben,' zegt hij, 'toch zou er wel een heel wezenlijk verschil zijn. De aanklacht zou niet gedeugd hebben want de oorlog van Japan was geen rechtvaardige oorlog.'

Aan het eind van de middag keert Benson uit het dorp terug. Een garage heeft hij niet kunnen vinden en hij vervloekt de Buick, die het niet haalt bij een Ford. Met Michiko als tolk richt zijn nukkige chauffeur zich nu voor informatie tot de eigenaar van het hotel. De man buigt en praat en buigt en praat. Met onuitputtelijke reserves aan even beleefd als geduldig uitgeoefende druk weet Michiko de man eindelijk zover te krijgen dat hij de telefoon pakt om naar een garage twintig kilometer verderop te bellen. De baas van de garage blijkt met zijn truck op pad voor een klus en wordt pas laat in de avond terugverwacht.

Benson stelt voor om GHQ te bellen, ze te verzoeken een militaire wagen te sturen om hem en Michiko op te halen, terwijl hijzelf zijn chauffeursplicht vervult en bij de Buick achterblijft tot deze gerepareerd is. Brink maakt een afweging. Over enkele uren opgehaald worden of een nacht in de herberg logeren?

Terwijl Benson zijn argumenten voor de eerste optie uiteenzet, ziet Brink Michiko in de kleine receptie wachten tot hij en zijn chauffeur uitgesproken zullen zijn. Ze staat dicht bij een venster en kijkt onbewogen naar buiten. Zacht namiddaglicht valt over haar heen. Ze verkeert in volstrekte onwetendheid van wat er nu door zijn hoofd speelt. Zij is zijn wereld binnengelopen, hij de hare. Zou er een logica zitten in wat er zich tussen hen afspeelt, het gedonder met de wagen inbegrepen? Een logica die zich pas achteraf volledig zal laten begrijpen? De gedachte dat hij haar en zichzelf schade doet, flitst door hem heen als hij een besluit neemt.

Hij huurt drie kamers en belt de secretaresse van Webb om, zoals het protocol van de rechters voorschrijft, de Chief Justice te laten weten dat hij de nacht buiten Tokio doorbrengt.

Gehuld in een yukata van het hotel en op houten slippers loopt hij even later door een opeenvolging van overdekte wandelgangen met hoge planten achter een wand van glas naar het warmwaterbad. De mannen- en vrouwenafdeling zijn van elkaar gescheiden. In het donkere, zwavelhoudende water laat hij zich op zijn rug drijven. Er is niemand. Doortrokken van de warmte in zijn gebeente staart hij naar de wand die het vrouwenbad aan het oog onttrekt.

Misschien ligt Michiko nu wel in hetzelfde water, het bad loopt namelijk door. Hij ziet het voor zich. Hoe ze naakt in het zwarte water drijft. Haar gezicht waarschijnlijk nog bedrukt door het telefoongesprek met mevrouw Haffner om aan te kondigen dat ze niet thuis zou slapen.

Toen hij Michiko vandaag ophaalde, verscheen eerst de Duitse in de deuropening.

'Mag ik u een advies geven, rechter Brink?' had ze gezegd. 'Maakt u zichzelf niets wijs. U zult niet de eerste westerse man in Tokio zijn die ik heb zien stranden in honingzoete droombeelden.'

Haar toon was luchtig, maar er klonk ook een onverbiddelijke waarschuwing in door. Aan de getrouwde man, vader van drie kinderen, rechter bij het tribunaal, minziek en veertien jaar ouder dan de verweesde Japanse nachtegaal die zij onder haar hoede heeft genomen.

Zelf haatte hij de houding van de Amerikaanse officieren die hij met Japanse meisjes hand in hand langs het hotel had zien lopen; en hoewel hij begreep dat zijn omgang met Michiko niet als een proeve van verantwoord gedrag wordt opgevat, kan hij zich gewoonweg niet voorstellen dat ook maar iemand hem met die kerels vergelijkt.

Natuurlijk brengt zijn omgang met Michiko risico's met zich mee. Waarschijnlijk is niemand verbaasder dan hijzelf dat hij bereid is die risico's te nemen. Vanaf zijn jeugd heeft hij hard gewerkt aan een evenwichtig leven dat de moeite waard is. Er lijkt iets veranderd, losgeraakt. Dat betekent niet dat zijn oude leven niet meer bestaat, ook niet dat hij zijn familie verloochent en niet meer van zijn vrouw en kinderen houdt. Maar hij leeft nu in die andere wereld waar de vader die een pleister op een kinderknie plakt niet bestaat. De waarden van zijn oude bestaan verschillen van de waarden van dit leven hier in Japan. Hoe het zal aflopen? Hij heeft geen idee.

Als de zakenmannen die eerder aan de lage tafel zaten te eten en te drinken, naast hem het bad in zakken en het in bezit lijken te nemen, klimt hij eruit en droogt zich met een van de volmaakt opgerolde handdoeken af. Met een gloeiende huid onder de hotelyukata keert hij terug naar de uitgang van de kleedkamer. In de wandelgang ontdekt hij Michiko die achter het glas in de binnentuin tussen de tropische planten staat, waarvan sommige manshoog. Aandachtig bestudeert ze een kleine, ovaal gesnoeide struik of miniboom met minuscule blaadjes, alles diepgroen. De grillig gevormde stam boort zich door een bed van spierwitte kiezelstenen de grond in. Hij blijft naar haar staan kijken. Onder zijn ribben bonkt zijn hart. Hij vervloekt zichzelf. Gelooft hij in de liefde? Ja, maar niet onvoorwaardelijk. Liefde is en blijft mensenwerk. En het enige mensenwerk waar hij onvoorwaardelijk in gelooft is het standaardwerk van Grotius, *De iure belli ac pacis*, of de fuga's van Bach. Hij denkt terug aan dat andere meisje. Twee meisjes. Betekenen ze hetzelfde voor hem, als twee loten aan dezelfde tak?

Zodra Michiko hem opmerkt, bloost ze tot in haar nek.

'Wat zei mevrouw Haffner toen je haar belde?' vraagt hij haar als ze samen door de gang lopen.

Ze schudt haar hoofd. 'Daar spreek ik niet over.'

'Ze mag niet over jouw leven beschikken.'

'Mijn leven heb ik aan haar te danken.'

Ze bereiken hun naast elkaar gelegen kamers. Hij nodigt haar uit op de zijne, een ruim, in Japanse stijl gemeubileerd vertrek. Tatami's, glanzend houtwerk, een lange wand van glazen deuren met rijstpapier ervoor; de soberte en orde in het vertrek zijn indrukwekkend.

Een poosje zitten ze op de matten tegenover elkaar, gegrepen door, neemt hij aan, dezelfde gedachte. Hoe nu verder? Hoe zal het aflopen? Hij schuift naar haar op. Stil en met hun handen in elkaar blijven ze zitten. Hij legt zijn hoofd op haar tengere schouder en sluit zijn ogen. De kamer wordt langzaam maar zeker donker, maar ze doen geen lichten aan. Na een tijdje overwint hij zijn onrust en belandt hij in een vlakke wereld zonder geluiden en gedachten, een wereld waar niet veel mis kan gaan. Hij strekt zich uit op de mat en vlijt zijn hoofd in de zachte stof van haar yukata. Ze streelt zijn haar, zijn gezicht. Haar vingers draaien langzaam rond zijn slapen. Hij verschuift zijn hoofd voorzichtig zodat hij niet te hard tegen haar aan drukt. Zijn lichaam wordt slap, alsof het al achter de rug is. Hij hoeft niets te spelen. Niet de rechter van het tribunaal, niet de westerling met het Japanse meisje. Hij is gewoon alleen maar hier, met zijn gezicht in haar schoot. Zonder iets in te hoeven schatten of waar te maken. Of het liefde is wat hij voor haar voelt, hij weet het echt niet, misschien is het houden van dit moment, van wat hem nu overkomt. Hij wil hier voorlopig blijven, als een zwemmer op het hete zand. Deze loomheid, deze tevreden onthechting is hem zo vreemd. Het duurt een hele tijd voor hij eruit terugkeert en overeind komt. Op zijn knieën neemt hij achter haar plaats. Hij kust haar in haar nek onder het opgestoken haar als een waas van donkere zijde. Voorzichtig schuift hij de yukata van haar schouders. Het soepele gemak waarmee de stof van haar rug omlaag glijdt verrukt hem. In haar blanke naaktheid heeft ze iets van een dromerige geestverschijning. Hij legt zijn hand op de koele holte van haar rug en gaat naast haar zitten. Hij kust haar op haar wang, op haar lippen. Zijn mond verwacht meer dan hij krijgt en onzeker geworden trekt hij zijn gezicht wat terug. Ze is een mooie vrouw, met welgevormde schouders. De schaduwrijke sleutelbeenderen maken dat ze er breekbaar uitziet. In een verlegen, maar gracieuze houding zit ze met haar gezicht van hem afgewend, onbeweeglijkheid als schild. Een golvend geadem doet haar borst snel op en neer gaan en onverwacht keert ze haar gezicht naar hem toe. Ze kust hem. Hij trekt zijn yukata uit en naakt, op de ring aan zijn vinger na, drukt hij zijn bovenlichaam tegen haar aan.

'Rem?' Haar stem is zacht en dichtbij.

Zijn naam in haar mond klinkt als een fysieke streling die hem opwindt.

'Ik heb dit nooit gedaan.'

Hij neemt haar in zijn armen en legt haar naast zich neer. Met zijn hand wrijft hij haar schouders, haar hals tot aan de doorschijnende welving van haar kleine borsten. Ze vlijen zich tegen elkaar. Ze werkt haar heupen iets omhoog en schuift haar yukata onder haar billen. Met zijn ogen zoekt hij de hare, maar die zijn stijf gesloten. Haar bereidwillig onder hem uitgestrekte lichaam geurt in zijn neus. Voorzichtig schuift hij in haar. Hij beteugelt het vuur van zijn hartstocht, wil en mag het nog niet wegschenken. De spieren en pezen en botten van haar onderlichaam persen zich verkrampt tegen hem aan. In een overvloed van tederheid kust hij haar op de gesloten oogleden. Zijn gezicht begraaft hij in het haar bij haar wang terwijl hij zachtjes begint te bewegen. Haar gewichtloze armen trekken hem tegen haar aan.

Verstrengeld liggen ze naast elkaar. Hij streelt haar buik en borsten in een lome extase. Ze fluistert iets in het Japans maar als hij vraagt wat het betekent, schudt ze haar hoofd.

Vervuld en gelukkig droomt hij weg bij die onverstaanbare klanken en hij heeft geen idee hoe lang ze al zo liggen als zij zich onder zijn arm en been wegrolt en opstaat. Op blote voeten, de yukata voor haar onderbuik houdend, loopt ze naar de badkamer. De lijn van haar heupen vormt een dubbele zilveren boog. Het licht achter het rijstpapier van de gesloten deur werpt een gloed in de kamer. Het spattende water doet hem denken aan de geluiden die zijn kinderen maken. Hij probeert ze zich voor de geest te halen, maar hun gezichten blijven vaag en ver. Hij richt zich half op. Naast zijn naakte heup op de tatami tekent zich een kleine rode vlek af, er moet wat bloed door haar yukata gesijpeld zijn. Ook op zijn lid ontdekt hij sporen. Zijn loomheid is verbroken. Zodra zij uit de badkamer komt, gaat hij naar binnen en wast zich. Kronkelende rode lijntjes vervloeien.

Midden in de nacht ontwaakt hij met een schok. Door het papier voor de ramen schijnt het vuur van de lantaarn die aan een driepoot buiten voor zijn kamer hangt. Michiko ligt kalm naast hem te slapen. Haar naar boven gerichte neus en lippen vangen het flakkerende schijnsel van de lantaarn. Haar hand ligt dicht bij de licht geopende mond, de duim half onder de wang, waardoor het lijkt of ze er als een klein meisje op zuigt. Op haar gezicht is geen spoor te bekennen van wat er gebeurd is, van haar passage naar de andere oever van het genus vrouw, vanwaar geen terugkeer mogelijk is, zelfs al zou hij niet alleen haar eerste maar ook haar laatste man zijn. Haar hoofd ligt ontspannen en in vredige slaap verzonken op het platte kussen. In plaats van haar huid aan te raken, waardoor ze misschien wakker zal worden, houdt hij een puntje van het dikke haar tussen zijn vingers. Haar wangen hebben meer kleur gekregen, alsof de warmte van hun samenzijn zich door haar hele lichaam heeft verspreid.

Dit is een belangrijk moment, niet alleen in haar leven, ook in het zijne. Meestal vinden die plaats terwijl je er niet op bedacht bent of de reikwijdte van de gebeurtenis je ontgaat, maar nu ligt dat anders. Hij is er met zijn volle verstand bij. Eerst had hij een meisje gezocht. Het werd een concertvleugel. De Steinway van mevrouw Haffner had hem uiteindelijk naar Michiko geleid. En hij kan terwijl hij de glimplekjes op haar jukbeenderen bestudeert moeilijk volhouden dat ze een puur platonische of puur lichamelijke rol in zijn leven speelt. Dat maakt hem een bedrieger. Fysiek, waar hij niet zo'n moeite mee heeft, en, kwalijker, mentaal.

Hij verafschuwt onoprechtheid. Zijn vader was een huichelaar van de bovenste plank. Zijn vader had hem en zijn moeder, welbeschouwd iedereen, bedrogen. Hij bleef gewoon lachen en sigaren opsteken en zijden dassen dragen terwijl hij allang failliet was. Hij bleef met nog meer geleend geld smijten en nog grotere verhalen vertellen en in zijn glanzende auto in het dorp rondrijden. Tot de avond dat er twee kerels aan de deur verschenen, met politiepetten voor de borst. Om te vertellen dat die Amerikaanse slee uit de Willemsvaart was getakeld, met zijn vader erin.

Mooi tijdstip had zijn vader gekozen om ertussenuit te knijpen en mooi tijdstip kiest hij nu om hier in deze kamer te verschijnen. Wat doet hij hier, de man die hij zo lang geleden achter zich heeft gelaten?

Als hij de lok haar van Michiko loslaat, draait ze kalm haar gezicht, de schouder volgt en op haar rug slaapt ze verder. Moet hij het zichzelf aanrekenen dat hij zich zo heeft mee laten slepen door zijn gevoelens voor deze vrouw? Aan de andere kant, denkt hij, wist hij niet dat hij dit soort gevoelens kon hebben.

Hij luistert naar haar ademhaling tot de vroege ochtend en valt als hij het al niet meer verwacht eindelijk in slaap.

Het is al licht als hij weer wakker wordt. Michiko zit naakt aan de andere kant van de kamer, met haar gezicht naar de ramen. Hij gaat bij haar zitten. Hij droogt haar tranen. Ze weigert hem te vertellen waarom ze huilt.

Er wordt op de deur van zijn kamer geklopt. Voor hij opendoet, wacht hij tot ze met haar kleren onder haar arm in de badkamer is verdwenen. Benson meldt zich met het nieuws dat de man van de garage is op komen dagen. Er moet iets gelast worden, een kleinigheid. Waarschijnlijk kunnen ze aan het eind van de ochtend terugrijden naar Tokio.

Hij bedankt zijn chauffeur en wil de deur al sluiten als Benson zijn hand heft.

'Er is nog iets,' zegt Benson.

'O?' Meer dan van zijn grote, blote voeten onder de yukata is hij zich bewust van de badkamer achter hem en hij vraagt zich af of Benson alles doorheeft.

'Toen ik net met GHQ belde om de stand van zaken door te geven, vroeg Peggy van het secretariaat mij om u te zeggen dat het visum doorgaat. Generaal MacArthur heeft zijn toestemming gegeven, voor alle rechtersvrouwen.'

'Dank je, Benson.'

Het bericht over het visum van Dorien verrast hem, maar verbazen doet het hem niet. Op de een of andere manier lijkt het hem onvermijdelijk, vanzelfsprekend bijna. Hij steekt een sigaret op en inhaleert diep. De rook kringelt om zijn hoofd. Hij ziet het gezicht van Dorien voor zich, en dat van zijn kinderen, scherp nu. Hij spant zich in om zijn vrouw en kinderen van Michiko te scheiden, Dorien en Michiko van elkaar te scheiden, zijn hele leven hier van dat in Nederland te scheiden. Als hij met Michiko is, kan hij niet met Dorien zijn.

'Was het sergeant Benson?' vraagt ze als ze aangekleed en met gekamd haar uit de badkamer komt.

Hij blaast de rook van zijn sigaret weg. 'De wagen wordt gerepareerd. We kunnen zo weg.'

'Dat is mooi.' Met een lieflijk gebaar drukt ze haar vlakke hand voorzichtig tegen de zijkant van haar opgestoken haar, geeft hem de kam terug die ze geleend heeft.

Er stijgt weer een golf van vreugde, verlangen in hem op. 'Michiko,' begint hij, 'ik wil dat je weet dat deze dag met jou...'

Snel, voor hij verder nog een woord kan uitbrengen, legt ze twee koele vingers op zijn mond. 'Sssst!' Ze pakt zijn hand, brengt hem naar haar gezicht en drukt hem tegen haar wang. Ze sluit haar ogen en strijkt met haar neus langs zijn hand. Hij buigt zich voorover en kust haar op haar voorhoofd.

14

Zodra de twee Amerikaanse militairen zijn uitgestapt en om zich heen beginnen te kijken, komen de bewoners van het dorp in weifelende zwijgzaamheid uit hun huisjes. Zijn moeder brengt de mannen buigend en met bevende handen kommetjes thee en keert nog steeds buigend achterwaarts lopend terug naar de veranda, waar Hideki met zijn zuster en vader toekijkt.

'Waarom zijn ze gekomen?' wil zijn moeder van hem weten.

Hij haalt zijn schouders op.

'Weten ze van de zwarte handel met aardappelen?' vraagt ze zich hardop af. 'Of heeft het te maken met die man die in de rivier is gevonden?'

'Misschien wilden ze me alleen maar terugbrengen en...'

'Waarom zouden ze?' onderbreekt zijn vader hem. De drift van zijn woorden sist nijdig tussen zijn tanden door.

Op dat moment klimt de derde man uit de jeep, klein, mager, met een mond als een potloodstreep in zijn smalle gezicht. Met een holster van bruin leer op zijn heup rekt hij zich uit en draait traag op zijn hakken rond. Zijn lege blik dwaalt langs de huisjes en mensen en blijft steken bij hun veranda. Als Hideki begrijpt dat zijn aandacht naar zijn zuster uitgaat, voelt hij zijn bloed verkillen. Zonder zijn zuster uit het oog te verliezen en zonder een spier in zijn gezicht te vertrekken, mompelt de magere man iets uit zijn mondhoek. De grote, zware militair met de slordige krullen buigt zich in de jeep en pakt een holster met een pistool erin. Zijn pinkring schittert als hij de holster aan zijn riem bevestigt.

Zijn zuster kruipt achter zijn moeder weg, maar nog steeds heeft de ontkenning kracht genoeg om het laatste restje hoop bij Hideki in stand te houden dat zijn zuster het mis heeft en de Amerikanen hier zijn voor iets onschuldigs als een controle. Hij weet dat zijn geest een spelletje met hem speelt, het is hem eerder overkomen, dat zoeken naar een uitweg, een vlucht tegen beter weten in.

Er valt voor hem niet langer met de realiteit te marchanderen als de mannen jonge vrouwen en meisjes bij elkaar drijven; als de magere man met de lege blik hun veranda op klimt en met de loop van zijn pistool in de rug van zijn zuster port. Zijn zuster beeft over haar hele lichaam. Zijn moeder laat zich voor de man op de knieën vallen, drukt haar handpalmen tegen elkaar en buigt zo diep dat haar hoofd de vloer van de veranda raakt. 'Alstublieft, laat haar met rust. Wij hebben niemand iets misdaan. Zij is onze enige dochter.' De man duwt haar weg en als zij zich probeert vast te klampen aan zijn broekspijp schopt hij met een korte snelle beweging in haar zij. Zijn moeder krimpt ineen en valt tegen de butsudan aan. De zielentabletten met de namen van zijn voorouders kletteren op de vloer. Kermend heft zijn moeder haar handen omhoog naar de man. 'Zij gaat trouwen. Niet haar.' Ze werkt zich op haar knieën en scheurt haar hemd open, haar magere, kromme schouders en de kleine gerimpelde borsten onthullend. Met een gezicht strak en glad als het gegoten masker van een demon kijkt de man een ogenblik omlaag. Dan duwt hij met de loop van zijn pistool Hideki's zuster voor zich uit naar de jeep.

Zijn vader is de eerste die in beweging komt en achter de

man en zijn zuster aan gaat. Steunend op zijn kruk volgt hij zijn vader.

'Meneer, stop!' roept zijn vader. 'Meneer!'

Zonder op of om te kijken, alsof hij het niet hoort, drijft de man zijn zuster voor zich uit in de richting van de plek waar de andere vrouwen en meisjes zijn samengebracht. Dicht opeen staand zoeken ze met smekende ogen contact met hun familieleden. Maar op de veranda's wacht iedereen af.

'Meneer?' Zijn vader heeft de man nu bijgehaald.

Razendsnel draait de man zich om. Een adertje klopt bij zijn slaap. Het matte blauw van zijn ogen lijkt donkerder nu, grijs als een overtrekkende onweerslucht. De man doet een stap naar voren en grijpt zijn vader met een snelle beweging bij zijn keel. In de greep van de ijzeren klauw maakt zijn vader een gorgelend geluid. Als de man weer loslaat, haalt hij met de kolf van het pistool uit naar de zijkant van zijn vaders hoofd. Het volgende moment treft een schoen zijn vader in zijn buik. Hij krimpt in elkaar, valt, blijft liggen. Met een reptielachtige beweging van zijn hoofd richt de man zijn blik nu op Hideki, die zich met zijn in het stof kronkelende vader aan zijn voeten, aan zijn kruk vastklampt. Machteloos en vastgenageld, nog niet in staat om de man zelfs maar in de ogen te kijken.

De drie mannen drijven de vrouwen en meisjes voor zich uit en verdwijnen in het bos. In de schemering klinken kreten op van achter de heilige ceders.

'Pa,' zegt hij, 'het geweer.' Achter in het huis, onder de dakbalken, hangt het oude jachtgeweer waarmee hij zijn vader ooit een door honger tot razernij gedreven beer zag vellen. Zijn vader schudt het hoofd, waarbij een straaltje bloed van zijn gehavende oor omlaag glijdt. Hij lijkt het zelf niet te merken.

Met opgetrokken knieën en zijn rug tegen het huis leunend gaat Hideki zitten. Het wachten begint, voor hem en zijn ouders; voor alle andere mannen, de achtergebleven vrouwen en kinderen van het dorp. Niemand beweegt, behalve Keiji, die als een bezetene heen en weer fietst. De vrouwen huilen zacht en de mannen, bang voor blikken die hun vernedering weerspiegelen, staren naar de metershoge bamboeheesters die naar de hemel reiken. De krenking en de machteloosheid groeien naarmate de duisternis zich verdicht, de stilte uitdijt. Het zilveren schijnsel van de maan klimt boven de kruinen van de ceders uit. De witte ster op het portier van de jeep lijkt los van zijn omgeving in de duisternis te zweven.

Jeff, denkt hij.

Als de jeep met twee felrode achterlichten in de duisternis van de avond het dorp verlaat en het geluid van de motor tussen de bergwanden wegsterft, zijn de meisjes en de vrouwen nog niet teruggekeerd uit het bos. Samen met andere dorpsgenoten dalen zijn vader en moeder de helling af en keren als in een stille, trieste begrafenisstoet met hen in hun midden terug.

De katoenen kimono van zijn zuster hangt gescheurd en besmeurd met modder vermengd met naalden om haar lichaam. Haar onderlip is opgezwollen en een snee loopt dwars over haar wang. Blootsvoets wordt ze door zijn moeder de veranda op geholpen. Lijntjes bloed tekenen zich af aan de binnenkant van haar benen. Hij helpt zijn vader met het oprapen van de zielentabletten en het terugplaatsen ervan in de butsudan. In het huisje wast zijn moeder het gezicht en lichaam van zijn zuster, die zich als een kind in schone kleren laat helpen. Halfgek van toorn en schuldgevoel luistert hij aandachtig om iets van wat binnen gezegd wordt op te vangen, maar er valt geen woord. Zijn oorlogsjaren zijn verstreken zonder profijt en mededogen. Wat het noodlot hem nog niet had aangedaan, heeft hij nu zichzelf aangedaan. Het juiste doen is de juiste keuze maken. Hij heeft de verkeerde gemaakt. Waarom kan hij niet verklaren. Het enige wat hij weet is dat hij naar iets beters verlangt, allang, maar dat het leven hem niet geleerd heeft hoe hij dat moet bereiken. Haat en schaamte vreten zich door hem heen en smelten samen tot een ongekende woede. 'Wat gaan we doen, pa?'

De oude man zit met zijn rug naar hem toe, zijn pijp in zijn mond. 'Ik probeer na te denken.'

'U moet bij de politiepost in de stad aangifte doen,' zegt hij luid.

'Moet ik dat?' Zijn vaders stem mag dan een stuk zachter klinken dan de zijne, maar ook in de oude man gist razernij, voelt hij. 'Een halfjaar geleden reed een Amerikaanse truck je oom van de weg,' vervolgt zijn vader, 'volkomen buiten zijn schuld. Van zijn wagen was niets meer over. Het paard moest ter plekke worden afgemaakt. Die legertruck reed gewoon door. Oom twijfelde, maar besloot na een paar dagen toch naar de politiepost te gaan. Drie maanden later zagen we hem weer terug.'

'Waar was hij?'

'In een stinkende cel zonder raam.' Hij zucht. 'Zo staan de zaken ervoor.'

'Als niemand naar de politie gaat, komen ze misschien terug.'

'De kans dat we ze nooit meer zien, lijkt me groter.'

'Maar er moet toch iets gebeuren?' werpt hij tegen, 'we moeten toch iets doen? Kijk toch eens hoe ze Sada hebben behandeld!'

'Iets doen?' herhaalt zijn vader bitter. 'Zoals jij, bedoel je?'

Op het erf achter het schuurtje stijgt een zware, zwarte kolom van rook op naar de hemel. Met een tak pookt zijn moeder het vuur op dat de kimono en het ondergoed van zijn zuster verteert. De deur van het huis staat open. Binnen, in een sterke geur van zeepsop, zit zijn zuster in kleermakerszit, van opzij beschenen door een kaal elektrisch peertje aan een bruine draad. Haar lichaam wiegt heen en weer. Als hij haar blote voeten opmerkt, hinkt hij naar binnen en brengt haar haar strooien slippers.

Zonder iets te zeggen staart ze naar de zori. Het hele lijnenstelsel van haar gezicht lijkt veranderd, alsof er een nieuw gezicht onder het oude vandaan tevoorschijn is gekomen.

Weer buiten gaat hij bij zijn vader op de veranda zitten. De oude man keert hem zijn rug toe en zuigt aan zijn pijp. Hideki staart naar de rook, de smalle schouders. Zeg iets tegen me, denkt hij. Maar zijn vader rookt en tuurt en zwijgt. Ver weg, beneden in het dal, klinkt het ruisen van de rivier.

15

De ijzige blik waarmee mevrouw Haffner hem onthaalt, belooft niet veel goeds. Zodra hij op de kruk achter de Steinway heeft plaatsgenomen voor zijn les, heft ze haar hoofd met het idioot hoge kapsel en steekt haar kin naar voren, met een overdosis aan tirannieke kracht.

'Meneer Brink. Ik heb u de afgelopen maanden leren kennen als een verstandig man. Ik ben ervan overtuigd dat u Michiko niet in de problemen wilt brengen.'

Problemen? Dat woord snoert onmiddellijk iets in hem aan.

'Mocht u denken dat u haar een plezier doet, dan vergist u zich.'

Hij vraagt zich af hoeveel ze weet. Het lijkt hem uitgesloten dat Michiko de intimiteiten tussen hen heeft prijsgegeven. Maar mevrouw Haffner, zelf een vrouw van de wereld, amourettes inbegrepen, heeft haar conclusies getrokken na de overnachting in een herberg bij Mount Fuji.

'Het laatste wat ik wil is haar in de problemen brengen,' verdedigt hij zich, 'maar ik stel haar gezelschap zeer op prijs. Ik hoop dat u begrijpt...'

'Begrip, verwacht u begrip?' onderbreekt ze hem. 'Zij is vijfentwintig en weet niet veel van het leven, u bent een man van achtendertig.'

Hij zwijgt. Misschien heeft ze gelijk. Misschien heeft Michiko het recht om verschoond te blijven van de hartstocht van een oudere, getrouwde man.

'Voor mannen die zich niet kunnen beheersen, bestaan andere oplossingen.'

Yuki, denkt hij, Yuki, Kumi, of een fatsoenlijk, door de overheid goedgekeurd bordeel waar westerse mannen tegen harde dollars de genoegens van een Japans meisje opeisen in de verwachting dat ze het halfuurtje plezier niet met een penicillinespuit in hun achterwerk betaald gezet krijgen. Dat is niets voor hem, uitgesloten.

'Ik geloof niet dat ik u om enig advies heb gevraagd. Ik kan goed voor mezelf beslissen. En dat geldt ook voor Michiko. Ze is een intelligente vrouw.'

'En een *Japanse*.'

Er is een onaangename toon binnengeslopen, die van een echtelijke ruzie.

Wat zit haar nou dwars? Dat Michiko met hem omgaat, of dat hij iets in een *Japanse* ziet.

'Het spijt me,' zegt ze, 'maar ik kan geen tijd meer vrijmaken om u les te geven.'

Kan of wil, denkt hij.

'En u kunt hier niet meer oefenen.' Ze knikt kort met haar hoofd. De keizerin heeft gesproken. Hij had het kunnen weten, deze vrouw accepteert geen inmenging behalve die van haarzelf. 'Goedemiddag.'

Hij komt overeind en verlaat na een laatste blik op de Steinway het huis.

Als hij in zijn auto is gestapt, ontdekt hij achter een van de donkere ramen een schim. Het zou Michiko kunnen zijn, maar ook de huishoudster of iemand anders, wie weet mevrouw Haffner zelf. Hij wacht nog even af maar ineens is de gedaante verdwenen. Met een knikje van zijn hoofd geeft hij Benson het teken om te vertrekken.

Na de terechtwijzing blijft Michiko uit beeld. Het verbaast hem niets, volledig afhankelijk van mevrouw Haffner als ze is. Maar misschien is het niet haar afhankelijkheid, misschien, het is een verontrustende gedachte, is ze oprecht overtuigd van het gelijk van mevrouw Haffner. Hij voert zijn activiteiten buiten het werk op, meer tennis, meer ritten in het park, meer diners, soirees, concerten, borrels en recepties. Zijn smoking maakt overuren. Hij mist haar nog steeds, maar, houdt hij zichzelf voor, misschien is dit het moment om door te zetten, schoon schip te maken. In Nederland is Dorien haar reis naar Tokio, via Batavia, al aan het voorbereiden. Hij neemt zich voor om tot de komst van zijn vrouw zich volledig op zijn werkzaamheden te richten.

Maar hij kan zijn gedachten nauwelijks bij de zittingen houden en zou de blauwgrijze dossiermappen het liefst willen wegsmijten. Zijn instinct schreeuwt het hem toe: naar buiten rennen, in zijn wagen springen en Benson langs de verwoeste trottoirs naar het huis van mevrouw Haffner laten rijden. Hij moet zichzelf het grootste geweld aandoen om lusteloos aan het leestafeltje van de documentenkamer te blijven zitten.

Eindeloze dagen van grijsheid die zich verdiept in een stoffige schemering als hij futloos zijn gymnastiekoefeningen doet en door het raam van zijn kamer de tuin in kijkt. Tot hij zich tegenover zijn lamlendige slapheid gewonnen geeft en naar mevrouw Haffners huis belt. Het is de huishoudster of de kokkin die opneemt en enige onverstaanbare woorden tot hem richt. De volgende dag probeert hij het opnieuw. Nu is het mevrouw Haffner die hem te woord staat, op een toon onder het vriespunt. 'Michiko is niet te spreken.'

'Mevrouw Haffner,' begint hij, 'ik heb haar sinds ons laatste onderhoud bij u thuis niet meer gezien. Het lijkt me toch op zijn minst getuigen van beleefdheid om haar persoonlijk te laten weten waarom ze niets meer van mij gehoord heeft.'

'Uw beleefde plicht is om haar met rust te laten.'

'Ook om haar iets uit te leggen.'

'Ze heeft geen behoefte aan uw uitleg.' Haar toon is vlak, onbuigzaam, verveeld door zijn tegenspraak, omdat zij toch alles beter weet. 'Laat het tot u doordringen: ze wil u niet meer spreken.'

'Wil of mag?' vraagt hij.

'U heeft gehoord wat ik heb gezegd. Belt u niet meer op.'

Op een zaterdag wacht hij in zijn auto aan het eind van haar straat. Uit hun gesprekken weet hij dat ze iedere zaterdagochtend in opdracht van mevrouw Haffner verse bloemen voor de grote vaas in de hal koopt. 'Voor een bedrag waar een gemiddeld gezin een maand van moet rondkomen,' had ze eraan toegevoegd. In haar beige cape en op platte leren schoenen komt ze in de richting van de auto gelopen. Hij laat Benson de hoek omslaan en stapt uit. Het is onduidelijk wie van hen het meest schrikt. Zij van zijn onverwachte komst of hij van de ronduit angstige blik in haar ogen zodra ze hem opmerkt. Even houdt hij er rekening mee dat ze zich zal omdraaien en van hem weglopen.

'Kom,' zegt hij, 'stap in.'

Te verrast om zich te verweren stapt ze in de wagen. Hij omhelst haar als ze wegrijden. 'Ik moest je zien,' zegt hij. 'Ik heb je gemist.'

Hij zet uiteen wat er tussen hem en mevrouw Haffner is voorgevallen. Hoe hij geprobeerd heeft haar te bereiken.

Ze blijkt de telefoon in huis niet meer te mogen aannemen. Mevrouw Haffner heeft haar te verstaan gegeven dat ze, mocht ze opnieuw contact met hem hebben, niet langer bij haar kan wonen.

'Maar dat is je reinste chantage!' briest hij.

Ze gaat daar niet op in.

Hij zet haar af bij de winkel en wacht tot ze met een bos takken met kersenbloesem weer instapt. De bloesem verspreidt een milde geur terwijl hij haar voorstelt om elkaar op een vast tijdstip te ontmoeten. Na enig nadenken stelt ze huiverig de woensdag voor, de dag dat mevrouw Haffner van 's middags tot laat in de avond op pad is voor lessen aan het hof van de keizer. Goed, iedere woensdag zal hij in de straat van de bloemenman op haar wachten.

Op de eerste woensdag maken ze een uitstapje naar een kustdorp in de buurt van Tokio, waar ze langs de zee wandelen en hij het zout en de garnalen die met vloed op het strand zijn geworpen op zijn lippen kan proeven. De week erop belanden ze in een eenvoudig maar proper logement in Adachi, aan de noordzijde van de stad. Het bevindt zich niet ver van een kleine tempel, waar mensen, grauwig geworden door de ontberingen van de oorlog en afgebeeld door het harde werk en de rantsoeneringen die erop volgden, zij aan zij staan te bidden. In een kleine kamer vrijt hij nog een keer met haar. De ramen staan open. In de vroege lenteavond blaffen de straathonden die op het tempelterrein leven.

Op de derde woensdag is ze laat. Nerveus wacht hij in de straat van de bloemenman en hoopt dat er niets tussen is gekomen. Precies voor de winkel staat nog een auto geparkeerd. Een kleine, tengere man gehuld in een wit pak en met een breedgerande witte hoed op zijn kleine hoofd, komt uit de winkel, gevolgd door de bloemist, die twee bundels bloesemtakken naar de geparkeerde auto brengt. De figuur in het witte pak lijkt op de Japanner die enige tijd geleden bij hem op de etage in het hotel verbleef, een opvallende verschijning, niet alleen door zijn uiterlijk, maar ook omdat het hotel Japanners als gast weigerde. Maar niet deze muisachtige, stille figuur met de waterige ogen. Brink had een enkel kort onderhoud met hem, waarbij het perfecte Engels van de man opviel. Het was op de avond dat mevrouw Haffner met een aantal van haar protegees, onder wie Michiko, een recital in het hotel gaf. Van de Japanner vernam hij dat mevrouw Haffner een beroemdheid was en aan de elite van Tokio pianoles gaf.

'Ja, dat is hem,' weet Benson, als Brink bij zijn chauffeur naar de man informeert. 'Hij woont al een tijd niet meer in het hotel, maar komt nog regelmatig bij de CID over de vloer.'

Benson kent de chauffeurs van de rechters, van de aanklagers, van de hoogste militairen van GHQ. Kennelijk heeft hij ook contact met zijn collega's die rijden voor de CID, de Amerikaanse inlichtingendienst die op communisten, nationalisten en corrupte ambtenaren jaagt, eigenlijk op iedereen die de Amerikaanse belangen en strategie van wederopbouw in gevaar brengt.

'Dat zijn de echte ratten,' moppert Benson, 'die hun eigen volk verraden.' Terwijl Benson hem deelgenoot maakt van de geruchten uit het chauffeursnetwerk, volgen Brinks ogen de broze gestalte onder de flamboyante hoed. Benson blijkt goed op de hoogte. Dat geeft te denken over zijn eigen positie. Wat zullen de andere chauffeurs inmiddels weten over zijn omgang met Michiko? Een plotselinge beweging in het raampje trekt zijn aandacht. Verheugd over haar komst springt hij uit de auto om het portier voor Michiko open te houden. De kleine man in het witte kostuum loert van onder de rand van zijn hoed in hun richting. Nadat ze zijn ingestapt kijkt hij nog steeds, ook nog als ze hem voorbijrijden. Met een ruk draait Michiko haar gezicht weg.

'Wat is er?' vraagt hij.

'Meneer Shikibu, hij komt bij mevrouw Haffner thuis. Hij weet wie ik ben.' Haar gezicht is plotseling lijkbleek.

'Hij heeft je misschien niet herkend.'

'Maar als hij me wel herkend heeft, weet hij genoeg.'

Ze knikt met haar hoofd naar het wapperende rood-wit-blauwe vlaggetje. 'Deze auto, jouw naam staat er nog net niet op geschreven.'

Ze rijden naar de top van een heuvel en maken een wandeling. Hij neemt haar in zijn armen. In haar zwijgen voelt hij haar zorgen. Ze kijken uit over een zee van bamboegras dat met een treurig lied de wind zeeft. Ver weg trekt een regenbui over de stad, banen zonlicht prikken door de wolken heen en het ruikt naar natte struiken en bomen. Brokstukken steen van de tijdens de oorlog gevallen straatlantaarns liggen aan hun voeten.

Hij vraagt haar de wijk waar ze vroeger woonde aan te wijzen. Ze strekt haar arm en wijst naar een lege vlakte langs de zilverachtige rivier, een plek waar hij geen enkel gebouw kan ontdekken, alsof er nooit iets gestaan heeft.

De volgende woensdag komt ze niet opdagen. 's Nachts doet hij geen oog dicht en de dag erna is hij, behalve vermoeid, in een verhitte, getergde bui. Er gebeurt iets wat geen van zijn collega's, misschien hijzelf nog het minst, heeft zien aankomen. Hij spreekt uit wat hij al zo lang voor zich heeft gehouden. Tijdens de rondvraag in de rechterskamer maakt hij zijn mening kenbaar dat de aanklacht *misdaden tegen de vrede* onhoudbaar is. Aanvankelijk valt er een lange, diepe stilte. Dan volgen de aanvallen. Van alle kanten. Voor het eerst vindt hij de gehele Angelsaksische alliantie tegenover zich, plus de Rus, plus de Filippijn. Hij weerstaat hen met zijn argumenten, die hij naar omstandigheden nog redelijk kalm uiteenzet. Hij mag dan onzeker zijn over de wenselijkheid van zijn openhartigheid, aan zijn gelijk twijfelt hij geen moment; een riskant, wankel evenwicht van gevoelens.

Voor *misdaden tegen de vrede*, doceert hij, bestond, anders dan voor gewone oorlogsmisdaden, nog geen grondslag in het internationaal recht ten tijde van de oorlogshandelingen van Japan. En niemand van hen zal, mag hij aannemen, willen tornen aan het gulden nulla-poenabeginsel.

Het argument dat die wettelijke grondslag tegen een agressieve aanvalsoorlog besloten zou liggen in het Pact van Parijs, dat door tweeënzestig landen, waaronder Japan, ondertekend is, moet hij bij nader inzien verwerpen. Hij heeft het verdrag grondig bestudeerd, evenals andere internationale verdragen waarop de aanklacht is gebaseerd. Ze voorzien geen van alle, afzonderlijk noch tezamen, in een wettelijke basis voor de aanklacht. In navolging van collega Pal is hij tot deze conclusie gekomen.

Na afloop van de vergadering is hij uitgeput. Hij kan geen woord meer uitbrengen en vertrekt zonder iemand te groeten. Achter voorzitter Webb loopt hij door de gang van het gerechtsgebouw. Webbs haar is in de nek opgeschoren. Hij staart naar de stoppels boven Webbs hemdsboord en ziet niets anders. Tot hij tegen Webb op botst. Hij mompelt een verontschuldiging en gaat naar buiten. Op de parkeerplaats werpt het massieve gerechtsgebouw een diagonale slagschaduw. Hijzelf staat in de zon. Het zweet gutst langs zijn voorhoofd. Zijn das knelt om zijn keel. Hij vist de zilveren sigarettendoos uit zijn zak en steekt met trillende handen een sigaret op. Hij denkt na over zijn laatste woorden tijdens de vergadering, die even onvoorziene als ondoordachte mokerslag die hij zichzelf toediende in reactie op de opmerking van lord Patrick.

'Beste Brink,' had die met zijn zachte stem gezegd, 'even

voor alle duidelijkheid, om te kijken of we je goed begrepen hebben. Je ziet er namelijk een beetje moe uit. Eerst had je geen bezwaar tegen *misdaden tegen de vrede*; nu, acht maanden later, ben je ineens tegen. Klopt dat? Maar wat heeft het voor zin om dat nu in te brengen?' Zijn wimpers trilden in de geloken oogleden en zijn gepolijste stemgeluid klom onopvallend naar een arrogante, vileine hoogte vanwaar menig tegenstander in het verleden moest zijn verpletterd. 'De discussie is al gevoerd, het besluit met één tegenstem, die van onze *hooggeleerde* collega uit India, al lang en breed genomen.' Op dat moment keek Patrick hem voor het eerst aan. 'Vertel eens, beste Brink, wat dacht je hiermee te bereiken, behalve dat je probeert Aristoteles te spelen?'

Hij kan zijn oren nog voelen gloeien na die tartende vernedering. Het zou wijs geweest zijn als hij toen zijn mond had gehouden, maar door die vreemde bui van hem deed hij het niet. 'Als *misdaden tegen de vrede* in de aanklacht overeind blijft,' antwoordde hij met schokkerige stem, 'dan zal ik genoodzaakt zijn om een afwijkende mening bij het vonnis te schrijven.'

'Een afwijkende mening?' Lord Patrick leunde achterover in zijn stoel en door de herhaling van de woorden leken ze aan een tweede leven te beginnen, zich in de gangen en trappenhuizen van het gerechtsgebouw met holle echo's voort te planten. *Een afwijkende mening.* 'Mag ik je eraan herinneren dat uitgerekend jij het was die een pleidooi hebt gehouden voor het geheim van de raadkamer?' IJzig over zijn leesbril loerend, met een blik die het kwaadaardige in zijn gezicht nu openlijk naar voren bracht, bleef lord Patrick even stil. 'Ga je ons nu echt vertellen dat jij de unanimiteit wilt verbreken?'

Op de parkeerplaats is Pal naast hem komen staan. Pas na enkele zinnen kan Brink wat verstaan: '...in ieder geval gezegd waar het op staat. Het spijt me als ik het ben geweest die de aanzet hiertoe heeft gegeven, want u heeft zich, vrees ik, niet geliefd gemaakt.'

'Heeft u geen last van de warmte?' Brink doet zijn das wat los en opent het bovenste knoopje van zijn hemd. Zijn mond is gortdroog, hij moet iets drinken.

'Waarom gaat u niet uit de zon?' vraagt Pal.

Hij knikt, maar verzet geen voet.

'U heeft de argumenten uitstekend verwoord,' zegt Pal. 'Er valt geen speld tussen te krijgen. Al zal het, vrees ik, van weinig invloed zijn op de anderen.'

Pal knikt en loopt met de volstrekte gelijkmoedigheid van iemand die gemaakt is om alleen te staan, zijn eigen weg te volgen, naar zijn klaarstaande auto. En Brink zoekt een plekje aan de andere kant van de parkeerplaats in de schaduw van een hoge legertruck met een witte ster. Het gerechtsgebouw ligt op een heuvel in Ichigaya. Hij kijkt naar de straten en mensen beneden hem. Lang was er een comfortabel soort rust in zijn leven. Hij vraagt zich af waarom hij zichzelf dit aangedaan heeft. Kunnen de perikelen met Michiko een rol spelen? Een beroemde psychiater had in een Amerikaanse krant geschreven dat seksuele frustratie de basale oorzaak van de oorlog was geweest. Als die frustratie tot iets immens als een wereldoorlog kan leiden, dan toch zeker ook tot iets relatief onbeduidends als zijn persoonlijke problemen. Leunend tegen de truck zuigt hij krachtig aan zijn sigaret, een laatste haal voor hij hem weggooit. Hij trekt zijn jasje uit en hangt het over zijn arm. Uit de binnenzak steekt een randje van de brief van Dorien die hij vanochtend heeft ontvangen.

Ze heeft een ticket. Over twee weken vliegt ze naar Batavia en, na een kort verblijf daar, zal ze naar Tokio komen.

Hij zucht. Dorien, Michiko, zijn collega's. Is er iets of iemand waar hij op dit moment wel invloed op heeft? Met zijn jasje over zijn arm en zijn stropdas los loopt hij naar zijn wagen. Op de parkeerplaats smoezen lord Patrick, Northcroft, Cramer en McDougall met hun gezichten dicht bij elkaar. Ruggen, niets dan hun ruggen tonen ze hem als hij hen in het harde licht passeert.

Aanvankelijk herkent hij haar niet, de jonge Japanse aan de rand van zijn gezichtsveld. Ze wacht op een meter of twintig afstand van de portier met de gouden tressen. Zodra hij uit de wagen stapt, komt ze in beweging. Pas als hij merkt dat de ogen in het bedrukte gezicht hem zoeken, ziet hij dat het Michiko is.

'Het spijt me,' zegt ze als ze elkaar genaderd zijn. 'Het spijt me dat ik hierheen ben gekomen.'

Hij kijkt snel om zich heen en voert haar weg naar de kleine zijstraat die uitkomt op de achterzijde van het hotel. Een zwerfkat schiet achter de kieptonnen weg.

'Waar was je gisteren?' vraagt hij.

'Mevrouw Haffner, ze weet het. Ik mag niet langer bij haar wonen.'

'Wat? Ze zet je toch niet op straat?'

'Een andere sopraan neemt mijn optredens over,' fluistert ze mat.

'Maar dat kan ze je niet aandoen.' Zijn stem slaat over van verontwaardiging.

'Ik wilde je zien. Daarom ben ik gekomen. Het spijt me.'

'Je hoeft nergens spijt van te hebben.' Hij legt zijn handen op haar smalle schouders.

Iemand komt de hoek van de straat omgeslagen. Het is de Amerikaanse MP die voor de bewaking van het hotel zorg draagt. Brink herinnert zich hoe hij met de man op deze zelfde plek heeft gesproken, op de ochtend dat het verminkte lichaam was gevonden. De MP nadert hen op zijn ronde en knikt naar hem.

'Goedenavond, rechter.' Zijn taxerende, scherpe oog, getraind om van het slechtste uit te gaan, monstert Michiko. Jonge Japanse vrouw, achterafstraatje, zijn handen op haar schouders, geen verzachtende omstandigheden.

Brink laat haar schouders los en knikt terug. 'Goedenavond.'

Zodra de MP is doorgelopen, vervloekt hij mevrouw Haffner om haar hardvochtigheid. 'Deze vrouw is erger dan een dictator.'

Vóór hij nog een verwensing kan uitbrengen, wat zijn schuldig hart hem ingeeft, neemt Michiko het woord.

'Ik zou willen dat je niet zo over haar sprak. Het is niet mijn bedoeling om haar te verdedigen, maar als je zulke dingen over haar zegt, dwing je me ertoe. Het is mijn zaak. Het is mij overkomen. Ik heb de risico's genomen. Ze heeft me opgeleid. Ze heeft me een leven gegeven toen ik het nodig had. Niemand anders heeft dat voor mij gedaan, alleen zij.'

'Maar nu je dat leven niet precies inricht naar haar inzichten, eisen, neemt ze het je weer af.'

'Ik heb me vergist. Zij is een zelfstandige vrouw. Zij heeft vriendschappen en liefdesrelaties met mannen. Ik ben mevrouw Haffner niet.'

Een Japanse. Hij herinnert zich hoe mevrouw Haffner de woorden had uitgesproken. 'Ze heeft je op straat gesmeten,' zegt hij en kan zich nog net inhouden om daar niet 'de raciste' aan toe te voegen.

'Ze had me gewaarschuwd. Ik wist waar ik aan toe was.'

Met een smartelijk glimlachje slaat ze haar blik neer.

Nog meer schurend zand in zijn keel. 'Michiko, Michiko,

ik smeek je! Je bent haar niets verschuldigd omdat je ouders bij het bombardement zijn omgekomen, omdat je een mooie stem hebt, omdat je een prachtvrouw bent.'

Ze keren terug naar de ingang van het hotel aan de drukke straat. Hij vraagt de portier Benson op te laten roepen. Brink voelt de vlijmscherpe tandjes van de schuld om wat Michiko overkomen is, maar tegelijk is er de twijfel of hij er goed aan doet om met haar voor de ingang te blijven wachten. Terwijl hij de mogelijkheden overdenkt, komt de glimmende Buick al aangereden. Pas als de auto met een ruime bocht naar de ingang van het hotel zwenkt, krijgt hij de kleine Union Jack op het voorspatbord in het oog. Leunend op zijn wandelstok stapt lord Patrick uit de wagen. Over zijn voorhoofd loopt een patroon van diepe, dwarse rimpels. Van onder de grijze wenkbrauwen werpen de lichte ogen eerst een korte blik op hem en daarna op Michiko. Zonder te knikken gaat de oude Brit met glinsterende manchetknopen de draaideur door.

In het noorden van de stad trekken de zwartbeslagen werkplaatsjes, de bomen en de mensen bij de kleine tempel als in een stomme film voorbij aan zijn gesloten raam. In een logement huurt hij een kamer voor Michiko. Door de deuropening kan hij haar buiten zien staan terwijl hij een week vooruit afrekent. Aan haar hand hangt een tasje met alles wat ze bezit in dit leven. Achter haar is een boom met jonge, doorschijnende bladeren. Haar schouders en armen, haar smalle polsen, haar bleke gezicht, omkranst door die bladeren, in dat alles ligt een mysterieus soort schoonheid verborgen. Hij denkt aan de brief van Dorien die in zijn binnenzak brandt. Het onderwerp Dorien is teer, te teer om aan te raken. Hij haat zichzelf om wat hij, juist op dit moment, aan

Michiko moet gaan vertellen. Maar hij zou zichzelf eigenlijk moeten haten omdat hij het zover heeft laten komen. Zijn zorgen. Ze vermenigvuldigen zich en hunkeren naar nog meer gezelschap; kom erbij, het is hier goed toeven, stelt hij zich voor dat ze tegen elkaar zeggen, met een vent als Brink ben je van je toekomst verzekerd.

In de kleine, schaars verlichte eetkamer van het logement zijn ze de enige gasten. Hij is moe, Brink, na een nacht zonder slaap en een dag vol missers. Hij is zichzelf moe. Aan een lage tafel drinken ze thee. Hoeveel van die warme, groene drank moet hij inmiddels gedronken hebben; hoeveel van dat bittere vocht dat hem nog steeds niet smaakt, is zijn lichaam binnengestroomd en zal zijn lichaam nog moeten opnemen als betaling voor het genoegen om bij haar te mogen zitten? Een oudere vrouw in kimono zet een rits handbeschilderde schaaltjes met hapjes voor hen neer. Geen van beiden raakt iets aan. Ze ontwijkt voortdurend zijn blik. Hij streelt haar hand. Ze trekt hem bijna onmerkbaar terug en hij voelt zich ongemakkelijk, bijna verlegen.

'Het spijt me dat je in de problemen bent geraakt,' zegt hij na enige tijd.

'Het is mijn leven, mijn zaak.' Haar ogen zijn donker als de nacht. Hij kan er niets in vinden.

Naar haar plannen vragen durft hij niet. Voor zover hij weet heeft ze in Tokio niemand. Behalve mij, denkt hij en huivert. Hij herinnert zich de eerste keer dat hij haar zag, in de grote zaal van het hotel, de sopraan met het melancholieke stemgeluid, haar zwarte jurk, het spotlicht op haar gelijkmatige gelaatstrekken. Liszts *Der Fischerknabe* zong ze die avond. Een mooie, getalenteerde vrouw. Daar is niets aan veranderd. Dat moet hij, en ook zij, zichzelf voorhouden. Op de een of andere manier zal het goed met haar komen, ook zonder mevrouw Haffner. Ook zonder hem, denkt hij erachteraan.

'De kamer is voor een week betaald,' zegt hij.

'Dank je.'

'Ik zal geld voor je achterlaten en je iedere avond opzoeken.'

'Dank je.'

'Stop met me te bedanken, alsjeblieft. Is er iemand in Tokio bij wie je terecht zou kunnen?'

'De mensen met wie ik in contact sta, ken ik via mevrouw Haffner. En dat is voorbij. Er is alleen nog een oude vrouw uit mijn vroegere buurt, maar zij kan zichzelf amper in leven houden.'

'Ik wil je helpen. Ik zal je helpen, zolang als nodig.' Op een moment als dit mag hij niet huichelen. Hij moet open kaart spelen. Juist omdat hij weet dat ze sterk is, is het niet alleen verspilde moeite maar ook arrogant om haar uit medelijden de waarheid te onthouden. 'Ik heb een brief van mijn vrouw ontvangen.' Zodra hij dat 'mijn vrouw' uitgesproken heeft, voelt hij hoe hun aanwezigheid aan deze tafel uitgehold is. 'Ze heeft een visum en komt naar Tokio.'

'Dat is goed nieuws voor jullie beiden.' Haar onderlip trilt.

'Ze blijft zes weken.'

Ze kijken elkaar aan. Hij legt zijn hand opnieuw op de hare, pakt hem vast, kneedt haar vingers. Ze voelen stijf en koud aan.

'Ik vind het moeilijk om dit te zeggen, maar ik zal er een tijdje niet voor je kunnen zijn.'

'Ik begrijp het.'

'Daarna kun je op me rekenen.'

Ze zwijgt. Buiten is nog steeds niet al het licht verdwenen. In de verte, bij de tempel, blaffen de straathonden. Haar zwijgen drukt zwaar op hem. Hij kan zich er niet onderuit werken. Hij mag haar niet in dat volhardende stilzwijgen alleen laten, dat zou wreed zijn, maar hij weet niet wat hij moet zeggen.

'Ik heb familie in Nagano,' doorbreekt ze eindelijk de stilte. 'Misschien zou ik daarheen kunnen gaan.'

Hij wacht nog even af, maar ze laat het bij die ene opmerking.

'Voor een tijdje,' zegt hij zacht.

16

Voor zonsopkomst sluipen zijn zuster en moeder het huis uit. Met doeken, kommen en de kostbare kruiden van de vrouw die net buiten het dorp woont, dalen ze af naar het badhuisje bij de rivier. Ze blijven uren weg. Zijn vader vertrekt als iedere dag met zijn belletjes aan zijn broekspijp en een thermoskan thee onder zijn jas naar het bos. Als zijn moeder en zuster van het badhuisje terugkeren, helpt Hideki met het schrobben van de veranda en ook de vloer in huis wordt onder handen genomen, met name de plek waar de kimono van zijn zusters lichaam is gegleden. De bijtende oplossing van loog en sake doet zijn ogen tranen. Hij zwaait de harde boender heen en weer, vol woeste fantasieën. De streken laten uitgebleekte banen in het hout na.

Een priester van de tempel hoog in de bergen daalt over het steile pad af naar het dorp om witte stroken papier aan de takken van bomen te hangen en de bezoedelde plaatsen met heilig water te besprenkelen. Van een afstandje slaat hij de priester gade als hij de plek waar de jeep heeft gestaan reinigt. Ineens is Hideki zich bewust van de blikken van de andere dorpsbewoners, vol afgrijzen, op hem gericht. Niet om hoe hij eruitziet, maar om wat hij gedaan heeft, de drie buitenlandse verkrachters het dorp binnengeleid.

Waarom moest juist hij bij de brug staan? Hoe konden die enkele Engelse woorden zich zo tegen hem keren? Hij gelooft niet in een weegschaal van gerechtigheid. Het lot of het heelal of welke hogere macht dan ook heeft niets met rechtvaardigheid uit te staan. Hij is maar een simpele ziel uit een bergdorp, te onbetekenend in het universum om een plan mee te hebben. Waarom voelt het dan toch of hij door 'iets' gestraft wordt, voor de salvo's van zijn machinegeweer; de huiverende, dicht op elkaar staande mannen op die avond van sneeuw en kruitdamp.

De mannen van het dorp besluiten om van aangifte af te zien. Hideki wil graag geloven dat de Japanse politie corrupt is en naar het pijpen van de bezetter danst, toch keurt hij het besluit af, maar zijn mening doet er niet toe. Alleen de vader van Keiji, die ook aan het front is geweest, denkt er net zo over als hij. Het lichaam van zijn vrouw is, evenals zijn eer, tussen de ceders geschonden. Hij wil het er niet bij laten, maar de andere mannen overreden hem zich bij het besluit van de meerderheid neer te leggen. Iedere avond gaat de balk voor de deur en de luiken blijven ook overdag gesloten. Als het niet echt nodig is, verlaat niemand nog zijn huis. Het hele dorp zit in zijn eigen angst en schande vast. Man, vrouw, kind, dicht tegen elkaar aan luisteren ze 's nachts naar de geluiden buiten en hopen dat het de wind is.

De volgende zondag, precies een week later, klinkt een hysterisch gekrijs. Staand op de pedalen van zijn fiets komt Keiji het dorp in rijden en met een paars hoofd van inspanning en opwinding schreeuwt hij: 'Jeep, jeep, jeep!'

Zonder kruk hinkt Hideki de veranda op. In het dal klinkt het amechtige geluid van een tegen de berg op klimmende auto. Nog een minuut of drie, schat hij dat het zal duren voordat de wagen het dorp bereikt.

'Keiji!' roept hij de jongen na. 'Zeg tegen je vader dat hij zijn geweer laadt!'

Hij gaat terug het huis in, pakt zijn kruk en werkt de handelingen af die hij in gedachten keer op keer doorlopen heeft. Met trillende hand licht hij de draagriem van de Ariska 38 van de twee verroeste spijkers onder de dakbalken. 'Wat ben je van plan?' vraagt zijn vader. 'Ze komen terug.' In de lade van het houten kastje waar zijn foto op staat, bevindt zich de roestige bajonet. Hij schuift hem op het geweer. 'Ze zullen ons allemaal afmaken,' zegt zijn vader. Hij ontgrendelt het geweer en vult het magazijn met de 6.5-patronen uit een doosje. De veer onder zijn duim voelt steeds strakker. Hij vergrendelt het geweer en laat een handje patronen rinkelend in zijn broekzak glijden. Pas als hij klaar is, kijkt hij zijn vader aan. 'Wat stelt u voor? Hopen dat het dit keer wel goed afloopt?' Met de draagband om zijn schouder en zijn kruk in zijn oksel hobbelt hij langs zijn vader en eenmaal buiten draagt hij zijn zuster en moeder op om het schuurtje binnen te gaan en daar te blijven tot hij zegt dat ze er weer uit mogen komen. Hij tuurt in de richting van de weg. Uit het geluid van de motor op te maken kan de jeep ieder moment achter de ceders vandaan komen. In paniek klauteren moeders, dochters en zusters de zuidflank van de met boterbloemen bespikkelde heuvel op. Hij betwijfelt of ze daar goed aan doen. De helling is op dit stuk steil en ze vorderen maar langzaam, misschien te langzaam om zich op tijd te kunnen verstoppen achter de bamboeheesters op het plateau. Dan weten die kerels precies waar ze zitten. De oorlog heeft hem geleerd dat vaak niet de eerste fout doorslaggevend is. De eerste fout was dat ze de oorlog verloren hadden en de tweede fout, die hem bijna fataal werd, was dat ze na de capitulatie dachten dat alles ook echt voorbij was en geen rekening hielden met de immense, dodelijke rancune van het volksbevrijdingsleger van Mao.

Dit keer was zijn eerste fout een enkel woord in een vreemde taal geweest: welcome. Misschien stond hij op het punt nog een fout te begaan, de grootste van zijn leven. De zon fonkelt in de voorruit van de jeep als hij bonkend door de diepe kuilen tussen de bomen verschijnt op het laatste stuk van de klim. Een vettige, blauwzwarte rookwolk blijft achter. Hij hinkt de veranda af en loopt om het huis heen naar de plek die hij voor zijn plan uitgekozen heeft, de ruimte tussen de dichte begroeiing en het schuurtje. De kolf van de 38 wipt heen en weer tegen zijn been. Hij wringt zich een weg door de struiken, zijn gezicht onkwetsbaar voor de striemende takken en hun doornen. Tussen de bladeren door kan hij de deur van het schuurtje in de gaten houden. Hij hoort de jeep langsrijden en stoppen; portieren dichtslaan; voetstappen op de veranda, in het huis. Hij neemt het geweer in zijn handen. Zijn vingers glijden over de in de kolf gekerfde tekens, de naam van zijn grootvader, die het geweer als jongeman in de stad kocht en het later aan zijn vader naliet, het geweer waarmee ze konijnen, herten en beren schoten, nooit een mens. In het huis snerpt een stem, de herkenning ervan doet hem huiveren. Er vallen klappen, iets zwaars – zijn vader, neemt hij aan – slaat als een zak aardappelen tegen de grond. De voetstappen verplaatsen zich van de veranda in zijn richting, precies als in de voorstelling die hij zich er tijdens de voorgaande nachten van heeft gemaakt. Hij zet zijn kruk tegen het schuurtje, drukt het geweer, zwaar en troostend, tegen zijn schouder. Op de warme wind drijven de geuren van de wilde bloemen die in bloei staan. Bijen zoemen tussen de struiken om zijn hoofd. Met zijn mouw veegt hij het zweet van zijn neus. Hij is niet meer bang, voelt geen woede. Hij is slechts klaar en bereid om te doden. Niet omdat het hem opgedragen is, niet omdat hem is geleerd om alle anderen behalve je eigen mensen als beesten te zien. Nee, omdat hij zelf tot de conclusie is gekomen dat er niets anders op zit. Zij of hij.

De magere man met het smalle gezicht en de dunne mond verschijnt in zijn blikveld, sluipend als een roofzuchtig dier onderweg naar het schuurtje. Zijn pistool zit in zijn holster, blijkbaar meent hij weinig te vrezen te hebben in dit dorp van mannen die geen vinger uitstaken toen hun dochters en vrouwen werden geschonden.

Op het moment dat zijn hand de klink van het schuurtje vastpakt, roept Hideki hem. 'Mister!'

Langzaam draait de man zich om. Die omfloerste, lege ogen zoeken in het rond en als ze tussen de bladeren de loop met de bajonet gevonden hebben, zakt hun blik af naar het manke been van Hideki, dat de grond net niet raakt. Met het geweer in zijn handen en trillend van inspanning balanceert Hideki op zijn goede been. *Welcome, fish, village, does this bus stop near the zoo.* De vreemde woorden flitsen door zijn hoofd, geen van alle geschikt om in dat gladde maskerachtige gezicht te smijten. Die blik van de man, zelfs nu, met een geweer op zijn borst gericht, volhardt in uitdrukkingsloosheid. De trekker drukt in het zachte vlees van Hideki's vinger. Met een snelle, onverwachte beweging als bij de start van een sprintwedstrijd duikt de man naar voren en stormt op hem af. Het schot raakt de schouder van de man en met een schreeuw grijpt hij naar de plek waar een rode vlek zich in zijn kakihemd begint af te tekenen. Grommend tolt de man om zijn as en waggelt van hem weg naar het achtererf. Met bonzende slapen volgt Hideki hem over stugge sprieten zomergras bespikkeld met bloed. De kippen stuiven achter de bamboeomheining van hun ren alle kanten op en de geit rammelt aan haar ketting als hij aanlegt voor het tweede schot. Hij zou de man die dwars door de bedden van de moestuin probeert te ontkomen nu door het achterhoofd kunnen schieten, maar hij heeft andere plannen. Pas als de man naar zijn holster grijpt, haalt hij voor de tweede keer de trekker over en een straal bloed spuit uit zijn dij. Hij zijgt ineen en tolt bloedend en vloekend rond in een bed met mizunasla. Hideki hinkt naar de plek waar de man op zijn achterste is gaan zitten en zijn dij met beide handen beetgrijpt. Hideki staat nu zo dicht bij hem dat hij zijn zure adem kan ruiken. 'Hé!' schreeuwt hij tegen de man. 'Hé!'

Het duurt even voor er een reactie komt, maar dan is het moment daar: het van pijn verwrongen gezicht kantelt omhoog. De mond met de dunne lippen hangt open. De man kijkt langs de op hem gerichte bajonet en zijn bebloede handen laten het been los, strekken zich in een smekend gebaar naar Hideki uit. In de mond wellen woorden op, die Hideki niet verstaat. Misschien vraagt de man om genade, misschien roept hij om zijn moeder. Nog maar nauwelijks in staat om met zijn ene been zijn gewicht te kunnen stutten en met het geweer schuddend in zijn handen wringt hij zijn blik in die van de man, zo diep mogelijk in die onpeilbare leegte waarin hij tijdens zijn dromen weggezogen werd. Eindelijk lopen de ogen, onder een nevelig vlies dat donker kleurt als natte leisteen, vol met angst. Hij tilt het geweer iets omhoog, haalt diep adem en stoot woest, met al zijn kracht, de bajonet in het zachte vlees onder de broekriem. Met het gekerm van de man in zijn oor trekt hij het legerpistool uit de holster. Weer opgericht ziet hij tussen de struiken door de grote met de krullen en de kleine met het borstelhaar halverwege de heuvel stilstaan als jachthonden die lucht krijgen van een fazant. Gespannen turend proberen ze te bepalen waar het gekerm vandaan komt. Ze lijken even te overleggen en besluiten hun klim naar de prooien achter de bamboeheesters te staken. In een rechte lijn dalen ze de helling af naar het achtererf van hun huis.

Het magazijn van de 38 bevat nog drie patronen. Hij hinkelt bij de kreunende man weg en laat zich langs de muur van het schuurtje op zijn knieën vallen. Al hing zijn leven ervan af, hij zou geen seconde langer op dat ene been kunnen staan. Zijn borst gaat in een razend tempo op en neer. Het gebrul van de man in de moestuin stijgt steeds luider als een lokroep op naar de heuvel waar zijn makkers onder een wolkeloze hemel toesnellen.

Good morning, good afternoon, good night.

Met zijn knieën in de aarde verzonken vult hij het magazijn bij met de patronen uit zijn broekzak. Hij vergrendelt het geweer en legt het op zijn schoot om een paar seconden van het gewicht verlost te zijn. Maar achter hem klinken voetstappen en snel grijpt hij het weer met beide handen vast. Hij draait zich om. Met grote stappen en een kloofbijl over zijn schouder loopt zijn vader achter hem langs naar de moestuin.

'Pa,' hijgt hij, 'er komen er twee aan.'

Zonder acht op zijn woorden te slaan en zonder aarzeling hengst zijn vader de bijl in de ribbenkast van de gewonde man in het slabed. Er klinkt een droog gekraak als van een bos kreupelhout onder een autoband. De bijl zwaait alweer door de lucht. Als de snede van de metalen kop de nek van de man raakt, knapt er iets en is het van het ene op het andere moment stil. Zijn vader laat de bijl zakken en ziet Hideki aan, wezenloos. Hij gebaart zijn vader achter hem te komen staan.

De twee Amerikanen duiken met getrokken pistolen bij het hek van het achtererf op en de kleine met het borstelhaar trapt het deurtje van bamboe uit zijn scharnieren. Hideki drukt de kolf van het geweer tegen zijn schouder en richt door het vizier op het bovenlichaam van de kleine man, die als eerste het erf betreedt. Maar nog voor Hideki de trekker heeft kunnen overhalen, klinkt er een schot. Verward vraagt hij zich af of er op hem of zijn vader is geschoten, maar dan klapt de aap met de donkere krullen met zijn bovenlichaam over het hek. De kleine man draait zich met zijn pistool in de hand om en kijkt in de richting vanwaar het schot viel. Hideki schiet op zijn bovenlichaam. De militair blijft even stilstaan en grijpt dan naar de boord van zijn overhemd alsof hij die uit elkaar wil scheuren en begint, langzaam en zonder een geluid te maken, te vallen.

'Trek me omhoog, pa!' sist Hideki. Zijn vader helpt hem overeind en ondersteunt hem terwijl ze naar de plek lopen waar de twee mannen liggen. Bij de omheining van het erf, achter de bonenplanten, wipt het verhitte gezicht van Keiji's vader op en neer. Met een geweer voor zijn borst stapt hij het erf op. De twee gewonde mannen kreunen en kronkelen. Keiji's vader en hij kijken elkaar even aan en dan neemt Keiji's vader een besluit. Van dichtbij schiet hij de aap door zijn achterhoofd. De kleine jaagt hij een kogel door zijn slaap.

Het bloed van de mannen vloeit over het gras en het bonenveldje van zijn moeder, drenkt de planten, drenkt de wortels.

'Waar is die andere?' De handen van Keiji's vader zijn bedekt met fijne, rode spatten.

Hideki knikt met zijn hoofd naar de andere kant van het erf.

'Dood?' informeert Keiji's vader.

'Het is klaar,' antwoordt hij.

Stil staan ze tegenover elkaar, zwaar ademend, zoekend naar gedachten. Met een bamboespeer in zijn hand rent Keiji als een indiaan het erf op. Zijn verwilderde ogen kijken in het rond. De grote vent hangt nog steeds over de omheining en de kleine ligt op de grond met zijn gezicht naar boven, zijn ogen halfopen, zijn armen gespreid in een houding als van een klein kind dat op het punt staat door zijn moeder uit de wieg getild te worden. 'Ze moeten weg,' zegt Hideki tegen Keiji's vader. Keiji's vader knikt. Opnieuw kijken ze elkaar zwijgend aan, maar dan, alsof tegelijk een en dezelfde gedachte bij hen opkomt, richten ze hun blik op Keiji. De jongen kauwt op de binnenkant van zijn wang en staart als in trance naar de lichamen, naar het bloed dat donker, bijna zwart in de aarde wegzinkt. Rillend zet hij een stap en perst zich tegen zijn vader aan. 'Jongen.' Voorzichtig neemt Keiji's vader de kin van zijn zoon tussen duim en wijsvinger en draait zijn hoofd zodat hij hem recht in de ronde, gloeiende ogen kijkt. 'Hier mag je nooit met iemand over praten. Begrijp je dat?' Keiji antwoordt niet, blijft kauwen en staren.

Aan het eind van die nacht zit Hideki in het donker op de veranda. De lichamen en de jeep zijn weggewerkt. De doodskreten verstorven. In de verre ceders klinkt de roep van een uil. Zijn vader komt naast hem zitten en legt, zonder iets te zeggen, zijn hand op Hideki's hoofd. In stilte blijven ze zo zitten. Hij herinnert zich hoe zijn vader vroeger, toen hij nog een jongetje was, soms zijn eeltige boswerkershand op zijn hoofd legde. Omdat hij een goed schoolrapport thuis had gebracht of omdat hij zijn vader in het bos met zagen had geholpen. Dat was zijn vaders manier om hem te laten weten wat hij voelde. In deze nacht ligt die hand, ouder, stijver, harder, maar nog steeds dezelfde, minutenlang op zijn hoofd.

17

Tik-tik! Beng-beng! Overal klinkt het geluid van bouwvakkers. In zijn auto zijn ze onderweg naar het station. Michiko sluit haar ogen. Het verblindende licht valt door het raam op haar gezicht. Het is bijna een genot, de zon als voorzichtig geschenk van de lente. Een week heeft ze in het logement gewoond en gewacht op hem. Zoals hij beloofd had, kwam hij iedere avond, maar geen enkele keer bleef hij slapen. Het was heel stil in het hotel, en alleen als ze een wandeling maakte zag ze mensen. Ze durfde niet ver te gaan. Ze kent de verhalen van misdaad en wetteloosheid in de buitenwijken. Berovingen, verkrachtingen, moorden, slachtoffers zonder naam. De politieagenten van Tokio dragen vodden van uniformen, een auto om de buitenwijken te bereiken hebben ze niet. Ook dat is een uitkomst van de vrede. Na zo'n korte wandeling keerde ze weer snel terug naar haar kamer, als een vogel die zijn nest in duikt. Een veilig plekje op de wereld, voor een week.

'Ik kan hier niet blijven,' had ze hem gezegd. Langer in het logement wonen, met niets anders aan haar hoofd dan wachten op hem, was uitzichtloos. Dat zou haar totaal afhankelijk van hem hebben gemaakt, van de man die het hotel betaalde, haar 's avonds kwam opzoeken, van de man wiens vrouw binnenkort naar Tokio kwam en die, al sprak hij dat niet uit, opgelucht was als ze 'een tijdje' verdween.

Hij had haar niet tegengesproken.

Op deze vroege, helverlichte ochtend geeft ze hem het briefje met de naam van het dorp in de bergen. Ze rijden langzaam door de stad onderweg naar het station. Het geluid van de hamers, van stenen die op elkaar worden gestapeld. Tik-tik! Beng-beng! Van 's ochtends vroeg tot 's avonds laat. De bezetter werkt aan de hervormingen van het bestuur, van de rechtspraak, van de economie; de bezetter bouwt aan de democratie. Je kunt het iedere dag in de krant lezen en op de radio horen. Maar dit is het mooiste nieuws, het mooiste geluid. Plank voor plank, steen voor steen wordt het nieuwe Japan opgebouwd. De nieuwe huizen en gebouwen, voor een land waar een leven ooit weer van waarde zal zijn; hier richten ze zichzelf op. Met handen, kranen, hamers, beitels. Van iedereen worden offers verwacht, kleine, grote. Als dit het offer is dat van haar gevraagd wordt, dan zal ze het accepteren. Wie is zij om te verwachten dat met de dood van haar ouders haar rekening al voldaan zou zijn, dat ze om die reden aanspraak zou kunnen maken op een gastverblijf aan het conservatorium van Frankfurt? Niemand verdient privileges, zeker niet iemand die het verwacht. Ze heeft overwogen om in Tokio te blijven, het risico te nemen, zonder bescherming van wie dan ook. Op zoek te gaan naar werk, naar een plek om te leven. Maar er is geen werk, er zijn geen huizen. Er zijn slechts lange rijen. Overal lange rijen, voor rijst die er niet is, voor banen die er niet zijn. Verwoeste gebouwen worden neergehaald. Stofwolken stijgen op uit de puinhopen. Op de plek waar hun huizen stonden, zijn nu de naamloze massagraven. Laat de wind opsteken. Het stof verwaaien. De as, die gewichtloze vloek, moet weg. De as van Asakusa, de as van Tokio, de as van de doden.

Hij stopt het briefje in de binnenzak van zijn jasje. Ze kan het stijfsel in zijn hagelwitte overhemd ruiken.

'Over een paar maanden staat alles er anders voor,' zegt hij.

Aanvankelijk had hij nog gesproken zonder precies te weten waar hij op doelde, gestuurd door de gebeurtenissen, toeval, maar nu met haar op de drempel van vertrek en zijn vrouw onderweg, weet hij het. En zij weet het ook. Ze schuift haar handen tussen haar dijen en perst ze zo hard tegen elkaar dat ze het bloed in haar aderen tot stilstand voelt komen. Ze knikt zonder hem aan te kijken.

'Ik ken inmiddels voldoende mensen in Tokio,' gaat hij verder. 'Ik zal je helpen als je terugkomt.'

Terugkomen, denkt ze. Eén ding tegelijk: eerst weggaan. Het begrip terug betekent op dit moment niets anders dan terug naar de bergen, naar het dorp, naar haar familie. Terug is weg. Weg uit Tokio, weg uit haar leven. Een lange, stille week heeft ze de tijd gehad om na te denken over wat deze man voor haar betekent. Ze gelooft dat ze echt om hem geeft, of mevrouw Haffner en mevrouw Tsukahara, de kokkin, hem nou beschouwen als een overspelige man die haar door het riool naar haar ondergang sleurt of niet. In een ander leven zouden ze het samen goed met elkaar kunnen hebben. Waren er geen andere krachten in het spel, alleen maar hij en zij, dan zou er een toekomst zijn, samen. Spijt dat ze met hem geslapen heeft, dat hij haar eerste man is geweest, voelt ze niet. Wel de diepe teleurstelling dat hun omgang voor mevrouw Haffner, die er zelf meerdere minnaars op na houdt, aanleiding is geweest om haar te straffen. Mevrouw Haffner wilde van haar af. En – een waarheid waar ze beiden niet omheen kunnen – hij wil nu ook van haar af. Voor een tijdje. Maar ze neemt hem niets kwalijk. Zij mag niets van hem verwachten. Hij is haar niets verschuldigd. Wat ze elkaar te bieden hebben was en is vrijblijvend. Ook al is het, buiten het treinkaartje voor de eerste klas dat hij voor haar heeft gekocht, alles wat ze heeft.

De straten worden drukker en drukker. Overal zijn mensen onderweg. Voor hen vallen kisten van een open vracht-wagen met gedeukte spatborden en plekken roestwerende menie. Ze moeten wachten terwijl de broodmagere vracht-wagenchauffeur die nog steeds zijn uniform van de burger-dienst draagt, voor Benson buigt en onverwacht krachtig de zware over de weg gerolde kisten weer op zijn truck tilt.

Ze opent het raam aan haar kant een stukje. Een vader en moeder lopen naast elkaar over het trottoir vol kuilen en scheuren. Twee jongetjes met gemillimeterd haar en in kor-te broeken huppelen zingend voor het echtpaar uit.

'Tienduizend shaku boven de bergen,' zingen de jongetjes met vrolijke, hoge stemmetjes. Ze geven elkaar een hand.

Ze kent dat liedje uit haar jeugd. Juf dirigeerde met een houten liniaal in haar hand. De eerste liedjes, de eerste wen-ken van haar roeping.

'Boven op de machtige Koyari,' klinken de stemmetjes.

'Doen wij allen de Alpendans. Hay!'

Daar gaan ze, in deze zee van mensen op zoek naar een maaltje. Mensen die op deuren kloppen, hun schoenen ka-pot lopen om aan de andere kant van de stad op weer ande-re deuren te kloppen, van hier naar daar en weer terug.

Altijd weer terug.

Maar die jongetjes zijn onderweg naar iets wat de moeite waard is. Ze kijkt een poosje naar hun ouders en probeert zich hun leven voor te stellen.

Als ze doorheeft dat hij haar gezicht bestudeert, voelt ze zich betrapt en doet ze het raampje dicht. Ze kijkt voor zich uit. Ze rijden weer verder. *Boven op de machtige Koyari.*

De wagen is voor het station gestopt en blijft met hen bei-den zwijgend op de achterbank staan. Het in de wind op-waaiende stof lijkt in het felle zonlicht op een gouden nevel. Voor ze uitstappen, overhandigt hij haar een klein ingepakt doosje. Ze opent het. Op een kussentje van rood fluweel ligt een gouden ring met een lichtblauwe, doorschijnende steen. Hij schuift hem aan haar vinger. Het is zo'n prachtige ring dat ze geen woord kan uitbrengen.

'Dan zul je aan me denken als je daar bent,' zegt hij.

Twee agenten buigen diep als ze uit de auto zijn gestapt. Hij staat erop dat zij bij een stalletje nog wat voedsel voor onderweg inslaat. Hij spoort haar aan om meer te nemen dan ze nodig heeft, pasteitjes, rijstballen met zoetzuur, en fruit. Overal zijn nu mensen. Zoveel mensen, ook al zijn de vroege treinen al vertrokken, dat zijn de drukste, de ergste, de strooptochttreinen, afgeladen met de hordes stedelingen die op zoek gaan naar voedsel. Ze proberen in één dag van de stad naar het platteland en weer terug te reizen zodat ze nergens hoeven te overnachten, want ergens blijven slapen is gevaarlijk met een baaltje rijst, zoete aardappels of gedroogd varkensvlees in je knapzak. Ook op dit late uur in de ochtend staan er lange rijen haveloze en desperate mensen die met de treinen weg willen. Met hongerige ogen verdringen ze zich, duwend, schuifelend. De zwaksten worden opzijgezet, naar achteren gewerkt. De allerachtersten hebben geen idee of er nog een trein zal vertrekken. Soms komen de treinen niet en bijna altijd zijn ze te laat en te vol. Toch bevecht iedereen zijn plaatsje in de rij. Hij loodst haar door de menigte die als vanzelf voor hem uiteen wijkt. De trappen die ze opgaan zijn bezaaid met mensen die er al niet meer in geloven, zittend op stukken karton. Mannen, vrouwen, kinderen, hun ogen leeg en neergeslagen. Ze schaamt zich tegenover hem voor deze mensen met ringworm en luizen. Blijf hier niet zitten, denkt ze, sta op.

Met het kaartje voor de eerste klas loodst hij haar langs de rijen en door het poortje waar de controleurs diep voor hem buigen. Op het perron wordt geduwd en getrokken en gescholden bij de ingangen van de uitgewoonde derdeklasrijtuigen. Hele bundels worden door de kapotte ramen naar binnen gepropt. Bij het enige en bijna lege eersteklasrijtuig gaat het er aanzienlijk kalmer aan toe. Voor ze instapt, houdt hij haar vast. Zij slaat haar armen om hem heen en sluit haar ogen. Even verbeeldt ze zich dat ze niet weggaat, maar aankomt en hij haar opwacht. En in dat ene moment probeert ze het gevoel van verlies los te laten dat haar leven beheerst.

'Dag,' zegt ze zonder hem nog aan te kijken.

Ze neemt plaats op een lege, zachte bank met het pakketje levensmiddelen voor onderweg op schoot. De blikken van de andere passagiers, Amerikanen en Europeanen, zijn op haar gericht, de enige Japanse.

Hij zwaait naar haar en als ze stopt met naar hem te kijken doet ze haar best om er niet uit te zien als de verslagen mensen op de trappen van het station. Onder geen voorwaarde mag hij in haar gezicht ook maar iets van die gelaten moedeloosheid ontdekken. Ze kijkt pas weer naar het raam als ze zeker weet dat hij is verdwenen.

De trein is nog maar net vertrokken of een conducteur komt om haar kaartje vragen, alleen haar, als enige in het rijtuig. Ze toont het hem.

'Reist u alleen?'

Ze knikt.

'Dan mag u hier niet zitten.'

'Neemt u me niet kwalijk, conducteur, maar het is toch een kaartje voor de eerste klas?'

'Ja, maar als u alleen reist mag u hier niet zitten.'

'Neemt u me niet kwalijk, conducteur, maar wat bedoelt u met alleen?'

'Zonder begeleiding van iemand met een geautoriseerde pas.'

Geautoriseerd? Hij bedoelt de pas van de bezetters, of de pas van een Nederlandse rechter. Verboden voor Japanners, is dat wat hij eigenlijk duidelijk wil maken? 'U heeft dit kaartje zeker niet zelf gekocht, anders had men het u verteld. Het spijt me, dat zijn de regels. U kunt met dit kaartje wel in uw eentje tweedeklas rijden, maar deze trein heeft geen tweedeklasrijtuigen. Ik moet u verzoeken om op het eerstvolgende station naar een van de andere rijtuigen te verhuizen.'

Ze buigt voor de conducteur en zegt dat het haar spijt dat ze zich vergist heeft en bedankt hem voor zijn uitleg. Ze haat hem, met zijn pet en zijn kniptang, ze haat deze trein zonder tweedeklasrijtuigen en ze haat alle mensen met een geautoriseerde pas die haar nu aangapen. Ze buigt opnieuw voor de conducteur en verontschuldigt zich nog een keer.

Op het volgende station weet ze zich met grote moeite in een van de derdeklasrijtuigen te werken. De kapotte ramen zijn met stukken hout dichtgemaakt. Iedere zitplaats is bezet, iedere vierkante decimeter in het gangpad is ingenomen. Grote bundels blokkeren het gangpad, mensen liggen en zitten tussen de afgeladen banken op de vloer. Bij de deuren staan zij die het laatst zijn binnengekomen tegen elkaar aan. Er is geen plek voor haar. Ze verbergt haar tasje onder haar jas en wringt zich tussen de ongeschoren, naar zweet stinkende mannen in hun plunje tot ze klem komt te zitten tussen die lijven. Naast haar krabt een oudere man aan één stuk door onder zijn hemd. Hij harkt en harkt en kreunt zachtjes. Een andere man, die ze niet kan zien omdat hij achter haar staat, drukt zijn onderlijf tegen haar aan. Ze ruikt zijn zure adem en voelt hem op het schuddende ritme van de trein schuren en duwen. De trein knarst en piept in de roestige bochten. Ergens in het rijtuig klinkt het monotone gehuil van een hongerig kind. Ze zit klem tussen de lijven van die kerels. Ze voelt hoe het pakketje uit haar handen wordt getrokken, langzaam, gelijkmatig, onbedwingbaar. 'Laat dat,' snauwt ze tegen de dief, een man met diepliggende ogen in een donker en onbewogen gezicht. Maar ze kan zich niet verroeren en haar pakketje gaat al over in andere handen om dan achter andere ruggen te verdwijnen, alsof het er nooit is geweest. Ze kijkt om zich heen, maar niemand is van plan om het voor haar op te nemen. De oude man die zich nog steeds als een gek staat te krabben en zo nu en dan woest met zijn hoofd schudt, loert naar haar ring met de blauwe steen. Ze slaat haar hand over de vinger waar de ring om zit en houdt hem stevig vast. Is dit het leven, denkt ze? Is dit het antwoord op haar dromen van Frankfurt, van bereik tot de hoge c in *Der Rosenkavalier*? De ijzige blikken van die dieven. Met dezelfde kille meedogenloosheid verpulvert het leven haar uitgestippelde plannen.

De temperatuur in het rijtuig loopt op. Ze is een Japanse, tussen haar eigen mensen, derdeklas. Alles stinkt, alles is smerig. En ook al heeft ze schone kleren en leren schoenen zonder gaten aan, verwachten mag ze niets.

18

Iedere dag staat hij vroeg op, vroeger dan nodig. Hij ontbijt op zijn kamer, neemt de stukken voor die dag door en mist geen enkele zitting. Al bestaan veel van de getuigenissen uit herhalingen van gruwelijkheden gevolgd door herhalingen van de ontkenning ervan. Na de zitting keert hij terug naar het hotel voor een snel diner in zijn eentje achteraf in het restaurant. Vervolgens typt hij zijn aantekeningen die hij tijdens de zitting heeft gemaakt in het net uit. Omdat hij naast zijn bureau slaapt, kan hij tot op het laatste moment doorgaan of, als hij 's nachts wakker wordt, een plotselinge ingeving neerschrijven.

Voor een tennismatch of een rit in het park gunt hij zichzelf geen tijd. Zijn collega's ontloopt hij zo veel mogelijk en als hij met een van hen in de lift staat weet hij zich amper een houding te geven. Noch in het hotel, noch in de rechtszaal wil hij opvallen. Hij wil niemand tot last zijn. Nog minder wil hij iemand tegen zich in het harnas jagen. Maar hoe bescheiden hij zich ook opstelt, de afwijzing en afstand van zijn collega's worden er niet minder om. Zijn optreden in de rechterskamer is hem niet vergeven, zijn geloofsbrieven zijn sindsdien twijfelachtig. Dagenlang spreekt hij tegen niemand en niemand spreekt tegen hem. Zijn hoofd zit vol gedachten. Zijn keel raakt verstopt met onuitgesproken woorden. 'Je hoeft morgen niet naar school,' had zijn moeder gezegd op die verre winteravond waarop zijn vaders lichaam uit het kanaal was opgedregd. Ze ging ervan uit dat hij het niet aankon. Hij deed die nacht geen oog dicht door haar gehuil. Toen zij eindelijk in slaap viel, stond hij op, smeerde zijn boterhammen en pakte zijn tas in. Zoals iedere dag ging hij op tijd de deur uit en fietste naar school. Doorzettingsvermogen en ijver slepen hem er ook nu doorheen.

In de documentenkamer noteert hij in zijn kladblok de uitspraak van een Japanse legerarts die tijdens de bezetting in Nederlands-Indië gestationeerd was. 'Europeanen zijn koelies, ondermensen, en geen medeleven waard.' Het is een onthullende, bittere, universele waarheid, misschien wel de kern van de menselijke tragedie. In Europa, in Azië, in Zuid-Amerika, op alle continenten, waren de mensen au fond hetzelfde. Met hun fundamentalistische, politieke en religieuze overtuigingen en hardnekkige patriottisme, hun door vage instincten geleide keuzes, hun opvattingen over mindere volkeren, altijd op het randje van racisme of er net overheen. Dorien logeerde nu op de verwoeste plantage van haar oom in Batavia die, op zijn jongste dochter na, met zijn gezin de honger en wreedheden van de kampen overleefd heeft – dezelfde horreur die de Japanse legerarts onaangedaan vergoelijkte.

Moe van het inspannende lezen en schrijven staart hij naar de blauwgrijze enveloppen met de door hem opgevraagde documenten. Hij is gefrustreerd maar opgelucht dat Michiko uit en Dorien nog niet in Tokio is, dat hij helemaal alleen is in de stilte van de tot aan het plafond met documenten gevulde ruimte, waar hij probeert zijn begrip van de aanklacht te verfijnen, zijn gedachten over de getuigenverklaringen te verdiepen. Het is warm geworden onder de zoemende lampen. Hij doet zijn jasje uit en hangt het netjes over de rug van zijn stoel. Voor het eerst staat hij het zichzelf toe om de komst van Dorien te overdenken. Zestien jaar, waarvan dertien als man en vrouw, kennen ze elkaar. Hij meende alles van Dorien en hun leven samen te begrijpen. Maar nu, terwijl hij zijn vulpen onder zijn vingers over het tafelblad laat rollen, is hij niet zo zeker van zijn zaak.

In gedachten keert hij terug naar het schommelende licht in de linden langs de tennisbaan van de Leidse Studenten Mixed Lawn Tennis Vereniging, het glorieuze geluid van een perfect uitgevoerde smash, de geur van de zomer toen hij tweeëntwintig jaar oud was en samen met Doriens neef Rudolf bij het dubbelspel kampioen werd. Ze ontvingen ieder een beker met daarop een bronzen miniatuurmannetje dat een bal serveert. Op zijn studentenkamer op de zolder van een bejaard echtpaar formeerden enkele bronzen dubbelgangers al een mooie rechte rij. Op foto's uit die tijd staat hij vaak in tenniskleding, met het dikke, kortgeknipte haar in een scheiding en de zongebruinde huid die afsteekt bij zijn regelmatige tanden. Zijn toegenomen zelfbewustzijn was in die parelwitte lach al zichtbaar, anders had hij nooit met iemand als Rudolf om kunnen gaan. Ze waren jaargenoten en beiden lid van het corps – *virtus, concordia, fide.* Na afloop van de finale stelde Rudolf Dorien aan hem voor.

Achter het huis van Rudolfs ouders lag een privétennisbaan waar ze in de weekeinden regelmatig speelden, soms hele toernooien. Rudolf, goedig van aard, snel verveeld, genoot van sport maar gaf weinig om het leven, dat hij als een grap opvatte, en nog minder om de verwachtingen van zijn ouders. Bij hem stak Brink gunstig af. Men zag hem graag. Hij kwam van harte. Het huis was sinds 1832 in de familie en stond op een uitgestrekt stuk grond met stallen, vijvers en een kwekerij. Tijdens de zomervakanties logeerde Dorien er ook. Op een avond zat hij alleen buiten op het terras te roken. Hij had een fraai uitzicht op de aflopende gazons en de vijver. De verre eikenbomen en de paarden die met het hoofd omlaag van de weide naar de stal werden geleid tekenden zich af als de donkere, in een oranje gloed gehulde tegenlichtsilhouetten op een doek van Monet. Dorien liep het terras op en kwam naast hem zitten. Zwijgend zaten ze naast elkaar en keken naar de nevel die van het gazon opsteeg. Zij was de eerste die iets zei.

Rechter Pals geschuifel doorbreekt zijn overpeinzingen. Met een aantal dossiermappen onder zijn arm loopt de lange man kaarsrecht langs de stalen archiefkasten. Zijn eigen leven begint de laatste tijd op dat van Pal te lijken. Pals afstandelijkheid en individualiteit hebben in Tokio een vruchtbare bodem gevonden. De eenzaamheid is voor Pal inmiddels een gegeven, hij weet niet beter. Al kan Brink maar niet bevatten hoe een vader van elf kinderen en grootvader van een kleuterschool vol kleinkinderen het aan de andere kant van de wereld uithoudt, met in plaats van de vertrouwde familiale aanspraak en geborgenheid een overdosis collegiale minachting en uitsluiting. De familieman is verdrongen door de gewoonte van het isolement. Hij vermoedt dat Pal in stilte lijdt onder zijn positie van paria. Maar Pal is sterk, sterk genoeg om zich niet te laten vernederen tot een meelijwekkend slachtoffer.

Aarzelend, zo nu en dan een dossier of boek in de kast bestuderend, nadert de Indiër zijn tafel. Als hij naar Pal knikt, vat zijn collega dat op als een uitnodiging om iets te zeggen. Brink bedenkt dat hij waarschijnlijk de enige is, op een enkele hotelmedewerker na, die wel eens met de Indiase rechter praat.

'Volgende week wordt voor u in het bijzonder een interessante week. Of vergis ik mij, Brink?' Er ligt wat roos op zijn revers.

'Vanwege de verklaringen over Nederlands-Indië, bedoelt u?'

'Indonesia.'

'Het zal voor de verdediging niet meevallen om een gat in de aanklacht te schieten. Die is heel sterk en goed onderbouwd. Het is belangrijk genoeg. Bijna een half miljoen rijksgenoten zijn er tijdens de oorlog en de bezetting door de Japanners gevallen.'

'Rijksgenoten.' Een spottend lachje rimpelt om Pals mond als hij het woord herhaalt. 'De koloniale terminologie is een semantisch staaltje van de bovenste plank. Koningin Victoria wond er geen doekjes om, zij noemde zich "keizerin van India". In *rijksgenoten* zit de suggestie van eenheid besloten, van een natuurlijke, onlosmakelijke verbondenheid op basis van vrijwilligheid. Maar de dagen van die zogenaamde romance zijn geteld. India en Engeland, Nederland en Indonesia, het houdt geen stand. De Amerikanen begrijpen het. Ik betwijfel of het ze echt interesseert, maar de Amerikanen zijn pragmatisch.'

Pal heeft een punt. Ook hier in Tokio kun je de vage geur van de verwelkte bloemen van het kolonialisme opvangen. Brinks ontmoetingen met in Tokio verblijvende landgenoten ontaarden regelmatig in nostalgische mijmerijen over de tijd dat de plantages op Java op orde waren, de terrassen van de huizen geveegd, de baboes en de landarbeiders zingend hun taken vervulden. Er is een nieuw tijdperk aangebroken, iedereen weet het, de Amerikanen met hun open, op de toekomst gerichte instelling voorop, ofschoon niet iedereen er vrede mee heeft. Maar ook al heeft Pal gelijk en gunt hij hem het vuur van zijn morele overwinning binnen handbereik, daarom heeft hij nog geen zin in dit gesprek. Iets in die moderne, obligate, revolutionaire retoriek staat hem tegen. Indiërs, Indonesiërs, Filippijnen, Maleiers, Tibetanen, Congolezen, het is steeds een en dezelfde mantra: kolonialisme, slavernij, grondstoffendiefstal, broeders en zusters sta op, trek ten strijde tegen dit onrecht. Maar hij, Brink, is een gematigd mens, hij voelt zich in geen enkel opzicht verantwoordelijk voor de met kasboek en kanonnen naar de Oost uitgerukte voc-vloot, zal overigens de laatste zijn die het goedpraat, maar daarom gelooft hij nog niet dat je een paar honderd jaar later een redelijk goed bestuurd land waar honger en kinderziektes bestreden worden van de ene op de andere dag in elkaar kunt laten donderen met de verwachting dat er vanzelf wel iets moois voor in de plaats komt.

'Ik hoorde dat een aantal rechtersvrouwen een visum heeft aangevraagd. Uw vrouw ook?'

'Ja, ze is op dit moment al op Java, bij familie.' Hij kan zich nog net inhouden, om er niet uitdagend aan toe te voegen: Hollandse uitbuiters, weet u wel? 'Over een week komt ze naar Tokio. En uw vrouw?'

'Nee, haar gezondheid staat dat niet toe. Ze moet een operatie ondergaan, galstenen. Ik zal dan naar India terugkeren om een poosje bij haar te zijn.'

'En het tribunaal?'

'Ik zal alle stukken lezen als ik terugkeer.' Hij aarzelt even. 'Mag ik u vragen, ik zie dat u de laatste tijd alleen aan tafel zit. Ik eh, vat u het niet verkeerd op en voelt u zich alstublieft nergens toe verplicht, maar mocht u zo nu en dan behoefte hebben aan gezelschap, weet dan dat u van harte welkom bent aan mijn tafel.'

Als hij die avond het restaurant betreedt, duf van zijn lange dag in de documentenkamer, zoekt hij gewoontegetrouw naar een tafeltje voor hem alleen. Net voor hij met een exemplaar van de *Stars and Stripes* onder zijn arm wil gaan zitten, merkt hij dat Pal naar hem kijkt. Na een korte aarzeling loopt hij naar de Indiër. Hij voelt de ogen van de collega's aan de Angelsaksische tafel, tot voor kort 'zijn' tafel, in zijn rug boren als hij zijn stoel aanschuift.

Over zijn coq-au-vin heen werpt Pal een voor zijn doen levendige, gretige blik op hem, nu hij eindelijk iemand aan tafel heeft om tegen te praten. Hij vertelt over de dag dat hij als eerstejaarsstudent met zijn vrienden de straat op was gerend en buiten zinnen het nieuws had verspreid dat Japan de Russische vloot had verslagen. Voor het eerst had een Aziatische natie het Westen weerstaan, sterker, de Japanners hadden de Russen in de pan gehakt. Aan de uitdrukking op zijn gezicht leidt Pal kennelijk af dat zijn woorden weinig indruk maken. 'Weet je,' voegt hij eraan toe, 'jij kunt dit niet begrijpen; hoe ver je ook teruggaat in jouw geschiedenis, een slaaf zul je niet tegenkomen, althans niet in je eigen stamboom.'

Terwijl Pal een stukje kip aan zijn vork spietst, het in de donkere saus doopt en er een gebakken aardappel op legt, probeert Brink het zich voor te stellen, deze eerbiedwaardige, stijve man als jonge student, euforisch rennend en schreeuwend door de stoffige straten van Bombay. Wil Pal hem laten inzien dat die Japanse overwinning uit het begin van de eeuw hem een roeping inblies, de bezieling van een hogere taak, die verder gaat dan de persoonlijke zelfverbetering van de Bengaalse student die door zijn afkomst als geen ander weet wat het betekent om gediscrimineerd te worden?

'Heb je later nooit bezwaar gevoeld tegen die Groot-Japanse gedachte, de wil om nummer één te zijn, beter dan alle andere volkeren?'

'Jazeker,' zegt Pal, 'heb je Confucius gelezen?'

'Nee.'

'Interesseer je je niet voor oosterse filosofen?'

'Ik heb in het algemeen niet veel op met al die mooie, steeds mooiere, morele theorieën en systemen,' zegt hij. 'Hoe duizelingwekkend intelligent geformuleerd ze ook zijn, ze hebben nauwelijks relevantie voor de praktijk.'

'Nee?' reageert Pal verbaasd.

'Dacht je soms dat de mannen die we tegenover ons in de beklaagdenbank zien zitten, dat zij zich er iets aan gelegen hebben laten liggen? De enige wijsheid die tot hun verbeelding spreekt is die van Machiavelli. List en bedrog, moord en onderdrukking, zijn noodzakelijk om aan de macht te blijven. Maar de notie dat je in de internationale politiek niets bereikt zonder militaire macht, daar heb je zelfs Machiavelli niet voor nodig.'

Zijn voorgerecht, een cocktail van fruit en garnalen, wordt door een dienster in een paarse kimono gebracht. Als hij even opzij kijkt naar de Angelsaksische tafel ontmoet zijn blik die van lord Patrick. Uit de ogen van de Brit spreekt onverholen minachting.

'De verworven machtspositie van Japan,' zegt Pal, 'begonnen als succesvolle nationale onderneming en later gevolgd door internationale expansie, mondde uit in het egoïstische motief om te behouden, liefst uit te breiden, wat bemachtigd was. Maar dat is de klassieke fout die vrijwel alle grote naties maakten en maken. Gandhi heeft daarop gewezen.'

'Dus dat zie je in, dat het fout was?'

'Dat had je niet verwacht, hè, van zo'n fanatieke, antiwesterse, antikoloniale Indiër?' Met verbazing beseft Brink dat Pal zich aan zelfspot heeft bezondigd. Duidelijk in zijn element geraakt, laat zijn collega een schor, plagend lachje volgen en zegt: 'Maar, hoor eens, dat maakt de verdachten nog niet schuldig aan de aanklacht.'

Pal neemt een slokje water waarbij zijn adamsappel een

sprongetje maakt, waarna de vertrouwde ernst in zijn stem het weer voor het zeggen heeft. 'Heb je je al een voorstelling van het verloop van het tribunaal gemaakt, ten aanzien van je eigen positie, bedoel ik?'

'De dossiers bestuderen en de zittingen in de rechtszaal volgen, waar ik jou, overigens, regelmatig mis de laatste tijd.'

'Ik lees alle transcripties.'

'Heb je er wel eens bij stilgestaan wat de anderen ervan denken als jouw plaats achter de rechterstafel weer eens leeg blijft?'

'Ze denken: Pal is absent bij de zittingen. Pal is een luiwammes.'

'En?'

'Ik werk op mijn kamer. Ik schrijf een eigen vonnis.'

Hij denkt dat hij het verkeerd verstaan heeft. 'Wat?'

'Patrick, Webb, Cramer, McDougall en Northcroft maken de dienst uit. Zij vormen met de anderen een meerderheid. En als meerderheid zullen zij zich niets van mij aantrekken. Van jou overigens ook niet.'

'Die uitspraak laat ik voor uw rekening.'

'Patrick heeft in Londen aangedrongen op mijn vertrek.' Pal werpt een blik in de richting van Patrick. Het is duidelijk dat hij de Brit veracht. Volledig, Pal is geen man die iets half doet. In dat opzicht lijken ze op elkaar, die twee. 'Maar noch in Londen, noch in Delhi, noch in Tokio zitten ze te wachten op een rel. Ik denk niet dat ze me zullen wegsturen. En ik ben ook niet van plan om Engelse grapjes uit mijn hoofd te leren om die bij hen aan tafel te vertellen. Jij kunt daar nog voor kiezen. Ze zullen je zeker weer in de armen sluiten als je belooft een brave jongen te zijn. Reken maar dat ze om je gevatheden zullen lachen.' Pal kijkt hem recht aan. 'Sommige verdachten zullen een zware straf krijgen, waarschijnlijk de strop. Ik zal mijn best doen om dat te voor-komen, maar ik ben realist genoeg om te beseffen dat het niet zal helpen.'

'Noem je dat realistisch? Ik zou eerder zeggen: fatalis-tisch. Als je er zo weinig van verwacht, dan kun je beter ge-lijk naar huis gaan om je zieke vrouw bij te staan.'

'Ik accepteer mijn rol als buitenstaander, als minderheid. Vandaar dat ik mijn energie niet in zinloze bezigheden als voorgekookte zittingen of vergaderingen steek.'

'Een eigen vonnis schrijven lijkt mij een goed voorbeeld van zinloosheid.'

'Over de eerste tweehonderd pagina's ben ik tamelijk te-vreden.'

'Tweehonderd? Hoeveel gaan het er worden in vredes-naam?'

'Misschien zeshonderd, misschien duizend.' Hij laat een superieur en uitdagend gesnuif horen.

Brink schudt het hoofd. 'Terwijl je weet dat het geen enke-le invloed zal hebben.'

'Het zal geschreven zijn.' Pals stralende glimlach glanst als een rijpe vrucht aan een boom.

'Dat je nu al aan een vonnis werkt, vind ik niet voor je spre-ken. De rechtszaak is nog in volle gang en jij hebt je conclu-sies al getrokken. Je bent een intelligent man, je moet besef-fen dat hieruit vooringenomenheid blijkt. De belangrijkste vraag van het proces, in hoeverre de verdachten verant-woordelijk zijn voor de oorlogsmisdaden, is wat mij betreft nog niet beantwoord.'

'O, ik denk dat de uitkomst geen verrassingen kent. De gruwelen op het slagveld zijn per definitie niet voor de oren van ministers en chefs van staven bestemd. In een oorlog zijn dat details, ruis in het grote, strategische denken. Minis-ters en chefs van staven worden voor die vervuiling afgeschermd, daar rekenen ze op. En de bevelhebbers aan het front willen ook niet dat hun superieuren ver weg in de hoofdstad op de hoogte zijn. Aan het front moeten resultaten worden geboekt. Later zal blijken hoe die tot stand zijn gekomen. Noem me een voorbeeld waarbij het anders toeging. Of het moet het gooien van de atoombommen zijn geweest. Toen de Amerikaanse bommenwerpers door de wolken kwamen, hadden ze op ieder niveau, tot de president aan toe, een aardig idee van wat de gevolgen voor Nagasaki en Hiroshima zouden kunnen zijn.' Hij pauzeert even en leunt dan, met zijn ellebogen steunend op de tafel, voorover. 'Dat moet je ze nageven, de Amerikanen, ze komen overal mee weg.'

Bij het verlaten van het restaurant staat Willink, de Nederlandse ambassadeur in Tokio, op hem te wachten met een grote envelop in zijn hand. Ze nemen plaats in de leren fauteuils in de hal. Willink legt de envelop op tafel met zijn hoed erbovenop en leunt achterover. Hij is een kleine, breedgebouwde man van in de vijftig in een wit hemd met das en een perfect passend donkerblauw pak. Zelfs als hij rustig zit, ademt zijn aanwezigheid de energie die je mag verwachten van een man die, daar is iedereen in Tokio van overtuigd, onderweg is een grote te worden. Leiden, Buitenlandse Zaken, ondergouverneur in Batavia en nu Tokio als laatste tussenstop voor het grote werk in het hart van de vaderlandse politiek. Willink heeft het air van een man die van alles op de hoogte is en wiens stijl het is om op een beleefde, onnadrukkelijke manier het landsbelang te behartigen. Net als iedereen vindt Brink de man met het blonde, met zilver doorschoten haar sympathiek, hoewel het overduidelijk is dat Willink ook de kwaliteiten van een gewiekste diplomaat in huis heeft.

'Je vrouw komt samen met wat andere Nederlanders op dinsdag aan,' begint Willink. 'Een mooie aanleiding om op de ambassade iets te organiseren, dacht ik.' Willink presenteert hem zijn plan voor een soiree met de belangrijkste Nederlanders en wat hogere rangen van GHQ en, uiteraard, een stuk of wat collega-rechters. Willink begrijpt als geen ander het belang van een snelle en efficiënte kennismaking met mensen van de invloedrijke en vermogende kringen. Hij dankt Willink voor zijn initiatief, waarvan hij weet dat zijn vrouw, grootgebracht in de vanzelfsprekendheid van een bevoorrechte positie, het op prijs zal stellen.

Nadat koffie en cognac zijn gebracht, pakt Willink de envelop van tafel en houdt hem omhoog. 'Dit is vandaag voor jou gekomen.'

Brink herkent het logo van Buitenlandse Zaken. 'Gaat waarschijnlijk om de extra vergoeding die ik heb aangevraagd,' oppert hij.

'Nee.' Met gevoel voor decorum houdt Willink zijn neus boven de rand van het cognacglas. 'Die kwestie wordt geregeld, dat is een kleinigheid. Ik heb een kopie ontvangen. Het gaat om iets anders, men maakt zich zorgen.'

'Om mij?'

'Dat je te veel alleen komt te staan. Je moet het niet opvatten als twijfel aan je capaciteiten, men begrijpt heel goed hoe moeilijk het kan zijn, zo in je eentje aan de andere kant van de wereld, zonder sparringpartners met dezelfde taal en achtergrond.'

'Zou je me willen vertellen waar je het over hebt, Willink?'

'Over je bezwaar tegen de aanklacht.'

'Ik heb mijn kritiek geuit op één enkel onderdeel van de aanklacht.'

'En de mogelijkheid geopperd dat je een afwijkende mening bij het vonnis wilt openbaar maken.'

'Dat zou een optie kunnen zijn. De uiterste consequentie.'

'Dat "afwijkende mening" is hard aangekomen. Bij je collega's, en ook in Den Haag.'

Dat is dus de reden dat Willink hem komt opzoeken, niet de ontvangst van Dorien, maar de zorgen van Buitenlandse Zaken.

'Er zit een briefje in van de secretaris-generaal van het departement, aan jou persoonlijk gericht, en, waar het eigenlijk om gaat, de rapportage van twee specialisten op het gebied van internationaal recht, de beste mensen die we hebben. Ze hebben zich over *misdaden tegen de vrede* gebogen.'

'Daar heb ik niet om gevraagd. Hoe komen ze erbij om zoiets te doen?'

'Om je te steunen.'

Hij maakt aanstalten om te reageren, maar Willink heft een waarschuwende hand op. 'Voor je nog iets zegt, Brink, lijkt het me verstandig om eerst in alle rust alles door te lezen.'

Hij houdt het niet meer. 'Je hoeft me niet te vertellen wat ik moet doen, wie is er hier de rechter?'

'Ik heb alle vertrouwen in je rechterlijk oordeel. Maar je moet begrijpen dat ze in Den Haag een hoop geduvel aan hun kop krijgen als er over jou geklaagd wordt.'

'Ik zou wel eens willen weten wie er over mij klaagt.'

'Dat kun je zelf wel bedenken, lijkt me. Als ik al van mijn Britse en Amerikaanse collega's hier in Tokio vragen krijg over de invloed die de Indiase rechter Pal op jou lijkt te hebben...'

Willinks woorden maken een grote drift in hem los, opvlammend als een vuur dat alle redelijke gedachten verteert. Hij moet zichzelf tegen deze woede in bescherming nemen.

Hij veert op uit zijn stoel en verlaat de lobby. Bij de lift drukt hij op de knop, maar de deur blijft gesloten. Hij kan niet weg en Willink is inmiddels bij hem komen staan. 'Rem, persoonlijk wil ik je zeggen dat je niet alleen mijn vertrouwen maar ook mijn sympathie hebt.' Zijn stem klinkt fluisterend, zonder enige scepsis. Zijn gezicht staat bewogen, de zandkleurige wenkbrauwen maken een ernstige, hoge lus boven de lichte ogen. Niets van wat hij zegt kan los gezien worden van zijn innemende, oprechte verschijning. 'Ik weet dat je een goede vent bent, maar ik zie ook dat je de laatste tijd uit koers bent geraakt. Niet alleen binnen de rechtersgroep, ook op persoonlijk vlak. Je bent niet de enige man hier die dat overkomt, geloof me. Misschien had ik je er eerder over moeten aanspreken, maar ik heb gewacht omdat ik wist dat je vrouw zou komen. En ik ben ervan overtuigd dat je door haar bezoek jezelf weer zult terugvinden.'

Op zijn kamer leest hij de rapportage van de twee 'specialisten', de een een vroegere hoogleraar van hem, de ander de briljante collega die voor de eer om naar Tokio te gaan had bedankt. In Den Haag wisten ze wel wie ze moesten uitzoeken om hem op zijn nummer te zetten. Hun juridische argumenten zijn niet nieuw voor hem. Beide collega's komen tot de zelfverzekerde, weinig verrassende conclusie dat er voor hem geen reden is om zich tegen de aanklacht *misdaden tegen de vrede* te verzetten. Alle argumenten voor de juistheid van de aanklacht hebben ze hem aangereikt, als geslepen, fonkelende diamanten op een kussen van fluweel. Hij hoeft ze alleen maar te accepteren en alles is weer bij het oude. Hij probeert zich voor te stellen hoe die twee bollebozen geselecteerd en benaderd zijn door Buitenlandse Zaken. In gedachten volgt hij vanaf de twee rechtsgeleerden het spoor terug: Den Haag, waar de minister op zijn huid wordt gezeten door zijn Britse collega in Londen, dan nog een stap verder terug naar Tokio. De eerste die bij hem opkomt is lord Patrick. En, natuurlijk, Willink, die fijntjes door laat schemeren dat hij op de hoogte is van Brinks faux pas, wat alleen maar naar Michiko kan verwijzen. Misschien heeft Willink mevrouw Haffner gesproken, het is maar een kleine wereld, die van Tokio's internationale fine fleur. Sergeant Benson kan ook de bron geweest zijn. In dat geval is de CID, de Amerikaanse inlichtingendienst, ook op de hoogte. In de informatieketen is het van de Amerikanen slechts een enkele stap naar de Nederlandse ambassade. 'Jullie zouden er verstandig aan doen die rechter van jullie in de gaten te houden', zoiets kunnen ze gezegd hebben. 'Hij komt over de vloer bij een Duitse en deelt het bed met een Japanse. Aan wiens kant staat die rechter van jullie eigenlijk?'

Wie weet wat er over hem allemaal al in de dossiers van de CID is opgeslagen. In ieder geval weet hij nu waar hij aan toe is. Den Haag eist dat hij weer in de pas gaat lopen met de rechtersgroep. En Willink adviseert hem, verhuld maar duidelijk genoeg, om een punt achter zijn omgang met Michiko te zetten. Twee kwesties, twee keuzes. Om hem tegen zichzelf in bescherming te nemen.

Heen en weer geslingerd tussen woede en wanhoop doet hij die nacht geen oog dicht.

19

De temperatuur klimt, zelfs op de top van de kale berg, waar de sneeuw zich terugtrekt en adelaars hun nesten bouwen. Hideki's vader en moeder staan in het bleke ochtendlicht op het achtererf met hun rug naar hem toe. Aan hun voeten ligt een papieren zak met zaaigoed die zijn vader gisteren uit de stad heeft meegenomen. Nog iets bracht hij mee: de onderscheiding die al weken op het gemeentehuis op Hideki heeft liggen wachten. Om het platte doosje aan het loket in ontvangst te nemen had zijn vader zich netjes aangekleed, met het wijde boerenjasje en zijn enige pantalon zonder verstelstukken, zijn haren geolied, zijn wangen geschoren. Voor de jaren dat Hideki in het keizerlijk leger gediend heeft, is hem de Kyokujitsu-sho, de orde voor de rijzende zon, toegekend. Maar hij wil wedden dat de medaille met rood-wit lint niet het onderwerp is waar zijn ouders nu over staan te fluisteren. Gisteravond kwam de familie van zijn zusters verloofde op bezoek.

Vanaf zijn plek op de veranda had hij zo nu en dan iets opgevangen van wat er binnen werd gezegd, door de moeders. De vaders, zijn zuster en haar verloofde zwegen voornamelijk.

'Wij moeten aan zijn toekomst denken,' hoorde hij de moeder van zijn zusters verloofde zeggen. Na die woorden klonk slechts het geluid van gekuch en van theekommen die neergezet werden.

Als zijn vader met de andere mannen naar de rivier beneden in het dal vertrokken is voor de reparatie van de weg, gaat hij bij zijn moeder buiten kijken. Ze bukt en maakt met de achterzijde van een houten lepel gaatjes in de losgemaakte aarde van de zaaibedden. Niet alleen de donkere aarde, ook de lucht die erboven hangt, lijkt door de herinnering aan die drie kerels in kaki doortrokken van een misselijkmakende stank. In zijn verbeelding kan hij het bloed en de ontbinding ruiken. Zijn moeder drukt in ieder gaatje een minuscuul korreltje. Met eindeloos geduld formeert ze mooie rechte rijen. Als ze met haar werk klaar is, harkt ze heel licht, bijna strelend, het zaaibed aan. Hij wacht tot ze zich omdraait, in de hoop dat ze hem iets over het gesprek van de vorige avond zal vertellen.

'Heb je al ontbeten?' vraagt ze.

Hij schudt zijn hoofd.

En dan is alles net als eerst, maar toch niet. Een mooie lentedag met zon die de aarde verwarmt. Zijn moeder die naar binnen gaat om thee voor hem te maken. Zijn zuster die daar achter het gordijn op haar futon ligt. Maar zijn zuster is ziek van de kruidendrank die ze 's avonds voor ze gaat slapen inneemt, nu nog zieker, vermoedt hij, van het slechte nieuws dat ze al zo lang gevreesd moet hebben. Zijn moeders handen beven terwijl de thee in een pan trekt. Alles lijkt hetzelfde als het was, zolang ze nog kunnen doen alsof. In het dorp wenden ze de blik af van de vrouwen en meisjes die naar het cederbos meegenomen zijn, ze kijken langs hen heen alsof ze niet bestaan. Want als ze laten merken dat ze naar hen kijken, weet je maar nooit hoe de vrouwen, of hun vaders, mannen, broers, dat zullen opnemen. Er is veel woede in het dorp opgeslagen, een woede die nadat ze die kerels te grazen hadden genomen leek weggebrand, maar nu is opgelaaid, aangeblazen door schaamte.

Zijn zuster komt naar buiten gerend om over te geven in het houten pleehuis. Hij zou graag met haar praten, niet alleen over wat er met haar gebeurd is, maar ook over China, wat hij gezien, gedaan heeft, de naakte waarheid over hemzelf. Hij was niet anders dan de anderen. Ook hij had genoten van het vijandelijk bloed, de greppels vol lijken. Zijn euforie van toen is zijn deceptie van nu. Is hij nog steeds dezelfde man als toen? Zijn zuster verlaat het pleehuis, spoelt met water uit de pomp haar gezicht schoon, schrobt haar handen en polsen. Met een doek om haar schouders geslagen en donkere kringen onder haar ogen loopt ze rusteloos over het erf, zoals hij haar ook beneden bij de rivier heeft zien ronddwalen, van alles en iedereen afgewend. Hij kan het niet aanzien en hinkt naar haar toe.

'Voel je je ziek?'

Ze knikt. Alle kleur is uit haar gezicht getrokken.

'De kruiden?'

'De geesten,' zegt ze mat. 'Of allebei.' Ze verslapt in een dromerige afwezigheid.

Samen met zijn vader heeft hij alle kieren en gaten van het huis dichtgemaakt met klei en kranten, maar zijn zuster is er nog steeds niet gerust op dat de geesten van de Amerikanen haar 's nachts met rust laten.

'Ze stoppen niet voor alles kapot is, ze willen wraak,' zegt ze.

Toen hij terugkeerde uit de oorlog vernam hij dat zijn zuster tijdens zijn afwezigheid te lijden had gehad in de oorlogsindustrie van Nagano. Maar tegenover de honger en uitputting in de wapenfabriek stond de verloofde die ze eraan had overgehouden.

'Ga je mee naar de rivier?' vraagt hij. 'Naar de forellenbakken kijken?'

Het duurt enige tijd voor ze iets terugzegt. 'Ik ben moe.'

Vroeger speelden ze samen bij de rivier. Ze gooiden steentjes, lieten ze stuiteren op het water, liepen samen met hun tas op de rug naar school, hielpen in de vakanties op de rijstvelden. Ze sopten naast elkaar op blote voeten achter de ploeg en de luie buffel aan. Zijn broekspijpen had hij opgerold. Hij herinnert zich de schittering op de onder water staande velden. Zijn zusje, haar zongebruinde meisjeskuiten, de warmte van die dagen. Het klopt allemaal niet meer. Het zal nooit meer zo zijn.

In de ren scharrelen de kippen langs het gaas, op zoek naar slakken. Als hij zijn blik weer op Sada richt, meent hij op te merken dat haar buik onder haar jurk al een beetje boller is geworden. Iedere week dat de kruiden niet werken, wordt dat wat in haar groeit groter en sterker. In de eerste maand sprong zijn zuster 's avonds in het donker van een overhangende rots, hoger dan zijzelf. Aangespoord door zijn moeder, die haar tot het uiterste bracht: 'Nog een keer! En nog een keer!' Aan de andere kant van het dorp sprong de jongste die meegenomen was, een meisje van dertien, ook van een rots. Zij kreeg een miskraam, zijn zuster moest genoegen nemen met een verstuikte enkel. De vrucht in haar schoot doorstaat sprongen, gebeden, vervloekingen, kruiden. Maar er wordt met geen woord over gesproken. De schijn ophouden.

'Ik wil je helpen,' zegt hij. 'Maar ik weet niet hoe.'

In het voorbijgaan raakt ze zijn schouder aan en verdwijnt dan in het huisje. *Toekomst*. Met dat in zijn hoofd rondspokende woord blijft hij achter. Wat probeerde de moeder van zijn zusters verloofde ermee uit te drukken? Het hele systeem van mannen en vrouwen is geobsedeerd door reinheid en kuisheid, die zijn zuster altijd betracht heeft, maar richt zich nu volledig op het bepalen van wat zondig is. Het moet veilig en gerieflijk zijn om aan de kant te staan vanwaar het oordeel over de zonde wordt geveld. Met dat woordje 'toe-komst' gaat de zonde van die kerels in kaki over op hun slachtoffers. Een grotere onrechtvaardigheid is nauwelijks denkbaar.

DEEL II

I

In de lobby wacht Brink op Dorien, die zich op zijn kamer omkleedt voor de ontvangst op de Nederlandse ambassade. De receptionist murmelt met discrete professionaliteit onverstaanbare zinnen in de telefoon. Voelde het hotel tot deze dag als een warm, gastvrij vervangend thuis, met schone lakens, majesteitelijke ontbijten en betrouwbaar personeel om hem te dienen, nu met Dorien binnen de muren lijkt het of hij, tot voorbij de glazen draaideur naar de straat, iedere seconde in de gaten is gehouden. Niet alleen door het personeel, maar ook door zijn collega's. Hij stelt zich voor dat alles is gerapporteerd in het grote zwarte boek van zijn zonden.

In een ruisende jurk en met opgestoken haar stapt Dorien vanuit de schaduw van een hoge potplant de lobby in. Licht en luchtig, alsof ze hier kind aan huis is, maakt ze haar entree. De huid van haar gezicht, gebruind door haar verblijf op Java, lijkt licht te geven. Hij herinnert zich weer precies wat hem lang geleden had aangetrokken in haar. Het was haar elegante zelfvertrouwen geweest, haar afkomst, zijn trots op de verovering van iemand die door anderen, met betere geboortepapieren dan hij, het hof werd gemaakt. Zijn liefde voor haar had lange tijd gedijd op een gevoel van victorie.

'Hoe vind je hem?' Ze laat haar handen langs de stof van de jurk glijden.

Het zou ondraaglijk voor haar zijn om niet voor vol te worden aangezien, weet hij. 'Mooi.' Hij bestudeert de metaalachtige glans van de stof. 'Is hij nieuw?'

'Door de kleermaakster van Julia van Trigt gemaakt.'

Ze houdt haar hoofd schuin.

'Jij bent prachtig,' zegt hij en voelt de schuld vanwege zijn ontrouw.

In zijn wagen rijden ze door Tokio. Ook al is het bijna donker, toch kan hij het niet nalaten om haar op het domein van het keizerlijk paleis te wijzen. Daarna het park waar een eendenkoppel luid schetterend op het donkere water van de vijver neerstrijkt.

'Rijd je hier paard?' wil ze weten.

'De laatste tijd niet meer.'

'Tennis je nog wel?'

'Ook niet meer.' Er is veel wat ze nog niet weet.

Het met schijnwerpers verlichte en zwaarbewaakte gebouw van GHQ doemt voor hen op. 'Vanuit dat gebouw besturen de Amerikanen het land,' zegt hij. 'Door een slecht geweten vanwege de atoombommen doen ze vreselijk hun best om het land erbovenop te helpen.'

'Papa zegt dat de Amerikanen vooral in hun maag zitten met het gevaar van het communisme, met China en Rusland.'

Zijn schoonvader, Brink was hem bijna vergeten, zo lang al heeft hij hem niet meer gezien, de gedreven volger van politieke commentaren, die hij met aplomb geheel kosteloos in eigen kring sleet – alsof 'papa' zelf het allemaal samen met president Truman uitgedokterd had. Maar goed, in dit geval was zijn schoonvader juist geïnformeerd. Angst voor het oprukkend communisme was, misschien nog meer dan schuldgevoel, de reden dat Japan, door zijn strategisch interessante ligging, tot de favoriete beschermeling van de Amerikanen was uitgegroeid.

'Ik heb een geweldig idee,' zegt ze terwijl de gevel van GHQ voorbijschuift. 'Als ik jouw persoonlijke secretaresse word, kan ik hier bij je blijven.'

'Ik heb al een secretaresse,' zegt hij, luchtig nog.

'Je zou het kunnen aanvragen,' zegt ze.

'En de kinderen?'

'Rienk kan zolang bij mijn ouders intrekken en de kleintjes blijven thuis wonen bij mevrouw Van Doorn. Nou?' glundert ze.

'Ik zal het Chief Justice Webb voorleggen, maar ik vrees dat het antwoord al vaststaat.'

'Je klinkt niet enthousiast.'

'Ik zou het heerlijk vinden, maar ik ken de praktijk hier te goed om valse hoop te wekken, liefje.'

Hij legt zijn hand op de hare. 'Heeft Rienk zijn rapport al gehad?'

'Die jongen doet zo zijn best,' zegt ze, 'zijn laagste cijfer is een acht.'

Hij is blij dat zijn oudste het zo goed doet, blij voor Rienk, de nieuwsgierige zoon die alles mee lijkt te hebben, maar toch zo weinig lacht.

Met geestdrift vertelt Dorien over een opzienbarend boek van een Franse schrijfster van wie hij nog nooit gehoord heeft, en over een uitstapje met haar ouders naar een kuuroord in Luxemburg waar ze, als hij terug is, absoluut samen heen moeten gaan. Veel van wat ze zegt weet hij al uit haar brieven, toch luistert hij met ongeveinsde aandacht. Het is een genot om haar stem te horen. Hij heeft tegen haar komst opgezien. Aan de ene kant verlangde hij ernaar,

aan de andere kant vreesde hij de verwarring van hun her-
eniging. Maar nu, hier samen met haar op de achterbank
van zijn wagen, weet hij weer hoe het zit. Zijn huwelijk met
Dorien is het fundament waarop hij zijn leven heeft gebouwd.

Als ze door de hal naar de door kleurrijke lampions verlichte tuin van de ambassade lopen, ziet hij Webb, Northcroft
en Patrick, in smoking en gesteven avondoverhemd op een
brede sofa naast elkaar. Hij knikt en in antwoord fladdert
Webbs hand met brandende sigaar omhoog. Het orkestje
dat speelt is maar matig, toch gaat er een betovering uit van
de stimulerende muziek van klarinet en drums die naar de
avondhemel opstijgt. Willink doemt in een hagelwitte tro-
pensmoking op uit een gezelschap.
	'Mevrouw Brink, welkom, welkom. Hoe was uw reis? U
moet me alles vertellen over uw verblijf op Java.'
	In minder dan geen tijd hebben Willink en Dorien het over
haar bezoek aan de vrouw van de gouverneur-generaal in
Batavia, over neven, nichten, oud-studiegenoten, vrienden
en vrienden van vrienden, waardoor hun levens schijnbaar
door tientallen draden met elkaar verweven zijn. In families
als die van Willink en Dorien begin je met meer kennissen
dan een ander in zijn hele leven zal krijgen; meer bezittingen
ook dan hij, Brink, ooit bij elkaar zal kunnen verdienen,
zelfs al zou hij het tot procureur-generaal weten te schoppen. Hun huis, hun schilderijen, het oude fortuin dat aan de
horizon van hun toekomst goudstof doet wolken, alles is
via Dorien zijn leven binnengekomen. Behalve een scherp
verstand, een overtuigende werklust en een bewezen vrucht-
baarheid bracht hij niets in.
	'Dorien!' De graatmagere Louise Verolmen, die met haar
man in Tokio woont, komt met uitgestoken armen aanlopen.

Terwijl Dorien en Louise, die iedere keer dat hij haar tegenkomt een nog brozere, tuberculeuzere indruk maakt, in gesprek zijn, drinkt hij zijn eerste Tom Collins van de avond. Dorien, die voor een Europese vrouw groot is, net iets minder lang dan hij, oogt in vergelijking met het nietige wezen naast haar als een blakende Germaanse reuzin. Iedere keer dat hij met Michiko was, verdween er een stukje Dorien, maar nu met Dorien hier, zo levensecht, zo groot, lijkt Michiko in één keer op te lossen. Hij kijkt om zich heen. Zijn collega's zitten nog steeds binnen naast elkaar op de divan. Door hun wimpers heen beloeren ze hem terwijl ze praten. Het zal niet onverdeeld complimenteus zijn.

Hij bestelt een tweede Tom Collins bij de barman die speciaal voor deze avond van de Amerikaanse officiersclub is geleend en aan een hoge tafel afgedekt met een wit linnen kleed vakkundig en met gevoel voor show cocktails mixt. Die cocktail is een van de kleine, onschuldige fantasieën en grillen die Brink zich sinds zijn komst naar Tokio veroorlooft, net als de maathemden, het tweedkostuum, de beige hoed. Hij had bepaalde eigenaardigheden van de 'ijverige, schrandere en loyale benjamin' van het gezelschap gecultiveerd. De energieke tred waarmee hij zich in bezwete tenniskleding of rijkostuum door de lobby haastte had hij nonchalant, maar welbewust, geëtaleerd, net als de onderkoelde gevatheden op zijn Brits. Maar juist nu Dorien hier is, blijkt er weinig van dat imago van de jonge, populaire rechter over. Hij staat buiten de groep en zijn verstandhouding met Willink, de zwierige vaandeldrager van maatschappelijk aanzien, is onder het vriespunt. Ziedaar de status quo, op de ambassade waar hij tot voor kort nog zo graag kwam en met alle egards werd ontvangen. Daar staat hij nu met zijn koele cocktail, als de onttroonde vorst die zijn oude hof bezoekt. En de koningin weet nog van niets.

'Ik hoor dat er collega's zijn,' zegt Dorien als hij weer bij haar is komen staan.

'Ze zitten op de sofa binnen.'

'Wie is lord Patrick?'

'Die in het midden, stok, zilvergrijze snor.'

'Waar wacht je op?'

Hij voelt een golf van ellende over zich heen slaan. Als hij haar voorstelt, staat zijn 'afwijkende mening' als een prikkeldraadversperring tussen hem en zijn collega's in. Hoe slecht hem dat op dit moment ook uitkomt, hij kan en wil er niet mee schipperen. Hij beperkt zich tot een enkel woord.

'Hoe was uw reis, mevrouw Brink?' wil Webb weten. 'U bent toch met de boot vanuit Nederlands-Indië naar Tokio gekomen?' Webbs oogopslag en slome tong verraden dat hij te veel whisky heeft gedronken en brengen het ongepolijste van de Australische plattelandsjongen die hij was in hem boven.

'Een kalme zee, een comfortabele reis,' antwoordt Dorien in voortreffelijk Engels.

'Ik begreep van uw man dat u er familie heeft.'

Patrick en Northcroft mengen zich in het gesprek. Het lucht hem op dat zijn collega's Dorien goedmoedig, ronduit hartelijk tegemoet treden. Lord Patrick is charmant en onderhoudend als altijd. Hij lijkt Dorien te mogen.

'U speelt bridge,' zegt Dorien. Dat heeft Brink haar geschreven, wetende dat het haar zou interesseren.

'U ook?' vraagt Patrick. 'Doet u ons het genoegen eens met ons mee te spelen. Het kost Northcroft, McDougall en mij steeds zo'n moeite om een vierde speler te strikken.'

'Mijn man weigert te bridgen. Ook met mij.' Ze wendt

zich glimlachend tot hem om hem in het gesprek te betrekken. 'Dat klopt,' zegt hij, 'ik haat kaartspelen in het algemeen en van mijn vrouw verliezen in het bijzonder.' Zijn goede bedoelingen ten spijt klinken zijn woorden stroef, als van de toneelspeler op het podium die ontdekt dat hij de verkeerde tekst geleerd heeft.

Patrick glimlacht, maar de gebruikelijke, vriendelijke ironie tussen hen, die in zijn leventje hier altijd zo instinctief en vloeiend was, blijft verstoord. Ieder volgend woord tussen hem en zijn collega's heeft een bijklank, waarvan hij hoopt dat die Dorien ontgaat. Na een poosje excuseert hij zich en zoekt opnieuw zijn toevlucht bij de cocktailbar.

Het is lang geleden dat hij zich met Dorien niet op zijn gemak voelde. Hij herinnert zich hoe hij boven aan de trap stond nadat hij met het touw de deur had opengetrokken. Na haar 'joehoe!' zag hij, met een bevend hart van angst en schaamte, hoe ze omhoog kwam klimmen. Het was hem tot dat moment waarop haar hakjes op de kale treden roffelden steeds met smoesjes gelukt haar uit zijn armzalige zolderkamer in Leiden te weren. In het trappenhuis keek hij neer op haar golvende haar en haar opwippende hand op de leuning. Bij iedere volgende trede werd er meer van haar zichtbaar: de schouder van haar zijden bloes, een dij onder de rok met gouden speld, een wang en, bij de laatste trap, een blijmoedige lach en het met een rood lint omwonden pakket waarin zijn verjaardagscadeau – een Engelse tennistrui – zat. Hij stond daar houterig te wachten tot ze de laatste trede had genomen en zij haar armen om hem heen sloeg en hem, met hijgende adem van haar steile klim, op zijn mond kuste, om hem te feliciteren. Waarschijnlijk was een overtuigender betoon van haar liefde voor hem onmogelijk.

Maar in hun omhelzing, met achter hem de op een kier staande deur van zijn kamertje met de pispot onder het bed, vroeg hij zich af of hij zich ooit goed genoeg voor haar zou voelen.

Hij werkt zijn zoveelste cocktail van de avond naar binnen en kijkt om zich heen naar de dames die sherry in hun gedecolleteerde lijfjes gieten en naar hun echtgenoten die sigaren roken, op subtiele wijze hun eigenwaarde kenbaar maken en anderen de maat nemen. Zijn drankgebruik bereikt de grens van wat gevaarlijk is. Van bezorgdheid is hij afgegleden naar ongenoegen, het soort ongenoegen dat, na de gebreken van anderen te hebben verkend, zich opmaakt om die van hemzelf te peilen. 'Waarom loop je steeds weg?' vraagt Dorien die achter hem opduikt. Hij draait zich om, maar voor hij antwoord heeft kunnen geven, heeft ze zijn hand al gepakt.

In het licht van de lampions doen ze een Engelse wals en daarna volgt een quickstep, die alle aandacht voor zijn voeten vergt. Hij balanceert de hele avond al tussen een oud steunpunt dat hem altijd van veiligheid heeft verzekerd, en de leegte van een onnadenkende sprong die, hoewel onvoltooid, hem toch al veranderd lijkt te hebben.

'Het is allemaal heel onwerkelijk,' fluistert Dorien in zijn oor, 'deze avond hier in Tokio, wij samen dansend.'

Dat is hem uit het hart gegrepen.

'Hoe vind je de muziek?' vraagt ze.

'Zozo.'

'Je vindt het toch wel fijn?'

'Wat dacht je?' antwoordt hij en houdt haar stevig vast. Maar hij voelt een vreemd soort afwezigheid. De luide muziek, de bewegende dansers om hem heen, de in het duister geurende bloemen, de zwaaiende lichtjes van de lampions,

Northcroft en Patrick die in de salon afscheid van Willink nemen, de schittering in Doriens ogen, de continue stroom van gebeurtenissen die op hetzelfde moment plaatsvinden, tot en met dat leven van Dorien en hem, zovele jaren geleden begonnen. Het is alsof hij alles tegelijk registreert, in zich opneemt, verwerkt, zonder er zelf aan deel te nemen. 'Is hij eigenlijk rijk, lord Patrick?' vraagt Dorien als de muziek gestopt is.

'Rijk? Ja, dat geloof ik wel. Wat denk je, zullen we gaan?'

Als Dorien afscheid neemt van de dames, grijpt Willink zijn kans om hem terzijde te nemen. 'Rem, jij en je vrouw zijn werkelijk een prachtig stel samen. Iedereen heeft het erover.' Hij legt zijn hand op Brinks schouder. Een vriendschappelijk gebaar van een man die alles kan begrijpen en vergeven. Maar het heeft ook iets bezitterigs, op het dwingende af.

Webb, log en met bloeddoorlopen ogen, komt op hem af. 'Brink, ik ga er niet omheen draaien.' Hij ademt zwaar en zijn stem klinkt luid, helemaal nu de band gestopt is met spelen. 'Ik hoef je niet te vertellen dat je je de laatste tijd als een stommeling hebt gedragen. Niet alleen als Chief Justice maar als vriend geef ik je het advies om je weer als je oude vertrouwde zelf op te stellen. Dat gedonder met die "afwijkende mening"... Kom erop terug, zo snel mogelijk, want dat ga je uiteindelijk toch doen.' Hij beklopt zijn colbert en zijn broekzakken op zoek naar sigaretten. Brink biedt hem er een aan en geeft hem vuur. 'Neem me niet kwalijk dat ik ook nog een persoonlijk woord tot je richt,' Webb blaast de rook in een rechte kegel voor zich uit, 'maar het komt uit een goed hart. Nu ik je vrouw heb ontmoet, een schoonheid en een dame, ja, echt, je beseft niet half wat een geluksvogel je bent, nu ik haar heb gezien kan ik maar één ding zeggen:

je hebt je in diep water begeven, je weet wat ik bedoel, maar nu sta je weer veilig aan de kant. Houd dat zo.'

In de spiegel van de badkamer bekijkt hij zichzelf. Hij is licht in zijn hoofd. Sommige mensen kunnen drinken, sommige mensen niet. Als hij uit de badkamer komt, branden alleen de bedlampjes. Voor het eerst is er een vrouw op zijn kamer. Nerveus blijft hij even staan. Dan loopt hij naar haar toe en slaat zijn in witlinnen mouwen gestoken armen om haar heen en zij streelt zijn handen.

'Moet ik me zorgen maken?' vraagt ze.

Zou ze die onbezonnen laatste opmerking van Webb met zijn bezopen kop toch hebben opgevangen?

'Waarover?' Hij probeert zijn stem zo kalm mogelijk te laten klinken.

'Over jou hier in Tokio.'

Hij haalt snuivend adem en wacht af.

'Wat speelt er tussen jou en je collega's?'

Hij zucht en denkt na over zijn antwoord. 'Over sommige juridische kwesties bestaat verschil van inzicht.'

'In Batavia sprak ik Jo Mulderhoff-Haesbeek. Haar broer had gehoord dat er iets mis is. Klopt het dat Den Haag zich zorgen maakt over jou?'

'Die broer van haar is een tweederangsjurist,' briest hij, 'die het niet kan verkroppen dat niet hij maar ik naar Tokio ben uitgezonden. En trouwens, die hele familie Mulderhoff-Haesbeek kan de blik maar beter naar binnen richten. Voor de oorlog wisten ze het ook allemaal zo goed. Weet je nog hoe euforisch hij uit Neurenberg terugkwam toen hij Hitler had horen spreken?'

Te laat beseft hij dat hij haar gekwetst heeft. Voor de oorlog had Doriens familie een aan bewondering grenzende sympathie opgevat voor die welgebouwde blonde jongens van de Hitlerjugend die in korte broek en met wapperende vaandels zingend door de korenvelden gingen. Daar was nooit meer met een woord over gesproken. Nu breekt hij met die stilzwijgende afspraak, alsof hij zichzelf er welbewust buiten plaatst, en dat terwijl hij zelf ook niet brandschoon is. Tijdens de bezetting had hij de ariërverklaring ondertekend en toegekeken hoe zijn Joodse collega's uit het academische leven verdwenen. Die verdomde cocktails ook.

'Ik dacht dat je het zo goed kon vinden met je collega's. Waarom keer je je nu tegen hen?'

Met een glimlach probeert hij haar gerust te stellen, maar er is iets veranderd in haar gezicht, een koude, vermanende geslotenheid die hij vergeten was maar nu weer herkent.

Hij doet nog een poging. 'Achter een bepaald onderdeel van de aanklacht kan ik niet staan, snap je?'

Een vraag naar het waarom blijft uit. En dat gebrek aan betrokkenheid ergert hem. Haar zwijgen roept het zijne op en de stilte vult de hele kamer, van muur tot muur, van plafond tot vloer, alsof het een element is, als lucht en water. 'Zo, dus jij maakt je ongerust om mij,' spreekt hij, het wachten beu, cynisch. 'Of neem je me iets kwalijk?'

'Natuurlijk niet.' Ze werkt zich uit zijn omhelzing. 'Praat niet zo tegen me, alsjeblieft.' Ze loopt naar het bed en glijdt tussen de lakens.

Hij kleedt zich uit en hangt zijn kleren over de stoel. 'Geloof me, je hoeft je geen zorgen te maken.'

In bed zijn ze beiden afwachtend, als ze niet uitkijken wordt de intimiteit van hun eerste avondje samen een verplichting. Hij kust haar hals en masseert haar schouders. Het is een eerste verkenning, een rituele vraag. In antwoord draait Dorien haar gezicht naar hem toe. Haar lichaam is groot, zacht, passief. Hij streelt haar langdurig. Als hij op haar gaat liggen, is haar mond halfopen. Hij kust haar op haar lippen en wangen. Haar jukbeenderen zijn vochtig, hij proeft het zout. Ze neemt zijn gezicht in haar handen en drukt haar onderlichaam tegen hem aan als hij bij haar naar binnen dringt. Hij zinkt in haar lichaam en geur weg. Plotseling kreunt het meisje in haar en fluistert zijn naam.

Dit herkent hij. De aanraking van hun huid, de eerdere rationele twijfels aan haar betrokkenheid die nu irrationeel en onbetekenend zijn geworden. Later liggen ze op hun rug, moe en zonder verlangen, de nacht spreidt een koele kalmte over hen. Als Dorien in slaap is gevallen, ligt hij dicht tegen haar aan. Hij ziet hun huis voor zich, de kinderen op hun kamers, het regent, het sneeuwt, en in de lente vliegt een pimpelmees door de geopende terrasdeuren naar binnen. Zijn verblijf in Tokio is, hoewel het langer duurt dan voorzien, niet meer dan een intermezzo. Ze hadden elkaar lang geleden op de tennisbaan ontmoet en een belofte gedaan. Hij kust haar schouders. Het schuldgevoel van eerder die avond is verdwenen. Hij heeft een Japanse vrouw gekend – als zovelen, zoals Willink heeft gezegd. Hij is gelukkig geweest vóór die tijd, hij is nu ook weer gelukkig, hij zal gelukkig blijven. In een wollige, tevreden vermoeidheid sluit hij zijn ogen en luistert naar de ademhaling naast hem.

2

Op het erf klinkt na wat inleidend gerammel het geluid van een fietsbel. Keiji duwt het hekje open en rijdt naar hem toe, zijn hemd hangt uit zijn broek, al talloze keren door zijn moeder versteld, genaaid en nog een keer genaaid. Om zijn nek hangt een fluitje om beren en slangen te verjagen. 'Kan ik hem zien?' vraagt Keiji.

'Wat?'

'De Kyokujitsu-sho.'

Hij gaat naar binnen om het doosje te halen en toont Keiji de onderscheiding.

'Mag ik hem vasthouden?'

'Hier.'

Vreemd, peinst Hideki, de medaille aan het rood-witte lint spreekt meer tot Keiji's verbeelding dan die van hem, die er bijna met zijn leven voor betaald heeft.

Voorzichtig, alsof de onderscheiding van geblazen glas is, legt Keiji hem weer terug in het doosje.

Keiji's mond staat aan een kant een beetje open terwijl hij staart naar de schone, zwarte aarde van de zaaibedden.

'Wij hebben gewonnen,' zegt de jongen voor zich uit. Misschien denkt hij wel dat Hideki de onderscheiding te danken heeft aan het omleggen van die drie verkrachters.

De jongen, heeft Hideki van Keiji's vader gehoord, schreeuwt de laatste tijd in zijn slaap. Als hij er zelf van wak-

ker schrikt, blaast hij in het donker net zo lang op zijn fluitje tot zijn vader of moeder hem kalmeert. Hideki heeft nog
niet veel gemerkt van Keiji's angsten. Nog steeds is hij dezelfde jongen die ratten bij hun staart pakt, in bomen klimt
en met zijn fiets langs de diepste ravijnen rijdt.

'Miauw! Miauw!' Keiji bootst het geluid na van de grootste kerel, met het donkere, krullende haar, toen ze hem begonnen te verslepen, een laatste uitroep – als van een stervende
kat. Keiji heeft alles gehoord en gezien. Hoe ze neergescho-
ten werden, hoe ze er op het erf bij lagen, hoe ze afgevoerd
werden. Als Hideki zelf hier het bloed en het opengespleten
weefsel meent te kunnen ruiken, waarom zou diezelfde geur
Keiji dan niet tot in zijn slaap volgen? Hoeveel mensen wisten wat een drie kilo zware kloofbijl van gehard staal voor
schade kon aanrichten? Hoeveel mensen hadden ooit gezien wat een slag met de scherpe kant kon doen met iemands
ribben, gezicht, schedel en hals? Een bijl is een bijl, maar een
mens is geen boom. Keiji had het gezien, tot en met het los-
komen van het hoofd van de romp toen ze de grootste
schoft op de wagen tilden. De grimas op dat voor zijn voeten rollende hoofd bewees dat de hel geen verzinsel is.

Het voorjaar is op zijn heetst, broeit in de compost, schuurt
in de kelen. Onder de dakranden van het huis hangen bossen uien. Hij speelt een partijtje go met Keiji. Het kost hem
de grootste moeite om de jongen voor een keer te laten winnen. Ze dalen af naar de rivier, de jongen als een circusar-
tiest balancerend en remmend om zijn fiets als een paard in
te houden zonder te vallen, en hij hinkepinkend op zijn soldatenlaarzen en met de kruk als een extra ledemaat die uit
zijn oksel groeit.

'Waar is jouw geweer?' wil Keiji weten.

'Thuis.'

'Je moet het meenemen.'

'Het is niet mijn geweer, het is van mijn vader.'

'Zij hadden pistolen. Pang! Pang! Waar zijn hun pistolen?'

'Weg. Alles is weg. Denk er maar niet meer aan, Keiji.'

Onderweg stamelt Keiji onsamenhangende woorden en herhaalt hij met een monotone stem dat hij later ook een geweer wil hebben.

In de strik die ze gezet hebben, heeft een konijn zich vastgelopen, maar het grootste deel van het beest is afgevreten door een vos of een beer. Om niet opgegeten te worden, moet je zelf een roofdier zijn. Kijk maar naar het konijn. Altijd op de vlucht. Om te overwinnen moet je bloed proeven. Carnivoren kennen de lelijke waarheid.

'Kijk,' fluistert Keiji.

Op een verre helling scharrelt de oude kruidenvrouw tussen de dicht opeen staande bomen. Met behulp van een lange stok waarmee ze struiken en bladeren wegschuift zoekt ze naar kruiden en plantenwortels en stopt ze weg in een linnen zak onder haar cape.

'Ze heeft honderdduizend yen onder haar vloer verborgen, maar geeft er nooit een van uit.'

'Hoe weet je dat?' vraagt hij aan de jongen.

'Dat zegt iedereen.'

Gealarmeerd door hun stemmen kijkt de duizendjarige heks in hun richting en wacht met bukken, bang dat ze haar geheimen prijsgeeft. Meerdere keren heeft zijn moeder de kruidenvrouw met haar geit bezocht om weer iets anders en sterkers voor zijn zuster te kopen. Hij vraagt zich af hoe goed die kruiden eigenlijk zijn. Keiji's moeder slikt dezelfde, maar ook haar schoot blijft vooralsnog vol.

Ze controleren de forellenbakken en ontdoen de roosters van takjes en bladeren. Op een droge platte rots zitten ze naast elkaar te luisteren naar het verre gebonk van zware mokers waarmee de mannen aan de weg werken.

'Mijn moeder wil dood,' zegt de jongen.

'Wat zeg je?'

'Dat hoorde ik haar tegen mijn vader zeggen. "Ik wil dood," zei ze.'

'Nee, Keiji, dat heb je verkeerd begrepen.'

'Kijk daar!' Keiji wijst naar het water, waar twee rode kieuwen als vonken naar de bodem schieten. 'Een joekel.'

De jongen laat zich plat op zijn buik vallen met zijn hoofd boven het laagstaande water. Hideki houdt zijn ogen gericht op de draaikolk verder stroomafwaarts. Wanneer het nog een paar weken warm blijft, zal het water in de bedding stijgen en het eerste smeltwater dat hier nu onder hem door vloeit, is tegen die tijd allang weer ergens anders. Het water stroomt verder. Maar de tijd gaat niet verder. De tijd doet niet meer mee. De dagen volgen elkaar niet meer op. Vandaag zou gisteren kunnen zijn. Voor hem bestaat slechts een gelijkvormige dag die zich uitstrekt, een enkel onbepaald uur dat terugtreedt naarmate het vooruitgaat, zijn leven laat geen spoor na, behalve dat van zijn kruk in zachte aarde. Hij neemt een handje cederpitten in zijn mond en vermaalt ze tussen zijn kiezen. Hou ermee op. Denk aan iets anders. Tot nu toe is alles anders gelopen dan je ooit gedacht had. Niets, helemaal niets van wat er gebeurd is, had je kunnen voorspellen. Hij doet zijn ogen dicht en valt bij het kabbelende geluid van de rivier in slaap.

Als hij weer wakker wordt, staat Keiji een meter of twintig verder op een hoge rots langs de rivier. Een straal zonlicht die door de begroeiing langs de oever priemt, raakt precies zijn gezicht. Hij staat stil als een standbeeld van brons en ziet er, ja, werkelijk, wijs en engelachtig mooi uit, alsof hij aangeraakt wordt door een hogere macht. Hideki gaat rechtop zitten en zwaait naar Keiji. De jongen zwaait naar hem terug. De betovering is verbroken.

Bij de brug kijken ze naar de werkende mannen, onder hen Keiji's vader en die van hemzelf. Onverdroten als mieren beuken ze met ijzeren staven, houwelen en mokers op enorme rivierkeien. Met de brokstukken worden de kuilen gevuld waar de rivier tijdens de zware regenval die de overgang van winter naar lente markeert uit haar oevers is getreden. De weg is voor het dorp van levensbelang, in het droge zomerseizoen moet het hout uit de bossen erover afgevoerd worden. In het deel waar de rivier een hap uit heeft genomen, legt oom, met voorbeeldige ernst en chirurgische nauwkeurigheid, de stenen uit en daarna wordt er gruis overheen gestort. Onder een van de keien kruipt een slang vandaan en Keiji's vader slaat het dier met een trefzekere uithaal in tweeën. De twee grijze, nakronkelende delen licht hij met de punt van zijn houweel op en gooit ze in de rivier.

Achter hen klinkt het geluid van een auto. Vrijwel gelijktijdig draaien Hideki en Keiji zich om in de richting van het geluid van een jeep. Twee Amerikaanse MP's stappen uit, gevolgd door twee mannen van de Japanse politie. De boomstam waarop Hideki met Keiji zit, begint onder hem te deinen, zijn ademhaling stokt.

'Woont u hier?' vraagt een van de Japanse agenten aan Hideki's vader.

Zijn vader buigt en zegt: 'Ja, wij wonen boven in het dorp. We repareren de weg.'

Een van de Amerikanen komt er nu ook bij staan, met een tandenstoker in zijn mond. Vanwaar Hideki zit kan hij de Amerikaan ruiken, een zoetige, hem met walging vervullende geur die hij herkent van zijn ritje in de jeep.

De Amerikaan en de Japanse politieman, die Engels spreekt,

overleggen kort. Keiji staat op van de boomstam, maar Hideki slaat een stevige hand om zijn pols en trekt hem weer omlaag.

'Zitten!'

Sinds die ene dag hebben ze geen Amerikanen meer gezien hier. Beetje bij beetje was tot het dorp het nieuws doorgedrongen dat na de verdwijning van de drie Amerikaanse militairen er patrouilles waren gesignaleerd en dat er met behulp van Japanse tolken navraag was gedaan, maar niet hier, nooit zo dicht bij het dorp. In de winter was er een keer een Japanse politieauto gestopt, nadat er een doodgevroren man op een bospad was gevonden. Iemand die uit Tokio was gekomen om sieraden voor voedsel te verruilen en daarna in het donker verdwaald raakte. Het leek hem onwaarschijnlijk dat die twee Amerikaanse MP's om een doodgevroren pechvogel helemaal door de bergen hierheen waren gereden.

'Heeft u hier Amerikanen gezien, Amerikaanse militairen?' vraagt de Japanse politieman. Zijn boventanden steken naar voren.

'Nee,' antwoordt zijn vader, met diepe rimpels op zijn voorhoofd.

'Drie maanden geleden,' zegt de Japanse politieman. Zijn vader schudt het hoofd. De twee Amerikaanse MP's bestuderen alle gezichten nauwgezet, alsof ze hopen dat een schuldig zenuwtrekje iemand zal verraden. Hideki merkt dat de Amerikaan met de tandenstoker met name belangstelling voor Keiji heeft. Zelf durft hij niet naar de jongen te kijken, maar hij hoopt dat er uit Keiji's voorkomen niets anders op te maken valt dan de gebruikelijke naïviteit.

'De winkelier langs de grote weg herinnert zich dat er een jeep bij hem gestopt is en dat er drie Amerikaanse militairen in zaten,' vervolgt de Japanse politieman met de vooruitstekende tanden. 'Dat is met de auto maar een halfuur hiervandaan.'

'We hebben niemand gezien.'

'En de jeep?'

Zijn vader schudt het hoofd. En nu volgen de andere mannen zijn voorbeeld, ook Keiji, maar hij beweegt zo hevig dat het lijkt alsof er een tor in zijn oor zit.

De Amerikaanse MP, met zijn ogen nog steeds op Keiji gericht, zegt weer iets tegen de Japanse politieman.

'Kom eens hier, jongen,' gebiedt de Japanse politieman. Achter hem staan wat verkommerde sparren op rotsige bodem.

Keiji staat op en loopt naar de mannen.

'Hoe heet je?' vraagt de Japanse politieman.

'Keiji.' Hij staat gebogen in zijn verstelde broek en strooien slippers.

De Amerikaanse politieman herhaalt de naam: 'Keiji', maar spreekt hem verkeerd uit en voegt er nog enige woorden aan toe.

'In het Engels betekent het "kooi",' vertaalt de politieman.

De Amerikaanse MP haalt een pakje kauwgum uit zijn broekzak. Hij houdt het voor de ronde ogen van Keiji en zegt weer iets.

De tolk vertaalt: 'Heb jij hier mannen zoals deze mannen gezien, Amerikanen in een uniform? En een jeep?'

Keiji wipt van zijn ene op zijn andere voet terwijl hij naar het pakje kauwgum loert.

'Hideki,' zegt hij plotseling, en hij maakt van zijn armen en handen een denkbeeldig geweer. Dan draait de jongen zich om en kijkt naar waar Hideki op de boomstam zit. In de stilte die valt probeert Hideki de bittere bloedsmaak in zijn mond weg te slikken. De Amerikanen en de Japanse politieagenten kijken in zijn richting. Hij is duizelig van angst. Na Hiroshima en Nagasaki hoeft niemand nog illusies over de barmhartigheid van de Amerikanen te hebben.

Keiji's ene hand gaat nu omhoog en wijst naar de insignes op de borst van de Amerikaan. 'Hideki heeft de Kyokujitsusho. Ik heb hem gezien.'

Als de Japanse politieman de woorden heeft vertaald, schieten de twee Amerikaanse MP's in de lach. En aarzelend beginnen hun Japanse begeleiders mee te lachen. De Amerikaan geeft Keiji het pakje kauwgum en aait hem over zijn hoofd.

'Als u iets hoort of ziet,' zegt de Japanse politieman tot slot, 'meldt u het dan bij de politiepost.'

De planken van de brug rammelen onder de zware wielen als de jeep weer wegrijdt. Stof drijft tussen de grote rivierkeien, de mokers en roestige ijzeren staven die overal verspreid liggen. Keiji staart roerloos de jeep na, het pakje kauwgum in zijn hand. Een donkere vlek vloeit vanaf zijn kruis uit naar de binnenkanten van zijn broekspijpen, druppels lekken op het verse steengruis.

'Miauw!' klinkt het zacht uit zijn mond. 'Miauw! Miauw!'

3

In de weken dat Dorien bij hem is, verdeelt hij zijn tijd tussen haar en zijn werk. Het eerste wat hij doet is vrijaf nemen om met zijn wagen een rondreis te maken over Honshu en Doriens verzoeklijstje met bezienswaardigheden af te werken, zoals de Boeddha van Kamakura en de tuinen van Kyoto. Onderweg overnachten ze in door GHQ gescreende hotels, veilig, schoon en zelfs naar westerse maatstaven gerieflijk. Dorien waardeert de hotels, de tempels en het natuurschoon, waarover ze veel gelezen heeft ter voorbereiding op haar reis naar Japan. Maar de gele, pezige mannetjes die met scheppen en hakken over hun schouder langs de weg en over de akkers gaan, boezemen haar angst in, een fysieke, instinctieve afkeer gevoed door de verhalen die ze in Indië gehoord heeft. Hij merkt het wanneer ze op straat lopen of bij een tempel plotseling de enige twee buitenlanders blijken te zijn. Hoe hoffelijk en vriendelijk de lokale bevolking haar ook tegemoet treedt, ze voelt zich in hun nabijheid niet op haar gemak. Ook de armoede en haveloosheid, waar hij haar met een grote bocht omheen probeert te leiden, maar het onaangename is overal en onvermijdelijk, maakt haar van streek. Haar ongemak slaat op hem over. Nu zij hem erop wijst, kan hij het niet niet zien. De hongerige kinderen met zweren op hun gezicht, de tandeloze, broodmagere vrouwtjes in vodden. Hij wil het haar besparen, zijn gevoelige, beschaafde Dorien, die gemaakt is voor alles wat zich in opwaartse richting afspeelt, omhoog, verheven boven de grenzen die door het opzichtige lijden zo nadrukkelijk worden aangegeven. Pas als ze weer in Tokio zijn, lijken ze tot rust te komen. Daar staat van alles op het programma, een receptie met een recital op de Franse ambassade, een high tea bij mevrouw MacArthur thuis. Hij koopt kaartjes voor een kabukivoorstelling in het keizerlijk theater en voor een concert van een populaire bigband die in de Amerikaanse officiersmess optreedt, waar ze samen tot laat op de avond dansen, als tieners.

Hoe kostbaar hij de uren met Dorien ook vindt en hoe welgemeend Webb hem ook op het hart heeft gedrukt dat hij weg mag blijven zoveel hij wil, heimelijk verlangt hij naar het geregelde, emotieloze bestaan van een verstandig man tussen zijn boeken en dossiers. Een ware opluchting ervaart hij op de dagen dat Doriens programma door de Nederlandse dames in Tokio wordt gevuld en hij in de rechterskamer zijn toga van het knaapje laat glijden. In de rechtszaal overheerst het tribunaal, gedicteerd door de regels van het proces. Hij houdt van hun strenge duidelijkheid. In de rechtszaal is hij weer de rechter. Een man van de wet met heldere opvattingen, met kennis, een man die het niet in zijn hoofd zou halen Webb te vragen of zijn vrouw hier als zijn secretaresse kan blijven. Gelukkig heeft Dorien zich inmiddels verzoend met het idee dat ze weer naar Nederland terugkeert.

4

In de middag wordt Hideki wakker op de platte rots langs de rivier. Nog half dommelend vangt hij het geluid op van kinderen die bij de stroomversnelling in het water spelen. Hij komt overeind en schermt zijn ogen voor het zonlicht af. In hun ondergoed spetteren jongens en meisjes in het water, de kleintjes rillend van de kou dicht bij de kant. Keiji laat zich met een kreet op een opgeblazen binnenband stroomafwaarts voeren tot waar de rivier ondiep over de stenen loopt. Hij vraagt zich af of de kinderen weten dat die reusachtige ring van zwart rubber afkomstig is van een uitgebrande, in aarde en bladeren gecamoufleerde jeep. Het zou beter zijn geweest als die band ook mee de afgrond in gegaan was. Maar zijn oom had erop gestaan dat ze de banden zouden sparen. Niemand had gevraagd waarom. Zijn oom is zo'n man die altijd iets kan gebruiken, zelfs of juist op het meest onmogelijke moment.

Hij herinnert zich hoe ze de lichamen in het donker op de kar van zijn oom afgevoerd hebben. Met een zaklantaarn was Hideki voor het paard uit gegaan terwijl op het steilste stuk van het pad de andere mannen de kar duwden. Hij ging voorop, de dood als een inhalige, nietsontziende dief pal achter hem. Want dat is wat de dood doet, hem volgen, in China, in zijn eigen dorp, waar hij ook is, waar hij ook gaat.

De hele nacht waren ze bezig geweest en pas tegen de ochtend keerden ze terug in het dorp. Het was er stiller dan ooit. Zelfs de hanen zwegen. De mannen gingen uiteen, met hun eigen gedachten, naar hun eigen huis, de luiken gesloten.

Zijn zuster gaat het uit ruwhouten, overnaadse cederplanken opgetrokken badhuisje in. Vroeg in de ochtend is ze samen met zijn moeder naar de tempel geweest om te bidden en wierookstokjes te branden. Schrobben en bidden, schrobben en bidden. Schoon vanbuiten en schoon vanbinnen, hoewel dat laatste maar niet wil lukken.

In China was er een korporaal, een enorme vent met bruine tanden en schouders als een verhuizer, ze noemden hem De Beer. Hideki had zijn leven aan hem te danken. De Beer ging voorop, aan het front, maar ook in de verslagen provincieplaatsjes. Hij trapte deuren in, scheurde meisjes de kleren van het lijf, werkte ze onder zijn massieve gewicht tegen de vloer. De Beer was niet de enige. Het waren Chinese meisjes, geen Japanse. Het was niet zíjn zuster die jammerend het geram onderging. Nu Sada zich in het badhuisje staat te schrobben, vraagt hij zich af hoe het werkt, hoe het een, zijn redder, zich tot het ander, de verkrachter, verhoudt.

Zijn moeder doet op haar hurken de was en slaat op de stenen het water uit de natte kleren. Ze geeft niet op, gelooft nog steeds in het wonder van de wierook en de kruiden en de baden. Zou zij niet zien wat iedereen kan zien? Dat vier maanden van afbraak haar dochter in een zieke hebben veranderd, een versleten, leeftijdloos, meelijwekkend wezen met een verzuurde maag en koortsige ogen die je aanstaren, een afschuwelijke vraag stellen.

Zo keek dat meisje naar hem, op die avond in Tokio, toen ze de natte, donkere straat overstak naar waar Toru stond.

Etsu, dat was haar naam. 'Blijf hier!' had hij moeten zeggen. 'Ga niet met hem mee.'

Pas wanneer de zon achter de bomen is verdwenen, zijn moeder en zuster en ook de kinderen allang terug zijn naar boven, klimt hij moeizaam van de rots. Met een touw door hun kieuwen rijgt hij de drie forellen die hij heeft gevangen aan elkaar. Zijn been en heup doen pijn als hij begint te lopen. Bij de doorgaande weg naar het dorp begint de echte klim pas. Als hij halverwege is, leunt hij in de afgekoelde lucht tegen een boom om op adem te komen. Dan wordt hij zich bewust van een stip die zich een weg baant door de in het dal opstijgende avondnevel. Hij moet blijven kijken. De gedaante verdwijnt tussen de bomen, komt weer tevoorschijn, verdwijnt in een bocht, komt de bocht uit, groter nu, het is een vrouw, meent hij te kunnen onderscheiden, een steeds grotere vlek van beige en zwart. Ja, het is een vrouw, maar niet uit het dorp. Haar haar, haar kleren, haar houding, alles verraadt een andere herkomst. Misschien komt ze uit de stad om iets te ruilen voor voedsel.

Het duurt nog enige minuten voor ze bij hem is. Ze heeft een knap gezicht. Nette kleren en zwarte, leren schoenen die het beeld compleet maken.

'Goedenavond,' zegt ze. Haar blik springt van zijn gezicht naar de vissen die voor zijn borst hangen.

'Goedenavond,' antwoordt hij.

'Is het nog ver?' vraagt ze.

'Waarheen?'

'Naar het dorp.'

'Nee,' zegt hij. 'Het is niet ver meer.'

'Gelukkig,' verzucht ze. 'Ik ben al uren aan het lopen.'

'Komt u om te ruilen?' vraagt hij.

'Ruilen? Nee, ik kom voor mijn familie.'

5

Ze blijven een avond in het hotel en eten samen in het restaurant. Na het diner trekt hij zich in de tuin terug met de roman van Evelyn Waugh die Dorien voor hem heeft meegenomen, terwijl zij haar belofte nakomt door met Patrick, Northcroft en McDougall in de kleine zaal bridge te spelen. De hemel heeft een turquoise tint gekregen.

'Wat een mooie avond,' klinkt een bekende stem.

Het is Pal, die met zijn handen op zijn rug omhoogkijkt. Zwaluwen duiken naar insecten die in de avond weer tot leven zijn gekomen en in het licht van de tuinlampen een makkelijke prooi vormen.

Brink knikt.

'Bevalt het je vrouw hier in Tokio?'

'Jazeker. We genieten van ieder uur dat ze hier is.'

'Ik begrijp dat je je standpunt over *misdaden tegen de vrede* hebt gewijzigd.'

'Hoe weet je dat?' Het antwoord kan hij zelf bedenken: Webb. De enige aan wie hij het verteld heeft.

'Je wilde het toch niet geheimhouden, mag ik aannemen?'

'Nee, maar ik had het graag bij de eerstvolgende vergadering gezegd.'

'Opzienbarend nieuws verspreidt zich snel.' Pals ogen tasten zijn gezicht af.

'Ik ben onlangs op iets interessants gestuit. Een juridisch

argument dat *misdaden tegen de vrede* in de aanklacht onderbouwt.'

'Verrassend. Eerst ben je voor, dan ben je tegen, en nu ben je weer voor. Hm.'

'*Ik* ben niet hierheen gekomen met vaststaande, onwrikbare opvattingen,' bijt hij van zich af.

Pal kijkt hem smalend aan. 'Dat heb je in ieder geval goed duidelijk gemaakt.'

Brink maant zichzelf tot kalmte en zet uiteen hoe hij zijn nieuwe inzicht heeft bereikt, of eigenlijk zijn oude inzicht, maar nu op basis van andere, betere argumenten. Niet die van de andere rechters, die zich beroepen op het Pact van Parijs en het precedent van het Neurenberg Tribunaal, en niet die van de knappe koppen die hem op instigatie van Den Haag een handje wilden helpen. Nee, een door hemzelf autonoom vormgegeven argumentatie waar nog niemand op is gekomen. 'In het geval van een *bellum justum*, een rechtvaardige oorlog, draagt de overwinnaar, in dit geval zijn dat de geallieerden, de verantwoordelijkheid voor de verworven vrede. Verdachten zoals Tojo, die een gevaar vormen voor die vrede, omdat ze, als ze de kans krijgen, alles weer precies hetzelfde zullen doen, moeten op basis van de aanklacht *misdaden tegen de vrede* veroordeeld kunnen worden.'

Beleefd laat de Indiër hem zijn zegje doen; donker, droog luistert hij toe, zijn mond ontspannen. Hij aanhoort, duldt, de theoretische onderbouwing met verachting. Gaat er inhoudelijk niet op in en als Brink is uitgepraat wendt hij zijn blik weer naar de hemel en zegt slechts: 'Hm.'

'Ik zal het in de raadkamer allemaal gedetailleerder uiteenzetten.'

Twistziek werpt Pal niet een juridisch tegenargument maar een persoonlijke vraag op: 'Hoor ik opluchting in je stem?'

'Opluchting? Het is mijn standpunt.'

'Je regering, ambassadeur Willink, Webb, de collega's, iedereen zal het je in dank afnemen. Wat een enkele knieval al niet kan betekenen.'

'Het is geen knieval!'

'Nee?' vraagt Pal kalm.

'Nee!' kaatst hij terug met trillende stem. In jezelf gekeerde betweter, denkt hij erachteraan.

Zijn hart gaat tekeer, geërgerd. Pal komt hem niet langer voor als eigenzinnig en eminent, maar als onverzoenlijk en gefrustreerd, in dat eeuwige slobberkostuum met roos op zijn schouders. Brink verlangt ernaar om weer alleen te zijn met zijn boek. Hij neemt zich voor om als Dorien naar Nederland vertrokken is, niet meer aan de tafel van de Indiër te eten. Zijn oog valt op de dunne gouden trouwring aan Pals hand, weggezakt in de donkere huid.

Pal is hem genadig. 'We zullen zien,' zegt hij op minder gestrenge toon. 'Ik wilde je niet aanvallen, goedenavond.'

Later die avond luistert hij naar het tjirpen van de hoogtonige krekels, waarvan hij er nog nooit een met het oog heeft kunnen ontdekken. De hoge varens, de prieeltjes en de slingerend aangelegde paden geven een zacht licht af. Het grijze waas dat op lijkt te stijgen versterkt het gevoel van melancholische eindigheid. Hij zit daar maar en heeft nog geen bladzijde gelezen. Tot de stem van Dorien hem doet ontwaken uit zijn meditatie. Stralend en kaarsrecht komt ze met Patrick en Northcroft de tuin in lopen en neemt de heren mee naar zijn tafel. Gepraat, gelach. Hij is verrast dat zijn collega's zijn gezelschap opzoeken.

'O,' zegt Patrick, zijn ogen wegdraaiend, 'die vrouw van jou, Brink. Ik had het geluk dat ze mijn partner was, maar Northcroft en McDougall zullen zich dit pak rammel nog lang heugen.' Patrick kijkt hem ontspannen aan, alsof er nooit sprake is geweest van enige animositeit. Brink vraagt zich af of hij en Northcroft inmiddels ook door Webb op de hoogte zijn gesteld van zijn veranderde standpunt. *Hij is weer terug aan boord.* Het heeft er alle schijn van.

'Ik speel al twintig jaar, maar zulke waardeloze kaarten als vanavond heb ik nog nooit gehad,' verdedigt Northcroft zich.

'Ah, natuurlijk, de kaarten,' zegt Patrick met een scheef, samenzweerderig glimlachje naar Brink. 'De eerlijkheid gebiedt me te zeggen,' vervolgt hij met een gespeelde ernst die weinig clementie toont met Northcrofts ontoegeeflijke gezicht, 'dat je zelfs met de beste kaarten uit je twintigjarige loopbaan geen schijn van kans tegen ons had gehad. Mevrouw Brink en ik waren in alle opzichten superieur.'

Northcroft knikt met gefronst voorhoofd. Zo op het eerste gezicht lijkt hij meer op een ijverige afdelingschef van de Algemene Rekenkamer dan een rechter van het tribunaal. Hij klopt de kop van zijn pijp met zo'n kalme, bestudeerde waardigheid uit in de asbak, dat je bijna zou denken dat hij louter om deze handeling is gaan roken. Het maakt iets van het gebrek aan stevigheid, gewichtigheid, goed.

'Begrijpt u nu waarom ik niet speel?' vraagt Brink retorisch. 'Nu zit ik hier als de trotse echtgenoot, maar anders stond míjn gezicht beteuterd.' Hij werpt een blik op Northcroft.

Het schitteren van Patricks lichte ogen en het zonnige van zijn glimlach bezorgen Brink een gevoel van intens geluk. De uitwerking van zijn rappe tong is als vanouds, en zijn collega's en vrouw lijken in zijn speelse, gevatte greep op de toeschouwers in het kabukitheater waar hij met Dorien is geweest.

'Ik heb mijn zuster, die sinds haar man is gestorven bij mij inwoont, geprobeerd bridge te leren,' Patrick pauzeert een moment en vervolgt dan, 'maar uit medelijden ben ik daarmee gestopt.'

'Medelijden?' vraagt Dorien.

'Een koe moet je ook niet leren schaatsen.'

'En hoe is dat, samen met uw zuster in een huis wonen?' wil Dorien weten.

'Ach, het is een tamelijk groot landgoed, en ik ben een man alleen.'

'Bent u nooit getrouwd geweest?' vraagt Dorien.

Zelfs na een jaar met lord Patrick vermeed Brink die vraag instinctief. Zijn vrouw heeft dat bijzondere, onaantastbare geloof in zichzelf dat het mogelijk maakt dit soort vragen wel, en al heel snel, te stellen. Zonder dat iemand het haar kwalijk neemt of er zelfs maar van opkijkt.

'Nee,' antwoordt lord Patrick. 'Na de Eerste Wereldoorlog lag ik met koorts op bed terwijl de anderen veroveringen maakten. Tuberculose in mijn longen en nieren. Dat kreupele been hielp niet, en toen was die tijd ineens voorbij, nog voor ik het juiste meisje had kunnen vinden.'

'Maar er moet toch ooit iemand geweest zijn?'

Patrick zit nu op de rand van zijn stoel, zijn handen rusten op het paardenhoofd van zijn stok. 'Er was wel een jongedame, Laura.'

'En daarna?' Blijkbaar vindt Dorien het te pijnlijk om door te vragen over Laura.

Lord Patrick kijkt recht voor zich uit. 'Niets, na haar was er niets.'

'Ach!' verzucht Dorien.

Lord Patrick grinnikt haar blijk van romantisch medelijden weg. 'U moet het me maar niet kwalijk nemen, als moeder, maar soms kwam ik bij vrienden of collega's thuis en dan zag ik die kleintjes, en mijn hemel, wat heb ik altijd mijn best gedaan om ze uit de weg te gaan.' Patrick kijkt vrolijk van Dorien naar Brink, de ironie flakkert zo lustig op het gezicht van de oude rechter dat zijn woorden al voor hij ze uitgesproken heeft hun lachlust opwekken. 'Weet u, noemt u me maar koud, als u wilt, maar dan prees ik me zo gelukkig met het gezelschap van mijn zuster in plaats van dat van die kleine dictators.' Hij leunt achterover in zijn stoel, trekt zijn vest omlaag en strijkt het glad. 'Maar goed, los van de kinderen, jij, Brink, jij bent een verdomde geluksvogel met deze vrouw.'

'Kent u het verhaal van de vrouw van Grotius, Maria?' De verwachtingsvolle blikken van zijn vrouw en collega's stimuleren hem om door te gaan. Hij voelt dat zijn woorden weer van waarde zijn en prijst zich gelukkig dat hij het verhaal achter de hand heeft gehouden voor een moment als dit. In gedachten heeft hij het al eens verteld aan Patrick, die verzot is op petites histoires. 'Grotius zat gevangen in slot Loevestein, mocht u ooit naar Nederland komen dan neem ik u er graag mee naartoe, maar goed, hij zat dus in dat kasteel omdat hij in conflict was gekomen met prins Maurits. Maria, Grotius' vrouw, bedacht een list en smokkelde hem in een boekenkist het kasteel uit. Een paar jaar later schreef hij *De iure belli ac pacis*, zijn grote werk over het oorlogsrecht. En waar zouden wij rechters van het tribunaal vandaag staan zonder dat boek, vraag ik u.'

'Zo,' zegt Northcroft droogjes terwijl hij een verse pijp opsteekt, 'nu hoor je eens hoe de zaken ervoor staan, Patrick, jij als verstokte vrijgezel die het zonder de listen van een vrouw moet stellen.'

'Je vergeet mijn zuster,' zegt Patrick, 'alhoewel ik betwijfel of zij op dat idee van die boekenkist gekomen zou zijn.'

Ze lachen.

Die twee kerels, hij moet ze beschouwen als zijn vrienden

die het beste met hem voorhebben, die hem willen behoeden voor een stommiteit. Ze hebben gezien hoe hij zich, na Pal, tot de ergerlijke verschoppeling van het gezelschap dreigde te ontwikkelen en zich een hoop gedonder met zijn eigen regering op de hals haalde. Het hing er maar van af over welke voet hij eerst zou struikelen, maar dat hij zou vallen als hij zo zou zijn doorgegaan stond voor hen vast. Ze willen niet dat hij onderuitgaat, en laten hem dat nu voelen in hun hartelijkheid.

'Heb je er nog over nagedacht?' vraagt Dorien als ze alleen zijn.
'Waarover?'
'De aandelen.'
'O, eigenlijk niet. Maar als jij het een goed idee vindt, dan sta ik erachter.' Het is toch jouw geld, denkt hij.
'De man van Louise Verolmen zegt het ook: de beste tijd om te beleggen is na een oorlog.'
'Hij kan het weten, zijn hele leven staat in het teken van het verdienen van geld en nog meer geld.'
'Rem, hij is een succesvol zakenman, hij benut zijn kansen. Zijn bedrijf heeft een groot contract voor het herstel van de haven van Nagasaki binnengesleept.'
Dat was ook een kant van de oorlog. Steden bouwen, havens aanleggen, fabrieken opzetten, met kanonnen en bommen alles verwoesten, en dan weer opnieuw beginnen. En dan aandelen, natuurlijk.
'Heb je iets tegen hem?' vraagt Dorien.
'O, nee.' Hij heeft die Verolmen met zijn varkensoogjes enkele malen ontmoet, maar al snel bleek dat de man alleen maar in hem geïnteresseerd was als tussenschakel naar mensen aan wie hij wel iets had.
'Hoe was het eigenlijk bij Louise?' vraagt hij.

'We zijn naar Ginza geweest. Ik heb souvenirs voor de kinderen gekocht.'

De serveerster in paarse kimono brengt de door hen bestelde koffie in een pot van handbeschilderd aardewerk.

'Ze zijn knap, die Japanse serveersters,' zegt Dorien als de jonge vrouw na een diepe buiging in zacht ruisende zijde wegschrijdt.

'Ach,' zegt hij.

'Volgens Louise houdt menig man die hier alleen zit er een Japans liefje op na.' Ze glimlacht naar hem, maar anders dan voorheen, alsof er plotseling een paar draden tussen hen worden doorgeknipt.

'Het schijnt voor te komen.'

'Als in de haven de schepen met hun echtgenotes aan boord binnenlopen, worden er heel wat kerels onrustig.'

Met een rimpel tussen haar wenkbrauwen drinkt ze haar koffie terwijl hij zich afvraagt wat die praatzieke Louise nog meer verteld heeft.

'Herman Sluyters van Geen, de assistent van de aanklager, schijnt zich zelfs in het openbaar met een Japanse verovering vertoond te hebben.'

'Die is toch allang weer terug in Nederland.'

'Maar er wordt nog steeds over gesproken. Dat moet jij toch weten?'

Hij haalt zijn schouders op. Is dit een verkapte waarschuwing aan zijn adres? Het is niet uitgesloten. Willink vertelt het zijn vrouw en Willinks vrouw vertelt het op haar beurt aan Louise Verolmen. Houd er een lucifer bij, en een gerucht ontbrandt als strovuur. Hij zwijgt en nu zwijgt Dorien ook. Het hoge geluid van de krekels sluit hen in. Dorien is nooit hartstochtelijk jaloers geweest en ze zou zich waarschijnlijk kunnen schikken in een avontuur van zijn kant, mits dat geheim bleef en haar reputatie en hun gezin niet in gevaar bracht. Moet hij haar opmerking zo opvatten? Ik weet ervan, ik heb zo mijn vermoedens, maar zorg dat je discretie betracht. Die discretie vereist dan nu van hem dat hij zwijgt. Even is daar weer die ijskoude geslotenheid. Dan heeft het kennelijk lang genoeg geduurd en klaart het gezicht van zijn vrouw weer op. Ze zet haar kopje terug op het schoteltje en zegt op vrolijke toon: 'Het zijn verdomd interessante en amusante kerels, die collega's van je. Wist je dat?' Hij knikt. Of hij dat weet.

In de laatste week van Doriens verblijf is zijn verhouding met de rechtersgroep hersteld. Het betoog over zijn gewijzigde standpunt is goed ontvangen in de vergadering. Twijfelen aan zijn positie doet hij niet meer. Hij praat weer met iedereen. Dit is de weg, de lange rechte weg van zijn leven. Overdag volgt hij de zittingen en 's avonds werkt hij een gevarieerd sociaal programma af met Dorien. Na afloop vrijen ze op de hotelkamer. Dorien tilt met een moederlijke hand haar volle borst op zodat hij eraan kan zuigen. Moeiteloos schenken ze elkaar bevrediging. Als ze met haar rug naar hem toegekeerd in slaap is gevallen, denkt hij na over het mysterie van haar aanwezigheid. Misschien had Willink toch gelijk toen hij opmerkte dat zijn vrouw precies op tijd kwam. Hij moet het erkennen, alles is ten goede veranderd. Wat een bijzondere vrouw, en hij is niet de enige die dat vindt.

Hij droomt dat Benson hem over een bochtige weg in de bergen rijdt. De auto klimt met gierende motor omhoog naar de wolken. Dorien zit naast hem, ze glimlachen tevreden naar elkaar, maar de volgende bocht is het Michiko die op haar plaats zit. Bij iedere buiging van de weg wisselen Dorien en Michiko elkaar af. Midden in de nacht schiet hij wakker aan de rand van het bed, Doriens knieën en ellebogen in zijn benen en rug. Stil blijft hij liggen tot hij langzaam met pijnlijke spieren verstijft. Hij heeft alles in het werk gesteld om de twee vrouwen van elkaar te scheiden. De gedachte dat ze onverwacht samenkomen, dezelfde lucht inademen, is onverdraaglijk. Voorzichtig duwt hij Dorien wat opzij. Ze draait zich op haar andere zijde. Hij legt zijn hand op haar heup als van een brons van Rodin. Maar ook met meer ruimte voor zijn verkrampte lichaam lukt het hem niet meer in slaap te komen. In de badkamer laat hij koud water over zijn handen stromen. Terug in bed is hij klaarwakker. Veroordeeld tot stilliggen wacht hij het ochtendlicht af.

Zo gaat het die laatste nachten steeds. Hij wordt wakker aan de rand van het bed met een lichaam dat door ijzeren pijlen wordt doorboord, zo voelt het. Hij staat op om zijn spieren te ontspannen, maar als hij weer naast haar ligt, keert de pijn snel terug. Uit wanhoop gaat hij in zijn ochtendjas aan zijn bureau zitten en valt met zijn hoofd op zijn armen in slaap.

'Wat is er toch?' vraagt ze na de derde keer.

'Ik kon niet slapen,' antwoordt hij.

De volgende avond komen ze terug van een diner bij Willink op de ambassade. Hij houdt de kamerdeur voor haar open en dat gebaar heeft niet meer de betekenis van voorheen. Altijd is het voor hem een symbolisch gebaar geweest, een soort ritus, een bezwering, de deur voor haar openhouden en samen ergens naar binnen gaan, hun huis, hun slaapkamer, en dan die deur achter hen tweeën sluiten. Binnen draait Dorien hem haar rug toe en begint een oorbel los te maken. De aanblik van het bed, het vooruitzicht van weer een nacht aan de rand van het matras, van achteren ingesloten door knieën, ellebogen en zoete adem, maakt hem radeloos. Terwijl ze zich uitkleden, voelt hij zijn ledematen al versteilen alsof het bloed stopt met stromen.

Ze vrijen, maar het kost hem moeite, hij brengt er niet veel van terecht.

Zodra Dorien slaapt, schiet zijn lichaam in die vreemde kramp. Een loden zwaarte perst zich in hem samen. Door het langdurige, passieve verduren van de pijn scheert hij met wijd open ogen langs de verborgen machinaties van de voorwerpen en schaduwen in de kamer. Heeft hij te lang alleen geslapen en is hij het gezelschap van een ander lichaam ontwend? Of zijn dit de eerste symptomen van een spierziekte? Hij staat op en kleedt zich zonder geluid te maken aan. Met de lift gaat hij naar beneden en hij loopt de tuin in. De lichten zijn nu uit, de tafels en stoelen vochtig van de dauw. Hij spreidt een krant uit op een bankje, dommelt weg, wordt wakker en dommelt opnieuw weg. Hij schiet wakker van een schoonmaker, die zich duizend keer excuseert als hij de weledele rechter met opgeslagen kraag als een clochard op het bankje tussen de palmen en bananenbomen opmerkt. De kille klamheid zakt in zijn botten alsof hij onder nat wasgoed heeft gelegen. Ook nu is hij gebroken, maar anders, niet op de manier waarop zijn positie aan de rand van het bed hem het ochtendlicht in kastijdt.

'Wat was je vroeg op,' zegt Dorien vanuit bed als hij binnenkomt. Bezorgd vraagt ze: 'Had je weer last?'

Hij knikt en verdwijnt in de badkamer. Hij laat het water van de douche zo heet over zijn lichaam stromen dat het bijna niet uit te houden is.

Als Doriens verblijf erop zit, brengt hij haar op een nevelige vroege ochtend naar de luchthaven. Ze omhelzen elkaar langdurig voor de douane.

'Beloof me,' zegt Dorien, 'dat je je door de Amerikaanse legerarts laat onderzoeken. Misschien heb je wel een inheemse ziekte onder de leden.'

Ze kussen elkaar opnieuw. En dan fluistert ze hem iets in het oor. 'Haal geen stommiteiten uit.'

'Ik beloof het,' zegt hij. En het is alsof hij opnieuw zijn gelofte van trouw aflegt.

Voor hij nog iets kan zeggen, maakt ze zich uit zijn omhelzing los en gaat door de douane.

Nog een keer draait ze zich om en zwaait naar hem. Ze vecht tegen haar tranen. Mijn lieve Dorien, denkt hij. Achter het raam dat de passagiers scheidt van de andere bezoekers vervloeit haar beeld in de condens op het glas, een bewegende schim van een grote vrouw die zich met haastige passen van hem verwijdert.

Buitengekomen staart hij, daas van vermoeidheid, in de nevel die wegtrekt en plaatsmaakt voor donkergrijze wolken. Het is afgekoeld, een dag die wind brengt, misschien ook regen. Een ochtend die hol voelt, net als hijzelf. Hij knippert met zijn ogen tegen het gruizige stof en stapt in de auto.

'Naar het hotel?' vraagt Benson.

Hij knikt.

Terug op zijn kamer kleedt hij zich uit en sluit de gordijnen. Het bordje met *Do not disturb* hangt hij aan de buitenkant van de deur, de telefoonhoorn legt hij naast de haak. Hij slaapt zestien uur aan één stuk.

6

Haar deken is ruw en rafelig. Op minder dan een meter van haar vandaan slaapt haar nicht Sada. Achter het kamerscherm liggen haar tante en oom. Michiko hoort hun ademhaling en gekuch, het verschuiven van een been. Buiten klinkt het kloppen en schuren van de holle bamboe tegen de dakgoot, ver weg het geluid van de rivier die zich door een diepe, nauwe kloof perst. Haar tante en haar nicht hadden haar de hele avond aangekeken, stomverbaasd, alsof ze niet konden geloven dat zij het werkelijk was, nicht Michiko uit Tokio. Ze wisten niet beter dan dat ze allemaal bij de bombardementen omgekomen waren, haar ouders en zij, net als de meeste bewoners van Asakusa. Ze had verteld hoe zij gespaard was gebleven omdat zij die avond bij mevrouw Haffner moest zingen en het luchtalarm haar verhinderde terug naar huis te keren.

Was dat diezelfde westerse mevrouw die haar in haar huis had opgenomen?

Ze knikte. Niemand vroeg waarom ze er niet meer kon wonen, waarschijnlijk uit beleefdheid. Ze hadden voornamelijk gezwegen.

Had ze hun verbazing verward met schrik? De schrik door haar komst. Misschien maakten ze zich zorgen. In Tokio kan één mond extra om te voeden fataal zijn, misschien is het hier niet anders.

Boven haar trekken schaduwen samen tussen de lage balken van het huisje, dat klein en broos is op dit nachtelijk uur. Sada lijkt een bittere geur uit te wasemen. Plotseling, alsof er een geheim luikje wordt opengezet, is ze zich bewust van de ogen, die ze niet kan onderscheiden in de duisternis, maar waarvan ze zeker weet dat ze naar haar kijken. Het gezicht van Sada dat boven de deken uitsteekt is niet meer dan een donkere vlek, maar ze voelt haar blik, zo nauw met de duisternis verweven. Ze aarzelt of ze iets zal zeggen, maar ze durft het niet. Ze draait zich om en wacht de ochtend af.

De eerste die opstaat is haar tante. Ze duwt stukjes houtskool en papier in de oven en maakt vuur. Ze zet een oude ketel met water op de kookplaat. Net als haar eigen moeder, denkt Michiko, die ook altijd als eerste op was en als laatste naar bed ging. Nooit, zelfs niet als ze ziek was, ging haar moeder voor haar vader slapen, want haar vader werkte in de fabriek en het minste wat zijn plichtsgetrouwe echtgenote daar tegenover kon stellen was het besef dat een dag nauwelijks voldoende uren telt om de overige taken te vervullen. Voor haar vader de deur uit ging, hielp haar moeder hem in zijn schoenen. Nadat hij 's avonds was gaan slapen, poetste ze diezelfde schoenen en zette ze met de punten naar de straat gericht voor de volgende ochtend klaar.

Haar tante heeft haar wat kleren gegeven, een oude, verwassen en vele malen herstelde werkkimono van katoen en afgetrapte zori.

'Beter hebben we niet,' zegt tante.

'Ze zijn prima, dank u, tante.' Ze is tot alles bereid om te voorkomen dat haar tante haar als het stadse nichtje beschouwt.

De sfeer in huis is bedrukt. Haar tante maakt een gekwelde indruk en Sada, twee jaar jonger dan zijzelf, heeft donkere kringen onder haar ogen. Er wordt weinig gesproken. De mannen zitten op de veranda. Ze vraagt zich af of het door haar aanwezigheid komt, of dat het hier in de bergen nu zo gaat. Ze mag niet vergeten dat ook zij hebben geleden onder de oorlog. Dat zou die beklemming die ze voelt kunnen verklaren.

In een houten emmer haalt ze water bij de pomp op het erf. Er klinkt een schor en verwilderd hanengekraai in het dorp. In de verte drijven de bergen in de ochtendnevel. Voor haar zijn het maar bergen, maar voor haar ouders betekenden ze zoveel meer. Het door bamboe gezeefde zonlicht tekent strepen op haar handen. Haar neef komt zwaar leunend op zijn kruk uit het schuurtje waar hij heeft geslapen. Het verminkte deel van zijn gezicht doet in het ochtendlicht denken aan krokodillenhuid. Gisteren had zijn uiterlijk haar afgeschrikt, nu is ze voorbereid, maar moeilijk blijft het, naar hem te kijken.

'Goeiemorgen, Michiko.'

'Goeiemorgen, Hideki.'

Achter haar komt Sada aangelopen. Met haar armen voor haar buik, zonder op te kijken of iets te zeggen, haast ze zich naar het houten pleehuisje.

In een kooi onder de dakrand van het schuurtje begint een woudzanger met een felblauwe borst hoog te zingen. Achter de deur van het pleehuisje klinken kokhalzende geluiden.

Hideki kijkt haar aan. Op zijn hoede, lijkt het.

'Is ze ziek?' vraagt ze met zachte stem.

Zonder iets te zeggen kijkt hij omlaag. Zijn stugge haar is kortgeknipt en op het deel van zijn gezicht dat ongedeerd is gebleven groeien een paar haren die een snor en een baard moeten voorstellen. Hij knikt met zijn hoofd naar het vogeltje, dat opnieuw een hoge melodie laat horen. 'Zelf gevangen.'

Aan het eind van de ochtend, als ze samen met Hideki alleen in het huis is, haalt haar neef uit het kastje een envelop met een foto tevoorschijn. Het is een zwart-witfoto van haar samen met haar ouders. Gemaakt in een kamertje achter de winkel van een fotograaf in Tokio, tegen een achtergrond van papier. Haar haren zijn versierd met wilgenblad en ze draagt een kimono – lichtroze, herinnert ze zich – met een patroon van zilveren dolfijnen. Zeventien jaar was ze, een paar dagen na het behalen van haar toelatingsexamen voor het conservatorium. De foto trilt in haar handen. Dezelfde foto hadden ze thuis in een lijstje staan, tot de dag van de brandbommen. Ze wist niet dat haar ouders de foto ook naar hun familie in de bergen hadden gestuurd.

'Mijn vader werkte bij de textielfabriek in Asakusa, hij had zich tot ploegbaas opgewerkt. Later zou hij op de administratie komen. En mijn moeder had aan huis een winkeltje met levensmiddelen. Ze vonden het eerst maar niets dat ik naar het conservatorium wilde.'

'Vroeger waren Sada en ik altijd jaloers als we naar deze foto keken,' bekent Hideki. 'Want wij dachten: waarom zijn wij niet naar dat mooie, grote Tokio verhuisd? Waarom moeten wij in dit gat blijven?' Hij kijkt naar de foto. 'Ik wilde bij jullie langsgaan. Ik zat een week in Tokio, wachtend op onze verscheping naar China, en dacht: dit is mijn kans. Maar behalve de officieren mocht niemand het kazerneterrein af. Toen ik uit het ziekenhuis kwam, ben ik gaan kijken. Alles weg.'

Ze knikt, geïntrigeerd door de zachtheid in zijn ogen.

'Hoe was jullie leven vóór die tijd?' wil hij weten.

'Wij waren gelukkig.'

Terloops, bang dat hij haar kwetst, lijkt het, geeft Hideki haar raad bij de karweitjes die zijn moeder haar opdraagt. Ze wil ze onberispelijk uitvoeren, niet alleen om iets tegenover hun gastvrijheid te stellen, maar ook omdat ze weet hoe er hier over mensen als zij wordt gedacht. De schaarste van levensmiddelen en de alsmaar falende distributie hebben de rollen omgedraaid: het is geen vraag meer wie op wie neerkijkt, wie de onderliggende partij is.

Ze doet de afwas bij de pomp, voert de geiten en kippen, ruimt de mest en gooit die op de hoop in de verre hoek van het erf, ze klopt met een stok de futons uit en rolt ze strak op. Als ze klaar is, maken zij en Hideki een wandelingetje door het dorp, langs de overhellende, wormstekige huisjes. Hideki kan zijn ene been, het linker, niet strekken en daardoor zakt hij aan één kant door, zwaar hangend op zijn kruk. Ze worden gevolgd door Keiji, een jongen met ronde ogen op een verroeste fiets. Overal ontmoet zij nieuwsgierige blikken en Hideki ontkomt er, met verlegen onhandigheid, niet aan haar aan dorpsgenoten voor te stellen. De jongen heeft er minder problemen mee, luid en geestdriftig roept hij zijn moeder, die in de tuin werkt van een huisje dat aan één zijde bedekt is met blauweregen. De vrouw heeft een mooi, gaaf gezicht en draagt een kindje, een meisje van nog geen jaar, in een doek op haar rug. Ze blijkt Michiko's ouders goed gekend te hebben, met name haar moeder, en herinnert zich ook Michiko zelf nog als kind. De buik van de vrouw lijkt gespannen en rond. Het kindje in de draagdoek kijkt Michiko met dromerige ogen aan. Een op de rug en een in de buik, denkt ze, en staart gefascineerd naar de bolling onder het hemd.

'Hoe lang blijf je?' De vrouw beschermt haar ogen tegen de zon die fel uit de onbewolkte hemel schijnt.

'Ik weet het nog niet,' antwoordt ze. 'Wat een prachtige rozen heeft u.'

'Houd je van bloemen? Ik zal Keiji wat stekjes laten brengen. Dan kun je ze zelf planten.'
'Dank u wel.'
Als ze weer terug naar het huis lopen, is ze zich bij iedere stap bewust van haar strooien schoenen. 'Een sympathieke vrouw,' zegt ze tegen Hideki. 'Is ze zwanger?'
'Ja, ze is vriendelijk,' antwoordt hij.

In tegenstelling tot haar verwachting heeft ze meer contact met Hideki dan met Sada. Het is haar neef die steeds haar gezelschap zoekt. Haar nicht is ziek, wat haar precies mankeert is onduidelijk, daarover wordt geheimzinnig gedaan, maar feit is dat Sada veel binnen ligt te rusten. Als ze buitenkomt om naar het pleehuisje te gaan of om wat frisse lucht te halen dan lijkt ze een gesprek af te houden. In haar ogen ligt de ene keer een stille, zachte somberheid, de volgende keer iets duisters waar Michiko van moet slikken.

Op een ochtend stapt Michiko met de houten bademmer vol klotsend koud water het huisje binnen. Haar nicht trekt juist een onderhemd over haar hoofd en schouders. Met een schok ontdekt Michiko de bolling van de jonge buik en op datzelfde moment meent ze alles te begrijpen.

'Noem je dat schoon?' vraagt haar tante. Haar tante houdt de kookpot schuin zodat ze op de bodem kan kijken, waar Michiko de donkere vegen, wat ze ook probeerde met een borstel van stijve varkensharen, niet uit heeft kunnen krijgen. Als dikke penseelstreken leken ze in de bodem gebakken.
'Ik kreeg ze niet weg.' Ze buigt voor haar tante.
'Heb je met zand geschuurd?'
Ze schudt haar hoofd.
'Ze wist niet dat ze zand moest gebruiken,' zegt Hideki.

'Het is mijn fout, het spijt me.' Ze buigt opnieuw, nu dieper.
'In die pan moet ik vandaag soep maken, begrijp je?'
Ze buigt en buigt en buigt. 'Ja, tante.'
'Ik zou wel eens willen weten hoe ze in Tokio een kookpot uitschrobben.'
'Moeder,' zegt Hideki nu luider, 'ze wist het gewoon niet.'
'Het zijn de mensen in de stad die de ellende van de oorlog hebben veroorzaakt. En nu lopen ze hier te bedelen om zoete aardappels of een randje gedroogd varkensvlees.' Dan valt haar blik op de stekjes en de rozenstruik aan een kluit die Keiji heeft afgeleverd.
'Wat is dat?'
'Ik heb ze van Keiji's moeder cadeau gekregen. Ik wilde u vragen of ik ze achter op het erf een plekje mag geven.'
'Je wilt ze zelf in de aarde zetten?' Het klinkt even retorisch als spottend en zo is het ook bedoeld. 'Als je vieze handen wilt maken, mest dan liever het geitenhok uit.'
Na die woorden beent tante, met de kookpot als een prijsbokaal in haar armen geklemd, weer terug naar het huisje.

Het is al middag en warm als ze samen met Hideki het dorp verlaat. Ze passeren de bijenkorven in de appelboomgaard en zwoegen het pad door het bos omhoog naar het plateau met de bamboeheesters. Het kriebelt in haar neus. Om de haverklap ontsnapt haar een nies. Ze stoppen even om op adem te komen en dan gaat het weer verder. De schouder van Hideki wordt door de kruk omhoog gedrukt als een pomp. Ze hoort hem zwaar ademen en vraagt of ze niet beter weer naar het dorp terug kunnen gaan. Resoluut schudt hij het hoofd. Eigenzinnig, koppig, denkt ze, als ze luistert naar zijn hortende verhaal over zijn tijd in China en hoe hij gewond raakte. Juist nu hij buiten adem is, spreekt hij meer woorden dan hij tot nu toe gedaan heeft. Hoe verder ze van het dorp geraken, des te openhartiger hij wordt. Het lijkt of hij lang heeft moeten wachten voor hij iemand vond om tegen te praten. Op het plateau kijken ze met de zon schuin van achteren uit over het dorp en de lappendeken van veldjes waarop vrouwen eensgezind gebogen wieden en het paard van zijn oom aan een lang touw rondjes draait om de ijzeren paal waaraan het is vastgemaakt.

Vol afschuw, alsof het gisteren gebeurd is, vertelt hij hoe hij in Tokio in een kelder onder een hotel door een man was beroofd en achtergelaten.

'Waar was dat hotel?' vraagt ze.

Hij haalt zijn schouders op. 'Er was een glazen draaideur en buiten stond een portier in een uniform met gouden tressen en epauletten. Het gebouw was van baksteen.'

'Dat moet het Imperial Hotel geweest zijn.'

'Ja, zo heette het. Ken je het?'

'Iedereen in Tokio kent het. Ik heb er een paar keer opgetreden.'

'Er was ook een meisje bij, die avond.'

'Wat voor meisje?'

'Ik weet het niet. Ze ging door de achteringang naar binnen. Die man, die Toru, had het allemaal bedisseld. Alles is slecht en verrot daar. In mijn hele leven ga ik daar nooit meer heen.'

Slecht en verrot, ze begrijpt wat hij bedoelt, ze durfde in de trein niemand in de ogen te kijken, ze kon slechts hopen dat ze haar ring en haar zwarte jurk, die ze in een tas onder haar jas had weggestopt, zou weten veilig te stellen. 'Ik ga terug.' Ze strekt haar hand uit en bekijkt de blauwe steen van haar ring die glinstert in het zonlicht. 'Dat staat vast.' De afgelopen dagen probeerde ze ieder woord dat de rechter gezegd had, iedere blik die hij op haar had laten vallen, terug te halen. Ze leeft op die herinneringen.

'Ik begrijp niet dat je dat wilt.'

Ergens in de provincie was de trein een poosje stil komen te staan. Langs het spoor was een vrachtwagen in de greppel geraakt, de chauffeur stak met een bloedend gezicht uit de gebroken voorruit. Plunderaars, mannen en jongens, soms kinderen nog, klommen uit de laadbak met armen vol zakken rijst en dozen conserven, zoveel ze maar konden dragen. Niemand bekommerde zich om de chauffeur. De oorlog na de oorlog. Het werkterrein van het kwaad overschrijdt de stadsgrens. Dat is iets wat hij toch zou moeten weten.

'In China zijn dingen gebeurd,' zegt hij alsof hij haar gedachten kan raden. 'Meer dan honderd man, twee aan twee met touw aan elkaar vastgebonden. Ze moesten dicht tegen elkaar aan gaan staan. Ik schoot net zo lang tot ze allemaal lagen en mijn trommelvliezen verdoofd waren en ik alleen nog maar een harde tuut kon horen. Eerst hing er een geur van kruit maar toen rook ik een vreselijke strontstank.'

'Je had je bevelen,' zegt ze.

'Ze droegen geen uniformen, het waren gewone mannen en jongens. Nadat hun lichamen met een bulldozer de rivier in waren geschoven, besefte ik dat ze al een hele tijd hadden staan wachten, dat ze al die tijd geweten hadden wat hun boven het hoofd hing, al ver voor onze trucks aan kwamen rijden.'

'Het is niet iets wat jij wilde. Het is de oorlog.'

'Als ik in bed lig, zijn de dingen die ik me herinner echter dan... dan dit.' Hij wijst naar de geploegde akkers, de slingerende bomenrijen langs de rivier. 'Er waren ook goeie kerels,' zegt hij. 'De beste kerels die ik ooit ontmoet heb. Het was niet alleen maar ellende. Ik ben blij dat het voorbij is, maar ik heb ook heimwee. De avonden en nachten dat we kaartspelletjes deden en de verliezer een kommetje sake moest drinken. We zaten in een of ander schemerig drankhol, we kwamen overal vandaan, tot Okinawa aan toe, en iedereen vertelde verhalen. We stonden er allemaal hetzelfde voor.' Hij staart naar de golvende heuvels. 'Kom.'

Over het plateau bereiken ze het pad dat omlaag voert langs de oostelijke en met wilde azalea's begroeide heuvelflank. Aan de voet ervan, op de grens van het cederbos, ligt de kleine dorpsbegraafplaats verscholen. Haar neus begint steeds heviger te kriebelen, alsof er mieren doorheen lopen, haar oogleden schrijnen. De ceders, de cederpollen zijn het, beseft ze. In haar jeugd bezorgden die haar ook altijd ontstoken slijmvliezen. Ze lopen naar de graven van hun grootouders en overgrootouders, met de witte, hoge graftabletten. Hier hadden ook de graftabletten van háár ouders kunnen staan, als hun lichamen waren teruggevonden. Op deze plek in de blauwe schaduw van hun geliefde bergen. Zij en haar neef knielen naast elkaar, ze buigen het hoofd, ze bidden.

'Met name je moeder, soms denk ik dat ze het me kwalijk neemt dat ik ben gekomen.' Ze heeft het lang voor zich weten te houden, maar nu ze de begraafplaats verlaten en weer naar het dorp teruglopen moet ze het kwijt.

'Nee, dat is het niet.'

'Wat dan? Heeft het met je zus te maken?'

Hij richt zijn hoofd op en kijkt haar aan.

'Ik weet wat er met haar is,' gaat ze verder.

'Ze is ziek,' mompelt hij en kijkt schuin van haar weg.

'Zwanger.'

'Ik kan daar niet over spreken.'

'Dat hoeft niet. Haar buik spreekt voor zich. En zal dat met de week meer gaan doen. Hoe ver is ze?'

'Vijf maanden,' zegt hij zacht.

'Heeft haar verloofde haar laten zitten?'

Hij knikt.

'Niet alleen in de grote stad zijn de mensen verrot,' kan ze niet nalaten op te merken. 'Daarom drinkt ze die smerige, groene brouwsels die je moeder voor haar maakt. Ik begrijp het nu allemaal.'

'Nee, je begrijpt nog niets.'

Voor ze nog iets kan zeggen of vragen gaat hij ervandoor, zijn hoofd eigenzinnig scheef in zijn nek, de schouder aan de kant van zijn kruk onder zijn hemd opbollend. Zijn broekspijp slobbert om het dunne, lamme been. 'Hideki!' roept ze. Maar hij luistert niet. Als een getergd, kreupel paard hinkt hij van haar weg.

Haar tante zit op de veranda en raadpleegt met Sada haar almanak. Hun stemmen klinken zacht en haar tante wordt halverwege een zin stil als Michiko na het voeren van de kippen naar de veranda terugkeert. Maar uit wat ze heeft opgevangen, maakt Michiko op dat tante de geschiktste datum voor een miskraam probeert te bepalen. De almanak biedt uitkomst, eerst bij het zoeken naar een gunstig gesternte voor Sada's huwelijk, en nu dat van de baan is, naar het geschiktste moment om de bastaard voortijdig uit zijn warme bad in de moederschoot te drijven.

'Michiko,' klinkt het als ze de veranda op stapt. Ze verstijft, beducht voor de kleine hatelijkheden en speldenprikken waarmee haar tante haar overlaadt. 'Roer de soep. Met een houten lepel, langzaam en over de bodem, zodat alles loskomt. Denk je dat je dat kunt?'

Binnen op het fornuis pruttelt de ijzeren kookpot. De gaargekookte stukken varkenskop komen bovendrijven als ze de soep omroert. Ze zakken tussen de plakken wortel en de uienringen weg en stijgen weer op, een uitgekookte wang met een oogkas, een oor, een langgerekt stuk bek met de tandjes er nog in. De zwaarbevleesde stukken verspreiden een smerige stank die zich in haar neusgaten nestelt. Ze houdt haar adem in. Ze sluit haar ogen. De vettige wasem uit de pan slaat neer op haar gezicht. Ze vecht tegen de opkomende neiging om over te geven. Buiten klinkt het geheimzinnige gefluister van haar tante.

Tijdens het avondeten krijgt ze de soep nauwelijks weg. Het vlees is van het bot gehaald en in kleine stukjes gesneden, maar de geur ervan volstaat om haar op de rand van kokhalzen te brengen. Ze komt maar net zonder ongeluk de maaltijd door en wast haar gezicht buiten bij de pomp. Uit de houten opscheplepel drinkt ze koud water. Hideki is in het schuurtje, weet ze, en nog maar een paar dagen geleden zou hij op een moment als dit naar buiten gekomen zijn om met haar te praten. Ze overweegt om naar hem toe te gaan in het schuurtje, maar besluit het niet te doen en in plaats daarvan kijkt ze bij haar bloementuintje. De stekjes zijn al wat gegroeid en de rozenstruik staat er goed bij. Op Hideki's aanwijzingen heeft ze de wortelkluit in een diep uitgegraven gat geplaatst tussen geitenmest, compost en zwarte aarde. Boven haar onkruidvrije perkje, een strook van anderhalve meter lang, hangt een dikke wolk van gonzende, groene vliegen in het late zonlicht. Ze plukt een verdord blaadje en een takje van de zwarte aarde.

'Michiko?'

Achter haar staat haar nicht, die zich waagt aan een vreesachtig lachje.

'Ja, Sada?'

'Ik zou graag even een wandeling met je maken.'

Ze gaan het hek van het achtererf uit en lopen in de ondergaande zon langs de voet van de heuvel. Aan de rand van het dorp scharrelt een groepje honden die zich als schimmen aftekenen onder de bomen.

'Je moet wel denken dat wij iets tegen je hebben,' zegt Sada. 'In zekere zin is dat ook zo.'

Slapheid vloeit door Michiko's lichaam.

'Je weet wat er aan de hand is,' vervolgt haar nicht. 'Je hebt mijn buik gezien.'

Ze knikt.

'Je denkt natuurlijk dat ik onvoorzichtig ben geweest.'

'Dat is niet mijn zaak.'

'Ruim vijf maanden geleden kwamen hier drie mannen, drie Amerikaanse militairen. Ze reden in een jeep, ze waren gewapend. Ze namen vijf vrouwen mee het cederbos in, en een meisje van dertien. De man die mij had gekozen, trok me aan mijn haren, sloeg me over mijn hele lichaam, schopte me in mijn buik. Nog nooit in mijn leven heb ik zo'n pijn gehad, ben ik zo bang geweest. Ik moet bewusteloos zijn geraakt, want het volgende moment waren mijn kleren van me afgescheurd. Het was donker tussen de bomen. Ik dacht: ik leef nog. Even had ik hoop dat nog niet alles verloren was. Ik lag op mijn rug. Toen zag ik zijn gezicht boven me. Ik begon te huilen. Hij stond naar me te kijken terwijl ik hem smeekte me niets aan te doen. Zijn gezicht had geen uitdrukking, alsof ik er niet was. Hij rookte een sigaret. Hij rookte hem op en gooide hem weg. Ik kon geen geluid meer maken, alles stokte in mijn keel. Toen maakte hij zijn broek open.' Ze pauzeert even. Michiko ziet het voor zich, de cederbomen, de takken en naalden onder het naakte lichaam, de sigaret in de mond van de man. De geuren en geluiden van de vroege avond omgeven haar, hars, vogelgezang, het blaffen van een hond.

'Een kind in je buik hoort een geschenk te zijn.' Sada schudt langzaam haar hoofd met een vreemd lachje om haar mond. 'Dit hier,' ze wijst naar haar buik, 'dit is het werk van een demon.'

'Sada, ik vind dit zo vreselijk voor je.' Michiko's stem breekt en nog nauwelijks verstaanbaar zegt ze: 'Ik had geen idee.'

'Jij hebt je ouders verloren,' zegt Sada. 'Trek niet de conclusie dat het ons niet raakt. Maar alles in ons leven is nu zwart.' Ruw, onverhoeds, grijpt Sada Michiko's pols, leidt de hand naar haar buik. 'Voel!' Naast de navel van haar nicht beweegt iets. Geschrokken trekt Michiko haar hand terug. 'Zolang dit leeft,' zegt haar nicht, 'komen wij niet aan leven toe. We ademen, slapen en eten, maar we leven niet.' Ze zucht. 'Wij zijn dood en dan kom jij.'

Als ze terugkeren naar het dorp, gooit een oudere vrouw met een doek om haar hoofd juist groenteresten op de composthoop in haar tuin. Ze is dichtbij, maar zodra ze hen opmerkt, slaat de vrouw haar ogen neer.

'Niemand weet zich raad met de situatie,' verklaart Sada, 'het is overal. Een van de vrouwen is er vanaf, ze heeft zich aan de dakspanten van de stal verhangen. Of ze zwanger was, heb ik nooit gehoord; twee vrouwen zijn niet zwanger geworden; de moeder van Keiji wel.'

'Was zij er ook bij?' Een op de rug en een in de buik, herinnert Michiko zich.

'Een meisje van dertien heeft een miskraam gehad. Maar al was dat niet gebeurd, zij zou ook na haar zwangerschap nog een toekomst gehad hebben.'

'Met een kind van een Amerikaanse verkrachter?'

Sada laat een kort, schamper lachje horen. 'Ha! Van een kind kan natuurlijk geen sprake zijn.'

'Wel als het blijft leven.'

Ze schudt haar hoofd in hevige ontkenning.

Ze zijn weer terug en staan voor het hekje van het erf. Bekaf van de wandeling blijft Sada staan. Haar ogen puilen troebel uit haar doodsbleke gelaat.

'Dank je dat je me in vertrouwen hebt genomen,' zegt Michiko zacht.

'Ik moet jou bedanken. Voor het geduld dat je met mij en mijn moeder hebt.'

Ze lopen samen terug naar het huisje en Sada gaat naar binnen, maar Michiko blijft nog even op de veranda staan. Haar oom zit er zoals iedere avond zijn pijp te roken. Hij lijkt haar niet op te merken. Hij rookt en staart voor zich uit, naar het cederbos dat als een muur van stilte voor hem staat.

7

Alles druipt en glinstert na de regen van de nacht. Op de nok van het schuurtje loeren kraaien naar de natte bessen in zijn moeders moestuin. Hideki klapt in zijn handen om ze te verjagen. Krassend vliegen ze op. In het zilveren ochtendlicht hangt Michiko de was op een droogrek van bamboestokken. Zijn zuster geeft haar de uitgewrongen kledingstukken een voor een aan. De verstandhouding tussen die twee is aanmerkelijk verbeterd. Het doet Michiko zichtbaar goed, ze is kalmer, alsof haar ongedurigheid bedaart. En hij is opgelucht, want nu kan hij weer vrijuit met zijn nicht praten. Zonder de gesprekken met haar zou hij zich geen raad weten. Ze weet veel van het leven, meer dan zijn zuster en zijn ouders. Zij luistert naar hem en voelt zich bevrijd. Hij luistert naar haar en treedt een andere, onbekende wereld binnen. Die van het grote huis met de paradijselijke tuin van de buitenlandse dame die de kinderen, neefjes en nichtjes van de keizer lesgaf.

'Ik droomde vannacht dat ik in Tokio was,' zegt Michiko. Zijn zuster is nu binnen en hij hangt op zijn kruk bij de ren waar Michiko in het plakkerige stro knielt om de eieren te rapen.

'Ik moest mijn haar wassen en mijn mooie jurk klaarleggen voor een optreden.' Ze komt overeind met de eieren in haar schort. De kippen schieten kakelend langs haar bemodderde zori weg. 'En toen werd ik echt wakker, hier. Ik mag niet klagen, ik weet het, maar ik mis mijn leven.'

'Ik heb een vraag,' zegt hij. 'Die dame heeft je in haar huis opgenomen. Ze is goed voor je geweest. Waarom wees ze je dan de deur?'

Ze staart langs hem heen naar de dichte bossen op de heuvelflank, waar het geluid klinkt van zijn vader en de andere mannen van het dorp die stronken uitgraven en takken snoeien om het dode hout te verwijderen, zoals ze generatie na generatie gedaan hebben.

'Er kwam in dat huis een man voor pianoles. Iedere week, soms wel twee keer. We leerden elkaar kennen. Mevrouw Haffner was ertegen. Uiteindelijk was dat de reden dat ik weg moest. Omdat ik die man bleef zien.'

'Is dat de man die je de ring heeft gegeven?'

Ze knikt en neemt een van de eieren in haar hand, bestudeert het alsof het donsveertje dat aan de schaal plakt haar voor een intrigerend raadsel plaatst.

'Waarom zorgt hij niet voor je? Als hij je zo'n mooie, dure ring schenkt, moet hij om je geven.'

'Ik wil niet dat hij voor mij zorgt. Hij is getrouwd.' Ze legt het ei voorzichtig terug in haar schort. 'Hij heeft een vrouw en kinderen in Europa.'

'Een *westerse* man?' Hij weet niets meer te zeggen. Van liefdeszaken heeft hij geen verstand, van wat westerse mannen beweegt nog minder. Sommige Japanse mannen, die het zich financieel kunnen permitteren, houden er naast hun wettige echtgenote een minnares op na. Misschien geven die mannen meer om hun minnares dan om hun eigen vrouw. Meer dan Sada's verloofde om zijn zuster gaf. Hun voorgenomen huwelijk was een geheel van afspraken. Een ervan was geschonden. Buiten de schuld van zijn zuster, maar daar ging het niet om.

Als het er niet toe doet, zolang het makkelijk is, zijn mensen bereid tot concessies, medeleven, hulp, maar zodra het moeilijk wordt, regeert de harde hand: Sada aan de kant gezet; Michiko verbannen.

Het opdringerige geluid van een fietsbel doorbreekt zijn overpeinzingen. Keiji, gekleed in een oud uniformjasje van zijn vader, staat met zijn fiets achter het hek. Hij zwaait met een bamboezwaard en zijn blik blijft hangen aan de plek waar die grote met de donkere krullen met zijn machtige lichaam krakend door het hek omlaag kwam. Hideki vraagt zich af of Keiji daar nu ook aan denkt.

'Ze zijn groter geworden.' Dezelfde woorden die Keiji iedere dag herhaalt. De roos heeft rode, fluwelige bladeren aan de stelen gekregen.

Om te voorkomen dat hij de hele dag met Keiji opgescheept zit, geeft Hideki hem niet te veel aandacht. De ochtendbries blaast het om Keiji's lijf slobberende uniformjasje open. Zijn gezicht toont nauwelijks expressie terwijl hij opnieuw met het bamboezwaard zwaait, nu boven zijn hoofd. Plotseling, alsof hij een geheim teken krijgt, fietst hij met klakkende tong verder.

'Weet je al wanneer je terug naar Tokio gaat?' vraagt hij aan Michiko.

'Over niet al te lange tijd,' zegt ze.

'Hier heb je een dak boven je hoofd, hier heb je eten.' En familie, *mij*, denkt hij erachteraan.

'Dat is een geluk,' zegt ze. 'Maar blijven kan ik hier niet. Ik ben er alleen nog niet uit.'

'Waaruit?'

'Gewoon,' zegt ze en hij kent haar inmiddels goed genoeg om te begrijpen dat ze over dit onderwerp uitgesproken is.

'Die man,' wil hij weten, 'wat doet hij in Tokio?'

'Hij is de Nederlandse rechter bij het tribunaal.'

Tribunaal, het woord spookt de hele verdere dag rond in zijn hoofd, bij de rivier tijdens het vissen, aan het eind van de middag gedurende zijn klim omhoog terug naar het dorp, in de lage zon, die heet en drukkend als een eierdooier boven de heuvel hangt.

Na het avondmaal zitten ze samen op de veranda. Hij staart naar het gloeiende puntje van de wierook dat oplicht in de schemering. Binnen luisteren zijn vader en moeder naar het nieuws op de radio, hun laatste aanwinst, geruild voor een zak zoete aardappels en wat gezouten vlees van bedenkelijke kwaliteit. Michiko en hij kunnen de nieuwsberichten volgen. 'Het tribunaal loopt opnieuw vertraging op.' De rest kunnen ze niet verstaan want zijn vader praat door de uitzending heen.

'Die rotoorlog hadden we niet nodig,' horen ze hem mopperen. 'En die poppenkast in Tokio ook niet. Kijk toch eens naar de klerezooi in het land. Is dat soms niet genoeg?'

Michiko neemt Hideki op met een blik van verstandhouding. Ook dit delen ze vanaf nu. De man van de ring, Hideki probeert zich een voorstelling van hem te maken. Een blanke man aan een piano, in een rechtszaal. Deze vage figuur moet over het lot van generaals en ministers beschikken, Japanners. Zelf had hij de straffen van de drie Amerikanen bepaald en ze samen met Keiji's vader ten uitvoer gebracht. Hij zou niet trots moeten zijn op zijn gewelddadigheid, maar hij is het wel. Iets in hem is een monster. Nog steeds. Wat kan het anders zijn?

Maar de wezenlijke vraag is of hij juist gehandeld heeft. Hij staat achter wat hij gedaan heeft. Waarom zou hij dan niet trots mogen zijn?

Voor hij zich in het schuurtje terugtrekt, loopt hij een stukje door het dorp, wat hij bij voorkeur stilletjes in het duister doet, als niemand hem kan zien of aanspreken. Keiji's fiets ligt plat op de grond voor zijn huis. Hij heeft de jongen de hele dag genegeerd. Uit zijn ooghoek neemt hij achter het huisje silhouetten waar. Een diepe, gedempte mannenstem die wordt beantwoord door het ijle geluid van Keiji's moeder, smekend. 'Ik kan het niet,' hoort hij Keiji's vader zeggen. Het volgende moment lost een van de silhouetten in het donker op. Wat overblijft is het stille geschrei van Keiji's moeder.

Ondanks haar problemen mag Michiko nog van geluk spreken dat ze, toen hij achter in de jeep die kerels de weg omhoog wees, nog in Tokio verbleef. Was zij hier geweest, dan zou ook zij mee het cederbos in zijn gevoerd. Keiji's moeder en zijn zuster zijn beiden knappe vrouwen, maar Michiko is minstens zo knap, waarschijnlijk voor een westerse man nog aantrekkelijker. Dat daarin je lot besloten kon liggen, het mooiste gezicht, de mooiste hals, de mooiste borsten en benen. De mooisten de pechvogels.

Nog altijd is hij geschokt door de gewelddadigheid waarmee de vrouwen zijn onteerd. Maar meer nog raakt hij in de greep van verwondering over de taaiheid van die schoften. Ze mochten dan wegrotten in de duisternis van hun dood, maar helemaal gewonnen hebben ze zich nog niet gegeven. In de buik van zijn zuster en Keiji's moeder bereiden ze hun terugkeer naar de wereld voor.

Plotseling en hevig mist hij zijn oude maten. Hun warmte en bescherming. De lang aangehouden liedjes met de schunnige teksten. Het diepe gesnurk in de nacht, het gevoel van volkomenheid dat hij kende in de dagen dat ze, ver van huis, onoverwinnelijk leken en ze met hun zware laarzen het stof in het maanlicht lieten dansen.

Onder de eerste sterren keert hij terug naar huis en loopt in één keer door naar het schuurtje. Achter de deur van de plee gooit iemand de inhoud van haar maag leeg.

Zijn zuster. Omdat ze mooi is.

8

In haar verstelde nachthemd kruipt Michiko onder het mus-
kietennet dat zij iedere avond met haar nicht aan de haken
hangt en waar zij dicht naast elkaar als zusters onder slapen. Ze knielt op haar futon en zegt: 'Ik heb koud water
voor je meegenomen.'
Sada komt moeizaam overeind en neemt een slok, geeft
haar de kom terug en gaat met een diepe zucht weer liggen.
Michiko strekt zich naast haar uit. Bij hun hoofd klinkt
het gegons van de muggen die dicht langs het net getergd en
bloeddorstig een toegang tot hun lichaam zoeken.
'Hoe voel je je?'
'Slecht,' zegt haar nicht met zwakke stem. 'Maar, als ik me
goed zou voelen, zou het erger zijn.'
'Was je in het begin meteen misselijk?'
'Alleen na het innemen van de kruiden.'
Ze wensen elkaar goedenacht en Michiko draait zich op
haar zij, afgewend van Sada's dikke buik. Het maanlicht
valt door een spleet van de raamluiken op de vloer. Michiko
proeft het scherpe maagsap op haar lippen, ook al heeft ze,
nadat een golf braaksel in de plee was beland, goed haar
mond gespoeld. Het vreemde is dat ze nu wel weer trek
heeft. Zo is het voortdurend de laatste week, misselijk en het
volgende moment trek, soms tegelijk. Ze stelt zich de zoete
aardappels in sojasaus en suiker van mevrouw Tsukahara

voor. Haar ingemaakte zoetzure knolletjes. En de geroosterde door sesamzaadjes gerolde rijstballen. Daar zou ze op dit moment een hele schaal van op kunnen. Ze legt een hand op haar buik en een korte, hevige rilling trekt door haar heen. Haar menstruatie is voor de tweede keer uitgebleven. Haar misselijkheid wint met de dag terrein. Er is geen ontkomen meer aan.

Het maakt haar terugkeer naar Tokio niet eenvoudiger. In de hoofdstad waren de oude regels van fatsoen en mededogen niet meer geldig, overleven was voor een jonge vrouw alleen al onmogelijk, laat staan voor een jonge vrouw met een baby. Opnieuw trilt haar lichaam. Het leek nog maar zo kortgeleden dat ze in vrede op een met zijde afgebiesde futon sliep. In de bergen lijkt alles hetzelfde. Kale toppen, kale levens vol vrees voor verandering. Ze is hier geboren, toch voelt het vanaf het allereerste moment alsof het allemaal niets met haar te maken heeft.

Hij, de vader van het kind dat in haar groeit, is in Tokio. Zijn vrouw moet inmiddels weer naar Europa vertrokken zijn. Denkt hij aan haar? Verlangt hij naar haar zoals zij naar hem? Ziek van de behoefte om begeerd te worden, sluit ze haar ogen. Hij is een fatsoenlijke man, daar twijfelt ze niet aan, en hij heeft beloofd haar te helpen als ze terug zou keren. Maar toen hij dat zei, speelde haar zwangerschap geen rol. Als ze het dorp verlaat en terugkeert naar Tokio is het definitief, de weg terug naar haar familie zal dan afgesloten zijn. Is zij zeker genoeg van haar zaak, van hem, om het risico te nemen? In de duisternis draait ze aan haar ring alsof er een magische kracht in schuilt. Op dit moment voelt ze zich zo zwak dat ze aan om het even welke hogere macht zou willen vragen haar weer terug te voeren naar de tijd dat haar ouders nog leefden. Ze mag niet toegeven aan een inzinking. Ze moet vasthouden aan wat ze zich voorgenomen heeft, aan de dingen die belangrijk zijn en waar ze van houdt. Zonder zich door wie of wat ook te laten afleiden. Ze had een plan. Nog steeds. Ook al zijn de omstandigheden niet meer dezelfde. Ze moet hem een brief schrijven, vertellen dat ze nog hier in het dorp is. Aan de hand van zijn reactie zal duidelijk worden of ze het erop moet wagen. Morgen zal ze hem schrijven. Een korte brief.

Achter haar gaat de onrustige ademhaling van haar nicht over in gehijg en gesnuif, de cyclische onrust, gevoed door de nachtmerries die Sada net voorbij de grens van de slaap iedere avond opwachten. Ze draait met haar lichaam, trappelt met haar voeten. Zachtjes begint ze te huilen, nog steeds in haar slaap. Michiko draait zich op haar andere zij en pakt de hand van haar nicht vast. Er is geen troost, geen enkele remedie, alleen de herinnering die steeds weer tussen de duistere bomen opdoemt. 'Sada,' fluistert ze tegen haar woelende, snikkende, vechtende nicht.

Geleidelijk kalmeert Sada en eindelijk slaakt ze de diepe, verlossende zucht waar Michiko op wacht. In gedachten keert ze terug naar het perron van het station. Zijn blik op haar toen zij al in de trein zat, in de eersteklascoupé. Dwars door het glas heen voelde ze die blik van hem, maar ze weigerde terug te kijken. Ze moest haar waardigheid bewaren, daar was haar alles aan gelegen. Dat is het laatste geweest wat hij van haar heeft gezien. Achter het glas van het rijtuig, een vrouw die niet naar hem kon kijken. Een vrouw van wie hij, als ze morgen naar Tokio zou terugkeren om hem over haar zwangerschap in te lichten, misschien zou denken dat ze hem in de val lokt.

'Lieve Rem' of 'Liefste'? In ieder geval zal haar brief kort zijn. Ze weigert zich te vernietigen in een weeklacht van bedelende woorden.

9

Hideki keert terug van de akkers aan de rand van het dorp waar hij de wacht heeft gehouden. Naarmate de oogsttijd nadert, neemt het aantal rondsluipende rovers die het op de gewassen voorzien hebben toe. De taak van bewaker wordt bij toerbeurt vervuld, maar hij is de enige die zich als vrijwilliger aanbiedt, het is een van de schaarse mogelijkheden om zich nuttig te maken. 'Dank je, Hideki' is als balsem voor zijn oren.

'Handen dicht, handen open; klap in je handen, doe ze dicht...' Kindergezang en handgeklap waaien hem tegemoet als hij het huis van zijn oom nadert. Op de veranda van het huis van Hideki's oom zit Michiko met een groepje kinderen in een halve kring om haar heen. Sinds enige weken oefent ze op deze plek traditionele kinderliedjes met de kleintjes die nog niet naar school gaan. Keiji zit er met zijn grote lichaam ook tussen en doet met een verhit hoofd mee. 'Handen dicht, handen open; doe ze omhoog...' Keiji's handen reiken het hoogst en met onverholen trots kijkt hij op de andere kinderen neer.

In het schuurtje achter het huis ligt zijn oom uitgevloerd naast de houten bak met sake.

De kinderen zingen nu een liedje dat hij vroeger op school heeft geleerd, over de sneeuwvlokken die maar blijven vallen en de hond die blij over het erf rent en de kat die opge-

255

rold voor de warme stoof ligt. Liedjes uit een inmiddels ongeloofwaardige wereld. Het valt te hopen dat zijn oom niet wakker wordt, want met een slok op mag hij graag zelf zingen. In zijn benevelde coupletjes, vol trillers en glissando's, marcheren kinderen met zwaarden door de veroverde gebieden, waar ze fier de witte vlag met de rode zon hijsen.

Michiko zit rechtop in lotushouding en haar zuivere stem klinkt boven het geluid van de kinderen uit. Bij iedere ademhaling bolt haar buik op onder de katoenen kimono. Soms heeft het er de schijn van dat ook Michiko 'een van de vrouwen' is. Zijn oom en tante hebben zich grote opofferingen getroost voor Michiko's kansen, maar alles gebeurt op een manier die je nooit verwacht. De klappen van het leven. Ze komen als je er het minst op bent voorbereid. Je krabbelt op, vervuld van ongeloof, om weer neergeslagen te worden. Voor Michiko is er ondanks alles een toekomst, ook als ze hier zou blijven – wat hij hoopt. 'Het was een vergissing van haar om terug te komen,' heeft zijn vader onlangs verzucht. Maar zijn vader heeft het mis. Misschien kan ze lerares worden op de school langs de grote weg, waar de kinderen uit hun dorp en de omringende dorpen heen gaan. Hij zal haar helpen een eigen huis te bouwen.

Het gezang is gestopt en de kinderen komen overeind. Dan gebeurt er iets, misbaar, gespuug, geschreeuw, Keiji die een harde duw geeft. Het twee koppen kleinere jongetje dat net nog naast Keiji stond, ligt nu op de grond, huilend. Michiko helpt hem overeind en troost hem.

'Niet! Niet! Niet!' schreeuwt Keiji. Hij springt van de veranda en stormt op zijn fiets weg.

'Hij heeft iets tegen Keiji gezegd,' verklaart Michiko het voorval, 'iets over zijn moeder.' Ze lopen samen op naar het huisje van zijn ouders. 'Klopt het dat Keiji erbij was toen die soldaten werden gedood?'

Hij zwijgt.

'En dat hij weet wat er daarna met ze gebeurd is?'

'Heeft hij je dat verteld?'

'Ja. Maar is het waar?'

'Ik vrees van wel.'

'Ik heb echt medelijden met Keiji. Het jongetje had gezegd dat in zijn moeder een witte demon met een grote neus groeit.'

'In de kinderen echoot de loslippige domheid van hun ouders.'

In de deuropening van Keiji's huis zien ze hoe zijn moeder hem vasthoudt en met haar gezicht dicht bij dat van hem zacht op hem inpraat, de gezwollen buik tussen hen in. Onverhoeds rukt de jongen zich los en rent van haar weg.

'Waar zijn ze gebleven, die militairen?' vraagt Michiko.

'Opgeruimd,' zegt hij kortaf.

'Waar?'

'Op een plek waar ze niet gevonden zullen worden, als tenminste niemand zijn mond voorbijpraat.'

'En de kinderen, wat zal er gebeuren met de kinderen als ze...'

Hij laat haar niet uitpraten. 'Er is geen plaats voor ze.'

Het kaf wordt gescheiden van het koren. Begrijpt ze dat dan niet? Het is de werkelijkheid van de bergen, al honderden jaren. Onwettige kinderen, mongooltjes, ze verdwijnen, er is geen plaats voor ze in de gemeenschap. Iedereen weet het, niemand spreekt erover. Hoe zouden ze dan wel het bewijs van de allergrootste schande kunnen dulden? Dat moet ze toch inzien.

De schok die zijn woorden haar bezorgen is groot. Ze blijft staan, haar ogen op hem gericht. De zon is al warm en hij heeft nog al zijn kleren voor de nacht in de hut aan. Met zijn zakdoek dept hij zijn nek.

De kleintjes verdwijnen joelend en elkaar nazittend tussen de ceders. Behalve zij durft niemand daar te komen, alsof er een mensenetende tijger rondsluipt. Voor de kinderen is het gewoon een bos waar je verstoppertje kunt spelen, een onschuldige plek met koele schaduw, heilige bomen. Hij ziet slechts de uitdrukkingsloze ogen voor zich, dof en donker als natte leisteen. Hij had de man gedwongen om hem aan te kijken voor hij met de bajonet op hem instak. Dat was het laatste wat hij moest zien, hem, de manke met het mismaakte gezicht, de man die het finale sprankje hoop vernietigde.

'Michiko…' Zoals zij naar hem glimlacht terwijl ze eigenlijk aan die man in Tokio denkt.

10

'Sada,' zegt Michiko, 'zo kan het niet langer.'
Ze giet een bademmer warm water uit over de nek en rug
van haar nicht in de tobbe. Sada's rugwervels schemeren als
een rij knopen door de blanke, natte huid. Al weken eet haar
nicht nauwelijks. Niet haar misselijkheid, maar haar weigering om voedsel tot zich te nemen is de oorzaak. Het beetje
dat ze naar binnen werkt als haar moeder haar daartoe aanspoort, dwingt bijna, verdwijnt net zo snel weer in de plee.
De uitstekende sleutelbeenderen, de smalle reep schaduw
die haar ribben op haar uitpuilende buik werpen, de magere benen, ze zijn de tekenen van de strijd, de laatste ronde
van het gevecht dat ze met het ongeboren kind levert.
'Sada, je moet weer gaan eten.'
'Ik heb geen honger.' Haar droge lippen zijn doorsneden
met kloofjes. 'Nog drieëntwintig dagen. Ik heb het uitgerekend.'
'Het beetje dat je lichaam nog in reserve heeft, gaat naar
het kind. Zo is de natuur.' Ze klinkt als een dokter die op
een onwillige patiënt inpraat. 'En dan sterf jij.'
Michiko zit op haar knieën en sopt met spons en zeep de
magere arm en schouder. Ze zwijgen. De donkere vocht-
vlekken in de rand van de tobbe, de haakjes met hun kimono's eraan, hun zori dicht naast elkaar op de vloer. Al die
voorwerpen roerloos maar nadrukkelijk.

'Het kan,' zegt Sada zacht, 'het moet.'

Weer valt er een stilte en Michiko probeert te bedenken wat ze kan zeggen, kan inbrengen tegen die woede en haat. Zinloos, die haat, denkt ze, een zichzelf verslindend monster. Zij probeert niet te haten. Niet zichzelf, noch mevrouw Haffner, noch de man van wie ze niets heeft gehoord sinds ze hem een brief schreef. Moeizaam komt ze van haar knieën overeind. Ook haar buik is gegroeid, haar navel puilt uit. Ook zij heeft gerekend. Negentig dagen nog voor haar. Ze loopt om de tobbe heen en knielt voorzichtig aan de andere kant. Buiten klinkt het geluid van de laagstaande rivier. De lucht ruikt naar naderende regen en verwelkte bloemen, het einde van de zomer, maar de temperaturen zijn nog mild. Haar vader zei altijd dat dit het mooiste deel van het jaar in de bergen is. De laatste tijd heeft ze geprobeerd zich te verzoenen met het idee dat ze haar terugkeer naar Tokio moet uitstellen. Aanvankelijk keek ze iedere nieuwe ochtend naar een brief van hem uit. Weken gingen voorbij, een nieuwe maand. De tijd verdween zonder dat ze het besefte, er was niets dan leegte tot ze begreep dat het niet meer zou gebeuren, en ze zich zo futloos voelde dat ze zich er met geen mogelijkheid nog toe had kunnen zetten om te vertrekken. Ze versufte, zich schikkend in doelloosheid, in gevangenschap. Nog negentig dagen. In zekere zin is ze aan haar leven hier gewend geraakt, aan haar neef, haar nicht, haar zangklasje, haar eigen strookje bloementuin, zelfs aan de bergen. Met de halsstarrigheid waarmee je je met dingen verzoent die zich moeizaam laten overwinnen.

Als haar nicht uit de tobbe klimt, is het haar beurt. Ze laat zich tot aan haar kin in het lauwe badwater zakken. Ze legt haar hand op haar zwevende buik en voelt het bewegen binnen in haar, zoals altijd als het water haar gewichtloos maakt.

Het schoppen onder haar hand als een harde, onregelmatige hartslag.

Haar nicht droogt zichzelf met ruwe bewegingen af, waarbij het natte, slordige haar als een gordijn voor haar gezicht zwaait. Ze straft zichzelf, denkt Michiko, voor iets wat buiten haar schuld ligt. 'Nicht,' zegt ze, 'beloof me dat je vanavond in ieder geval een beetje rijst eet.'

Sada knielt bij haar neer, wrijft de spons over het stuk zeep en sopt Michiko's nek en schouders tot ze met romig schuim bedekt zijn.

'Als ik terugdenk aan mijn verloofde,' de stem van Sada klinkt fluisterend, bijna raspend dicht bij haar oor, 'denk ik niet meer aan dezelfde man. Hij is veranderd. En als ik terugdenk aan mezelf, zie ik ook iemand anders. Dat is misschien nog de gemeenste streek, dat zelfs mijn verleden niets waard lijkt.'

'Het is gedaan met onze familie-eer.' Ze zitten op de grond voor het avondmaal en het is een van de zeldzame momenten dat haar oom het woord neemt. Meestal eet hij in stilte en beperkt hij zich tot het registreren van iedere hap rijst die in Michiko's mond verdwijnt, alsof hij bang is dat ze misbruik maakt van zijn gulle zorgzaamheid. Bij Sada vergeleken voelt Michiko zich een veelvraat.

'We zullen er alles aan doen om die te herstellen,' gaat haar oom verder. 'Het zal misschien twee, drie generaties duren.' Er valt een lange stilte waarin Michiko een diep medelijden voelt met haar nicht, die naar de grond staart. Ze kijkt opzij, naar Hideki, die stug en stil voor zich uit kijkt. Ook hij lijkt verre van op zijn gemak. 'Wat onrein is,' klinkt de stem van haar oom dreigend, 'zal moeten verdwijnen. Dat offer moet gebracht worden.'

Na de maaltijd verdwijnen Hideki en zijn vader naar de veranda en Sada wast zich bij de pomp op het erf of, waarschijnlijker, probeert de paar hapjes die ze naar binnen heeft gewerkt buiten het gezichtsveld van haar moeder weer kwijt te raken. Michiko helpt haar tante met het drogen en terugzetten van de kommen en lepels, het vegen van de vloer. Het hoge gezang van de cicaden drijft op de avondwind het huisje binnen.

'Michiko,' zegt haar tante fluisterend, alsof ze niet wil dat de mannen buiten haar kunnen horen. 'Ik stel het op prijs dat je zo zorgzaam bent voor Sada.' Er klinkt een zweem van tederheid in haar stem door. 'Je bent als een zuster voor haar.'

Michiko buigt, verrast door dit zeldzame, openlijke vertoon van waardering.

'Als zuster van je moeder voel ik me verantwoordelijk voor je. Ik moet je iets vragen. Van wie is het kind dat je draagt?'

Ontredderd laat ze de bezem uit haar handen glijden en kijkt haar tante aan.

'Een Japanse man?' De toon van tantes stem verraadt dat ze meer weet dan ze voorwendt.

'Nee, tante.'

'Een blanke?'

Ze staart naar de bezem aan haar voeten. Zonder op te kijken, zegt ze: 'Maar geen Amerikaan.'

'Er zal hier geen plaats voor zijn,' zegt haar tante. 'Begrijp je dat?'

In de stilte die valt, is het gekuch van haar oom op de veranda te horen. Ze voelt haar moed, haar hoop zinken, steeds dieper verzinken.

Haar tante rommelt in het kastje waarin het voedsel wordt opgeborgen en houdt een stopflesje omhoog. 'Hier,' zegt ze met een gezicht alsof ze diep meeleeft met de zorgen waarvan Michiko met geen woord gerept heeft. 'Neem dit. Misschien heb jij meer geluk dan Sada.'

Michiko schudt het hoofd. Nu pas dringt tot haar door dat de woorden van haar oom niet zozeer voor Sada als wel voor haar bestemd waren geweest.

'Het zal je grote problemen besparen,' zegt haar tante, 'en niet alleen jou. Zo'n kind zou geen leven hebben, een bastaard, van een blanke.'

Op de veranda klinken de naderende voetstappen van Sada. Ze aarzelt. De donkere ogen van haar tante, zo vreselijk dichtbij, houden haar blik vast. Ze voelt hoe het flesje in haar hand gedrukt wordt. Ze heeft het vast. Langs haar nicht wringt ze zich door de deur naar buiten.

Achter op het erf staat ze bij haar tuintje, dat ze de laatste weken, door het uitblijven van regen, 's avonds bevloeit. In de schemering staart ze naar de rozenstruik, de bloemblaadjes droog en bruingerand. Aan de hemel wordt een oranje vlek opgeslokt door donkere, bijna zwarte wolken. Ze vraagt zich af of het fijne spatjes regen zijn die ze op haar gezicht voelt.

Ze neemt de kurk van het flesje en ruikt aan de opening. De bittere geur roept het beeld op van de duizendjarige heks die met haar lange stok de beschaduwde hellingen aftast.

Zo lang heeft ze gewerkt aan haar vorming, bevrijding; en iedereen, de westerlingen in Tokio en haar familie in de bergen evenzeer, lijkt haar te veroordelen om het resultaat: een Japanse met de bastaard van half westerse afkomst in haar buik. In al haar ruwe simpelheid heeft haar tante misschien het beste met haar voor. Want wat zijn haar vooruitzichten en die van een kind waarvan de vader een blanke is, een man die haar brief onbeantwoord laat? Afgedaan heeft ze voor hem. Ze mag het niet langer loochenen. Haar oom en tante zijn niet fijnbesnaard, duidelijk zijn ze wel: in hun midden is voor haar uitsluitend plaats zonder kind. Het flesje is zo klein, zo licht, zo onschuldig in haar hand. Ze staart ernaar. Het is halfvol, waarschijnlijk is het ontbrekende deel door haar nicht ingenomen, zonder resultaat. *Misschien heb jij meer geluk.* Ze staart nog een hele poos naar het flesje, tot het een ding geworden is. De inhoud giet ze uit over de uitgedroogde grond.

11

Meer nog dan naar zijn eigen ritme leeft Brink naar dat van
de zittingen en van de vergaderingen in het gerechtsgebouw, een kleine afgesloten wereld op zichzelf. Elke dag opnieuw dezelfde geluiden en gezichten, elke dag opnieuw het
metalen stemgeluid van de Marshal of the Court: 'All rise!'
En dan gaan ze naar binnen, hij als tweede, elke dag opnieuw tegenover de steeds blekere en pafferigere gezichten
van de verdachten, in het felle licht van de lampen, week in
week uit, steeds opnieuw. All rise! Een zekerheid die hem
leidt.

Vandaag is ook Pal van de partij. Evenals de echtgenote
van MacArthur en diens zoontje, junior, dat met rode wangen op de eerste rij van de volgestroomde publieke tribune
zit. Voor het gerechtsgebouw staan 's ochtends vroeg lange
rijen. De interesse van de pers en het publiek is de laatste
tijd afgenomen, er wordt nog nauwelijks over het tribunaal
bericht. Of het moet een rel betreffen, zoals het protest van
de verdediging aan de vooravond van de pleidooien. Gezamenlijk waren de advocaten van leer getrokken tegen het in
hun ogen te geringe aantal getuigen dat ze mochten oproepen en tegen het eveneens karige aantal tolken dat hun ter
beschikking stond: drie voor het complete team van verde-
digers, tegen honderddrie voor de aanklagers. Maar op
deze dag is de toeloop zo groot dat sommige journalisten

geen plaats meer in de rechtszaal hebben. De reden is Tojo
– 'het kwaad in eigen persoon', zoals een Britse radiojourna-
list hem typeerde –, die vandaag zal spreken. De fascinatie
van de deugdzame burger met het kwaad is een bekend ver-
schijnsel, niet alleen bij de media. Dat bloedige keuzes meer
boeien dan humane, weet Brink uit zijn ervaring als rechter.
Zoals hij ook weet dat verdachten vaak tegenvallen. In Tokio is het niet anders: in contrast met de opwindende aard
van de misdaden waarvoor ze aangeklaagd zijn, zitten er
nogal saaie, keurige heertjes van middelbare leeftijd in de
beklaagdenbank. Op Tojo na. Die lijkt niet onder te willen
doen voor zijn daden. De fotografen en journalisten van de
grote agentschappen bevechten elkaar de beste plekjes in
het persvak. Twee parketwachters voeren met korzelig ongeduld een protesterende reporter af die niet over de juiste
accreditatie beschikt. Tojo, de generaal, de minister-president, de strateeg en uitvoerder van de grote Japanse droom
die op een nachtmerrie uitliep. Het monster dat verantwoordelijk is voor twaalf miljoen slachtoffers, zoals in de Amerikaanse kranten voortdurend wordt herhaald. Volgens de
Japanse nationalisten daarentegen is hij de heldhaftige visio-
nair die jammerlijk aan het kortste eind heeft getrokken,
maar voor hun opinie bestaat dezer dagen geen podium.
Tojo begon zijn carrière in de voetsporen van zijn vader, in
het keizerlijk leger. Hij klom op tot chef-staf, minister van
Oorlog en werd uiteindelijk premier. Al als hoge militair gaf
hij blijk van zijn afkeer van het Westen. Met name het in
zijn ogen decadente materialisme van de Amerikaanse samenleving verachtte hij. Zijn politieke droom was één
groot Azië, onder leiderschap van Japan. Om die droom te
verwezenlijken moest om te beginnen de Pacific-vloot van
de Amerikanen uitgeschakeld worden en moesten de grond-
stoffen van Nederlands-Indië worden veroverd. Als kind

schijnt Tojo een bijziend opdondertje te zijn geweest, heeft Brink ergens gelezen.

Er valt hem iets in terwijl hij de nog steeds kleine man met de studentikoze bril met de ronde glazen, de volle snor en de eivormige, kale schedel bestudeert. Hitler, Stalin, en deze Tojo, meedogenloze dictators, ze hebben behalve hun megalomane narcisme en hun overtuiging dat de goden aan hun kant staan nog iets gemeen: ze stralen op het juiste moment, er gebeurt iets als ze opstaan, om zich heen kijken, zich opmaken om te spreken. De mythe hangt in de lucht. Een ongrijpbaar magisch gevoel doet het geroezemoes in de zaal als vanzelf verstommen.

Tojo voert de spanning op door eerst omzichtig zijn neus te snuiten voor hij de openingsvraag van hoofdaanklager Keenan beantwoordt. Zoveel openlijke minachting voor het hof heeft nog niemand in deze rechtszaal vertoond. Keenan, de ijzervreter die de grote gangsters van Chicago achter de tralies heeft gekregen, is behalve geërgerd vooral uit het veld geslagen als Tojo zijn zakdoek heel precies opvouwt en in de achterzak van zijn uniformbroek wegstopt, zijn hoofd een beetje schuin houdt en zijn keel schraapt. Iedere beweging, iedere weloverwogen blik van zijn spottende oogjes is geladen met een theatrale intensiteit, gedragen door een uitgekiende timing die het moment van spreken uitstelt.

Na een stilte die een eeuwigheid lijkt te hebben geduurd, spreekt Tojo in de microfoon: 'Ik geloof dat ik uw vraag niet goed begrijp. Kunt u hem preciseren?' Hij richt zijn blik op Keenan, daarna op de rechterstafel. Het is een blik die officiersopstanden heeft neergeslagen, complete kabinetten getiranniseerd. Heel even kijkt Tojo Brink recht in het gezicht voor hij zijn blik langs de andere rechters laat gaan. Deze aanklacht is verachtelijk, zeggen de ogen van Tojo, *u* bent verachtelijk; de veronderstelling dat u, stelletje marionetten in toga, mij ter verantwoording zou kunnen roepen – *mij*, Tojo! – getuigt niet alleen van een adembenemende vorm van zelfoverschatting, maar vooral van een gebrek aan historisch besef. Brink kan het niet helpen, maar even voelt hij bewondering voor de onverschrokkenheid van deze man, die geen deur in zijn cel heeft zodat hij vierentwintig uur per etmaal in de gaten gehouden kan worden om te voorkomen dat hij een eind aan zijn leven maakt. Toen de Amerikaanse MP's hem na de invasie thuis kwamen oppakken, schoot hij zich met een geweer in zijn buik. Die mislukte zelfmoordpoging, niet eens in de traditie van de samoerai met het zwaard, had hem iets van zijn glans ontnomen. Maar hier in de rechtszaal trekt hij het monument voor zichzelf weer op. De grootste schurk, de grootste vechtjas, met minachting voor zijn tegenstanders en de galg. Behalve zijn aanhangers genieten ook de media van zijn voorstelling. Tojo, een lieveling van de voorpagina. En voor het tribunaal is het niet minder dan een geluk dat de Amerikaanse legerchirurgen hem in leven hebben gehouden, want hij, meer dan alle anderen, moet terechtstaan. Wat Hitler de wereld heeft onthouden, zal Tojo in het volle filmlicht moeten schenken, zijn fysieke aanwezigheid en de aanschouwing van zijn veroordeling.

'Dan zal ik mijn vraag anders formuleren, *meneer* Tojo,' zegt Keenan met ingehouden woede, 'ik noem u geen *generaal*, want zoals u weet bestaat er geen Japans leger meer...'

Het steekspel is begonnen. Keenan stelt enkele vragen over de aanloop naar de oorlog. Japan, dat eerst China was binnengevallen, om die reden tegenover de Verenigde Staten en hun bondgenoten kwam te staan, en dat toen het machtigste land ter wereld de oorlog verklaarde.

'Ondanks pogingen van de Verenigde Staten om oorlog te voorkomen,' houdt Keenan Tojo voor, 'heeft u de onderhandelingen met de Amerikanen welbewust vertraagd om onverwacht te kunnen toeslaan.'

'We hebben lang onderhandeld, dat is correct. We waren van goede wil. Maar er zat geen schot of perspectief in de onderhandelingen. De Verenigde Staten zetten Japan het mes op de keel. Door de ons opgelegde sancties hadden we geen toegang tot olie en gas. Enerzijds was er deze economische verwurging van Japan, anderzijds de versterking van de Anglo-Amerikaanse militaire aanwezigheid in het Pacific-gebied. Het land was in gevaar. Er stond ons geen andere weg open dan oorlog.'

'U doet het ten onrechte voorkomen alsof de oorlog onvermijdelijk was.' Keenan bladert in de papieren van zijn zwarte dossiermap en verheft zijn stem. 'De feiten wijzen uit dat u welbewust de onderhandelingen hebt gesaboteerd en vertraagd. U koos voor een gewelddadige oplossing, een schending van alle internationale verdragen: een laffe verrassingsaanval waarbij de Amerikaanse vloot in Pearl Harbor werd platgegooid. En daarna heeft u door het mensonwaardige gedrag van de Japanse troepen de gehele beschaving de oorlog verklaard.'

Tojo blijft onder Keenans grote woorden onbewogen. Als een uitvergroting van het Japanse zelfbeeld – trouw, eerlijk, stoïcijns en superieur – wacht hij tot Keenan uitgesproken is. 'Het was ons doel om een nieuwe, rechtvaardige wereldorde te scheppen,' werpt hij tegen. 'Die alle naties en volkeren en rassen het recht gaf op vrede en vrijheid, en niet alleen de westerse landen.'

Uit de dossiers kent Brink Tojo's eerdere verklaringen. De man zegt niets nieuws, maar vandaag komt het papier tot leven.

'Die rechtvaardige wereldorde van u,' vervolgt Keenan met laatdunkend gesnuif het duel. 'Ik zal u vertellen hoe die eruitzag: In Chinese en Filippijnse dorpen werd door Japanse manschappen eerst het voedsel gestolen, daarna werden de vrouwen verkracht en ten slotte alle mannen, vrouwen en kinderen gedood. Ik zou dat willen bestempelen als een ideologie van de barbaarsheid. Waarvoor u medeverantwoordelijk was.'

'Van dat soort handelingen, als ze al hebben plaatsgevonden, waren mijn kabinetsleden en ik niet op de hoogte.'

'Door de getuigenverklaringen weten we tot in detail van al deze gruwelijkheden, gepleegd op zo'n immense schaal en volgens terugkerende patronen, dat slechts één conclusie mogelijk is: de misdaden werden of in het geheim verordonneerd of door de regering en leiding van de krijgsmacht gedoogd.'

'Op het slagveld gebeuren de vreselijkste dingen,' reageert Tojo, 'in iedere oorlog. Extreem gedrag is niet te voorkomen. Dat zal ik niet ontkennen. Maar gedurende dit tribunaal, dat toch al een hele tijd onderweg is, heb ik nog geen enkel overtuigend bewijs gehoord of gelezen dat de betrokkenheid van ook maar een enkel lid van het kabinet staaft.'

Hier raakt Tojo aan een gevoelig punt. Ook Brink stelt vast dat Keenan ondanks zijn vertoon van viriele krachtpatserij steeds onzekerder lijkt in zijn pogingen onomstotelijk aan te tonen wie er nu precies voor de oorlogsmisdaden verantwoordelijk zijn.

'Het was een strategie,' zegt Keenan. 'U moet ervan op de hoogte zijn geweest. Zelfs op de voorpagina van kranten werd over de gruwelijkheden bericht.'

'Niet in Japan. En u weet net zo goed als ik dat wat kranten in oorlogstijd schrijven voornamelijk propaganda is.'

'U probeert zich te onttrekken aan uw verantwoordelijkheid. Op het slagveld worden mannen geconfronteerd met de uitersten van het menselijk bestaan, leven en dood. Onder die omstandigheden raken ze psychisch verward en vinden excessen plaats. Onaanvaardbaar, maar nog enigszins te begrijpen. Maar voor hen die op grote afstand van de gevaren van het slagveld volgens een rationeel plan opereren, kan geen enkel begrip bestaan. Dat zijn de echte daden van barbarij.'

Tojo knikt en lijkt het voor het eerst met zijn opponent eens. 'De atoombommen op Hiroshima en Nagasaki zijn daar een treffend voorbeeld van.'

Er valt een stilte en even is er geen ander geluid dan het omslaan van bladzijden.

'Meneer Tojo,' zegt Keenan, 'ik wijs u erop dat ú hier terechtstaat. Uw daden, daar gaat het om, waar u de verantwoordelijkheid niet voor neemt.'

'Dan heeft u mij verkeerd begrepen. Ik neem alle verantwoordelijkheid voor het regeringsbeleid, voor alle beslissingen die onder mijn leiding genomen zijn. Het beginnen van de oorlog is daar één van. U kent mijn standpunt: de oorlog was zelfverdediging; ik beschouw hem als noodzakelijk, rechtvaardig en rechtmatig.'

'En heeft u spijt van wat er gebeurd is?' wil Keenan weten.

'Ik betreur alle leed,' antwoordt Tojo, 'maar kan geen spijt hebben van dingen die buiten mijn medeweten en tegen mijn wens in hebben plaatsgevonden. Mijn enige spijt betreft Japan en het Japanse volk.' Hij zet zijn bril af en wrijft in zijn ogen. 'Omdat wij de oorlog hebben verloren.'

Zodra Webb de zitting verdaagt, wordt Keenan omsingeld door journalisten. Hij posteert zich in het licht van de camera's. Brink blijft nog even bij de deur achter de rechterstafel staan luisteren. Hij weet dat Keenan gebrand is op een doodvonnis van Tojo, het liefst van zo veel mogelijk verdachten, wat zijn reputatie als ijzervreter ten goede zal komen in de Verenigde Staten. Waar de algemene opvatting is:

give them a fair trial and hang them. Keenan gokt erop dat de rechters hem zijn overwinning, de kroon op zijn werk, zullen leveren. Al maakt de hoofdaanklager een goede kans, toch weet Brink dat het anders kan uitpakken. Allereerst omdat de verdachten worden bijgestaan door een leger van bekwame advocaten, opvallend genoeg voornamelijk Amerikanen, die ondanks hun beperkte armslag een massieve verdediging opwerpen. Daar komt bij dat in de raadkamer, buiten beeld van Keenan en iedereen, zich tussen de rechters een strijd afspeelt. Steeds fanatieker voeren Bernard en Webb campagne tegen de doodstraf omdat de keizer, in hun ogen de hoofddader, zelf buiten schot blijft. Maar Keenan zal erachteraan blijven zitten. Zijn assistenten opzwepen om de pleidooien te fileren en te ontkrachten, desnoods de grafkelders overhoop te halen, opdat zo veel mogelijk verdachten, op zijn minst Tojo, aan het touw zullen bungelen.

Op de vraag wat hij van Tojo vond, zegt de hoofdaanklager tegen zijn gehoor van journalisten: 'Het is tijd dat dit soort verdragsbrekers, oorlogshitsers en initiators van agressieve, beestachtige handelingen in de naakte werkelijkheid van hun wezen worden neergezet.' Met zijn brede schouders en markante kin maakt hij een granieten indruk, maar diep vanbinnen moet de hoofdaanklager, net als Brink, weten dat hij vandaag nauwelijks in zijn missie is geslaagd.

Als hij 's avonds na het diner door de lobby naar de lift loopt om zich weer in zijn kamer terug te trekken, spreken Webb en Bernard hem aan.

'Wat is je oordeel over de zitting van vandaag, Brink?' vraagt Bernard. Lang heeft de zijdeachtige Fransman zich teruggetrokken opgesteld, niet zozeer uit bescheidenheid als wel uit stil protest tegen de Angelsaksische hegemonie bij het tribunaal. Tijdens een van de eerste rechtersvergaderingen had hij voorgesteld om naast het Engels Frans als voertaal te gebruiken. Een kansloze onderneming. Maar de laatste tijd kruipt hij weer uit zijn schulp en doet zich gelden. Meestal aan de zijde van Webb, die wel een medestander kan gebruiken.

'Keenan had geen vat op Tojo,' oordeelt Brink, 'dat was duidelijk.'

'Tojo was de baas, dat zullen de kranten morgen schrijven,' zegt Bernard, 'maar Tojo's positie was ook eenvoudiger dan die van Keenan. Hij voerde een show op.'

'Nee,' spreekt Brink zijn collega tegen, 'geen show, want hij gelooft in alles wat hij zegt, net als Robespierre ten tijde van zijn schrikbewind, en dat maakt hem net zo gevaarlijk. Maar hij wil zichzelf niet verdedigen. Waarom zou hij het masker van de onschuld opzetten? Hij heeft zijn lot al geaccepteerd. Hij kent nog maar één doel: laten zien dat hij zijn staart niet laat hangen.'

'Ik benijd die advocaten van hem niet,' mompelt Webb.

Dat is hij met de Australiër eens. Tojo heeft een aantal van de kundigste Amerikaanse advocaten, die alles in het werk stellen om aan te tonen dat Tojo als premier door zware economische druk van het Westen genoodzaakt was om een oorlog te beginnen. Ze sloven zich ook uit voor de andere verdachten; hebben meer kennis van Angelsaksisch recht dan hun Japanse collega's; zijn door hun ervaring ook beter toegerust voor een proces van deze omvang. En wat de Amerikaanse advocaten vooral waardevol maakt is hun zoektocht naar de zwakke plekken in de aanklacht, terwijl hun Japanse collega's zich vooral richten op de eer van het Japanse volk. Zij vinden het belangrijker dat er begrip bestaat voor de daden van hun landgenoten dan dat ze ontlastende bewijzen leveren.

'Geen greintje spijt toont hij,' zegt Brink, 'daardoor maakt Tojo het zijn advocaten bijna onmogelijk om hem voor de strop te behoeden.'

'De strop?' reageert Webb. 'Loop je niet voor de muziek uit, Brink? Je vergeet de rol van de keizer.'

Daar heb je Webb weer. Als Chief Justice heeft hij de grootste hotelkamer en ook de grootste werkkamer in het gerechtsgebouw, groter dan die van Keenan. Brink is er wel eens op bezoek geweest. Het plafond is hoog, de ramen zijn groot. Ook het bureau heeft imposante afmetingen. Net als Webbs gladde voorhoofd en zijn behaarde handen. Alles aan hem is groot, behalve zijn gezag. 'Het handvest is op dat punt helder,' wijst Brink Webb terecht, 'de keizer komt niet voor op de lijst met verdachten.'

'We kunnen proberen hem niet als verdachte maar als getuige in de rechtszaal te horen.'

'De keizer blijft buiten de rechtszaal, daar zorgt MacArthur voor en daar maakt hij geen geheim van.'

'We moeten een poging doen,' zegt Webb. 'We hebben de argumenten aan onze kant. Geen enkele Japanner zou ooit iets tegen de wil en wens van de keizer in doen. Zelfs Tojo geeft dat toe.'

'Iedereen weet toch hoe de keizer,' vult Bernard aan, 'gezeten op zijn witte paard de jonge piloten zijn keizerlijke zegen gaf voor ze aan hun zelfmoordvluchten begonnen.'

'Zolang er oorlogen worden gevoerd,' zegt Brink, 'hebben vorsten en pausen hun zegen aan de troepen gegeven.'

'Het gaat erom,' reageert Webb, 'dat het beeld van de vredelievende keizer die liever geen oorlog had gezien, een valse voorstelling van zaken geeft. En dat de mannen die in zijn opdracht, of met zijn toestemming, miljoenen mensen lieten vermoorden of verhongeren, geen eerlijk proces krijgen als de allerhoogste autoriteit onschendbaar blijft. Ik hoop dat we op je kunnen rekenen als we een kans zien om de keizer als getuige op te laten roepen.'

Zonder zich tot een antwoord te laten verleiden, neemt Brink afscheid van zijn collega's, die inmiddels Jaranilla in het vizier hebben gekregen. De volgende die bewerkt moet worden. Hij ziet nog hoe de Filippijn, met grote ogen van verbazing achter zijn brillengazen, zijn mond opent als Webb hem aanspreekt, alsof hij iets wil gaan zeggen, maar de Australiër is hem voor en legt al pratend een hand op zijn schouder. Brink kijkt de drie mannen na, die als dikke vrienden naar de bar lopen.

Op zijn kamer typt hij de aantekeningen uit die hij in de rechtszaal heeft gemaakt. Hij heeft alle tijd, zijn tijd. Hij werkt nauwgezet, zoals gewoonlijk, wat hij ook doet. Zijn kniebuigingen in de avond, het inzepen van zijn kin en wangen in de ochtend, het inpakken van zijn tas voor de zitting – nerveus bij het besef hoe eenvoudig hij zijn zelfbeheersing zou kunnen verliezen en alles weer op het spel zou zetten. Hij is zich bewust van iets zwaks, iets gevaarlijks in hem. Even is er dat avontuur geweest, waarvan hij zichzelf heeft genezen. Een alcoholist moet om van de drank af te komen, ook overdreven voorzichtig zijn bij iedere stap die hij zet. Het is zijn plicht en er is geen andere weg. Hij weet nu dat hij nooit anders overwogen heeft. Het duurt hooguit nog een halfjaar tot het vonnis. Hij zal geen fouten meer maken.

Als hij klaar is en zijn avondbad heeft genomen, luistert hij liggend op bed naar een grammofoonplaat van de vijfde van Mahler. De muziek ontroert hem, maar wekt ook iets tot leven wat hij juist probeert uit te bannen. Die weemoedige cello's. Hij zou er beter aan doen niet te luisteren, maar hij kan er gewoon niet buiten. Zo nu en dan speelt hij met toestemming van de directeur van het hotel op de piano als de zaal niet in gebruik is. Doodbloeden, het moet doodbloeden. Hij komt van zijn bed overeind en zet de plaat midden in de symfonie met een bruuske beweging af.

12

De lucht in het huisje is koud en vochtig. Een van de raamluiken is uit het bovenste scharnier geblazen en kleppert bij
iedere windvlaag. Michiko wacht tot het water in de ijzeren
teil kookt. Ze roert in het stomende water, wringt de linnen
repen uit, hangt ze over een bamboestok die voor het fornuis hangt, alles precies zoals haar is opgedragen. Tante zit
geknield naast de futon van haar dochter. Door Sada's ingevallen hongerwangen en de in hun kassen verzonken ogen
lijkt het of haar moeder aan een doodsbed zit. Gekreun
stijgt op van Sada's gekloofde lippen en haar hele graatma-
gere lichaam trekt samen. Zodra de weeën begonnen, vele
uren geleden inmiddels, sloot tante de luiken en stuurde ze
de mannen naar buiten.

'Mama!' Het geluid van haar nicht is ijl, een muizenstem-
metje. Ze valt ten prooi aan de volgende golf van pijn en
schudt woest met haar hoofd.

De vroedvrouw van het dorp komt met nat haar, een tas
en een onwillige houding binnen. Ze buigt en groet. 'Goedenacht. Het spijt me dat ik laat ben.'

'Welkom,' zegt tante, 'we zijn oprecht blij dat u bent gekomen.'

'Ik had gedacht dat ik misschien niet nodig zou zijn. Ver-
geeft u mij.'

Tante knikt. 'We hebben lang gewacht met u te laten roepen.'

En de vroedvrouw heeft op haar beurt lang gewacht om aan dat verzoek gehoor te geven, denkt Michiko. Uren geleden ging oom voor de eerste keer bij haar langs en toen ze maar niet kwam opdagen ontbood hij haar nogmaals. Het is duidelijk dat ze graag had gezien dat deze onreine geboorte zonder haar tussenkomst zou plaatsvinden.

De vroedvrouw doet haar natte jas uit en begint haar handen en onderarmen met zeep te wassen. 'Tien minuten uitgekookt?' vraagt ze als Michiko haar een reep linnen aanreikt om haar handen te drogen. Michiko knikt.

'Hier.' De vroedvrouw trekt een metalen schaal uit haar tas en duwt het gladde, kille voorwerp Michiko in de hand. 'Uitspoelen met gekookt water en half vullen.' Ze knielt neer naast tante, die ruimte voor haar maakt. 'Wanneer zijn de vliezen gebroken?' De vroedvrouw trekt het laken weg.

'Vanochtend vroeg,' antwoordt tante.

'En de weeën?' wil de vroedvrouw weten.

'Iets eerder.'

'De eerste duurt altijd lang.' Het stemgeluid van de vroedvrouw neemt af tot geheimzinnig gefluister. 'Die andere was er met een uur, heb ik begrepen. Die had geen hulp nodig. Het was ook haar derde.'

Keiji's moeder is een week eerder bevallen. Twee dagen sloot ze zich met de luiken dicht binnen op. Het dorp gonsde van de geruchten. Toen Keiji's moeder weer naar buiten kwam, zag Michiko haar de was ophangen. Ze groette haar en de moeder van Keiji knikte. Michiko weet niet of het een jongetje of een meisje is geweest. En ook niet wat er met het kind gebeurd is, behalve dat niemand, op Keiji's moeder en vader na, het gezien schijnt te hebben.

De vroedvrouw legt haar hand op de gespannen buik. 'Mensenlief, wat is ze mager!' Ze drukt met haar vingers rond de navel. Dan spreidt ze met haar hand de benen van

Sada en buigt zich voorover. 'Liefje, ik ga nu bij je voelen.' Haar hand glijdt naar binnen om de stand van het bekken te beoordelen. 'Ruimte genoeg,' mompelt ze. Ze draait wat met haar pols en gaat nog iets dieper het geboortekanaal in, met peinzende, geconcentreerde blik. Ze trekt haar hand weer naar buiten en bestudeert het met bloed dooraderde slijm aan haar vingers, snuffelt, knikt. 'Goed. Het is ingedaald.' Ze buigt zich naar Sada. 'Het gaat niet lang meer duren, liefje. Nog even flink zijn en alles is voorbij.'

Ze richt zich op en kijkt naar Michiko. 'Tas!' Michiko brengt haar de tas en huivert als ze tussen de spulletjes een glimp van een grote metalen tang opvangt. De vroedvrouw laat haar het een en ander uitstallen, een potje met koolzaadolie, een flesje, een schaar, een stokje dat ze met een reep linnen omwindt. De tang moet in de tas blijven. Met een lepel dient de vroedvrouw Sada wat van de vloeistof uit het flesje toe. Ze doet de stop er weer op en zegt: 'Mond open.' Ze duwt het stokje tussen de kaken van Sada, die grommend en schuddend met haar hoofd de volgende wee trotseert. Het loshangende luik bonkt op een zware windvlaag. 'Brr! Wat een weer!' Ze smeert haar handen zorgvuldig in met de olie uit het potje.

Het kost nog ruim een uur van helse pijn en kreten voor de slijmerige schedel met de plakkerige haartjes zichtbaar wordt. De vroedvrouw tilt het kindje op en tijdens zijn zweeftocht het leven in, begroet het zijn omgeving met een korte, droge snik. Het ademt. De vroedvrouw legt het op een deken en knipt de navelstreng door. Met haastige, zakelijke bewegingen pakt tante het daarna in. Alleen het hoofdje steekt nog uit.

'Wat is het?' hijgt Sada, die zich iets opricht om het kind te kunnen zien. Over haar gezicht ligt een olieachtige glans.

Ondertussen maakt de vroedvrouw Sada van onderen schoon.

'Haal oom,' instrueert tante Michiko, 'zeg dat hij moet komen.'

'Moeder,' probeert Sada opnieuw. 'Wat is het?'

'Een... jongen.'

Sada begint te snikken. 'Laat me het vasthouden.'

'Nee. Snel, Michiko, haal oom!'

Het kindje begint nu ook smartelijk te huilen, alsof het zijn moeder antwoordt.

'Moeder,' Sada's stem trilt, 'ik smeek het u.'

Michiko blijft staan. 'Tante, ze heeft zo geleden.'

'Ik heb je gevraagd oom te halen.'

'Vergeef me, tante, maar dit is haar enige en laatste kans.'

Tante aarzelt even en neemt dan een besluit. Zwijgend legt ze het bundeltje in de armen van Sada, die met haar gezicht heel dicht bij dat van het kindje zijn trekken bestudeert.

'Ga uit het licht, alstublieft,' zegt ze zacht.

De vrouwen buigen wat opzij, waardoor het licht van de lamp op het kreukelige gezichtje valt. In doodse stilte kijken ze naar het hoogrode hoofdje tegen de magere borst van Sada. Buiten roffelt de regen op de dakplaten.

'Michiko!'

'Ja, tante.' Ze haast zich naar de deur. Als ze buiten staat, hoort ze nog juist de striemende stem van haar tante. 'Het is tijd, Sada.'

Samen met tante kijkt ze haar oom met het bundeltje onder zijn jas na. Een harde windvlaag rimpelt het hoge struikgewas op de helling achter het huis. Als de wind even wegvalt, kunnen ze vanwaar ze staan het gesnik van Sada binnen horen.

'Ze heeft iets gehad, ze valt zo in slaap,' zegt tante. 'We moeten sterk zijn.'

'Waar brengt oom het heen?' vraagt ze.

'Er is maar één mogelijkheid.'

'Welke?'

Ze draait zich naar Michiko om. 'Dit is op onze weg gekomen. We hebben het niet gezocht. Nu doen we wat nodig is. Tegen de duivel die zijn zaad plant in vruchtbare, reine aarde.' Tantes blik glijdt van Michiko's gezicht omlaag naar haar volle buik. 'Denk niet dat ik niet weet dat je de drankjes uitspuugt. Dat je zo veel mogelijk groenten en kersen eet, en dat je iedere avond je buik met geitenvet insmeert. Maar het is een vergissing. Zoals het ook een vergissing is geweest om hierheen te komen. Ik heb er de almanak op nageslagen. Een ongunstiger tijdstip om naar de bergen terug te keren was ondenkbaar.'

Ze volgt haar tante naar binnen en helpt haar Sada naar de andere kant van de kamer te verplaatsen, waar een schone futon voor haar klaarligt. Op de plek waar zij bevallen is schrobben ze de vloer schoon met een oplossing van loog en sake. De bevlekte futon brengt ze naar buiten. Sada rilt van de kou en Michiko dekt haar met een extra deken toe.

Als de lucht van het schoonmaakmiddel verwaaid is, sluit tante de ramen en de luiken. Ze sluit de deur en doet het licht uit. Ze knielt bij haar dochter en kust haar voorhoofd. 'Rust goed uit. Vanaf morgen begin je opnieuw.' Vermoeid loopt tante om het kamerscherm heen en legt zich op haar futon te ruste.

Michiko knielt neer bij Sada, die haar armen stijf tegen haar borst gedrukt houdt. Michiko streelt haar klamme, verhitte voorhoofd. Ze blijft net zo lang strelen tot haar nicht in slaap valt. Als ze wakker wordt, zal Sada niet eens mogen rouwen. Michiko licht haar jas van de haak en gaat naar buiten.

Ze loopt de heuvel op, steeds verder omhoog, haar blik

gericht op de kale berg, die glad gepolijst is door eeuwen van ijs en sneeuw en wind. Ze ademt de lucht diep in. Verder en verder klimt ze met een hand tegen haar buik geklemd de koude lucht tegemoet. Het pad helt en versmalt, nog maar nauwelijks een richel boven het dorp en de ceders. Ze hijgt zwaar en steken in haar zij dwingen haar te rusten. Duizelig gaat ze zitten op een door de bliksem in tweeën gespleten boomstam. Sinds haar komst naar het dorp is ze nog niet zo dicht de overweldigende grootsheid van de bergen genaderd. Beneden haar ligt het dorp met de huizen. De rook van een vuurtje op een van de erven waait omhoog. Ze ziet het landschap met zijn plateaus tot in de diepte, en de zilveren stippellijn van de rivier. De rotsformatie achter haar beschermt haar tegen de noordenwind en is begroeid met stugge struiken waarvan de knoestige wortels over het gesteente kronkelen op zoek naar spleten om zich in te boren voor water. Hierboven is nergens een teken van menselijk leven te bekennen. In lange tijd heeft ze niet zoiets zuivers gezien. Misschien ook omdat ze alleen is, eindelijk helemaal alleen.

Rond de top kringelt een ring van nevel alsof hij in brand staat. Op het geluid van de wind na is het stil. Ze staart voor zich uit, gedachteloos. Ergens binnen in haar wordt een melodie tot leven gewekt. Ze neuriet, tot er als vanzelf woorden bovenkomen. 'So bist du...'

De laatste maanden van haar samenwerking met mevrouw Haffner hebben ze veel opera geoefend, ter voorbereiding op haar vertrek naar Europa. Zacht begint ze te zingen. 'So bist du meine Tochter nimmermehr...'

Het machtige gewoel van de woorden diep in haar. Ze willen omhoog, zoeken naar bevrijding. De kracht ervan, ze was vergeten wat die met haar doet. Zingen, opgaan in het zingen, alsof ze droomt, naar aardse maatstaven de ervaring die haar het dichtst bij de hemel brengt. Ze verlangt naar het moment waarop ze in haar zachte zwarte jurk stapt, de concentratie op het podium, de gezichten in het publiek. Ze is erin geslaagd zichzelf voldoende te laten krimpen om in de wereld van de composthopen, de modderschoenen en de kippenrennen van een klein afgelegen dorpje te passen, maar haar verlangens zijn er nog. En in haar verbeelding wacht ze met trillende handen tot Prins Tamino zal naderen, bepruikt, geschminkt en zingend over hun eeuwige vereniging, terwijl een toneelknecht met twee handen het touw vasthoudt, klaar om het decor van de tempel voor dat van het herderlijke berglandschap te wisselen.

Ver beneden haar trekt een beweging haar aandacht. Het is haar oom, in een wijde, wapperende jas. Over zijn gekromde schouder kijkt hij als betrapt naar haar omhoog. Ze houdt op met zingen. In een bocht van het pad verdwijnt hij, afdalend naar het dorp, achter de langtongige varens. De melodie in haar hoofd is verdwenen. Ze wacht, drukt alles weg en wacht net zo lang tot die terugkeert. 'So bist du...'

13

Hideki helpt Keiji met het repareren van zijn fiets. Ze smeren een tandwiel en halen de ketting los, maken hem schoon en spannen hem. 'Waarom is Sada in Nagano gaan wonen?' wil Keiji weten. De jongen wrijft aan één stuk door zijn roestige stuur, in een even toegewijde als vruchteloze poging om de roodbruine, ingevreten sproeten met een oude lap te verwijderen. 'Ze heeft daar werk gevonden.'

'Mijn moeder zegt dat zij ook ergens anders wil wonen. Maar mijn vader wil niet. En ik ook niet. Waarvoor is een Jizo-beeldje?'

Jizo? Instinctief is hij op zijn hoede. Jizo, de god die zich bekommert om de zielen die in de hel zijn beland; de zielen van geaborteerde kinderen; de zielen ook van, reden van zijn waakzaamheid, kindjes die niet volgens de voorschriften zijn begraven en daardoor veroordeeld zijn tot eeuwig ronddolen in de kosmos.

'Een beeldje van een god, voor de doden,' zegt hij. 'Hoezo?'

'Mijn vader was boos omdat mijn moeder er een heeft gekocht en er een roze manteltje voor heeft gemaakt.'

Zijn zuster woont sinds enige tijd in een barak op het terrein van een fabriek die lampen produceert. Hij hoopt dat het beter met haar gaat, dat ze daar niet zoals thuis 's nachts geplaagd wordt door het geschrei van haar kindje, omdat zijn ziel is weggestuurd bij het hiernamaals. Zelf heeft hij dat geschrei niet gehoord. Maar het is algemeen bekend dat de zielen die niet door Jizo beschermd worden tegen de demonen, zich vroeg of laat bij hun familie komen melden.

'Hoe gaat het met je moeder, Keiji?'

'Ze loopt niet meer als een pinguïn.'

Hij vraagt zich af of Keiji's moeder 's nachts ook dat geschrei hoort en draait de laatste moer van het achterwiel vast. 'Hier, klaar.'

Keiji knielt om een stukje touw om zijn enkel te binden zodat zijn broekspijp niet tussen de vette fietsketting zal raken. Als hij daarmee klaar is, sprint hij als een coureur met olympisch goud op zak weg. Hideki vraagt zich af of de jongen de gebeurtenissen van bijna een jaar geleden inmiddels achter zich heeft gelaten. Wat niet meer dan rechtvaardig zou zijn. Dat hijzelf door zielen zal worden bezocht, verwacht hij niet. Wel voelt hij dat hij uit het alledaagse is verdreven. Er moet een manier zijn om er weer in terug te keren, zelfs voor een hinkepoot met een lelijke kop vol gruwelen. Maar hoe? Steeds maar weer komt hij niet verder, hoe hij ook over die dingen nadenkt. Behalve wanneer hij slaapt, dan ervaart hij heel intens, op het gelukzalige af, de nieuwe, verhelderende inzichten die op de rand van zijn bewustzijn balanceren.

In het huisje klinkt een schreeuw. Hij grijpt zijn kruk en trekkebeent naar de veranda. Een striemend geluid, gevolgd door een schrille kreet van pijn, als hij de deur opengooit. Het duurt een lange, verwarrende seconde voor hij het tafereel dat zich voor hem ontvouwt kan duiden.

Op de vloer ligt Michiko, half op haar enorme buik, half op haar zij, haar gezicht uitdrukkingsloos. Boven haar staat zijn moeder, die met een stuk riet naar Michiko's rug uithaalt. 'Die hoogmoed van jou!' Diepe lijnen doorsnijden zijn moeders gezicht, een spuugbelletje spat uiteen op haar onderlip. Opnieuw haalt ze fel uit met het stuk riet, dat Michiko's kimono op schouderhoogte treft. De pijn siddert door Michiko's lichaam. Ze klemt haar lippen op elkaar. 'Je zult je gedragen, gehoorzamen!'

Hij werkt zich tussen zijn moeder en Michiko in.

'Ga weg, zoon!' sist zijn moeder hem toe. 'Dit had al veel eerder moeten gebeuren, maar je vader is een slappeling.'

'Stop!' zegt hij.

Ze staan recht tegenover elkaar, hij leunend op zijn kruk, zijn moeder snuivend als een wild paard, het stuk riet in haar opgeheven hand. De afkeer druipt van haar gezicht. Die uitdrukking kent hij: zij had al het mogelijke gedaan, op de juiste en beste manier, en zit opgescheept met een verkrachte dochter en een invalide zoon. Nu is het haar ongehoorzame nicht uit de stad die haar ongenoegen en toorn opwekt. Hij neemt het zijn moeder niet kwalijk. Ze kan maar op één manier naar de wereld kijken, haar manier. Maar hij zal niet toestaan dat ze Michiko nog eens pijn doet.

'Als je slaat, sla mij dan. Hier!' Hij houdt zijn hand op. 'Sla!' Als ze geen aanstalten maakt om iets te doen, anders dan dreigen met het riet, trekt hij het uit haar trillende hand en slaat zichzelf, eerst op de bovenkant van zijn hand, dan op zijn arm, tot slot striemt hij zijn goede wang. Hij voelt de plekken opgloeien.

'Je zuster is buiten haar schuld door de hel gegaan. En zij,' zijn moeder werpt een minachtende blik op Michiko, 'zij heeft het zelf gedaan.'

Hij helpt Michiko overeind en neemt haar mee naar buiten. In het schuurtje bekijkt hij de rode striemen op haar schouder en rug. De aanblik ervan maakt hem licht in zijn hoofd.

Hij vraagt haar te gaan liggen op zijn futon en smeert de gehavende huid voorzichtig in met vet. Ze ligt stil, haar mond geopend. Als een vis op een rots, denkt hij. Ze wil terug naar Tokio, hij weet het. Ze wil weg, maar durft niet. Ze heeft geen plan.

'Ik ben niet verkracht,' zegt ze. 'Dat heb ik je moeder gezegd. Daarom is het anders. Dat woord – "anders" – verdraagt ze niet. Maar het is de waarheid, ook al maakt die haar ziedend.'

Alles herhaalt zich voor de ogen van zijn ouders – eerst hun dochter en nu hun nicht – en ze lijken de spanning en frustratie nog maar nauwelijks aan te kunnen. Dat Michiko weigert zich uit te spreken over haar plannen, maakt het er niet beter op.

'Je zou onderwijzeres in de school langs de grote weg kunnen worden. Je zou kunnen trouwen met een Japanse man, wettige, gewenste kinderen krijgen, zoveel je wilt. Alles is nog mogelijk.'

Ze zwijgt. Hij weet dat ze uit beleefde toegeeflijkheid naar hem glimlacht en voelt een steek van jaloezie – zoals wanneer je beste maat niet langer om jouw grappen maar om die van een ander lacht – omdat ze weer met haar gedachten bij die man in Tokio is. Waarom begrijpt ze niet dat wat hij en zijn familie haar te bieden hebben genoeg is, meer is?

'Je kunt hier in het dorp blijven. Vader kan een goed woordje voor je doen bij oom. Zijn achtererf is groot, daar past makkelijk nog een huisje op. Mijn vader en ik zullen het voor je bouwen.'

'Dat is niet wat ik wil. Niet op die manier.'

'Je bent hier. Je zult snel bevallen. Dat zijn de feiten.' Pas nu ontdekt hij de vurige streep die diagonaal over zijn eigen hand loopt.

'Je vindt dat ik moet buigen omdat ik geen keuze heb, omdat ik geen andere plek heb om heen te gaan,' zegt ze, 'maar ik ben niet zoals jij.'

'Wat bedoel je?'

'Jij wilt ten onder gaan.'

'Waarom zou ik dat willen?'

'Om te lijden; je geeft liever jezelf van alles de schuld dan de generaals, de ministers, de keizer voor mijn part.'

Ze is gaan zitten en fatsoeneert haar hemd. Haar gezicht is nu heel dicht bij dat van hem. Sterker dan ooit voelt hij dat hij alles voor haar overheeft.

Ze zegt: 'Maar jij hebt nog nooit opzettelijk iemand kwaad gedaan. Jij neemt andermans schuld op je nek, het liefst andermans lijden erbij. Wie heeft je gevraagd om dat te doen?' Ze laat een stilte vallen en denkt even na. 'Lijden aan de omstandigheden, dat accepteer ik, maar lijden aan mezelf, daar pas ik voor.'

14

Een uur voor zonsopgang verlaat Michiko het huis. In de zwaaiende lichtbundel van Hideki's zaklantaarn doemt 'haar tuintje' op. De verdroogde stengels liggen kriskras op de bevroren aarde, de rozenstruik is tot een uit de grond stekend klauwtje teruggesnoeid. Haar neef draagt een legerpet met oorkleppen, een wollen sjaal tot onder zijn neus, een overbroek, en als altijd zijn afgetrapte soldatenlaarzen waarvan de zolen zijn vervangen door stukken autoband. Met iedere stap laat hij het spoor na van zijn daad. Als ze ver genoeg buiten het dorp zijn, wachten ze zittend op een omgevallen boomstam het eerste licht af. Het is ijzig koud. Met haar kin op haar borst gluurt ze in de opening van haar cape. Een kind, amper een dag oud, kijkt met wakkere oogjes naar haar op. Na acht uur van persen en pijn lijden moest de vroedvrouw eraan te pas komen. De metalen tang waarmee het is gehaald, heeft twee rode plekjes op de tere schedel achtergelaten. Het kind gelijk na de geboorte afstaan, was ondenkbaar, uitgesloten. Niet alleen dat wist ze af te dwingen, ook dat Hideki in plaats van haar oom haar naar die plek zou brengen.

'We nemen de korte weg,' zegt hij en komt overeind. 'Het is wel steil.'

Ze rilt en slaat de kap van haar cape op als ze verdergaan.

Ze werken zich door de smalle ingang van de kloof over

grote rotsblokken die aan het eind van de herfst naar beneden zijn gerold en volgen vandaar het pad omhoog. De poedersneeuw op de hoogste cipressen waait als een witte mist over hen uit. De bomen verdringen elkaar tot aan het plateau waar het geluid van een onzichtbare waterval klinkt. Met stomende adem komen ze even bij en opnieuw kijkt ze onder haar cape. Het lijkt een wonder, maar de jongen slaapt vredig, vol vertrouwen. Schuin boven hen, hoog op de noordflank van de berg, liggen de eerste plakken sneeuw en ijs. Beneden in de ochtendnevel klinkt boven het koor van hanen het gehinnik van een paard. Hideki wacht tot ze hem een teken geeft en klimt het pad verder omhoog, iedere stap als een onvermijdelijke, zelfgezochte straf. Onvermijdelijk omdat hij die daar verbeten voor haar uit zwoegt iedere keer opnieuw, ook nu weer, betrokken raakt bij zaken die tegen zijn wil en inborst indruisen. Het afgelopen halfjaar heeft ze veel met hem gepraat, waarschijnlijk meer dan met wie ook in haar leven. Maar nu doen ze er beiden het zwijgen toe terwijl het geruis van water steeds luider en dichterbij klinkt. Ze was de waterval vergeten, maar zodra ze hem ziet, weet ze weer dat haar vader haar eens mee naar deze plek heeft genomen. Zo verloopt haar leven, stapje voor stapje opgebouwd, en in één keer afgebroken, en onlogisch, onsamenhangend als het is, springt het zowel vooruit-als achteruit, naar het meisje met haar vader, en vandaar naar de moeder met het pasgeboren kindje. Langs de waterval gaan ze over een door mos en varens overwoekerd pad. Onder haar cape klinkt een zacht geschrei dat Hideki met een schok van zijn hele lijf tot stilstand dwingt en verschrikt kijkt hij over zijn schouder naar haar om. De stuwing van de melk tintelt in haar borsten, maar ze loopt door tot ze na enkele minuten een rotswand bereiken. Hier en daar staat een boom, groter dan de exemplaren in de bospercelen van het dorp. Daar wordt geen enkele boom onopgemerkt oud, maar hier, op de open plek, konden ze kennelijk groeien of verkommeren zonder toezicht, zonder tussenkomst van zaag en bijl.

Hideki blijft een poosje staan, zo in gedachten dat het even lijkt of hij vergeten is dat zij bij hem is. Onder haar cape zwelt het gehuil van het kindje aan. 'Hier?' vraagt ze. 'Is dit de *plek*?' Het woord dat haar de afgelopen maanden bezig heeft gehouden. Nu ze het uitgesproken heeft, welt een bittere smaak op in haar keel, alsof ze in zichzelf iets smerigs opdiept.

Hij neemt haar op, zijn gezicht onder de pet is wit, gespannen, zijn ogen halfgesloten alsof hij in een hagelbui staart. 'De ingang is daar.' Hij hinkt naar een reusachtige ceder, glipt erlangs en duwt met zijn kruk het dichte struikgewas tegen de rotswand opzij, een donkere opening van een grot onthullend.

'Hoe hebben jullie die drie hierheen gekregen?' vraagt ze.

Hij wijst naar een pad dat uit een andere richting naar de open plek voert. 'De lange weg, twee uur omhoog, een uur omlaag.'

De kreten van het kind klinken schril en smekend. Ze zoekt een droge plek om te zitten en laat de cape van haar schouders zakken. Eerst opent ze haar overjas en dan het bovenstuk van haar kimono. 'Hij moet drinken.' Ze draait haar rug naar de wind.

Hideki hijgt en zweet, hij wil er vanaf, zo snel mogelijk, maar hij knikt. Zwaar leunend op zijn kruk hinkt hij naar een omgevallen boomstam, waar hij discreet met zijn rug naar haar toe gaat zitten. Met zijn tanden trekt hij zijn zakmes open en begint een punt aan een tak te slijpen, een gewoonte, zo weet ze inmiddels.

Het kind zuigt met wijd open ogen en ritmisch invallende wangen, die blank zijn, gaaf als porselein. Met haar vinger wrijft Michiko voorzichtig over de rode plekjes, de afdruk van de verlostang. Er wordt van haar verwacht, geëist, dat ze dit jongetje zonder naam, haar kind, bedwelmt met het middel dat haar tante haar in een flesje heeft meegegeven en het in de grot achterlaat. Hier op deze plek van gebroken takken en verdorde naalden en harde stenen. De zwangerschap, de bittere teleurstelling over het uitblijven van een reactie op haar brief, de slopende bevalling en de dwang van haar oom en tante hebben de kracht uit haar geranseld. Ze is te murw om zich te verzetten tegen het spookbeeld van een verwaarloosde vrouw die met een hongerige baby op haar arm in de afvalhopen en vuilniscontainers van de stad naar voedsel zoekt.

Nog steeds gunt Hideki haar tijd. Zijn afwezigheid is schijn, weet ze. Zijn uithalen met het mes, zijn stille overpeinzing, ze verraden de grens van wat hij aankan. Ze wil iets tegen hem zeggen, maar haar stem weigert. Nadat het kind gedronken heeft, doet ze haar kleding weer dicht en loopt met het bundeltje tegen zich aan naar de boom. Als ze zich achterwaarts door de struiken heeft gewerkt, ziet ze een houten kistje, niet groter dan een schoenendoos, met een cedertakje en een stompje kaars erin bij de boom staan. Een iele Jizo, gehuld in een roze mantel, kijkt kaal en bolhoofdig naar haar op. De moeder van Keiji, is haar eerste gedachte bij het zien van het geheime altaartje.

Ze staat voor de donkere opening met de scherpe uitsteeksels. Ze bukt om naar binnen te kunnen kijken. Er hangt een penetrante geur. Binnen loopt het na amper een meter steil omlaag, als een afgrond. Het diepste, donkerste punt, daar ergens onder haar in de duisternis, waar torren wroeten en slangen lussen slaan. Ze huivert bij de voorstelling en sluit haar ogen. Een kille, stinkende tochtvlaag uit het inwendige van de berg slaat neer op haar gezicht. Ze kan het kind niet hier achterlaten. Samen, denkt ze.

15

Met trefzekere bewegingen haalt hij zijn mes langs de tak. Drie pijlen met verse punten liggen inmiddels naast zijn laarzen. Alles gaat verder, maar de stroom van de tijd is nauwelijks voelbaar. Je trekt je laarzen aan, je snijdt een punt aan een tak, je wacht. Het is allemaal je leven. Hij wil niet denken. Als je maar lang genoeg blijft snijden, raak je vanzelf in een soort trance, de geest die loskomt van het lichaam. Vroeger hielp hij zijn vader met de trekzaag, ieder aan een kant, heen en weer, de eindeloze herhaling van de beweging, waarin alle gedachten oplosten. 'Het was een vergissing van haar om terug te keren.' De woorden dreunen na in zijn hoofd. De uitdrukking op Michiko's gezicht toen ze op deze plek aankwamen, zo hulpeloos en aandoenlijk, maakt dat hij haar niet meer durft aan te kijken. Minstens een halfuur is verstreken sinds ze haar kind de borst gaf achter hem. De trance legt het af tegen een spanning, zo hevig dat hij tegen de bergen zou willen schreeuwen. Hij klapt zijn mes dicht en kijkt voor het eerst achterom. Geen ander geluid dan dat van de wind die boven het plateau jaagt met een belofte van sneeuw uit het noorden. Hij bidt dat ze haar taak volbracht heeft en klopt de houtsnippers van zijn broek. Op hetzelfde moment dat hij wil opstaan werkt Michiko zich ritselend door de struiken. Haar armen dragen het gewicht van het kind onder haar cape. Ze schudt haar hoofd. De hoge boom achter haar lijkt hen vanuit de wolken gade te slaan.

'We blijven samen,' zegt ze.

Heel even twijfelt hij aan de betekenis van haar woorden, maar dan zegt ze:

'Ik ga weg.'

'Hoe? Waarheen?'

Zonder antwoord te geven kijkt ze in de richting van het pad. 'Gaat dat naar de doorgaande weg?'

Hij weet dat hij haar niet zal kunnen tegenhouden. Hij knikt.

'Je bent goed voor me geweest,' zegt ze en loopt met haar armen om de bult geslagen bij hem weg. Onmachtig blijft hij staan en kijkt haar na. Zijn maag speelt op. Het verminkte deel van zijn gezicht gloeit alsof het opnieuw in de fik staat. Als hij haar niet meer kan zien, strompelt hij in de schrale wind naar het begin van het pad. Met een hand om de steun van zijn kruk en de ander voor zijn buik geklemd blijft hij staan. Zijn haar onder zijn pet is doorweekt van het zweet. Hij tuurt het pad af. Het licht is uit de lucht verdwenen en boven zijn hoofd schuiven bijna zwarte wolken in elkaar, wat het lastig maakt om iets te onderscheiden. Tot in zijn botten kan hij voelen wat hij gisteravond al op de radio hoorde, dat de barometer omlaag duikt. Zijn ogen volgen de bocht met de oude randjes sneeuw waar de zon niet kan komen. Nog net ziet hij haar rug verdwijnen in een wirwar van struiken. Hij is alleen met de wind en de herinnering aan de woorden van zijn vader. Alles één grote vergissing.

16

De kruisverhoren van de verdachten verlopen, op dat van Tojo na, voorspelbaar. De fiere pas van de machthebbers, de alfamannen, is door jaren van opsluiting veranderd in een gebogen geschuifel als de verdachten 's ochtends de rechtszaal betreden. Hun verklaringen zijn emotieloos en onpersoonlijk, en als ze dat niet zijn dan worden ze dat wel in de vertaling van de tolken, die klinken alsof een robot uit het bevolkingsregister voorleest. Sommige beklaagden gaan zover dat ze zelf niet spreken. Ze bedanken er zelfs voor om een enkele vraag te beantwoorden. Aanvankelijk meende Brink in die weigering om zich te verklaren of te verschonen een uitgekiende strategie te ontdekken. Maar de laatste tijd is hij gaan geloven dat het de verdachten werkelijk hun eer te na is een goed woord voor zichzelf te doen en dat ze bereid zijn de straf die men hun oplegt te accepteren. Steeds meer bewondert hij hun Amerikaanse advocaten, die zich ondanks al die tegenwerking toch uit blijven sloven om de straffen zo laag mogelijk te laten uitvallen.

Twee verdachten, Togo en Shigemitsu, beiden oud-ministers, zijn naar zijn mening onschuldig. Laf en naïef waren ze wellicht, maar dat maakt ze nog niet schuldig aan de oorlogsmisdaden, zoals verwoord in de aanklacht. Zijn collegarechters huldigen het standpunt dat ieder lid van de regering verantwoordelijkheid draagt voor de oorlog en de misdaden die daarin gepleegd werden. Hij bestrijdt dat, maakt een onderscheid tussen een minister die tot de regering toetrad met het doel om de oorlog zo snel mogelijk te beëindigen en een minister die de oorlog juist propageerde. Om zijn collega's van zijn gelijk te overtuigen is hij aan een memorandum begonnen. De eerste in wie hij zich verdiept is Shigemitsu, in Brinks ogen Tojo's tegenpool. Als jongeman heeft Shigemitsu zich in de diplomatieke dienst opgewerkt tot ambassadeur in China en Rusland. In 1942 trad hij als minister van Buitenlandse Zaken tot de regering toe. De aanklagers hebben geen enkel document geleverd dat wijst op Shigemitsu's instemming met of verantwoordelijkheid voor de oorlogsmisdaden. Integendeel, uit de gepresenteerde stukken blijkt juist dat hij er bij premier Tojo op aan heeft gedrongen om een rapport te laten opstellen over de wanpraktijken van de Japanse troepen in de bezette gebieden. Dat er met de uitkomsten van dat rapport vervolgens niets gedaan werd, viel niet hem, maar de premier en de hoogste bevelhebbers van de krijgsmacht te verwijten. Na alle verklaringen van getuigen en deskundigen is inmiddels vast komen te staan dat Shigemitsu als een eerzaam politicus beschouwd moet worden, die tegen de oorlog was en ook tegen het driemogendhedenpact dat Japan met Duitsland en Italië heeft gesloten. Als de Russen het niet op hem voorzien zouden hebben gehad, omdat hij ambassadeur in Moskou is geweest, zou hij zeker niet in de beklaagdenbank gezeten hebben.

Brink kan de verleiding niet weerstaan om dit inzicht rechter Zarayanov voor te houden als hij na het diner zijn in het uniform van het Sovjetleger gestoken collega samen met diens tolk in de lobby tegen het lijf loopt. Nadat de tolk Brinks woorden vertaald heeft, wippen Zarayanovs borstelige wenkbrauwen omhoog. Hij maakt een misprijzend gebaar en zegt iets. Zijn tolk vertaalt: 'Generaal Zarayanov is het niet met u eens en vraagt of u iemand bent die strijdt om zichzelf in de problemen te brengen.' Dat is Zarayanovs stijl, debiteren met het mes op tafel. En zijn arme tolk mag het vuile werk opknappen.

'Zegt u hem maar dat elk proces ook de strijd om het recht hoort te zijn,' antwoordt Brink. 'Van ons rechters wordt gevraagd dat wij onderscheid maken tussen Tojo en anderen als Shigemitsu die de pech hadden op de verkeerde tijd op de verkeerde plek te zijn.'

Terwijl Zarayanov naar de vertaling luistert, herinnert Brink zich de keer dat hij zo onbezonnen was geweest om op een uitnodiging van zijn Sovjetcollega in te gaan en bij hem op de kamer belandde. Na iedere slok whisky hield Zarayanov zijn glas omhoog en zei 'bottoms up' – waarmee de grens van hun communicatie zonder tussenkomst van een tolk vrijwel bereikt was.

Zarayanov laat nu weten dat 'als een man niets anders heeft om trots op te zijn, hij trots is op zijn inzicht in de dwalingen van anderen'.

Waarna de Rus hem vrolijk uitnodigt om samen iets aan de bar te drinken, waarschijnlijk om hem op een van zijn moppen over kozakken en melkmeisjes te trakteren. Brink excuseert zich en keert terug naar zijn kamer, waar hij een brief aan Dorien schrijft, met een samenvatting van zijn bezigheden van de laatste dagen en een reactie op het nieuws dat Basje, zijn jongste, goed reageert op een nieuw medicijn tegen benauwdheid. Hij sluit af met: 'Ik mis je.'

's Nachts schiet hij wakker. Zijn klamme laken zit om hem heen gewikkeld als een net. Hij werkt zich los en stapt uit bed om water te drinken, gaat weer liggen, knijpt zijn ogen stijf dicht, maar kan niet meer slapen. Hij denkt aan de brief aan Dorien, die klaar voor verzending naar het vaderland op zijn bureau ligt. Waarom hij eraan denkt, is hem een raadsel. In gedachten loopt hij hem woord voor woord na en zoekt naar de reden van zijn zelfverwijtende gevoel dat iets ongedaan is gebleven.

Hij wacht op het ochtendlicht, maar als het eenmaal tijd is, kan hij het niet opbrengen om uit bed te komen voor zijn vaste wandeling met McDougall. De stilte in zijn kamer vliegt hem aan. Hij beveelt zichzelf om uit bed te stappen, maar het werkt niet. Hij heeft het gevoel dat hij bestolen is en hijzelf is de dief.

Als hij eindelijk opstaat, staart hij naar de brief aan Dorien op zijn bureau. Dan trekt hij de lade van zijn bureau open. Van onder zijn notitieblokken en dossiers diept hij een envelop op. Hij neemt er een brief uit, een brief aan hem, met bovenaan de datum van bijna een halfjaar eerder. Slechts eenmaal las hij hem, direct na ontvangst, en daarna heeft hij hem begraven in zijn bureau. Zoals hij zijn gevoel ook dicht heeft gedaan, opgeborgen in zijn kamer, in zijn leven, alleen. Maar nu is hij niet langer meer alleen. Zij is er, zij is er ook. In het sierlijke en gelijkmatige handschrift waarin ze de regels optekent, de woorden waarmee ze het briefje besluit. 'Ik zal wachten tot ik een reactie van je heb ontvangen. Ik mis je, Michiko.'

Toen hij de brief had weggestopt, was er de hoop, de overtuiging, dat hij weer 'zichzelf' zou worden, de echte Brink – dat alleen de andere man, die zichzelf moest genezen, zou lijden. Maar wat als die ander de echte is?

Dat 'ik mis je' blijft obsessief in zijn hoofd nagalmen als een in zijn studentenjaren uit het hoofd geleerd wetsartikel. Hij ziet haar zitten in de trein op het station. De manier waarop ze strak voor zich uit kijkt. Op dat moment zou hij alles gegeven hebben voor een enkele blik van haar, een blik die hem vrijpleitte.

17

Het laatste daglicht boven de open plek vergruizelt. De top van de grote ceder buigt door en zwiept weer terug; de takken zuchten onder de verkennende plaagstoten van de naderende storm. Beneden sluit zijn moeder de luiken en legt zijn vader zware stenen op de dakplaten. Het dorp sjort zich vast. Opwaaiend stof treft zijn ogen als hij met Keiji voor de grot staat.

'Daar!' Keiji wijst naar het gat van ongeveer twee meter breed in het struikgewas langs de rotswand.

Hideki ziet nu met eigen ogen wat Keiji hem is komen vertellen: het struikgewas is weggekapt om de opening van de grot bloot te leggen. De laatste keer dat hij hier stond, was met Michiko. Hij denkt liever niet aan haar. Nog steeds niet, ook al leeft in hem de hoop dat ze het gered heeft. Zijn moeder heeft ontdekt dat de foto van Michiko en haar ouders is verdwenen, evenals haar zwarte jurk, haar enige bagage toen ze in het dorp aankwam.

Hij mist haar, 's ochtends als hij opstaat en het huisje binnengaat waar zij niet meer is, 's avonds tijdens het eten als hij naar haar lege plek aan de lage tafel kijkt. Zonder zijn gesprekken met haar kan hij zijn draai niet meer vinden. De waarheid is dat hij niet aan haar afwezigheid zal kunnen wennen. Wat dat betreft was het beter geweest als ze nooit was gekomen.

'Ze hadden een bijl,' klinkt de stem van Keiji naast hem.

'Wat deden ze nog meer, die politiemannen?' wil hij weten.

'Eerst hakten ze alle struiken weg en toen schenen ze met hun zaklantaarns in de grot.'

'Hebben ze iets gezien?'

De jongen schudt zijn hoofd.

'Zeiden ze nog wat?'

'Nee.'

'Ze moeten toch iets gezegd hebben. Hebben ze jou iets gevraagd?'

Opnieuw schudt Keiji zijn hoofd. 'Mijn moeder hoort 's nachts een kindje huilen. Ze zegt dat het kindje het koud heeft.'

Hij negeert de opmerking. 'Hoe wisten ze dat ze bij de grot moesten zoeken? Iemand moet toch iets verteld hebben.' Hij neemt de jongen indringend op, tot die zijn blik neerslaat.

'Mijn vader zegt dat het niet kan,' mompelt Keiji.

'Wat niet?'

'Dat ze een kindje hoort huilen.'

Keiji zou het zelf niet eens doorhebben als hij zijn mond voorbijgepraat had. Vaststaat dat hij overal bij is geweest, toen enige weken geleden de staatsmijningenieurs de jeep in het ravijn ontdekten en ook nu weer. Maar dat zegt niets, op de een of andere manier is de jongen altijd overal bij. Hideki probeert het verband te ontdekken tussen de rampen die zich in korte tijd achter elkaar hebben voltrokken. Eerst de verdwijning van Michiko, toen de vondst van de jeep, nu de ontdekking van de grot. Het vervolg laat zich raden: ze zullen terugkeren om in de grot af te dalen. En zodra ze die drie dode kerels vinden, is alles afgelopen. Zijn adem is zuur van angst. Hij grijpt naar zijn maag en doet zijn ogen dicht om na te denken.

'Komen de Amerikanen?' vraagt Keiji.

'Wat?' Hij opent zijn ogen, geërgerd door de onnozele uitdrukking onder dat hoge voorhoofd.

'Dat zegt mijn vader, dat de Amerikanen terugkomen.'

'Dat is goed mogelijk,' mompelt hij.

Hij staart naar de donkere opening van de grot. De Amerikanen zullen het niet lichtvaardig opvatten, drie van hun mannen afgeslacht. Het motief zal ze een zorg zijn. Hij denkt aan zijn vader, aan Keiji's vader, aan zijn oom. Hij denkt aan zichzelf. In een kort en helder visioen ziet hij hoe ze een voor een uit hun huizen gesleept zullen worden. Een mengeling van angst en woede voert hem terug naar een vroege ochtend op het platteland van China, naar de door legercolonnes kapotgereden heuvels ten noorden van een rivier waarvan hij zich de naam niet meer kan herinneren. Dagen van zware gevechten, onophoudelijk mortiervuur, tientallen dode kameraden her en der verspreid over de akkers. En dan de schok: die ene soldaat, hangend aan een telefoonpaal. De Roden van Mao hadden hem levend gevild en 's nachts hoog in het zicht voor hen achtergelaten.

'En dan?' vraagt Keiji.

Een lamlendige sloomheid vloeit door zijn lichaam en hij kan het nog maar nauwelijks opbrengen om te blijven staan.

'En dan, Hideki?' herhaalt de jongen.

'Ik weet het niet,' zegt hij stroef.

'We kunnen winnen. Met onze geweren kunnen we van ze winnen.'

'De oorlog is voorbij, Keiji. Zij hebben gewonnen.'

'Nee, wij. Als we de geweren halen...'

De jongen kijkt hem aan alsof hij zeker is van zijn gelijk, dat hij uiteindelijk, als hij maar voet bij stuk houdt, toch zijn zin zal krijgen.

'Nee, Keiji!' Hij brengt zijn gezicht dicht bij dat van de

jongen. 'Nou moet je eens goed naar me luisteren. De oorlog is afgelopen en wij hebben verloren. Iedereen weet dat. De keizer zelf heeft het op de radio gezegd. Laat dat nou eindelijk eens tot je doordringen.'

De jongen grijnst zenuwachtig naar hem. Zijn bleke polsen trekken zich terug in de mouwen van zijn jas en zijn ogen knipperen alsof hij plotseling in de zon kijkt. Hideki heeft al spijt van zijn uitval, maar hij is te boos om het recht te zetten. Natte sneeuwvlokken schieten wervelend langs hem heen, en smelten op Keiji's haar. Overmand door medelijden kijkt hij de jongen aan. De domme, ronde ogen, dat bottige lijf. Keiji's vaste geloof dat hij een held is, is nog steeds niet aan het wankelen gebracht. Niet alleen zijn jeugd, ook zijn volwassenheid zal voorbijgaan in niet-aflatende verbazing waarom niemand inziet dat hij, Keiji, een samoerai is.

'We hebben gewonnen,' lispelt de jongen voor zich uit en even lijkt het of hij gaat huilen.

'Kom, Keiji, we moeten gaan.'

18

Als hij zijn besluit om naar het dorp in de bergen te gaan heeft genomen, lijkt niets hem daarvan te kunnen weerhouden. Het is een geschikt moment, de pleidooien zijn afgerond, waardoor er vijf dagen geen zittingen zullen plaatsvinden. Volgens voorschrift stelt hij Webb in diens werkkamer van zijn reisplannen op de hoogte en hij belooft dat hij weer op tijd terug zal zijn voor de replieken, de volgende fase van het proces. Webb wil uiteraard weten wat hij gaat doen, maar Brink houdt zich op de vlakte over de inhoud van zijn plannen.

'En de sneeuwstormen?' vraagt Webb.

Op de terugweg naar het hotel splijt boven zijn wagen de hemel open, verlicht door flitsen die knetterend inslaan op de heuvels van Tokio. Gehaast trekken mensen op straat van winkel naar winkel om nog snel levensmiddelen in te slaan terwijl de winkeliers schotten voor hun ramen timmeren.

Op zijn kamer volgt hij de Amerikaanse nieuwsbulletins. In het noorden woedt een sneeuwstorm die over land in de richting van Tokio raast. Hij bestudeert de militaire kaart met de wegen, tunnels en spoorlijnen van de Nagano-prefectuur die hij in de documentenkamer heeft opgedoken. Buiten blaast de aanloeiende wind dakpannen van daken, rukt raamluiken uit hun scharnieren, trekt zelfgebouwde krotjes van oude planken en golfplaten uit elkaar. De lucht zit vol stof en kou en onheil. Het leven in de stad en op het gehele eiland Honshu ligt plat, meldt de radio. Er rest hem niets anders dan binnenblijven en afwachten. Moet hij dit als een teken opvatten, een helpende hand van de elementen om hem te behoeden voor een stommiteit, deze storm die de sneeuw met snelheden van negentig kilometer per uur over de stad jaagt, de ijskristallen door de kieren van zijn rammelende ramen perst?

Hij wil weg. Hij moet weg. Hij kan niet weg. Twee lange dagen dwingt het noodweer hem om in het hotel te blijven, maar zodra de eerste treinen weer rijden, laat hij zich door Benson naar het station brengen. Hij heeft besloten om niet met de wagen te reizen. Zijn precieze plannen houdt hij voor zichzelf. Niemand mag zijn gangen nagaan. Liever een ongemakkelijke reis met het openbaar vervoer dan een gerieflijke met een spion van GHQ achter het stuur. In zijn binnenzak heeft hij een briefje met de naam van een dorp, door Michiko geschreven in Japanse karakters die hij niet kan ontcijferen. Hij zit in de trein zonder precies te weten waar hij heen gaat en wat hem te wachten staat. Is hij gek geworden? Is hij de echte Brink? Of is hij het juist niet?

Langzaam rijdt de trein door Tokio. De genade van een dik pak sneeuw bedekt al wat lelijk en kapot is gemaakt door de oorlog. Terwijl de buitenwijken aan hem voorbijglijden voelt hij zich, voor het eerst helemaal alleen op reis en zo ver van zijn eigen land, een totale vreemdeling.

Door de sneeuwval op de wissels en de chaos op de perrons, afgeladen met passagiers die zijn gestrand, duurt de reis twee keer zo lang als voorzien. Aan het eind van de middag stapt hij over op een bus en zit hij naast een oude man met een verschrompeld gezicht en rubberlaarzen aan zijn voeten. Op zijn schoot rust een jutezak waarin soms iets lijkt te bewegen, een kip of een konijn, neemt hij voor het gemak maar aan. Brink is de enige westerse passagier. Niemand lijkt hem op te merken, maar hij weet beter, hij kan de heimelijke, afwijzende nieuwsgierigheid voelen. Hij denkt aan de etsen in de etnografische boeken die hij in de documentenkamer heeft ingekeken, illustraties van op staken gespietste christenhoofden, ondubbelzinnig bewijs van hoe de Japanners dachten over buitenlanders die zo ondernemend en roekeloos waren het keizerrijk binnen te trekken.

Deze weg is zij ook gegaan, vóór hem, ruim een halfjaar geleden. Eerst de trein, dan de bus. Hij stelt zich voor dat ze hem kan zien, echt kan zien. Dat ze weet dat hij onderweg in deze bus is. Onderweg naar haar. Om te vragen om vergeving. Om te zoeken naar het vroegere geluk, dat hij zich heeft laten ontglippen. Die eerste keer dat hij haar zag, toen ze Liszts *Der Fischerknabe* zong, die warme, melancholische sopraan, hij was geraakt door haar stem. Rechtop in het spotlicht stond ze. Ze droeg een zwarte fluwelen jurk, haar opgestoken haar glansde. De eerstvolgende keer dat hij haar ontmoette, zou hij haar niet herkennen. Dat zit hem nog steeds dwars.

Het is al donker als ze ergens in een plaatsje aan de doorgaande weg stoppen. Iedereen stapt uit behalve hij. De chauffeur maakt hem duidelijk dat de bus niet verdergaat. Hij laat zijn briefje met de naam van het dorp zien. De chauffeur draait met zijn wijsvinger boven Brinks horloge en steekt vervolgens acht vingers op. Over acht uur of om acht uur de volgende dag, denkt hij uit de pantomime op te maken. In ieder geval moet hij de bus uit. De chauffeur komt achter hem aan en wijst naar een laag huis dat door het pak sneeuw op het dak op een skihut lijkt met een zacht en warm licht achter de vensters. Het huis ernaast is hoger en heeft zwaar onder de storm geleden, een boom heeft het dak doorboord.

Het is ijzig koud. Er is geen maan, de sterren lichten zo helder op dat het lijkt alsof de donkere leegte waarin ze schitteren terugwijkt. De bevroren sneeuw kraakt als hij met zijn hand op zijn hoed naar het lage huis loopt.

Bij het licht van petroleumlampen en kaarsen zitten groepjes mannen, onder wie twee in politie-uniform, op kussens aan lage tafels. Ze spreken zacht en drinken uit kleine kommetjes. Het ruikt er naar oude, natte kleren, ongewassen lijven en vette kippenbouillon, maar het is er warm. Een man in een katoenen kimono komt op hem toe en heet hem buigend welkom.

'Kamer, slapen.' Hij heeft de woorden geoefend, maar uit het antwoord van de man, een zang van hoge, bijna gefluisterde klanken, kan hij niet opmaken of de boodschap is overgekomen.

Hij wijst op zijn borst en herhaalt: 'Kamer, slapen.'

De man knikt en zegt in het Japans: 'Ja', dat verstaat Brink. Maar hij weet inmiddels dat Japanners altijd ja antwoorden op een vraag, ook als het antwoord nee is.

De man buigt en praat verder. Brink heeft geen idee wat hij duidelijk probeert te maken.

'Excuseert u mij,' klinkt een stem achter hem. 'Waard vraagt of u rijst mee heeft?'

Hij draait zich om en ziet een politieman met geolied, glad achterovergekamd haar waarin de afdruk van de rand van zijn pet zichtbaar is.

'Rijst?' vraagt Brink.

'Gasten betalen half met geld, half met rijst. Rijst is meer waard dan yens tegenwoordig.' Zijn boventanden steken naar voren. Zijn dungesleten uniformjasje hangt open en er ontbreken twee knopen.

'Nee, ik heb geen rijst, maar kunt u hem zeggen dat ik het aandeel rijst met yens zal compenseren?'

De politieagent zegt iets in het Japans tegen de waard en de waard antwoordt teleurgesteld, lijkt het, en buigt opnieuw.

'Waard heeft een kamer,' vertaalt de politieman, 'hij vraagt uw paspoort voor administratie.'

Hij geeft zijn identiteitsbewijs aan de waard, die ermee naar achteren loopt om de gegevens in het hotelregister te noteren, een verordening van de Amerikaanse bezetter.

'Dank u,' zegt hij tegen de politieagent. 'U spreekt goed Engels.'

'Ik heb Engels gestudeerd. In de oorlog heb ik op ministerie van Oorlog brieven en tijdschriften uit het Engels vertaald.'

'Morgen wil ik zo vroeg mogelijk verder met de bus. Hoe laat gaat de eerste?'

'Welke richting?'

'Het noorden…' Hij brengt zijn hand naar zijn binnenzak om het briefje te pakken en geeft het aan de politieman. 'Hier moet ik zijn, is het ver?'

'Ah!' De man knikt enige malen, knijpt zijn ogen iets samen en neemt hem nu nieuwsgierig op. 'Nee, niet ver, halfuur met de bus.'

'Mooi,' zegt hij.

'Dan twee, drie uur lopen, slechte weg omhoog, veel sneeuw in bergen. Lastig.' De man geeft hem het briefje weer terug.

'Dank u,' zegt hij en knikt beleefd met zijn hoofd omlaag.

De politieman buigt het hoofd dieper. 'Tot uw dienst.'

Vier mannen in politie-uniform springen in de houding als hij de volgende ochtend met rode wandluisbeten in zijn hals de herberg verlaat. Een van hen is de politieman die Engels spreekt.

'Goedemorgen, meneer de rechter.'

Blijkbaar hebben ze de mysterieuze westerling aan de hand van het hotelregister nagetrokken.

De politieman wijst op een kleine, wat oudere collega die naar het aantal strepen op zijn uniform te oordelen, hoger in rang is. 'Dit is mijn chef, meneer Eijiro Kume, hij begroet u hartelijk welkom in zijn district.'

De chef buigt kort en snel, en stoot enkele hese klanken uit, waarbij zijn adem stoomt in de vrieskoude ochtendlucht.

'Meneer Eijiro Kume biedt u aan naar dorp te rijden in politieauto.'

Hij overweegt het aanbod, dat het vervolg van zijn reis zou vereenvoudigen. Aan de andere kant lijkt het hem een idiote vertoning wanneer hij met een kleine politiemacht bij Michiko komt aanzetten.

Hij schudt het hoofd. 'Dank u, ik ga met de bus.'

'Meneer Eijiro Kume vindt het een grote eer,' dringt de man voorzichtig aan. 'De weg naar het dorp is niet alleen lastig, maar ook moeilijk te vinden, en hoe moet dat als u geen Japans spreekt?'

Hij neemt een beslissing. 'Kunt u een auto besturen?'

'Jazeker, ik heb mijn rijbewijs, al meer dan drie jaar.'

'Vraagt u alstublieft uw chef of u mij mag brengen, u alleen, omdat u kunt rijden en ook Engels spreekt.'

Even later rijden ze over de tweebaansweg en kan hij de schade van het noodweer opnemen. Daken zijn van huizen losgescheurd en liggen ergens midden in het besneeuwde veld, ramen zijn ingewaaid, telefoonpalen doormidden gebroken.

'Het was de zwaarste sneeuwstorm in twintig jaar,' verduidelijkt de politieagent.

'Komt u uit dit gebied?'

'Nee, van Okinawa. Het eerste eiland dat de Amerikanen hebben veroverd.'

'Wat doet iemand als u hier?'

'Voor de oorlog was mijn plan afstuderen en naar Amerika emigreren. Maar nu is alles anders. Je hebt meer aan een simpel leven dan aan dromen.' Hij is even stil en schraapt zijn keel. 'En u? Waarom wilt u naar dorp?'

'Er is daar iemand die ik op wil zoeken.'

Er valt een stilte. De wagen slaat een smalle, steile weg in. Bamboestruiken liggen plat tegen de besneeuwde helling, alsof een stoomwals er een wit, grof tapijt van heeft gemaakt. Hij krabt de beten in zijn nek.

'Heeft u een naam?'

'Ja, ik heb haar naam. Michiko.'

'Ah!' zegt de man en het lijkt of hij opgelucht is.

Het uitspreken van haar naam, het idee dat ze onderweg zijn naar het dorp, dat alles jaagt een tinteling van opwinding door zijn bloed. Hij herinnert zich die keer dat ze samen door de herfstbossen naar het bergmeer reden. Als hij die dag nu zou moeten beschrijven, zou hij zich beperken tot de weerspiegeling van de heuvel in het vlakke water en de rode gloed van de esdoornbladeren op de helling, en de loomheid, de tevredenheid toen hij naast haar op de houten steiger bij de vissersbootjes stond en van het uitzicht genoot.

De auto hobbelt door een diepe kuil, hij wordt heen en weer geschud. 'Excuus, nog een kwartier, gaat het nog?'

Opnieuw stelt hij zich voor dat ze hem kan zien, hem ziet

naderen, hobbelend, schuddend, door de bergen. Hij hield van haar. Dat wist hij toen al, dat weet hij nog steeds. Maar hij was niet sterk genoeg om haar bij zich te durven houden. Hij zal het haar uitleggen. Hij hoopt dat ze het zal begrijpen.

19

Zijn ouders zijn stil, nog stiller dan gewoonlijk tijdens het avondmaal. In hun zwijgen klinken hun zorgen door: eerst de jeep, toen de grot. Hij voelt zijn eigen angst, die al deel van hem was ver vóór hij in het kamp zat en de bewaker met de gele, ronde kop een warme, als zoutzuur bijtende straal urine op zijn rauwe gezicht richtte. Hij kauwt op zijn knolletjes, ziet de opening van de grot voor zich en denkt na, zoals hij de afgelopen dagen aan één stuk heeft gedaan.

Na het eten trekt hij zich terug in het schuurtje en kijkt met een deken om zijn schouders door het vuile raam naar de oplichtende sneeuw op het erf. Hier staan en niets doen, hier afwachten tot het zover is, te laat is... Hoe kan hij zichzelf serieus nemen als hij niet gelooft in een andere afloop? Er moet iets gebeuren. Iemand moet iets doen. Maar wat en hoe? Het leven heeft geen eenduidige doelen, zelfs niet een eenduidige richting, behalve die naar de dood. De eenvoud van wat hem vroeger als kind is bijgebracht over goed en kwaad, laf en moedig, heeft geen stand gehouden. Hij heeft behoefte aan een ander verhaal, een verhaal dat hem toebehoort en waarbinnen hij past. Nog een hele poos staat hij voor dat raampje, waar zijn adem op beslaat. Hij gaat op in die tijdloze wazigheid die hij als kind ervoer aan de monotoon heen en weer gaande trekzaag. Dan, in een moment van licht en wijsheid, doorziet hij alles. Zijn jeugd in het dorp, de oorlog, de mitrailleursalvo's vanuit de open truck op die arme donders, tot en met de vlammenzee waarin hij zelf bijna het leven liet, ook zijn angsten, ja, zelfs zijn armzalige zelfmedelijden, alles. Zijn hele leven heeft aangekoerst op dit moment. Hij voelt zich gespitst, zuiver logisch, met de nauwkeurigheid van een floret gericht op één doel. Hij zal bewijzen dat hij het aankan.

's Nachts sluipt hij het huisje van zijn ouders binnen om een pen, een stuk papier en een envelop te pakken. Hij trekt zich weer terug in zijn schuurtje, gaat op zijn futon zitten, blaast zijn handen warm en begint te schrijven: 'Aan de hoofdcommissaris van politie van district Nagano.' Hij denkt na over de woorden. 'Ondergetekende, Hideki Yoshimura, voormalig sergeant in het keizerlijk leger, verklaart hierbij dat hij...'

Hij doet vreselijk zijn best op de karakters, ze moeten er netjes en overtuigend uitzien, de brief van een man met geloof in zichzelf. Midden in de nacht is hij klaar. Als de inkt droog is, schuift hij het blad dubbelgevouwen in de envelop. Met de envelop onder zijn kussen valt hij in slaap.

Zijn ouders protesteren, zoals verwacht, maar hun tegenwerpingen ketsen af op zijn vastberadenheid. Hij drukt zijn vader op het hart om precies te doen en te verklaren wat hij uitgedacht heeft, als de Amerikanen naar het dorp komen om hem en de andere mannen te ondervragen. Zijn moeder vult een knapzak voor onderweg, met kleding en in krantenpapier verpakte zoete aardappelen en worstjes van hertenvlees voor onderweg. Terwijl zij met een ernstige frons haar almanak erop naslaat of hij een goed moment voor zijn vertrek heeft gekozen, haalt hij de meeste kledingstukken weer uit de knapzak. Zo weinig mogelijk meenemen. De sterren staan gunstig, concludeert zijn moeder, en hoewel hij weinig vertrouwen in de voorspellende waarde van haar almanak heeft, geeft de 'zegening' hem moed. Ze schenkt hem twee briefjes van honderd yen uit het geldkistje. Hij zet zijn pet op, stapt in zijn soldatenlaarzen en omhelst zijn moeder voor de laatste keer. Voor hij het huis verlaat, drukt ze hem snel nog een biljet van honderd in zijn hand.

Buiten wacht Keiji met een sjaal over zijn hoofd geknoopt. Hij hangt over het stuur van zijn fiets, tuurt in de verte, alsof hij zijn gedachten laat weiden in de oneindige vlakten van het niets. Hideki moet zijn naam twee keer roepen voor de jongen opkijkt.

'Keiji, ik ga weg.'

'Waarheen?'

'Nagasaki,' liegt hij. Mocht de jongen zijn mond voorbijpraten, dan zou dat voor een keer zijn nut bewijzen.

'Waarom?'

'Daar woont een oude maat van me uit het leger. Hij heeft een bedrijfje opgezet en ik kan een baantje bij hem krijgen.'

'En als de Amerikanen komen?'

De jongen volgt hem. Bij de houten brug neemt hij even pauze, op een van de rotsblokken. Hij staart naar de stroom. Hij heeft geen haast. Hij hoeft nergens naartoe, hij hoeft alleen maar het dorp te verlaten en er weg te blijven. Dat is eenvoudig. Achter de kam in het noordoosten gaat een steile bergwand schuil en vanaf daar is het bos zo dicht dat alleen een slingeraap zich er thuis zou voelen. Misschien dat hij zich een poosje in die onafzienbare wouden terugtrekt. Misschien dat hij verder weg trekt, helemaal naar de andere kant van Honshu. Hij weet het gewoon nog niet. Die beslissing stelt hij uit tot hij de brief heeft afgegeven.

'Keiji,' zegt hij als hij na een poosje weer overeind komt. 'Ik moet nu gaan.'

In de ronde ogen van de jongen blinken tranen.

'Maar eerst heb ik nog een speciale mededeling voor jou.'
Uit zijn binnenzak diept hij de Kyokujitsu-sho op. 'Je bent
een goede jongen, en moedig ook.' Hij denkt na over zijn
volgende woorden terwijl de jongen naar de medaille met
het rood-witte lint staart. Hij wil dat ze Keiji een bijzonder
gevoel geven, hem op zullen tillen, het afscheid draaglijk en
zinvol voor hem maken. Hij schraapt zijn keel en gaat rechtop staan.
'Het Japanse volk kan alleen maar overleven door moed
en zelfopoffering. Latere generaties zullen de verhalen over
jouw moed horen en de mensen zullen zeggen: "Keiji was
een held." En ze zullen je onder de kersenbloesem eren en ze
zullen onder de volle maan voor je ziel bidden. "Keiji," zullen ze zeggen, "was een held van de natie." Daarom wil de
keizer dat jij deze belangrijke onderscheiding krijgt.' Met
een veiligheidsspeld prikt hij de onderscheiding in de stof
van de jas. Hij legt zijn hand op Keiji's schouder.
'Ga terug naar het dorp, vertel niets, praat met niemand
over wat er is gebeurd. Bewaar ons geheim. Zul je dat beloven?'
De jongen knikt. Met zijn vingers streelt hij het rood-witte lint op zijn borst. 'We gaan winnen, hè?' Het klinkt bijna
smekend.
Hij slikt. Misschien ziet hij de jongen nooit meer terug.
'Ja, Keiji, we gaan winnen. Maar nu moet je gaan. Dat is een
bevel. Niet huilen, Keiji.'
De jongen schudt zijn natte gezicht en draait zich om. Hij
duwt zijn fiets het steile stuk vanaf de rivierbedding omhoog. Hideki kijkt hem na tot hij tussen de besneeuwde bomen is verdwenen. Hij wil al weglopen, maar bedenkt zich
en knielt bij de rivier. Hij gaat op zijn buik liggen en maakt
van zijn handen een kom en drinkt eruit. Het water is zo
koud dat zijn tanden er pijn van doen. Het smaakt naar ste-

nen, mos, bergen. Hij sluit zijn ogen om het nog beter te kunnen proeven. Boven het geruis van de rivier uit vangt hij het geluid van een auto op. Hij blijft liggen wachten tot de auto de brug bereikt heeft en de planken onder de banden tekeergaan. Verdekt tussen de struiken kijkt hij over zijn schouder. Het is een politieauto. Achter het stuur zit een agent met naast hem een grote gestalte met een hoed op. Als het gierende geluid van de motor in de klim langzaam wegsterft, komt hij overeind. Hij gooit het koord van zijn knapzak over zijn schouder en hobbelt de brug over. Nu al voelt hij hoe de wereld voor hem aan het veranderen is, opnieuw verandert.

20

Vanaf de brug gaat het steil omhoog, met de ene spiraal-
bocht na de andere. Het bos wordt dichter. Als de banden
van de politieauto op de bevroren weg beginnen door te
draaien, moeten ze te voet verder. Boven de sneeuwsculptu-
ren van de bomen schreeuwen grote roofvogels alsof ze hun
prooien oproepen om zich te vertonen.

De weg voert hen tussen twee steile rotswanden en na een
bocht ontvouwt zich een adembenemend uitzicht op de
diepte van het ravijn. 'Daar beneden,' zegt de politieagent,
die halt houdt om iets aan te wijzen, 'is de jeep van het Amerikaanse leger gevonden. De jeep en drie soldaten waren al
meer dan een jaar spoorloos, de jeep was onder takken en
bladeren verstopt. De Amerikanen willen weten of het een
ongeluk is of dat de drie deserteurs zijn.'

Brink staart omlaag in de diepte, maar hij ziet niets dan
sneeuw en nog eens sneeuw.

'Nu is alles bedekt.' De man neemt hem onderzoekend op,
alsof hij een reactie verwacht. 'Bent u hier voor de drie Amerikaanse soldaten?'

'Nee,' zegt hij. 'Daar wist ik niets van.'

'Ah!' zegt de man. 'Ik dacht, een belangrijke rechter uit Tokio, die helemaal hierheen komt...'

'Ik ben verbonden aan het tribunaal, iets anders gaat mij
niet aan.'

'Ah!' reageert de man terwijl hij knikt, maar iets in zijn stem zegt Brink dat hij niet overtuigd is.

Met half bevroren voeten en oren komt hij aan in het dorp, dat met zijn scheve wormstekige houten huisjes met overhangende, besneeuwde daken zo uit een prentenboek afkomstig lijkt. Hij slaat zijn kraag op en stampt met zijn voeten in een poging ze warm te krijgen. Vrouwen en kinderen komen naar buiten om naar hem te kijken. De politieman spreekt een jongen aan die op een oude fiets door de sneeuw ploegt. In minder dan geen tijd weet hij bij welk huis ze moeten zijn. Misselijk van spanning stapt Brink de veranda op. Binnen trekt hij in navolging van de politieman zijn schoenen uit en neemt hij op de vloer plaats aan een lage tafel.

'Dit is de tante van Michiko,' zegt de politieman en gebaart in de richting van de oudere vrouw die bezig is de luiken voor de ramen te sluiten alsof de buitenwereld niet mag weten dat ze gasten heeft. Ze maakt thee en buigt alvorens ze op haar knieën bij hen komt zitten. Hij voelt de koude huid op zijn gezicht samentrekken en zijn benen beginnen onbedwingbaar te trillen. Hij probeert vriendelijk naar haar te knikken, maar ze kijkt hem niet aan. Ze maakt een taaie indruk. Hij voelt dat hij vanaf nu alleen nog maar kan afwachten en geen enkele beslissing meer in de hand heeft.

De politieman stelt vragen en de vrouw geeft antwoord, zo te zien niet van harte. Al die tijd ontwijkt ze oogcontact met Brink, waardoor het voelt alsof hij voor haar niet bestaat.

'Ze zegt,' vertaalt de politieman, 'dat Michiko uit Tokio hierheen is gekomen. Zij heeft meer dan een halfjaar hier gewoond. Zij sliep hier naast de dochter van tante. Michiko was als een dochter. Maar ze is niet meer hier.'

'Sinds wanneer?' Zijn stem slaat over.

De politieman vertaalt zijn vraag terwijl Brink aan één stuk door zijn vinger over de rand van zijn kom strijkt zonder een slok thee te drinken.

'Ze is een week geleden vertrokken.'

Vertrokken? Hij voelt zijn hart krimpen in zijn borst.

'Waarheen?'

De politieagent drinkt van zijn thee en zet de kom op de lage tafel neer. 'Haar tante weet niet waarheen.'

Het is moeilijk voor te stellen dat Michiko hier geleefd heeft. Brink rookt een sigaret op de veranda terwijl de politieman in het dorp navraag doet.

De zon klimt net boven de witte boomtoppen uit en spreidt een verblindend licht op de daken van de huisjes. Het geluid van bevriezende sneeuw lijkt van diep uit de aarde te komen. Ze heeft het lang volgehouden, Michiko, lang genoeg om tot de conclusie te komen dat het een grote vergissing is geweest, zijn omhelzing onder Mount Fuji, zijn woorden in het kleine restaurant aan het meer, alles. Kun je iemand erger kwetsen dan hij heeft gedaan? Haar het gevoel geven dat hij haar misbruikt had, precies waar mevrouw Haffner haar voor had gewaarschuwd. Hij had haar verleid, zich met haar vermaakt. Tot het hem niet meer uitkwam. Hij had haar in dit gat onzeker laten afwachten, haar zelf de bittere conclusie laten trekken. Wat anders kan ze gedacht hebben dan dat het voorbij was, toen hij haar brief onbeantwoord liet? Dat hij hier zit, bewijst het tegendeel, bewijst dat ze het toch, al heeft hij de schijn tegen, verkeerd ziet. Zijn komst is het geleverde bewijs, maar niet aan haar, zij is weg. Een enkele brief, een paar vriendelijke regels, wie weet hoe het dan was gelopen.

'En?' vraagt hij aan de politieman als die de veranda weer heeft bereikt.

'Niets.' De man neemt hem ernstig op. 'Iedereen wil weten wie u bent.'

'Heeft u het verteld?'

'Dat u rechter in Tokio bent? Jazeker!' Het klinkt bijna trots.

Hij komt overeind en op dat moment verschijnt Michiko's tante in de deuropening van het huisje. Ze heeft een houten emmer vast en kijkt hem nu voor het eerst aan, recht in zijn gezicht. Ze loopt op hem toe en komt, klein als ze is, ongemakkelijk dicht bij hem staan. Ze zet de emmer neer. Fel als de uithaal van een gewond dier grijpt ze de kraag van zijn jas. Haar gezicht is bloedeloos, met zware schaduwen onder haar ver uiteenstaande ogen, donker en hard als kool. Uit haar mond met scheve, gele tanden ontsnappen sissende klanken.

'Wat zegt ze?' vraagt hij.

'Dat u niets in het dorp te zoeken heeft,' vertaalt de man en hij voegt er enkele voor de vrouw bestemde woorden aan toe.

De vrouw laat zijn jas los, maar aan haar blik is geen ontkomen. In die ogen van haar blinkt een woedend licht. Hoeveel wist ze, deze vrouw? Was ze op de hoogte van wat hij haar nicht had aangedaan, hoe hij haar had laten zitten? Een getrouwde man! Een buitenlander! Ze is nog niet klaar met hem. Opnieuw spreekt ze hem toe. Hij voelt haar warme adem op zijn gezicht, kronkelt in de greep van die blik. Hij wacht op de vertaling van zijn tolk, maar die laat het erbij. In plaats daarvan spreekt hij de vrouw op, zo klinkt het, vermanende toon toe.

'Wat?' vraagt Brink.

'Kom, we zijn hier klaar, we gaan.'

'Ik wil weten wat ze zei.'

'Ah!' steunt de politieman met een zacht ongeduld. Hij

snuift, aarzelt. 'Ze vraagt, meneer de rechter, of u niet genoeg slechtheid hebt gebracht. De tante van Michiko zegt: "Neem uw slechtheid mee en ga!"'

Onderweg naar de auto, de weg op sommige stukken nauwelijks een richel van sneeuw en ijs langs ravijnen, zijn ze beiden een poos stil. Met ingehouden adem en een verhaal waarin hij zelf geloofde was hij naar deze afgelegen plek gekomen en een oude vrouw met nijdige ogen had hem dat verhaal uit handen geslagen. In het oosten verdrijft het zonlicht de diepe schaduwen op de hoogste bergen en uit de sneeuw verrijzen rotsstapels. Ver onder hem kolkt de woeste rivier en hij herinnert zich de woorden van Webb in de hal van het hotel vlak voor zijn vertrek. 'Ga niet alleen op pad, beste vriend,' zei de Australiër. 'Ik zeg je, bega geen stommiteit.'

'En nu, meneer rechter?' De stem van de politieman onderbreekt zijn gemijmer.

'Ik weet het niet,' zegt hij. 'Ik weet niet meer wat ik moet doen.'

De man zwijgt.

'Weet u,' zegt Brink, 'ik houd van deze vrouw.' De vorst dringt hem tot in het merg.

'Ik heb u verteld dat ik van Okinawa kom,' de man tilt zijn pet van zijn hoofd, strijkt met zijn hand zijn geoliede haar glad en zet zijn pet weer op, 'ik ga niet meer terug naar Okinawa. Het is helemaal van de Amerikanen. Amerikaanse legerbasis, Amerikaanse restaurants, Amerikaanse winkels, Amerikaanse auto's. Mijn ex-verloofde danst met de Amerikanen. Alles is veranderd. Als jongen droomde ik ervan om naar Amerika te gaan, maar nu is Amerika in Okinawa. Ik moet blijven hier op deze plek en iedere dag dit uniform aantrekken. Anders kan niet. Zo simpel is het. Begrijpt u mij?'

'Niet helemaal.'

'U bent rechter, u moet terug naar Tokio en het werk van een rechter doen. Beter dan zoeken naar iets wat niet is.'

Het is nog maar een klein stukje, de kou stijgt in een bijna onzichtbare nevel van de met gerimpeld ijs bedekte weg op. Brink denkt aan zijn vader die in een fantasie had geleefd. Meer was er niet. De dag voor zijn zelfmoord had hij een nieuwe Buick met leren bekleding besteld bij de autodealer in Eindhoven. Hij had tienduizend gulden schuld, een vermogen in die tijd, de deurwaarders zaten hem op de hielen, hij kon geen kant meer op, maar op dat moment tekende hij met zijn vergulde vulpen de koopovereenkomst.

Ze hebben de auto bereikt en kijken elkaar over het dak aan. Hij zegt tegen de politieman dat hij waarschijnlijk gelijk heeft en stapt in de wagen.

'Michiko's tante was zo vijandig,' zegt hij als ze weer rijden. 'Ik kan haar haat nog voelen.'

'Niet haat. Zij heeft niets tegen u persoonlijk, zij vertrouwt u niet,' hij grinnikt, 'de mensen in het dorp vertrouwen niemand.'

Hij zou dat graag willen geloven, maar hij weet dingen die de politieman niet weet en dat maakt het lastig. 'Is dat typisch… Japans?' vraagt hij.

'Nee, nee! Deze mensen,' zegt de politieman als ze de rammelende houten brug bij de rivier overgaan, 'zijn simpele mensen, bergmensen. Zij…' Hij aarzelt alsof zijn woorden hem naar een onderwerp leiden waar hij zich onzeker over voelt.

'Ja?' zegt hij.

'Zij hebben veel meegemaakt. De Amerikaanse soldaten van de jeep zijn hier gekomen en hebben de jonge vrouwen meegenomen in bos. Dochters, echtgenotes.' Hij schudt zijn hoofd.

'Meegenomen? U bedoelt verkracht?'

'Ja, meneer. Zo is het.'

'Hebben ze u dat verteld?'

'Niemand heeft iets gezegd, maar ik weet genoeg. Volgende week ga ik samen met Amerikaanse MP's terug naar het dorp voor verder onderzoek.'

'Hoe bent u erachter gekomen, dat van die verkrachtingen?'

'Het Amerikaanse leger geeft tipgeld, tienduizend yen.'

'Maar u zei dat niemand iets gezegd heeft.'

'Behalve een oude vrouw, ze woont buiten het dorp. De mensen denken dat zij een heks is, ze maakt kruiden en hoort bij niemand behalve bij haar geld en haar geit.'

De politieman vertelt dat mijningenieurs van de overheid tijdens proefboringen naar delfstoffen de jeep hebben opgemerkt. En dat hijzelf toen de vrouw, die dicht bij het ravijn woont, heeft ondervraagd, samen met zijn chef. Met triomfantelijke voldoening schetst hij hoe ze de vrouw eerst met het tipgeld paaiden en daarna onder druk zetten. Hij gnuift bij de herinnering. De kruidenvrouw had uit de school geklapt over de verkrachtingen in het dorp en over wat ze 's nachts gehoord en gezien had bij de grot.

'Volgende week komen de Amerikaanse MP's met mannen van genie, die kunnen met touwen en lampen als apen klimmen. Ik heb een theorie. De Amerikanen verkrachten de vrouwen; de Amerikanen worden vermoord en in de grot gegooid; jeep verdwijnt in afgrond. Volgende week weten wij of mijn theorie juist is. De waarheid is in de grot.'

In gedachten heeft hij al uitgerekend dat Michiko ten tijde van de verkrachtingen en de verdwijningen niet hier in de bergen, maar nog in Tokio was. Wat zou zij ervan geweten hebben? Door het verhaal van de politieman krijgt hij een ingeving.

'Het spijt me, maar is het mogelijk dat we teruggaan?'

'Terug? Naar dorp, bedoelt u?'

'Naar die oude vrouw. Misschien weet zij iets over Michiko. Misschien kan ze nog wat tipgeld gebruiken.'

Het verwaarloosde huisje, het is eerder een hut opgetrokken uit leem en bamboe, staat op een helling, een meter of vijftig van de weg. Uit de schoorsteen komt rook, maar de vrouw is niet thuis. Door een kier in de raamluiken zien ze een enorme geit, geelogig en met onverschillig malende kaken, die in een met planken afgescheiden ruimte op een bed van stro ligt. Op de vloer zijn bundeltjes gedroogde kruiden op oude kranten gestapeld en boven het fornuis hangen bladeren aan hun takken te drogen.

'Misschien is ze hout zoeken,' zegt de politieman. Hij tuurt het pad af en laat zijn blik over de afdrukken in de sneeuw glijden. 'Misschien daar,' hij knikt met zijn hoofd, 'bij open plek.'

Ze volgen de afdrukken naar waar de bomen steeds verder uiteen wijken en het zonlicht plotseling vrij spel krijgt.

'Dit is sneller,' zegt de man en hij knikt met zijn hoofd naar een korte helling. Brink zet zich schrap, op zijn hoede om niet uit te glijden. De politieman maakt een gebaar met zijn hoofd om hem voor te laten gaan. Hij zet af, klimt een stukje, glijdt weg en kruipt op handen en voeten omhoog naar het licht.

'Ah!' hoort hij achter zich als hij verblind door de felle, door de sneeuw weerkaatste zonneschijn overeind komt. Hij draait zich om en ziet beneden hem op het pad de politieman met zijn rug naar hem toe staan. Bij het huisje sjokt een oude vrouw met een hoofddoek om.

'Daar is ze,' mompelt de politieman.

Brink wil weer afdalen, maar de helling is steil, vervaarlijk steil voor de gladde leren zolen van zijn schoenen, heeft hij net kunnen vaststellen. Hij zoekt naar een makkelijkere weg omlaag. Nu pas dringt tot hem door waar hij zich bevindt, aan de rand van een open plek met enkele reusachtige, ver uit elkaar staande bomen langs een rotswand. Eerst valt hem die ene, verreweg hoogste boom op, reikend naar de helderblauwe welving van de hemel. Dan de opening in de struiken. In de met oranje lijnen dooraderde rotswand tekent zich een donker gat af.

'Is daar de grot?' vraagt hij aan de politieman, die nog steeds enkele meters onder hem staat en niet kan zien wat hij ziet.

'Ja,' luidt het antwoord.

Brinks ogen worden geteisterd door het felle licht als hij zijn blik over de open plek laat dwalen. Hij ziet iemand op een omgevallen boomstam zitten. Een eenzame, frêle figuur in de sneeuw, wachtend bij de grot. In afwachting van iets groots, lijkt het, de stem van God, een openbaring. Alles licht en vredig. Langzaam draait de figuur zich naar hem om.

Het is eerder verwondering dan verrassing. Iedere centimeter trilt en schittert tussen hem en de onbekende, twee spelers door het toeval bij elkaar gebracht in een onbekend verhaal. Even vraagt hij zich af of het Michiko kan zijn, een geschenk omdat zijn intuïtie hem ingaf terug te keren. Geroepen, is het woord dat bij hem opkomt. Het bovenlichaam draait enigszins en achter de boomstam vandaan verschijnt een langwerpig voorwerp, een stok of een tak, is zijn eerste indruk. De geheimzinnige bewegingen in het kristallen licht betoveren hem, en het is plotseling doodstil, zoals het geweest moet zijn op die vroege ochtend toen de kinderen van Hiroshima naar een vliegtuig aan de hemel tuurden en iets omlaag zagen komen dat op hun stad viel en er even geen enkel gerucht was. De man, toch, fijn van gestalte maar het moet een man zijn, houdt iets vast. Geen tak, geen stok, maar een geweer, dat nu in zijn beide handen rust, zweeft, lijkt het. Hij brengt de kolf naar zijn schouder en trekt zijn nek in. Met zijn hoofd schuin richt de man zijn geweer – op hem, dat is duidelijk, al wil het maar niet tot Brink doordringen dat dit echt gebeurt; het is te onverwacht, de overgang is te abrupt, te ongerijmd. Het zonlicht valt op Brinks gezicht. Hij hijgt, stikt, staat stokstijf in de kou. Als gehypnotiseerd staart hij naar het geweer, de donkere lijn van de loop. Hij wil iets zeggen, roepen, en steekt zijn hand op, een gebaar dat het midden houdt tussen 'dag' en 'stop!'. Zijn benen trillen. Een schot klinkt en het volgende moment grijpt Brink naar zijn in brand staande schouder. Nog voor het tweede schot klinkt, laat hij zich in een reflex vallen. Plat op de grond, zijn wang in de sneeuw gedrukt, hapt hij naar adem van de pijn.

Als hij zijn ogen weer opent, ligt naast hem de politieman, die tijgerend naar voren schuift. Het dienstpistool glinstert in zijn hand. Hij richt met een oog stijf dichtgeknepen en schiet. Twee knallen, de geur van kruit, een zacht gekreun, en dan een enkele droge snik.

'Oké,' zegt de politieman na enige tijd van angstaanjagend afwachten.

Brink richt zijn hoofd een stukje op om te kijken. Over de boomstam hangt de man voorover, zijn gezicht naar omlaag in de sneeuw. Het geweer ligt een meter van hem vandaan.

De politieman loopt erheen, kantelt het lichaam en laat het plat op de rug vallen. De voorkant van de jas is doorboord met een kogel en uit het gat stroomt bloed. Naast het gat hangt een medaille aan een rood-wit lint. Boven de starende, ronde ogen is ook een kogel ingeslagen. Een straaltje bloed loopt als een donkere streep dwars over het hoge voorhoofd naar de neus en vormt met de zwarte wenkbrauwen een kruis. Het lijkt of iemand een teken op het gezicht heeft aangebracht. In afschuw slaat Brink zijn ogen neer. 'Het is nog maar een kind,' brengt hij met een gebroken stem uit.

De politieman fluistert schor: 'Een jongen uit het dorp, ik heb met hem gesproken.'

Zijn hand met het dienstpistool hangt langs zijn been.

Roerloos in een loden stilte kijken ze neer op het lichaam, dat langzaam in de sneeuw leegbloedt.

21

Als de duisternis invalt, moet Hideki genoegen nemen met een beschutte plek achter een hoge stapel stammen in het bos. Van droge takken en dennenappels maakt hij een vuurtje. Het begint te sneeuwen, maar licht, dit stelt niet veel voor. Hij zit uit de wind, staart naar de vlammen aan zijn voeten en kauwt langzaam op de worstjes van hertenvlees. Voor hem hangt een oude, afgeleefde spar schuin en ontworteld in de armen van gezondere exemplaren. Hij dommelt even in, hoe lang weet hij niet. Als hij zijn ogen opent, sneeuwt het niet meer. Het vuur is uit. Hij voelt geen kou en hij weet dat daar een gevaar in kan schuilen. Nu moet hij opstaan, verdergaan. Hij heeft lang genoeg gerust. Maar hij blijft zitten in het zilveren maanlicht dat in grillig kantwerk door de bomen op de besneeuwde bodem valt. Hij kijkt naar zichzelf van grote afstand. Opstaan, hij moet weg van deze plek. 'Jij wilt ten onder gaan,' had Michiko tegen hem gezegd.

Alles is mooi en rustig. De stilte is absoluut. Voor het eerst, denkt hij, voor het eerst in mijn leven. Hij begint het warmer te krijgen. Als ik nu niet opsta, gaat het mis. Zodra hij overeind komt, merkt hij hoe stijf en koud hij in die paar uurtjes is geworden en dat het niet veel langer had moeten duren. Pas na een lange tijd van schuifelen kan hij weer een beetje normaal bewegen. Hij denkt aan die politiewagen met naast de bestuurder een blanke man. Zijn brief moet afgeleverd worden, op tijd gelezen worden. Door de politie en door de Amerikanen. Pas dan is zijn plan in werking gesteld.

De hele nacht sleept hij zich met korte rustpauzes voort. De zon komt schuin achter hem op en een zee van licht en warmte spreidt zich voor hem uit over de grote doorgaande weg en verjaagt de diepe, lange schaduwen, waardoor de eerste huizen en hun rokende schoorstenen zichtbaar worden. Hij beseft dat hij, nu hij dit punt heeft bereikt, de doorgaande weg naar het politiebureau, er helemaal alleen voor zal komen te staan. Tot dit moment was het, afgezien van de fysieke inspanningen, nog betrekkelijk eenvoudig geweest. Zo moeilijk is het niet om in theorie moedig en altruïstisch te zijn, als het er nog niet echt op aankomt, maar nu nadert hij het punt waar het voornemen overgaat in de daad. Hij maakt zich een voorstelling van het laatste stuk. Een kilometer of acht verder langs de weg tot het huis waar ze levensmiddelen, veevoeder, petroleum en buskaartjes verkopen. Daar de bus nemen, vier haltes tot het plaatsje, lopend een paar honderd meter naar het bureau. Hij eet de laatste worstjes, bindt tegen de gladheid nieuwe stukken touw om zijn legerlaarzen en hervat zijn tocht door de berm. Na enige tijd wordt hij ingehaald door een Amerikaanse legertruck, die tot zijn schrik iets verderop tot stilstand komt. Hij kan de militairen onder de canvas huif achter in de laadbak zien zitten loeren. Aan de passagierskant van de cabine springt een reus van een vent met blozende, gladgeschoren wangen en een stuk of wat strepen op zijn mouw in de sneeuw.

Hideki is blijven staan en wacht leunend op zijn kruk af. De militair komt met grote, doelgerichte passen naderbij. Even vreest hij dat het afgelopen is met hem. Nee, dat kan niet, houdt hij zichzelf voor, niemand is nog in de grot afgedaald, ook die blanke man in de politieauto niet. Daar was hij de persoon niet naar, met zijn hoed op. Op dit moment ben jij niets meer dan een invalide veteraan langs de kant van de weg. Zomaar een stakker, puur toeval dat zij hier langskomen terwijl jij hier bent. Hij krijgt gelijk en meer dan dat. Even later wordt hij door een paar sterke armen in de laadbak geholpen voor een lift. De mannen, weggedoken in hun gevoerde winterkragen, maken plaats voor hem en hij krijgt een sigaret aangeboden. De stemmen klinken opgewekt als het liedje waar de Engelse les op de radio altijd mee begon. *Come, come, English!/ Come, come everybody/ How do you do and how are you?*

Onder de bezetter vindt landverdeling plaats en stakingen zijn legaal geworden, demonstraties ook. De Amerikanen willen dat Japan een democratie wordt. Het volk gaat naar de stembus en kiest zijn leiders, zonder dat de boel genept wordt. Volgens zijn vader zijn al die vernieuwingen bedoeld om Japan ten onder te laten gaan. Is democratie goed of slecht? Hij weet het niet. Zijn de Amerikanen goed of slecht? Uit zijn ooghoeken houdt hij hen in de gaten. Ze zijn ver van huis, deze kerels van zijn eigen leeftijd, uitgezonden. Bij een theekiosk staan mannen met mutsen op en stomende adem voor het luik. Wat doen zijn ouders op dit moment? Wat doet Michiko? Buiten groeit het aantal huizen en mensen. In het plaatsje aangekomen, stopt de truck met kreunende remmen en de man die hem de lift aanbood, is dezelfde die hem uit de laadbak helpt en afscheid van hem neemt.

'Okay?' vraagt de militair.

Hij buigt. 'Okay.' Hij buigt. 'Thank you.' Hij schaamt zich. Hij zou hem moeten haten, maar hij kan het niet.

Als kind kwam hij hier soms, tijdens de jaarmarkt of het oogstfeest met de lampions. Goede, vrolijke herinneringen waarin het plaatsje er een stuk minder vervallen en somber uitziet dan het nu doet. Hij koopt een buskaartje en kiest positie schuin tegenover het politiebureau aan de overkant van de straat, wachtend, uitstellend, om de tijdsspanne tussen het afleveren van de brief en het vertrek van de bus zo veel mogelijk te beperken. Posten en wegwezen! Met zijn vingers bevoelt hij de envelop onder zijn hemd. Zijn hart gaat tekeer. Naast het bureau is een timmerwerkplaats, waar een man van zijn leeftijd een blankhouten kozijn schaaft. Timmerman worden kan bijna iedereen, maar alles geven wat je hebt, zoals de helden van vroeger, de samoerai over wie hij op school geleerd heeft, dat is iets anders. Zij hadden een roeping. Zij waren bereid om alles op te offeren, tot hun eigen leven aan toe, voor een hogere zaak. Hij moet het niet te mooi voorstellen, dat was een andere tijd, een andere wereld, een wereld waarin hij misschien nog geen dag zou overleven. De man kijkt in zijn richting. Snel slaat Hideki zijn ogen neer, met het gevoel dat een enkele blik volstaat om hem te vernietigen. Nog een minuut, denkt hij, en begint af te tellen. Nog een minuut en hij zal zijn verklaring waarin hij bekent dat hij, hij alleen, die kerels heeft vermoord en weggewerkt, in de brievenbus laten glijden. Wie anders zou dit op zich nemen behalve hij? Niemand. Als de oude helden. De timmerman in de werkplaats laat zijn hand langs het gladde hout van het kozijn glijden. Hij zal in dit plaatsje, waar waarschijnlijk al zijn familie woont, ook sterven. Hij benijdt die timmerman, al weet hij helemaal niets van zijn leven. Zijn hart heeft nog maar weinig moed over, zoveel weet hij wel. Samoerai? Zo'n held is hij niet. Tot dit moment zijn het nog allemaal woorden: opoffering, moed... Ze betekenen niets, helemaal niets tot het zover is. Nog vijf, vier, drie, twee...

Hij rukt zijn kruk los uit de sneeuw, hinkt naar de overkant en schuift de envelop in de brievenbus. Zo snel hij kan strompelt hij de straat af in de richting van de bushalte. Het is voorbij. Zijn eerste stappen als voortvluchtige.

Het is begonnen.

's Avonds laat komt hij aan op een klein en donker station. Enkele tientallen wachtenden, meest mannen, hebben zich onder het afdak geïnstalleerd voor de nacht. Glanzende ogen onder petten en mutsen. Smerige gezichten gluren naar hem van achter kleine vuurtjes. Iedereen is stil en op zichzelf, op een groepje ongeschoren kerels in oude, smerige uniformjassen na. Ze zitten om een oud olievat waarin de vlammen dansen en hun stemmen klinken hard en rauw terwijl een fles van hand tot hand gaat. Hij gaat zo ver mogelijk bij ze vandaan met zijn rug tegen het stationsgebouwtje zitten. De elektriciteitsleidingen maken een tikkend geluid in de duisternis. In het dorp liggen de mannen nu in hun bed te slapen, deuren en luiken dicht, de oven nog nagloeiend. Hun leven gaat gewoon verder. Zijn vader zal nog minstens twintig jaar de heuvel op en het bos in gaan om te snoeien, zagen en stapelen. Het komt hem onrechtvaardig voor. Maar zo wil hij niet denken. Wie was het die 'welcome' had gezegd? Wie was in de jeep gestapt? Wiens leven was hoe dan ook betekenisloos geweest, omdat hij tot aan zijn dood bij de vrouwen zou achterblijven, versuffend, zich schikkend in nutteloosheid, terwijl de mannen aan het werk gingen? Hij zit op een verkeerd, doodlopend spoor. Hij kijkt achterom, juist nu hij vooruit moet kijken. Trekt hij morgen verder naar het westen, richting Nagasaki, of juist de andere kant op?

Een vrouw met een vrijwel lege jutezak over haar schouder komt in zijn richting lopen en blijft bij hem staan.

'Wacht je op de goederentrein?' wil ze weten.

'Nee,' zegt hij.

'Ze zeggen dat hij laat is. Misschien helemaal niet komt.' Haar ogen zijn donker als de nacht zelf. Hij kan er niets in zien.

'Bezwaar als ik bij je kom zitten?' Ze werpt een blik over haar schouder. 'Bij die kerels daar blijf ik liever uit de buurt.'

Hij knikt en als ze is gaan zitten trekt ze haar muts die tot vlak boven haar potloodstreepdunne wenkbrauwen is gezakt, iets omhoog.

'Waar ga je heen?' vraagt ze.

'Dat weet ik niet. Nog niet.'

'Als de goederentrein komt, doen ze er ongeveer een kwartier over om op het rangeerspoor een paar wagons met kolen aan te haken. Je moet er op het juiste moment inklimmen en niet bang zijn voor smerige kleren. Dan kun je gratis naar Tokio.'

'Daar ga ik in ieder geval niet heen.'

'Er zijn voldoende andere plaatsen onderweg,' houdt de vrouw hem voor.

'Misschien koop ik morgen een kaartje,' zegt hij, 'als ik weet waar ik heen wil.'

'Kopen?' Een bitter, geluidloos lachje. 'Ik heb al twee dagen niets gegeten.'

Uit zijn knapzak vist hij het pakketje met de zoete aardappelen van zijn moeder. Hij geeft er haar een, neemt zelf een halve en wikkelt de andere helft weer terug in het krantenpapier. Ze eet heel langzaam, alsof ze er niet op durft te kauwen. Zo hebben ze het in de oorlog van het ministerie van Volksgezondheid geleerd: houd het voedsel zo lang mogelijk in uw mond voor u het doorslikt.

'Jij bent een goede man,' zegt ze uiteindelijk. 'Dat soort dingen voel ik aan.' Ze schuift een stukje naar hem op.

'Dank je.'

Er ontploft iets in de oliedrum en de kerels bij het vuur lachen luid, maar het volgende moment lijken ze ruzie te hebben, want een van hen schreeuwt met wilde gebaren. Hij voelt de hand van de vrouw over zijn been strijken en haar in de duisternis nauwelijks te onderscheiden gezicht klimt naar zijn wang. Ze opent haar mond, die naar de zoete aardappel van zijn moeder geurt, en kust hem zacht op de verbrande, gevoelloze huid van zijn gezicht. Een siddering alsof hij plotseling onder stroom staat trekt door zijn lichaam. 'Kom,' zegt ze zacht en ze staat op.

Hij aarzelt even, richt zich op en volgt haar om de hoek van het stationsgebouw, waar ze uit het zicht van de anderen zijn. Ze gaat op de bevroren sneeuw zitten en haar ene hand glijdt omlaag om de jurk en onderkleding omhoog te doen en eerst de lange broek en daarna de onderbroek naar beneden te duwen, die ze vervolgens met een trappelende beweging van haar voeten uitdoet. Ze strekt haar hand uit en trekt hem naar zich toe, rolt hem over zich heen. Ze maakt zijn broek los, grijpt zijn geslacht vast en helpt hem bij haar naar binnen. Haar versnelde ademhaling klinkt dicht bij zijn oor. Hij moet zich inhouden om het niet uit te schreeuwen terwijl zijn knieën langs de ijzige sneeuw schuren. Hij kust haar op haar mond en haar hand streelt het littekenweefsel op zijn jukbeen. In één keer houdt hij zoveel van haar als hij nog nooit van iemand gehouden heeft. De genegenheid die in hem opwelt is zo kolossaal, zo woest en tegelijk zo vol van tederheid, dat hij haar overal tegelijk probeert te kussen en vast te pakken. Haar onderlichaam drukt zich tegen hem aan als hij zijn zaad in haar loost. Als hij van haar af wil rollen, voelt hij haar ledematen opnieuw onder hem spannen. 'Blijf nog even liggen.' Haar hand veegt over het gehavende deel van zijn gezicht, haar vingertoppen verkennen voorzichtig en gretig tegelijk iedere oneffenheid van de plek die nooit door iemand, zelfs niet door hem, aangeraakt wordt.

'Heb je het niet koud?' vraagt hij.

Ze schudt haar hoofd, zachtjes, met een dor geluid in haar keel alsof ze iets doorslikt. 'Het is goed.'

'Ik hou van je,' fluistert hij en hij weet dat het belachelijk is, want de volgende dag zal hij zich niet meer kunnen herinneren hoe ze eruitziet.

'Je bent lief.' Nog steeds streelt haar helende hand zijn gezicht. 'Is het in de oorlog gebeurd?'

'China.'

'Hoe was het daar?'

'We vochten, we zongen schunnige liedjes. We waren soldaten.'

Ze keren weer terug naar hun plek aan de voorkant van het gebouwtje. Een van de kerels bij het vuur kijkt over zijn schouder in hun richting en mompelt iets tegen zijn makkers, waarna hun lach metaalhelder over het perron schalt.

Ze legt haar hoofd op zijn schouder en met zijn blik gericht op het seinhuisje dommelt hij weg.

Het geluid van een in zijn remblokken knerpende trein doet hem ontwaken. Zij is al wakker en zit stil als een portret in een lijst naar hem te staren. Zodra de trein knarsend en piepend op een zijspoor tot stilstand is gekomen, springt de machinist uit de locomotief. Twee spoorwegmedewerkers met olielampen in hun handen maken een praatje met hem. Met hun stomende adem in de vrieskou lopen de mannen samen naar de achterste wagon.

De vrouw komt overeind en klopt haar kleren af. 'En? Ben je eruit?' Ze hijst de jutezak op haar schouder.

'Ik geloof het niet.' Bij de trein klinkt het gebonk van koppelingen en daarna van een hamer die op metaal ramt.

'Jammer,' zegt ze, 'ik had gehoopt dat we misschien samen... Zorg goed voor jezelf.' Ze verdwijnt in de duisternis
langs het spoor en het volgende moment is het alsof ze er
nooit geweest is.

Hij verbergt zijn handen in de oksels van zijn jas en draait
zich op zijn zij, met zijn goede been onder en zijn rug naar
de wind. Er klinkt een fluitje, gevolgd door het op gang komen van de motor van de locomotief. Hij hoopt dat het snel
licht wordt, dan zal zijn hoofd misschien weer helder zijn,
helder genoeg om een beslissing te nemen.

DEEL III

I

Aan het eind van de middag is het nog rustig in de smalle achterafstraten van Ginza. Het zijn de stille, grijze uren tussen het laadverkeer en de rommelige bedrijvigheid overdag en het luidruchtige, zinnelijke uitgaansleven 's avonds. Twee gescheiden podia met twee verschillende voorstellingen. Vroeger dan gewoonlijk is Michiko op weg naar het witgekalkte pand. 's Avonds flakkert aan de gevel in neonbuizen: 'Club Paris'. Dan verspreiden de woorden een rode, uitnodigende gloed, maar nu lijken ze twee slangen van dood glas. Ze monstert de straatjongens die de foto's achter het raam bestuderen. In het midden, tussen die van de danseressen in hun gewaagde broekjes, staat zij, maar ze kan wel raden naar welke foto de belangstelling van de jongens uitgaat.

Binnen hangt een bijtende walm, de geurvlag van de man met de spuit die een keer in de week langskomt om het ongedierte te bestrijden. Achter de kleine bar zet haar baas, meneer Bando, streepjes op de flessen met het bocht dat voor whisky moet doorgaan, god mag weten waar het van gemaakt is, zodat hij aan het eind van de avond precies kan afmeten of hij er een yen bij ingeschoten is. De barman, gewend aan dit openlijk vertoon van wantrouwen, spoelt glazen en begroet haar met een sober knikje.

Ze wacht af tot haar baas dan eindelijk dat vermoeide gezicht van hem opheft, waarop een grimmige voldoening

339

doorbreekt. 'Je bent vroeg vandaag,' zegt hij, 'verveelt onze Michiko zich soms?'

'Ik hoopte dat u even tijd voor me zou hebben.'

Ze staat onder het hoge raam dat 's avonds de neongloed doorlaat. Maar nu verleent het binnenvallende daglicht de kaalgelopen dansvloer en het podium een stille, povere aanblik, naakt als haar onderbenen als ze haar jas heeft uitgetrokken. Drie maanden geleden stapte ze hier de eerste keer binnen om zich als zangeres aan te bieden. Meneer Bando hield een stenen pijpje met sigaret tussen zijn gelige tanden, kneep een van zijn ogen half dicht, en blies de zware rook in haar gezicht. Hij liet haar iets voorzingen. Ze deed *Tokyo bugi ugi* en een Amerikaans liedje dat ze van de radio kende. Daarna vroeg hij haar om haar benen te tonen en haar contouren. Hij maakte duidelijk dat ze haar zwarte jurk strak over haar borsten en heupen moest trekken en op haar hakken moest ronddraaien. Met een lome blik achter de rook van zijn sigaret ontkleedde hij haar tijdens die pirouette.

Van de muzikanten kreeg ze later te horen dat haar voorgangster enkele dagen eerder op staande voet was ontslagen omdat ze, tegen de regels in, met een klant privé had afgesproken. Kennelijk was Michiko op het juiste moment binnengestapt.

Ze wacht tot meneer Bando klaar is en bij haar aan de andere kant van de bar komt staan. Zijn wangen hebben een appelblos, zijn lichaam is log en traag, en je zou hem voor onnozel houden als er onder de dubbelgeplooide oogleden niet soms die flikkering kon oplichten.

'Het spijt me dat ik u hiermee moet lastigvallen, meneer Bando,' zegt ze met haar jas over haar arm, 'ik weet dat het eigenlijk niet toegestaan is, maar zou het mogelijk zijn, alstublieft, om mijn weekgeld eerder te krijgen?'

Zijn kritische blik glijdt omlaag langs haar zwarte jurk,

maar ze is hem voor. 'Ik heb hem laten inkorten, ziet u?' Ze draait haar lichaam een halve slag en steekt haar been uit. 'Trek hem op.' De afkeurende uitdrukking op zijn gezicht laat haar geen ruimte voor twijfel.

Ze schuift haar jurk op tot boven haar knieën, tot zijn gezicht ontspant.

'Zo!' Hij zet een streepje op de zijkant van haar dij. 'Om het te onthouden. Vanboven is hij ook niet goed.'

'Nee?'

'Je moet hem open laten maken. Of draag de jurk van Yoko. Zij heeft hem niet meer nodig.'

Yoko's jurk is doorschijnend, je kon haar borsten en buik en benen door de stof heen zien. Ze zegt: 'De jurk van Yoko past niet bij mij.'

'Wanneer ga je het nou eens begrijpen, Michiko?'

'Ik ben zangeres.'

'Ik vertel je niets nieuws als ik zeg dat de zaken teruglopen de laatste tijd. De jongens van de muziek heb ik al laten weten dat ze vanaf volgende week alleen nog in de weekends optreden. De klanten komen voor de danseressen. Niet voor jouw mooie stem. Ik heb een jukebox met grammofoonplaten besteld, net zo een als de Golden Gate heeft.'

'En ik?'

Hij duwt een sigaret in het stenen pijpje en steekt hem aan. 'In het weekend kun je zingen.' Hij blaast de rook door zijn neusgaten uit. 'Voorlopig, ik kijk het nog even aan. Het spijt me, maar je zult begrijpen dat ik je alleen voor de avonden dat je werkt kan betalen.'

'Maar daar kan ik niet van leven.'

Hij peutert met zijn nagel tussen zijn tanden en zijn blik dwaalt van haar weg.

'Meneer Bando, kan ik alstublieft mijn weekgeld krijgen?'

'Ah, je weekgeld.' Daar had je die glinstering in zijn ogen.

'Wat is het vandaag, Michiko?'

'Vrijdag.'

'En wanneer is het betaaldag, Michiko?'

Hij speelt met haar, ze weet het. 'Zaterdag. Maar, ziet u, ik moet morgenochtend vroeg medicijnen kopen. Alleen voor deze ene keer.'

Hij schudt zijn hoofd, de blauwe kronkelingen van zijn sigarettenrook om hem heen drijvend. 'Van al het geld dat ik erbij ingeschoten ben nadat ik een van de meisjes of muzikanten "voor deze ene keer" een voorschot gaf en ze daarna verdwenen, zou ik nu een aardige auto kunnen rijden.'

Ze geeft het op en wil al naar de kleedkamer achter de dansvloer lopen, als hij met een gebaar van zijn hand aangeeft dat hij nog niet klaar is.

'Meneer Shikibu is een goede klant. Hij komt niet voor de muziek, hij komt niet voor de drank, hij komt niet voor de danseressen. Meneer Shikibu komt voor jou.'

'Ik vind hem...'

'Als hij binnen is, maakt hij onze hele avond goed. Je blijft net zo lang bij hem zitten tot *hij* aangeeft dat het genoeg is.'

'Bedoelt u gisteravond? Maar ik moest op voor mijn nummer.'

'Liedjes kunnen wachten. Laat me niet nog een keer zien dat je al na één drankje opstaat.'

'Maar...' zegt ze en slikt haar woorden in. Als ze maar vijf minuten bij meneer Shikibu zit, kan ze nog maar aan één ding denken: een bad nemen.

'Dit is geen verzoek, ik hoop dat je dat begrijpt. Vandaag de dag vraagt iedere yen, iedere korrel rijst een tegenwaarde.'

Ze voelt de huid van haar gezicht strak om haar jukbeenderen trekken.

'Ik ben niet te koop.'

Met vermoeid dedain neemt hij haar op. 'Pas op, Michiko, naarmate je wanhopiger bent, daalt je waarde.'

In de kleine kleedkamer ruikt het naar ontsmettingsmiddel. Omdat er geen raam is om te luchten, laat ze de deur half openstaan en gaat op het wiebelende houten bankje voor de spiegel zitten. Er is niemand. Ze opent haar kistje en poedert haar gezicht, zet haar wenkbrauwen en wimpers aan, tekent zwarte lijnen om haar ogen. Haar lippen stift ze glanzend rood. Achter haar, aan een rek met hoedjes, rokjes en struisveren, hangt het jurkje van Yoko. Ze controleert haar werk in de spiegel, ze weet dat verdriet en teleurstelling haar trekken futloos maken, haar mondhoeken slap, haar ogen flets, en dat ze op het podium geen schaduw zal zijn van de zelfbewuste zangeres die mevrouw Haffner gekneed heeft, met de schouders naar achteren en de kin omhoog. Zoals ze zich nu voelt, zal ze er in het podiumlicht uitzien als een bang kind in een bliksemend noodweer.

Inwendig schreeuwend tegen de dove hemelen, het lot uitdagend, keert ze iedere dag terug naar deze plek, naar dit leven dat niet bij haar past. Ze zoekt naar de blik waarmee ze het publiek recht in het gezicht kan kijken. Ze weet dat ze het in zich heeft, dat ze voor zichzelf kan zorgen, in welke omstandigheden dan ook.

In de zaal gaat de telefoon drie, vier keer over. Niemand behalve de baas heeft permissie om op het toestel gebeld te worden en zelf bellen mag uitsluitend na toestemming van de baas, binnen Tokio, tegen een tarief van honderd yen per minuut, naar boven afgerond. De kosten worden door de baas persoonlijk in zijn kleine agenda genoteerd, evenals alle andere bedragen die op haar loon in mindering kunnen worden gebracht. Ze probeert haar debetpositie zo laag mogelijk te houden. Slechts één keer heeft ze van de telefoon gebruikgemaakt, stiekem, met toestemming van de barman, die bereid was om een oogje dicht te knijpen toen de baas afwezig was. Een zeldzaam moment van zwakte, ze moest het proberen.

'Hallo?' Een onbekende jonge Japanse vrouw nam op.

'Met het huis van mevrouw Haffner?' vroeg ze, bang dat ze het verkeerde nummer had gedraaid.

'Ja, dat klopt. Met wie spreek ik?'

'Michiko, ik bel voor mevrouw Haffner.'

'Een moment.'

Ze hoorde het zweet tussen haar oor en de hoorn knerpen terwijl ze wachtte.

'Mevrouw kan niet aan de telefoon komen,' klonk het toen de stem zich weer meldde. 'En zij verzoekt u om haar niet meer lastig te vallen.'

Achter haar klinken voetstappen. De deur zwaait helemaal open en Arika en Fumiko, de twee danseressen, die op Ginza met flyers hebben geparadeerd, komen met ingeklapte parasolletjes binnen. Het kamertje is in één keer vol en warm. De bolle billen die in Arika's jurkje van roze glitterstof spannen, zijn zo dicht bij haar gezicht dat ze de scherpe lijflucht kan ruiken.

'We hebben een groep GI's aangesproken,' zegt Arika en draait zich om. Ze beweert dat ze drieëntwintig is, wat niets zegt, want ook Michiko heeft zich bij haar sollicitatie drie jaar jonger voorgedaan. 'Ik kende een van hen uit International Palace,' gaat Arika verder, 'Jim heet hij, en hij komt vanavond met zijn vrienden.'

International Palace, de door de overheid bestierde 'plezierfabriek' met restaurants, bars, dancehalls en, vooral, een duiventil van honderden door dekens aan touwen afgescheiden kamertjes, op imposante schaal opgezet om te voorkomen dat de bezetters zich aan de Japanse vrouw vergrijpen, aan de fatsoenlijke Japanse vrouw welteverstaan. Arika woonde er in een van de barakken op het terrein. Maar de zaak is over de kop gegaan omdat de Amerikaanse troepen van hogerhand een verbod kregen opgelegd om er te komen – VD *off limits* – vanwege de grootschalige en hardnekkige verspreiding van geslachtsziekten onder de manschappen, waar zelfs de verplichte gynaecologische keuringen en de penicillinespuit niets tegen uithaalden. In Club Paris werkt Arika als danseres en animeermeisje. Mocht er vraag naar zijn, dan trekt ze zich met een klant terug in het kamertje boven de zaal.

'Poeh!' Arika schopt haar hoge hakken uit en trekt de jurk over haar hoofd. Ze maakt haar beha los, heft haar arm op en bestudeert de stoppels in haar okselholte.

'Misschien wordt het druk vanavond,' zegt Fumiko. Met haar vingers veegt ze een plakkerige haarlok van haar voorhoofd. Ze heeft een langwerpig, mager gezicht en haar scheef over elkaar vallende boventanden staan wat naar voren. Als ze lacht, slaat ze een hand voor haar mond. In haar blik ligt een wilde angst, die Michiko bij zichzelf herkent en bij de honderden, duizenden lotgenoten op straat. Van alle mensen die door de oorlog zijn getroffen, hebben meisjes als Fumiko misschien wel het laagste zelfbeeld, vermoedt Michiko. De hand voor haar mond zal nooit groot genoeg zijn.

'Michiko, waarom ga jij de volgende keer niet met ons mee?' vraagt Fumiko, die een sigaret heeft opgestoken.

'Zo is het geregeld. De danseressen komen 's middags eerder en doen de folders.'

'O,' zegt Fumiko, en Michiko ziet in de spiegel hoe de danseressen een snelle blik uitwisselen waaruit ze opmaakt dat die twee dit onderwerp al eerder bespraken. 'Je zou het leuk vinden, de winkels zijn zo prachtig op Ginza, met mooie spullen uit Amerika en Singapore.' Fumiko tikt de as van haar sigaret in de kom van haar hand af. Haar lippenstift laat een scherpe afdruk achter op het filter.

Michiko kent die winkels en mensen. Ze kwam *in* die winkels, ze stond met een been *in* die wereld.

'De Amerikanen zijn zo vriendelijk als je ze aanspreekt, veel vriendelijker dan onze mannen. Altijd krijg ik wel een sigaret. En jij spreekt juist zo goed Engels.' Michiko vermoedt dat ze in de val wordt gelokt en wacht af.

Het zijn juist die Amerikanen die haar angst inboezemen. Het lukt haar nog wel om de jonge mannen met hun dierlijke levenslust los te zien van de brandbommen op Asakusa, maar niet van wat er zich in het cederbos heeft afgespeeld.

'Misschien,' Arika brengt haar gezicht heel dicht bij de spiegel, 'wil Michiko niet met ons gezien worden. Maar wat ze niet begrijpt,' Arika's ogen staan sluw, zonder mededogen, 'is dat het niet uitmaakt of je lippenstift op hebt en wat je draagt; hoge hakken en strakke jurkjes of niet, de mensen zijn niet dom.'

Na deze tartende uitdaging, haar als een handschoen in het gezicht gesmeten, weet Michiko zich niet langer te beheersen. 'Wat bedoel je?'

'Ze ruiken het, liefje. Al doe je twee jassen over elkaar aan.'

Nee! denkt ze. Arika heeft geen idee waar ze over spreekt. Uit haar achterlijk, armzalig vissersdorp meegenomen, verkocht als hoer, heeft Arika een hekel aan zichzelf gekregen en een nog grotere hekel aan haar collega die klassiek zangeres is en de gang naar het kamertje boven nooit maakt. Wat kan zo iemand van háár leven begrijpen?

'Liefje,' zegt Arika, zacht nu, tegen Fumiko terwijl ze opnieuw haar okselholte in de spiegel bestudeert, 'geef mij de zeepstaaf aan, wil je?'

In de deuropening verschijnt de barman met in iedere hand een cowboyhoed.

'Zijn dat ze?' gilt Fumiko uit en begint met een hand voor haar mond te giechelen.

Hij knikt. 'De baas zegt: het eerste nummer voor de pauze.'

Als Arika en Fumiko afgaan, de cowboyhoeden op hun hoofd, zitten er inmiddels enkele Japanse klanten aan de bar. In zijn eentje aan een tafel de man uit Nagasaki, als altijd met die zachte somberheid in zijn ogen. Twee keer per maand is hij voor zaken in Tokio. Pas nadat hij zijn geld in een van de gokhuizen erdoorheen heeft gejaagd, waardoor er aan hem nog nauwelijks te verdienen valt, komt hij naar Club Paris. Michiko betreedt het podium en begint met *Tokyo bugi ugi*.

'Kimi to odoro yo koyoi mo tsuki no shita de/ Toukyou bugi ugi rizumu ukiuki...

Dansen met jou, onder de maan/ Tokio boogie woogie, zo'n vrolijk ritme...' Een Amerikaanse GI steekt zijn grijnzende hoofd om het gordijn bij de ingang en verdwijnt weer. Haar optreden gaat nu langs de rand van de afgrond, nog een zo'n veroordelende verkenner, en het is over. Haar kansen keren tijdens haar tweede liedje, in het Engels, als een stel luimige, opgeschoren Amerikaanse militairen binnenvallen en nog voor ze de bar hebben bereikt al overmeesterd worden door Arika en Fumiko. De meisjes hebben inmiddels hun zaaltenue aan, korte jurkjes met hakken, en even later staan ze met de militairen voor het podium op haar liedje te dansen. In totaal zingt ze zes nummers, Amerikaanse. Voor de oude liedjes is geen plaats meer. Evenmin als voor de oude leuzen. 'Al moeten we iedere dag gras eten, al moeten we duizend keer sterven, we zullen niet opgeven.'

Zij vond die retoriek bespottelijk. De oorlog is voorbij, een nieuwe tijd is aangebroken en zij zingt nieuwe liedjes, maar de oude leuzen hebben voor haar met terugwerkende kracht aan betekenis gewonnen.

Met zijn tengere lichaam als van een kind, gestoken in een hagelwit kostuum en met een even smetteloze, witte breedgerande hoed op het kleine hoofd, zit Shikibu aan het einde van de bar. Niemand lijkt precies te weten wie hij is en waarmee hij zijn geld verdient. Arika beweert dat hij uit een belangrijke familie van industriëlen komt en dat de fabrieken van zijn vader zijn platgebombardeerd door de Amerikanen. In een ander verhaal dat de ronde doet, heeft zijn jongere broer hem tijdens de oorlog verdrongen en het onroerendgoedimperium van hun vader gekaapt. Michiko kende hem al, uit de tijd dat hij bij mevrouw Haffner langskwam. Om te praten, over god mag weten wat. In ieder geval over de keer dat hij haar voor de bloemenwinkel bij de rechter in de auto zag stappen. Ze glijdt in een andere, banalere, brutalere versie van zichzelf als ze op de kruk naast hem gaat zitten. Hij biedt haar een drankje aan en ze bestelt een groenkleurige likeur. Zelf neemt hij een whisky, een echte, die onder de bar voor speciale klanten wordt bewaard.

'Verstandig,' zegt hij, 'neem nooit ijs in je drank. Drink alleen je eigen water, zuiver bronwater of anders twee minuten gekookt. Er zijn weer nieuwe uitbraken van cholera, meer dan de overheid toegeeft.'

'Ik heb het op de radio gehoord.' Je mag zelfs groenten alleen nog eten mits goed doorgekookt, een van de voorschriften waaraan ze zich strikt probeert te houden. Op dit moment kan ze alleen maar hopen dat de geringe dosis alcohol in haar groene drankje volstaat om de mogelijke ziektekiemen in de waterige oplossing eronder te houden.

De baas loopt langs en in het voorbijgaan buigt hij voor

Shikibu, ongewoon nederig, wat ze verklaart uit wat er verteld wordt, dat Shikibu na de capitulatie heeft weten te voorkomen dat de man in de gevangenis belandde.

'Hij weet niet wat hij wil, Bando,' zegt Shikibu als haar baas buiten gehoorsafstand is. 'Hij kan niet kiezen, cabaret of hoerentent,' hij richt zijn blik op Arika en Fumiko die in innige omhelzing met de GI's over de dansvloer schuifelen, 'Japanners of Amerikanen, het loopt allemaal door elkaar. Een man die niet kan kiezen, is verloren.'

Hij neemt haar op alsof hij haar een reactie probeert te ontlokken. 'Wat doe jij hier?' vervolgt hij als ze stil blijft. 'Jij verdient iets beters.'

Ze vraagt zich af of hij het meent of met haar spot, het glimlachje op zijn gezicht geeft geen uitsluitsel. 'Jij bent het waard.'

Zijn waterige ogen blijven op haar gericht. 'Als u het zegt.' Haar stem klinkt timide.

'Ben je bang?' Zijn geluid komt nauwelijks boven dat van de muzikanten uit. Hun spel lijkt hem te ergeren.

'Waarvoor?' vraagt ze.

'Voor mij.'

'Waarom zou ik bang voor u moeten zijn?'

'Voor de toekomst?'

'Nee.'

Weer dat glimlachje, waarmee hij haar het gevoel geeft dat hij dwars door haar heen kijkt.

Hij buigt zich naar haar toe en een vreemde macht sluipt in zijn stem. 'Dat zou je wel moeten zijn.' Hij gaat weer rechtzitten, neemt een slok van zijn whisky en staart voor zich uit. 'Voor iedere geslaagde zangeres met een behoorlijk orkest en fatsoenlijke gages zijn er minstens honderd snolletjes die met hun heupen in een te klein jurkje staan te draaien en met derdegraads syfilis in het hospitaal aan hun eind

349

komen.' Als hij zijn glas op de bar neerzet, schuift het kostbare polshorloge onder zijn mouw vandaan. Zijn ogen zijn nu zo vochtig dat het lijkt of hij huilt en zijn mond hangt aan één kant een beetje open. 'Ik kan je helpen.'

Iets beters, er gaat geen dag voorbij zonder dat ze zich dat visioen voorhoudt. De gedachte is dwaas, en toch gelooft ze dat het lot iets met haar voorheeft, haar op de proef stelt, wacht tot ze er klaar voor is. Al begint dat uitstel steeds ondraaglijker te worden, eerst moet ze dit alles doorstaan. De kunst is om erin te blijven geloven.

'Ik help mezelf liever,' zegt ze, onverschilligheid veinzend. Het voelt als de enige manier om het gesprek met deze man te kunnen verdragen.

'Noem je dat helpen?' vraagt hij. 'Op een plek als deze.' Afkeurend volgt hij Arika met zijn ogen, die met een van de GI's, Jim waarschijnlijk, de trap omhoog naar het kamertje neemt.

'Het ene moment leef je in het land van eer en zuiverheid,' klinkt de stem van Shikibu krachteloos, 'het land van de afstammelingen van de goden, het volgende moment zit je op je knieën voor een buitenlander.' Ze weet eigenlijk niet of hij declameert of dat hij meent wat hij zegt. Hij haalt diep adem, zijn longen piepen. 'Auden was een Engelse dichter,' vervolgt hij, 'hij beschreef het kwaad als iets gewoons en menselijks, dat in je bed slaapt en aan je tafel mee-eet.' Hij zwijgt en wrijft met zijn vingertoppen over zijn voorhoofd. 'Dichters houden van mooie woorden, meestal slaan ze de plank volledig mis. Auden niet.'

Over wie heeft hij het? Over haar, over de Amerikanen, of over zichzelf, iets gewoons dat een paar keer per week opduikt aan de bar van Club Paris? Zijn afschuw is overduidelijk, maar sinds hij weet dat zij er werkt, blijft hij komen.

'Je vertrouwt me niet, hè?' Hij knikt langzaam met zijn

hoofd. 'Heel goed. Vertrouw niemand, zolang je tenminste een keuze hebt.'

'Als ik een pen had, zou ik het opschrijven.' Ze heeft zichzelf weer in de hand.

'Begrijp je wat het betekent?' Zijn bleke gezicht staat plotseling nijdig, waarschijnlijk omdat hij voelt dat hij zijn greep op haar verliest.

Ze zucht en wacht het antwoord af zonder hem aan te kijken.

'Waarschijnlijk niet.' Zijn woorden klinken alsof hij haar een laatste berustende waarschuwing geeft.

Hij biedt haar nog een drankje aan en daarna nog een dat ze braaf accepteert. Zo zit ze haar tijd uit en van optreden na de pauze komt het niet meer. Ze laat steeds langere stiltes vallen en volgt nog maar half wat Shikibu zegt. Hij mompelt dat hij bij het Matsui Cabaret op Ginza een goed woordje voor haar zou kunnen doen. Ze knikt en trekt zich langzaam verder terug. Die hele grabbelton van zintuiglijke waarnemingen, Fumiko die om de hals van een GI hangt en om de haverklap met haar hand voor de mond dat messcherpe gillachje laat horen, Arika die de trap afdaalt, gevolgd door Jim met de brede grijns van een wereldkampioen, de muzikanten die hun tweede ronde met dezelfde serie liedjes als voor de pauze afdraaien en na het laatste slotakkoord gehaast alsof de klas uitgaat hun instrumenten op beginnen te bergen, de barman die de glazen spoelt en opwrijft, haar baas die met zijn gezicht dicht bij de flessen het verschil met de streepjes controleert. Er gebeurt hier zoveel tegelijk, er zijn hier zoveel verlangens en verwachtingen, daarin is er voor die van haar eenvoudig geen plaats. Het is bijna sluitingstijd. Nog even. Ze slaat haar benen over elkaar en Shikibu staart naar haar knieën. Als ze over straat loopt, wordt er de laatste tijd anders naar haar gekeken, anders dan vroeger. Ze dacht dat ze het zich verbeeldde, maar na Arika's stekende opmerking begint ze te geloven dat het echt zo is. Ze ruiken het.

Aan het eind van de avond trekt Shikibu zijn gouden clip met bankbiljetten, dollars en yens, nieuwe yens, uit de binnenzak van zijn colbert en betaalt de rekening, inclusief een royale fooi.

De barman buigt diep en dankt hem twee, drie keer.

'Geldzucht,' zegt Shikibu, 'is een bron van ongeluk.' Hij richt zich tot de barman, die opnieuw buigt, alsof hij Shikibu behalve voor de fooi ook voor deze woorden bedankt, maar zij beseft maar al te goed dat ze eigenlijk voor haar bestemd zijn. 'Lees er de heilige boeken maar op na,' vervolgt hij met zijn zachte stem. 'Maar tot de dag dat we hogere doelen hebben gevonden, draait alles om geld, alles, al doen we nog zo ons best om het tegendeel te geloven.'

In de kleedkamer hurkt Arika boven een houten emmer met water om zich van onderen te wassen. 'Een zangeres die niet zingt, wat is dat voor zangeres?' Ze maakt van haar hand een kommetje, schept wat water uit de emmer en bet de schaduwrijke plek tussen haar dijen.

'Alleen mijn tweede set ging niet door,' zegt Michiko, 'maar liever had ik de hele avond gezongen.'

Tussen de spullen bij de spiegel trekt een blik met *macaroni and sausages* Michiko's aandacht.

'Zijn auto staat nog voor de deur,' weet Fumiko.

'Hij wacht,' zegt Arika. 'Hoeveel zou hij ervoor overhebben als je met hem meegaat, Michiko?'

'Ik ga niet met hem mee.'

'Is het waar dat zijn huis tien badkamers heeft en een vijver met fontein?' vraagt Fumiko met die vreugdeloze energie van haar.

Dat blik, daar kun je met zijn drieën van eten. Worstjes, vlees. Michiko slikt het speeksel in haar mond door. 'Van wie is dit?' Ze wijst.

'Jim heeft het voor me meegenomen. Er werkte hier een meisje, nog maar amper een week, een lief kind, ze wilde stripteasedanseres worden... Ze beefde als een rietje toen ze aan het eind van de avond in zijn auto stapte.'

'En toen?' wil Fumiko weten.

Arika haalt haar schouders op. 'Na die avond is ze niet meer teruggekomen. Dat was geen blijvertje.' Ze komt overeind en droogt haar benen.

Michiko stelt zich voor dat ze het blik weggrist en ermee vandoor gaat, het mee naar huis neemt, opwarmt, dat ze samen eten, echt eten.

De barman steekt zijn hoofd om de deur van de kleedkamer, zijn ogen een stil ogenblik op het naakte onderlichaam van Arika gericht.

'Michiko, bij de baas komen.'

De zaak is leeg, op meneer Bando na, die aan de bar zit en de omzet telt, een keurig stapeltje bankbiljetten. Ze heeft geen idee waarom hij haar heeft laten roepen en wacht af tot hij klaar met tellen is en zoals iedere avond met een vloeiende beweging de opbrengst in de binnenzak van zijn colbert zal laten verdwijnen. Ze is op haar hoede. De onderlinge verhoudingen, de geheime allianties en strategieën, vormen een labyrint vol geheimzinnige paden van list en sluwheid waar ze niet in moet verdwalen.

'Hier,' de baas steekt haar twee briefjes van honderd yen toe, 'voor deze ene keer, een voorschot. Niet tegen de anderen zeggen.'

'Daar kunt u van op aan, dank u.'

Hij knikt goedmoedig naar haar. 'Het was in orde vanavond.' Voor het eerst sinds ze er werkt uit hij zonder voorbehoud of doorklinkend cynisme zijn tevredenheid over haar.

Door de kier in het gordijn ziet ze buiten in de neongloed de auto staan, met achter het stuur een reusachtige vent en op de achterbank de tengere gedaante onder de witte hoed. In de kleedkamer zoekt ze haar spullen bij elkaar en verlaat het pand via het plaatsje met de lege flessen en kratjes aan de achterzijde.

Het eerste deel van de weg terug naar huis gaat door smalle straten met dancehalls, bars die geen sluitingstijd kennen en huizen van plezier die net zo snel openen als weer verdwijnen. Ze kijkt over haar schouder om te zien of ze door de auto van Shikibu gevolgd wordt. Waarom wil hij haar, juist haar? Haar weerzin kan hem toch niet ontgaan, het toneelstuk dat ze opvoert wanneer ze naast hem zit en de groene drank in haar keel giet. Of is dat de bron van zijn verlangen, haar afkeer overwinnen? Geleidelijk wordt het stiller en donkerder, een enkele brandende lantaarn uitgezonderd. Op dit uur zwerven alleen nog katten en honden rond. Uit de hokken van ijzeren golfplaten klinkt het gesnurk van mannen. De maan en de sterren zijn gehuld in een waas van rook, de ijzeren balken van een ingestort pand zweven onwerkelijk in de duisternis. Bij de barakken van een machinefabriek, aan de rand van een bomkrater, hangen meisjes rond die alles beloven voor een beetje eten.

Van de tweehonderd yen die ze in haar onderbroek heeft verstopt, kan ze morgen de medicijnen voor mevrouw Takeyama betalen en, als er wat overblijft, ook nog iets te eten, een welkome aanvulling op het rantsoen van de enige kom rijst per dag.

'Laten we elkaar helpen met lachende gezichten', nog

zo'n leus uit de oorlog. Zij moet zichzelf helpen. Die twee-honderd yen, dat is haar lachende gezicht.

Ze begint aan het laatste, donkerste, stilste stuk naar Asa-kusa, duizend haastige passen dwars door haar eigen angst heen. Ze verzet zich tegen het spookbeeld van een paar on-gure kerels die plotseling uit de puinhopen tevoorschijn ko-men of dat van de lichtbundels van een Amerikaanse jeep die op haar afrijdt. Nog even, nog even volhouden. Onder haar jas verlangen haar volle borsten. Zonder gerucht door de duisternis sluipend, zwart als een schaduw, telt ze haar passen af. Nog minder dan vierhonderd nu. Als een nachte-lijke woestijn onder de sterren ligt de verschroeide vlakte van Asakusa wijd open op haar te wachten. Ze ervaart nu zo'n soepelheid, zo'n lichtheid in haar tred dat het lijkt of ze, naarmate ze dichter bij huis komt, meer energie opdoet. Nog slechts enkele minuten en ze is veilig. Vreemd ver-trouwd en vredig met de zoete ademhaling naast haar op de futon.

2

Tegen het vallen van de avond duwt Hideki zijn karretje met nieuwe schatten voort, planken, stenen, een stuk regenpijp. Hij laadt de spullen af, de spijkers en schroeven die hij gevonden heeft verdwijnen op grootte gesorteerd in doosjes. Hij wrijft zich in zijn door het werk hard geworden handen en luistert met zijn hoofd iets schuin naar de stem in zijn hoofd, die hem maten, hoeken en verbindingen toefluistert. Maandenlang heeft hij tussen de ruïnes en bij bouwplaatsen rondgescharreld. Terwijl hij sloopmaterialen zocht, sloeg hij alles wat die kerels met boren, hamers en waterpassen uitrichtten in zich op. Hij wringt zich door de stapels balken, planken en dakplaten, trekt met een tang nog enkele spijkers uit vloerdelen en slaat ze met een hamer recht. De zachte avondlucht stroomt langs hem heen, de hemel boven de verschroeide vlakte begint roze te kleuren en Stille Archipel wrijft langs zijn broekspijp. Het dier spint, de ogen doorschijnend lichtgroen, het magere lijf soepel en de gestreepte vacht glanzend als fluweel. Het geheim van de naam van de kat heeft meneer Kimura met zich meegenomen in zijn graf. De zelfbewuste elegantie van dit vrije dier is indrukwekkend.

Het huisje dat hier ooit stond heeft hij nooit gezien, maar tot enkele jaren geleden woonden hier zijn oom en tante met hun dochter Michiko. Nu ligt hier slechts as en stof; de vlammen zijn gedoofd, de kreten verstorven, en gehuild wordt er al tijden niet meer. Hij zal hier een nieuw huis maken. Hij is zijn eigen wederopbouw, zijn eigen programma; simpele, nuttige daden, verricht door een simpele, nuttige man – meer dan nuttig zijn verlangt hij niet. Hij is gelukkig.

Hij wast zijn handen en gezicht in het hutje van meneer Kimura, waar hij tegenwoordig slaapt, ingeklemd tussen een kastje met pannen en potten en een kist met kleren die sinds Michiko's komst niet meer in het hutje van mevrouw Takeyama passen. De oude meneer Kimura was aan het eind van de winter gestorven, een week of twee voor Hideki met lompen over zijn ingevallen borst Tokio bereikte. Zijn vlucht uit de bergen had hem eerst naar Ueda geleid, waar een militair hoofdkwartier van de bezetter bleek te zijn gevestigd. Overal jeeps en uniformen, zo'n beetje de minst geschikte plek voor een man gezocht voor de moord op drie Amerikaanse militairen. Na Ueda had hij over Honshu gezworven, aanvankelijk als betalend passagier met de trein, later als verstekeling in goederenwagons, soms, als hij het geluk had een lift te krijgen, op de laadbak van een vrachtwagen. Hij had geen bestemming, hoefde nergens heen te gaan, nergens te blijven. De zondebok die over de bevroren aarde dwaalt opdat het bergdorp rustig adem kan halen. Nadat hij zijn laatste vijftig yen had uitgegeven aan een stukje walvisvlees waar hij doodziek van werd, belandde hij, als vanzelf bijna, in Tokio, de stad van stank en onheil, waar hij zo ver mogelijk vandaan had willen blijven, maar ook de enige plaats van een sprankje hoop. Misschien kon hij daar zijn nicht vinden. Hij wist van het bestaan van mevrouw Takeyama en mocht Michiko in Tokio verblijven, dan zou de oude vrouw weten waar ze was.

Het rook naar het einde van de stadswinter toen hij op

het station uit een wagon met ijzererts klom. Gesmolten sneeuw, de geur van houtkachels, muffe, donkere figuren, zittend en liggend op de trappen, ineengedoken, dicht bij elkaar, zonder op te kijken. Die avond met een hemel vol natte sneeuw, die niet zweefde maar recht omlaag kwam en in de plassen op de weg verdween, strompelde hij moe en koud naar de hutjes. De zool van zijn ene laars was enkele dagen eerder tijdens zijn vlucht voor de spoorwegpolitie gesneuveld en zijn voet was nu kletsnat. Maar het ergste van alles was de honger. Weken had hij over zijn aankomst gedroomd, op de grens van hallucinatie soms. Nu het eenmaal zover was, hij de armzalige bouwsels uit zijn visioen van hoop naderde, zag hij alleen nog maar vreselijk op tegen het moment dat hij bij de oude vrouw zou aankloppen, bang voor wat ze zou kunnen zeggen, voor wat er met hem gebeuren zou als ze geen idee had waar Michiko was.

De deur van het hutje ging krakend en schokkend open. In de schemerige opening verscheen de kromme gestalte van mevrouw Takeyama, met zweren op haar gezicht en handen. Achter haar, op een kussen op de grond, lag een baby op zijn zij te slapen, tot aan zijn kin toegedekt en met een lichtblauw mutsje op het hoofd. In het flakkerende licht van een olielamp zag Hideki de butsudan tegen een wand van verroeste golfplaten staan. Op het huisaltaar stond de foto die Michiko voor haar verdwijning uit zijn moeders kastje had weggenomen.

3

Kiju's gezichtje is fluwelig met een roze weerschijn; het mondje van het zes maanden oude jongetje, zacht van lijn als een waterverfpenseelstreek, zuigt aan Michiko's tepel en het kleine, weke handje betast haar schouder. Dit is het mooiste moment van de dag, de ochtendvoeding. Laat in de middag kondigt het verzaligde gesabbel het afscheid, hun scheiding, aan. De laatste ogenblikken voor ze het huisje verlaat, zijn eeuwigheden van pijn, en nauwelijks te onderdrukken walging.

Het op het fornuis opgewarmde strijkijzer verspreidt een lichte schroeilucht in het hutje. Buiten strijkt mevrouw Takeyama Michiko's zwarte jurk op een houten plank, een precair klusje omdat het kledingstuk door het vele wassen en verstellen bijna uit elkaar valt. De vitaminepreparaten en medicijnen hebben hun werk gedaan. De oude vrouw heeft zichtbaar aan kracht gewonnen, staat weer rechtop en de ontstoken plekken op haar handen en gezicht zijn vrijwel weggetrokken. Toen Michiko hartje winter bij het hutje aankwam, had mevrouw Takeyama een kastje met pannen en servies buiten in de sneeuw gezet om plaats voor haar en Kiju te maken. Het was nog vijf dagen tot de volgende rantsoenering geweest, maar ze had alles tot en met de laatste rijstkorrel gedeeld. In een stad waar mensen elkaar vermoorden om een beschimmelde winterpeen, valt er nog steeds genoeg te bewonderen. Toen zij werk vond, was het haar beurt. Zo waren hun levens de afgelopen maanden met elkaar vervlochten geraakt: zij zorgde voor een inkomen, mevrouw Takeyama paste op als Michiko naar haar werk was. Haar grootste angst, nog groter dan die tijdens de duizend nachtelijke passen tot aan huis, slaat telkens toe in het ochtendlicht als Kiju voldaan is en zijzelf van haar ontbijt geniet terwijl mevrouw Takeyama zacht tegen haar aanpraat. Wat als zij niet meer voor Kiju, mevrouw Takeyama en Hideki kan zorgen?

Na het ontbijt ontdoet ze Kiju van de ondergepoepte windsels, veegt zijn billen schoon en wast hem met het bruine kraanwater waar ze geen druppel van kunnen drinken, tenzij langdurig gekookt. Ze bekijkt het in een gaap rimpelende gezichtje waarin ze de trekken van zijn vader herkent. Hij was haar eerste man geweest en ze wil de gedachten die daarbij horen ongeschonden bewaren, zodat ze niet gekleurd worden, geperverteerd, door wat erna is gebeurd. Ze wil de vader van haar kind niet veroordelen of haten, want haat is een monster dat niet alleen haar maar ook de zoon, die nu nog met zijn roze voetjes in de lucht spartelt, zal verslinden. 'Vandaag zal ik een nieuwe pan op de Shinbashi-markt kopen,' zegt ze.

'Liefje,' reageert mevrouw Takeyama, 'geef je geld daar toch niet aan uit.'

'En zoete aardappelen, de nieuwe, die zal ik ook meenemen. En sojasaus.'

'Waar heb ik het geluk aan te danken, Michiko, een oude vrouw als ik?' Ze neemt de jurk van de plank en houdt hem omhoog. In de laatste dagen van de oorlog, na de bommen op Hiroshima en Nagasaki, toen iedereen dacht: en nu is Tokio aan de beurt, werd op straat cyaankali uitgedeeld. Aan oude mannen, aan vrouwen, ook aan jonge moeders met kinderen. Mevrouw Takeyama had overwogen de tabletten in te nemen. Ze was haar familie kwijt en volgens de radio was het eind van de wereld nabij. Nu hangt ze de jurk aan de rand van een dakplaat. Hij wiegt in de zwoele ochtendlucht, diep uitgesneden en dertig centimeter korter dan hij was. Geen enkele keer vroeg mevrouw Takeyama haar waarom ze de jurk steeds verder moest inkorten en nog eens moest vermaken, zelfs niet toen ze een diepe V uit de hals moest knippen. Zij is de zangeres die steeds succesvoller wordt, meer geld verdient. Michiko laat mevrouw Takeyama in die waan.

De Shinbashi-markt, de zwarte markt, is de enige plek in Tokio waar je echt alles kunt krijgen. Potten, pannen, ketels. Schoenen, kimono's, schoffels, sojasaus, bakolie, zout. Rijst, groenten, fruit. Zeewier, eieren, sardines. Meter voor meter, stal na stal, alles uitgespreid op rietmatten. Iedereen weet dat de markt illegaal is en dat de handelaren die er de dienst uitmaken misdadigers zijn, iedereen weet dat er nergens anders behoorlijk voedsel te koop is. Vandaag kijkt het geluk voor de verandering eens niet de andere kant op. Ze loopt tussen de bezoekers, van wie de meesten zich alleen maar verlekkerd en razend tegelijk kunnen vergapen aan al die onbereikbare, geïmporteerde heerlijkheden. Bij de grootste van de vijfhonderd stalletjes begint het voor haar: ze kiest een pan, laat groenten en fruit afwegen, wijst sardines aan. Dit zou uren mogen duren. Voor ze afrekent, overhandigt ze het visitekaartje van Shikibu aan de eigenaar van de stal. Met zijn spitse, kinloze gezicht ziet hij eruit als een rat. Als hij het kaartje bekijkt, verandert op slag zijn hele wezen. Hij glimlacht naar haar, buigt en buigt opnieuw. Als hij het bedrag noemt, rekent ze snel uit dat hij haar een aanmerkelijke korting gunt. De man informeert of het zo goed is. Ze knikt en voor alle zekerheid stopt hij een in papier gewikkeld pasteitje in een van haar tassen.

Met de spullen loopt ze de markt af. Ze voelt zich licht, onkwetsbaar voor de materiële lasten van haar bestaan; ze is terug in het land van de kersenbloesem, al is het maar voor een dag. Vandaag eist ze de beloning op voor haar zelfvernedering. Niet alleen haar jurk, ook haar optredens zijn ingekort en vinden nog uitsluitend in het weekend plaats. De overige avonden zit ze aan de bar en zingt ze tussen de dansnummers van Arika en Fumiko door, een enkel lied. Ze komt op in een traditionele kimono en zingt over een plattelandsmeisje dat door de stroom waadt. Halverwege het nummer laat ze de kimono van haar schouders glijden en gaat ze verder in het doorschijnende jurkje van Yoko dat ze eronder draagt. Het water wordt dieper en dieper en ze moet het jurkje steeds hoger oplichten, tot ze vlak voor het slotakkoord een broekje met zilveren kwastjes onthult. Maar de meeste tijd zit ze aan de bar met klanten te drinken, en als hij binnen is, met Shikibu, dat spreekt inmiddels vanzelf. Hij eist haar de hele avond op, biedt haar drankjes aan, trekt zijn gouden clip met bankbiljetten. Zo nu en dan stopt hij haar een paar briefjes van honderd yen toe. Zo nu en dan legt hij een hand op haar dij en praat op haar in. 'Je kunt met je kindje bij mij komen wonen,' lispelde hij enkele dagen geleden dicht bij haar oor. 'Mijn huis is groot genoeg.' Ze heeft hem nooit iets verteld over haar kindje, maar inmiddels lijkt hij veel, zo niet alles, over haar te weten. Hij werkt aan haar. Met eindeloos geduld, tot ze aan al zijn voorwaarden voldaan zal hebben. De inzet van het spel is haar genoegzaam duidelijk. 'Je hebt een grote fout gemaakt met die buitenlander. Een tweede fout kun je je niet permitteren.' Ze heeft hem nog niet afgewezen, maar ze is ook nog niet meegegaan naar zijn huis. Slechts minimaal geeft ze toe.

Een ritje in zijn auto, een kus op haar wang, de vrijpostigheid van die aanraking had elektrische vonken door haar nek gejaagd. Ergens, begrijpt ze, moet de balans doorslaan. Daar waar hij te weinig krijgt of zij te veel geeft. Soms kan ze er niet van slapen, dan voelt ze zich besmeurd, al is ze nog niet te ver gegaan en houdt ze haar alter ego, het brutaaltje, de harde op de hoge hakken, zo ver mogelijk van zich af. Terwijl ze de markt achter zich laat, zet ze alles uit haar hoofd.

In een zijstraat merkt ze de twee mannen op die met grote, verontrustende stappen achter haar aan komen. Ze versnelt haar pas maar het lukt haar niet ze van zich af te schudden. Als ze naast haar komen lopen, ieder aan een kant, voelt ze dat het fout gaat.

Een klap treft haar schouder. De ene man heeft haar vastgepakt. Hij heeft een plat, uitdrukkingsloos gezicht. Een gescheurd hemd hangt uit zijn broek. Aan de andere kant trekt zijn kompaan aan de tas die aan haar hand hangt. Deze man is langer, dunner, heel dun, maar met een frisgewassen gezicht en gebeeldhouwde jukbeenderen.

'Blijf van me af!' bijt ze hem toe. Aan de overkant van de straat hurken enkele mannen bij een vrachtwagentje dat door zijn assen is gezakt. En aan haar kant, een meter of dertig van haar vandaan, loopt een vrouw met een kindje op haar rug. 'Help!' schreeuwt ze op het moment dat de knappe, magere man zijn hand om haar pols slaat en met de andere de tas losrukt.

Ze verzet zich hevig, trappend, en zonder te weten dat ze hiertoe in staat is, haalt ze, opverend op de punten van haar schoenen, uit naar dat knappe gezicht. De klap maakt geen indruk. Hij grijpt haar pols en draait haar arm op haar rug, terwijl zijn makker met een harde ruk de andere tas uit haar hand probeert te trekken.

'Geef hier!' Driftig sist de lelijke man tussen zijn tanden door en zijn mond krult geringschattend als hij eraan toevoegt: 'Hoer!'

Een krachtige duw in haar rug werkt haar tegen de grond. Ze schreeuwt het uit, maar hoeft van niemand hulp te verwachten. Ze ligt op straat, machteloos, duizelig van de val. Een schokkend geadem doet haar borst snel op en neer gaan. Ze weet zich een beetje overeind te werken en ziet de mannen met de twee volle tassen de straat aflopen. Niet rennend maar met dezelfde grote stappen als waarmee ze haar inhaalden. 'Help!' schreeuwt ze opnieuw, schor van opwinding, en dan luider. 'Het zijn dieven!'

Er gebeurt niets. Ze begint te snikken, huilt als een kind. Ze schaamt zich voor zichzelf. Sta op, denkt ze, sta op, maar de slapte vloeit door heel haar lichaam en ze blijft op straat zitten, starend naar de uitdijende rode bloedvlek op haar knie. Het is gevaarlijk om iets te bezitten. Voorbarig, nee, stom om je gelukkig te wanen met een pasteitje zolang je het nog niet in je mond gestoken hebt. Stop met huilen. Sta op.

Achter haar klinkt het aanzwellende geluid van een motor en het volgende moment passeert een jeep met een witte ster op het portier. Met grote snelheid rijdt de jeep verder tot hij aan het eind van de straat de twee dieven heeft ingehaald en met piepende banden tot stilstand komt. Aan de passagierskant springt een jonge Amerikaan naar buiten. De twee dieven beginnen nu te rennen maar de Amerikaanse militair gaat er als een atleet op de baan achteraan, trekt zijn pistool uit zijn holster en schiet in de lucht. Er klinkt een zware knal; de lange man met het knappe gezicht blijft staan, maar zijn maat waagt het erop, rent verder en verdwijnt om de hoek.

De militair achter het stuur is nu ook uitgestapt. De lange

dief wordt geboeid de jeep in gewerkt. Het kan haar niet hardhandig genoeg. Dan komt degene die de achtervolging inzette naar haar toe gelopen met de tas die de lange dief van haar afgepakt heeft in zijn hand. Ze krabbelt overeind. 'Gaat het, mevrouw?' Hij heeft rossig haar, pluizig als bloeiende bamboe, ogen zo licht als een rivierkei.

Ze buigt. 'Ja, dank u,' brengt ze uit, zacht rillend als van koorts. Haar keel lijkt drooggeschroeid.

De militair geeft haar de tas, die met de pan en het pasteitje erin. Alle andere levensmiddelen, de rijst, het fruit, de aardappelen, de sardines en de sojasaus, zijn verloren. Ze kan slechts denken in termen van wat ze niet meer heeft.

'Kunnen we u naar huis brengen?'

'Dat is niet nodig, dank u,' zegt ze.

De militair knikt nog een keer en loopt terug naar de jeep. Alleen achterblijvend begint ze over haar hele lichaam te rillen, hevig nu. De hand waarmee ze de tas vasthoudt, is geschaafd. Ze staart naar de schrammen en dan naar de blauwe steen van de ring die haar opgezette vinger afknelt. De aanvechting is springlevend: terugkeren naar de markt en een van de zwarthandelaren de glinstering onder zijn neus houden. In een poging haar gedachten te ordenen blijft ze staan, tot ze beseft dat de mannen bij de door zijn assen gezakte vrachtwagen haar met gesloten gezichten aanstaren.

Ze klopt het vuil van haar jas en gaat op weg naar huis.

4

Als ze in Northcrofts limousine bij het hotel wegrijden, zien ze Blakeney net met een aktetas onder zijn arm uit zijn wagen stappen. Brink, in smoking, zit tussen zijn collega's Northcroft en lord Patrick op de achterbank, comfortabel is anders. Ze zijn onderweg naar de ontvangstreceptie van Nieuw-Zeelands minister van Buitenlandse Zaken, die Tokio voor enkele dagen aandoet.

'Is Blakeney nog niet weg?' zegt Patrick met het zilveren paardenhoofd van zijn stok tussen zijn magere knieën, 'ik dacht dat al die kerels van de verdediging terug naar huis waren.'

'Ze zeggen dat hij niet naar de Verenigde Staten terugkeert, niet nu, en ook niet na het tribunaal,' weet Northcroft. Zijn dunne, bruine haar krult op zijn voorhoofd neer. 'Hij gaat met een Japanse trouwen.'

'Zo'n kundig, ontwikkeld man,' mompelt lord Patrick, 'en toch zo stom.'

'De markt voor jonge mannen was krap hier de afgelopen twee jaar,' zegt Northcroft, 'weinig westerse vrouwen, de meesten bovendien getrouwd. Honger maakt rauwe bonen zoet.'

'Honger?' herhaalt Patrick. 'Als hij teruggaat naar de Verenigde Staten kan Blakeney iedere dag biefstuk eten in plaats van droge rijst.'

'Je hebt van die kerels,' zegt Northcroft, 'een neef van mijn vrouw is met een Maori getrouwd, hij woont nu op een eilandje en heeft een baard laten staan.'

'Tennis je nog wel eens met Blakeney, Brink?' Patricks zilveren snor wipt iets omhoog als hij zijn lippen samenperst.

'Sinds dat gedoe met mijn schouder niet meer.' Zijn collega's weten niet beter dan dat hij tijdens zijn winterse uitstapje naar de bergen een ongelukje heeft gehad.

'Jammer. Dat zou een mooie aanleiding zijn om eens een goed gesprek van man tot man met hem te voeren.'

'Hoezo?'

'Nou, jij kent alle argumenten.'

Het is een paar tellen stil in de wagen en hij staart naar zijn glimmende, fraai gevormde schoenen. De laatste tijd kan hij zich steeds minder verlustigen in de snit van zijn smokingjasje, het fluwelige vlinderdasje en de scherp gesneden vouw in zijn broek. Hij had getwijfeld of hij mee zou gaan, de verleiding om op zijn kamer te blijven en zich te verdiepen in de *Ethica Nicomachea* van Aristoteles was groot geweest. Lag hij maar op zijn bed met het boek waar hij in de documentenkamer tegenaan was gelopen. Zou herlezing na zovele jaren tot nieuwe inzichten leiden? Maar Northcroft had erop aangedrongen dat hij mee zou gaan.

'Blakeney mag dan niet terug naar huis willen,' zegt Patrick, 'wij toch zeker wel. Stilaan komen we de tunnel uit, en het werd tijd. Die eindeloze zittingen en beraadslagingen zijn achter de rug en als we het verstandig aanpakken met de deelvonnissen kan zelfs het geklungel van onze hooggewaardeerde Chief Justice niet voorkomen dat we over drie, hooguit vier maanden thuis zijn.'

'Ik heb begrepen dat niet iedereen het eens is met de voorgestelde aanpak,' merkt Northcroft op.

'Pal?' vraagt Patrick.

'Uiteraard, maar hij schijnt niet de enige te zijn.'

Met volle helderheid dringt tot Brink door waarom Northcroft erop had gestaan dat hij niet alleen naar de receptie zou komen, maar er ook samen met hem en Patrick heen zou rijden. Kennelijk weten ze dat hij bij Webb bezwaar heeft gemaakt tegen het door Patrick en Northcroft voorgestelde werkplan voor het opstellen van het vonnis. De rit in de limousine staat in het teken van een 'goed gesprek', zoals hij met Blakeney gevoerd zou moeten hebben om de Amerikaan ertoe te overreden voor biefstuk in plaats van droge rijst te kiezen. Zijn oren gloeien en hij schuift op de lederen bank heen en weer, ingesloten tussen zijn twee collega's.

'We kunnen ons geen gedoe meer permitteren,' zegt Northcroft kortaf. 'Ook MacArthur is het zat. Hij eist dat het vonnis er voor november is.'

'Het moet mogelijk zijn om op één lijn te komen, zonder er eerst eindeloos over te hoeven vergaderen. Wat jij, Brink?' peilt Patrick.

'Ik ben het met je eens dat we niet onnodig tijd moeten verliezen,' is zijn antwoord.

'Er schijnen bezwaren te bestaan tegen het feit dat Zarayanov het Russische aandeel van het vonnis schrijft,' zegt Northcroft.

'Ik kan me het wel voorstellen, de vrees dat Zarayanov de bewijslast tegen bepaalde verdachten door een... gekleurde bril bekijkt.' Patricks woorden, die Brinks bezwaren samenvatten, lijken een uitnodiging aan hem om zich uit te spreken.

'Daar zit wat in.' Hij houdt zich op de vlakte, onzeker of Northcroft en Patrick zijn bedenkingen behalve onderkennen, ook onderschrijven. Dat sluit hij zeker niet uit. Zijn twee ervaren collega's weten net zo goed als hij dat de Rus niet met de blinddoek van vrouwe Justitia voor zijn werk zal doen, integendeel, hij zal zich voegen naar de dienst-orders van Stalin.

'Anderzijds,' zegt Patrick, 'is het ook weer niet onlogisch dat er Zarayanov veel aan gelegen is het deelvonnis betref-fende zijn eigen land voor zijn rekening te nemen. Hij is na-tuurlijk het best geïnformeerd, zoals jij dat over Neder-lands-Indië bent. De tenlastelegging is toch ook opgesteld door aanklagers uit het betreffende land zelf.'

'Des te meer reden om de vonnissen door een collega-rechter uit een ander land te laten schrijven,' reageert Brink. 'Welk aandeel zou jij graag schrijven?' wil Patrick van hem weten. 'De tijdlijn die je van Pearl Harbor hebt uitge-werkt, is overtuigend, dat moet een monnikenwerk geweest zijn.'

'Ik vrees dat niet alle collega's zullen juichen bij de uit-komst dat de aanklacht "moord" in het geval van Pearl Har-bor niet houdbaar is.'

'MacArthur nog het minst,' zegt Patrick. 'Maar zou je er-voor voelen, Pearl Harbor?'

'Als Zarayanov het Russische aandeel doet,' zegt hij, 'dan zullen bepaalde verdachten die het niet verdienen, zware straffen tegemoetzien, misschien zelfs hangen.'

Patrick neemt hem door zijn grijze wimpers op. 'Shigemit-su en Togo, bedoel je, neem ik aan.'

Het staat inmiddels bekend als zijn stokpaardje, het on-derscheid dat hij maakt tussen de burgerpolitici die de oor-logsmachine wilden stilleggen en de militaire kliek die de weg van geweld juist voorstond. Hij knikt. 'Wat mij betreft verdienen ze vrijspraak.'

'Kalm aan, Brink!' waagt Northcroft zijn stem verma-nend te verheffen. 'Ze droegen verantwoordelijkheid in de oorlogskabinetten. Ze zeiden *ja* tegen de oorlog.'

Hij probeert zich niets van Northcroft aan te trekken,

maar eenmaal begonnen versnelt zijn collega als een handelsreiziger zijn plots opdringerige tempo en toon. 'Ze wisten of zouden hebben moeten weten van de door de manschappen gepleegde gruwelen in de veroverde gebieden... Als jij beweert... Ik zou niet graag voor mijn rekening willen nemen dat ze vrijuit gaan.'

'Ze zijn in onze ogen misschien niet moedig geweest, maar vergeet niet dat in die tijd een al te kritisch geluid van een politicus kon leiden tot zijn liquidatie, daar zijn voorbeelden van.' De woorden van zijn memorandum komen als vanzelf tot leven en nu hij eenmaal begonnen is willen ze eruit. 'Niettemin heeft Shigemitsu zich onomwonden en bij herhaling uitgesproken tegen de agressieve plannen van de militaire leiders. Documenten bewijzen dat hij zich inzette om de vrede te bewaren en een groot voorstander was van onderhandelen om de relaties met Rusland en de Verenigde Staten te verbeteren. Tijdens de oorlog heeft hij geprobeerd de haviken een halt toe te roepen en zich actief ingezet om de oorlog zo snel mogelijk te beëindigen. Ook is er bewijs dat hij de gruwelijkheden in de bezette gebieden aan de orde stelde, opriep om er iets tegen te ondernemen. Ik zou niet graag voor mijn rekening nemen dat een gematigd politicus die voor vrede was een zware straf krijgt omdat hij geprobeerd heeft tegenwicht te bieden aan de schoften in de regering.'

Northcroft haalt diep adem om hem van repliek te dienen, maar het is de zachte stem van Patrick die de Nieuw-Zeelander voor is. 'Laat Zarayanov het concept van hun deelvonnis eerst schrijven, dan weten we waar we over praten. Daarna kan ieder van ons erop reageren.'

'Ik vrees dat het dan te laat zal zijn,' werpt hij met zachte stem tegen.

'Er is geen andere manier om dit tribunaal tot een goed

einde te brengen,' zegt Northcroft. 'Op ons rust een plicht tegenover de wereld. We moeten laten zien dat we er zonder verdere vertraging uit komen, na tweeënhalf jaar.'

'Ik vrees dat er niets anders op zit dan dat we hier met de volledige groep over vergaderen,' volhardt hij koppig. 'Ook al zal dat meer tijd vergen.'

'Het is in feite al besloten.' Patrick trekt zijn mondhoeken in rustige minachting omlaag.

In feite? 'Ik weet van niets.'

'O god,' steunt Northcroft met ongeduld.

'Met wie allemaal hebben jullie al overlegd?' wil Brink weten. 'Ik denk niet dat Webb met deze gang van zaken akkoord gaat.'

'Dat denk ik ook niet.' Patrick laat een korte stilte vallen. 'Dat is dan jammer voor Webb.'

'Hij is de voorzitter.'

'Het kan zonder de voorzitter, een vonnis schrijven,' zegt Northcroft. 'Een meerderheid volstaat.'

Bij die verstrekkende mogelijkheid heeft hij nog niet stilgestaan, maar inderdaad, nu Northcroft het zegt: het handvest van het tribunaal staat toe dat er bij meerderheid beslissingen genomen worden. Wat ook, zelfs, geldt voor het vonnis. Hij voelt zich schaak gezet en weet even niets meer te zeggen. Eén ding moet hij ze nageven, ze bedienen zich van een geraffineerde psychologische oorlogsvoering.

'Hoor eens, Brink,' zegt Patrick met vermoeid dedain, 'de reden dat we je in vertrouwen nemen, is dat we je willen waarschuwen. Er zijn collega's die geen enkel begrip meer hebben voor oponthoud.'

Het litteken op zijn schouder trekt en heet zweet prikt in het holletje van zijn borstkas.

'Zij stellen zich op het standpunt: je doet mee of je ligt eruit.'

Daar had je het. Wat had hij anders verwacht? Hij kan maar beter weten hoe het ervoor staat. Hij kijkt voor zich uit en probeert na te denken. Ze rijden over de grote, brede straat van Ginza waar het druk is, ook met auto's, waarvan er het afgelopen halfjaar meer en meer in het straatbeeld opduiken. Ze passeren het postkantoor waar hij zijn pakketjes met de jurken voor Dorien en het speelgoed voor de kinderen altijd aflevert. Tussen de voetgangers merkt hij drie Japanse vrouwen met steenrode parasols boven hun hoofd op. Hun hakken hoog, hun rokken kort. Als een van de vrouwen zich omdraait, herkent hij in een flits het postuur en de delicate teerheid van haar gezicht dwars door de opzichtige kleding en make-up heen. Ze heeft iets in haar hand, een papiertje dat ze een blanke man toesteekt, maar hij weigert het van haar aan te nemen en loopt verder. Northcroft richt zich op volle kracht tot hem, maar Brink hoort het niet meer, hij kijkt door de achterruit naar Michiko. Vaag ziet hij de voorbijgangers en de winkels, de parasols, verder weg, kleiner en kleiner, stippen in de onrustige menigte. Hij wil uitstappen, hij moet naar haar toe. Maar hij zit in smoking tussen zijn twee collega's geperst en de auto rijdt verder.

'Het is dus met of zonder jou,' klinkt de stem van Northcroft dicht bij zijn oor.

Ze gaan een druk kruispunt over, seconden, minuten van gekmakende vertwijfeling tikken weg, tot ze stil komen te staan achter een Amerikaanse legertruck waar militairen uit klimmen. Opnieuw kijkt hij achterom.

'Hoor je eigenlijk wel wat ik zeg?' vraagt Northcroft, die zich nu ook half omdraait, nieuwsgierig geworden naar wat Brinks aandacht trekt, maar de parasols zijn al uit beeld verdwenen.

'Ja, ik hoor je. Ik wil eruit!'

'Alsjeblieft, Brink,' voegt Patrick hem toe, met zijn hand

zo krampachtig om het paardenhoofd geklemd dat de knokkels tot lijkkleurige eilandjes verbleken. 'Je gedraagt je als een verwend kind. Wees een vent, verdomme!' De wagen komt weer in beweging, langzaam nog. 'Chauffeur, stop! Ik stap hier uit.' De wagen komt weer tot stilstand. Hij draait zijn gezicht naar Northcroft, die aan de kant van het trottoir zit. 'Het spijt me, maar zou je zo vriendelijk willen zijn...'

Na een korte aarzeling stapt Northcroft uit de auto en houdt het portier wijd en met een bijna overdreven hoffelijkheid voor hem open.

Brink knikt naar Patrick, schuift opzij en werkt zich snel naar buiten. 'Dank je,' zegt hij tegen Northcroft.

'Brink?' Northcrofts gezicht staat niet langer vijandig maar bezorgd.

'Ik weet het,' zegt hij, 'ik heb het begrepen: het is met of zonder mij, een meerderheid volstaat.'

Met grote passen begint hij terug te lopen. Als hij het kruispunt is overgestoken, houdt hij het niet meer en begint hij tussen de voetgangers door te rennen. Het is alsof hij door de wijde, troebele hemel boven Tokio valt. Hij rent en rent over Ginza. Dat hij zijn collega's verbluft heeft achtergelaten, god mag weten wat ze van hem denken, kan hem niets schelen. Hij had niet gedacht dat hij ertoe in staat zou zijn. In de verte wiegen parasols als rode vlekken in een zee van hoofden. Buiten adem nadert hij de eerste parasol maar nog voor hij er is stelt hij al vast dat het gezicht eronder, breed, hoekig, niet dat van Michiko is. Hij passeert de naar hem lachende, opgedofte vrouw met de bepoederde wangen en ontwijkt haar uitgestoken hand met wapperende folder om door te lopen naar de tweede parasoldraagster, die een meter of tien verderop met haar rug naar hem toe gekeerd staat, haar schouders en hoofd door de rode cirkel van rijstpapier uit zijn beeld gesneden. Als hij haar heeft ingehaald, in gedachten haar naam noemend, draait de parasol onverwacht een halve slag, de zijkant van een gezicht onthullend. Het is langwerpig en mager en tussen de felrood geverfde lippen trekken de scheef over elkaar vallende boventanden die enigszins naar voren staan zijn aandacht. 'Hi mister!' zegt het onbekende meisje terwijl ze een schril lachje produceert en haar hand voor haar mond slaat. Ze geeft hem een papiertje. Hij draait op zijn hakken rond en kijkt om zich heen. Een derde parasol kan hij niet ontdekken.

5

Hij is de neef van Michiko, de oom van Kiju, en, met een beetje fantasie, de zoon van mevrouw Takeyama, die hem de diensten van een moeder bewijst. Hij heeft weer een thuis, weer een familie. 'Ik heb iets,' zegt hij als hij 's avonds het hutje van mevrouw Takeyama binnenstapt. Voor zes schroeven heeft hij een stuk zeep geruild. Mevrouw Takeyama legt Kiju op zijn buik op de tatami, pakt het van Hideki aan en snuift als een jachthond. 'Amandel. Jij zorgt iedere dag voor een verrassing.' Ze bukt bij het oventje, blaast de kooltjes onder het hout, haar ogen vochtig van de rook. Iedere avond zijn zij bij elkaar, hij, de oude vrouw en de baby. Michiko is dan al naar haar werk vertrokken. Hij neemt een voorbeeld aan zijn nicht door zich niet te beklagen. Michiko weet hoe ze zich erdoorheen moet slaan en houdt hen alle drie in leven. Is een hogere vorm van zuiverheid denkbaar? Overdag, als ze thuis is, brengt ze al haar tijd door met Kiju. Nu het warmer wordt, staat de deur open en zit ze voor het hutje in de zon, met een stuk karton jaagt ze de gonzende vliegen boven het hoofd van haar zoon weg. Hideki gaat bij haar zitten en brandt zijn mond bijna aan de hete thee die mevrouw Takeyama voor hem heeft gemaakt. Over haar werk spreekt Michiko niet of nauwelijks, liever heeft ze het met hem over de K-rantsoenen, de voedselpakketten die oorspronkelijk bestemd waren voor de frontsoldaten van de bezetter, maar nog steeds, zo lang na de oorlog, in de straatverkoop opduiken. Ze nemen de inhoud door: biscuits en blikken kaas en ham, zo voedzaam en overvloedig dat je begrijpt waarom de Amerikanen de oorlog hebben gewonnen. Soms bekijken ze samen de tekeningen van het huis dat hij gaat bouwen. Een woonkamer, een veranda en drie slaapkamers, in potloodlijnen van zijn hand.

Hij zit naast Kiju op de tatami. De lichte ogen van het jongetje kijken vragend naar hem op. Kishiro Sato, een van zijn maten met wie hij krijgsgevangen zat, was kort voor de oorlog vader geworden en droeg de foto van zijn pasgeboren zoontje bij zich in een doorschijnend plastic hoesje. Soms haalde hij het tevoorschijn en keek hij langdurig naar de baby, die in werkelijkheid al veel ouder was. Nu moet de jongen al een jaar of zes zijn, bedenkt Hideki. Kishiro Sato had sterrenkunde gestudeerd en was een in zichzelf gekeerde, tengere, zachtaardige man. Tegen het leven in het kamp was hij nog minder opgewassen geweest dan tegen dat aan het front. In een ijskoude nacht had hij zich aan de veters van zijn laarzen verhangen. Vreemd, hoe je leven wordt vormgegeven door de mensen en dingen die erin verschijnen en eruit verdwijnen. Gebeurtenissen en herinneringen aan personen die je in een steeds groter en zwaarder net achter je aan sleept, krijgsgevangen maten, verkrachte zusters, woudzangers met blauwe veren, een baby op een foto.

'Het is bijna klaar,' zegt mevrouw Takeyama. De geur van tofu in tempurabeslag in de nieuwe pan doet hem watertanden. Hij legt zijn polsen op zijn knieën en knikt. Een slaapkamer voor Michiko en Kiju, een voor mevrouw Takeyama en een voor hem. Afgescheiden door houten wanden en ieder met een klein raam in de achterwand.

Die nacht, in zijn droom, is het klaar. De vloeren zijn geveegd, de futons in de slaapkamers uitgerold. Maar hij is alleen. Hij staat op de veranda en wacht. Er is helemaal niemand. Het volgende moment stroomt het van de regen en komt over de vlakte een meisje aanlopen. Hij verwacht dat het Michiko is. Haar gebloemde rok plakt als een lap aan haar dunne benen. Met haar hand houdt ze een stuk karton boven haar hoofd. Nu herkent hij haar, maar haar naam wil hem niet te binnen schieten. De regen slaat putjes in het straatstof. Koortsachtig breekt hij zich het hoofd over haar naam, die moet hij zich herinneren voor ze bij hem is. Anders gaat alles mis.

Als hij wakker wordt van een piepend geluid is de nacht blauwzwart. De staart van Stille Archipel veegt woedend langs de vloer. Het dier zal zijn prooi niet meer laten ontkomen. Wij zijn geen dieren, denkt hij, wij zijn van een hogere orde. Michiko besteedt haar laatste geld aan vitaminepoeders en antibiotica voor mevrouw Takeyama. Maar een Chinees met oorkleppen pist door de tralies heen over zijn verbrande kop. De legerchirurg en de bazooka, het lijken tegenstellingen, maar misschien is het ene verhaal zonder het andere niet compleet... Een piepende muis in de nacht en zijn gedachten vliegen alle kanten op, meer is er niet voor nodig. Dat eeuwige gemaal, even zinloos als hardleers. Stoppen nu.

Etsu, zo heette ze. Is die onbeteugelde denkkracht toch nog ergens goed voor. Hij legt zijn handen onder zijn hoofd en staart in de duisternis. 'Etsu,' prevelt hij.

6

De neonletters aan de gevel geven zijn witte galahemd en handen een onnatuurlijke roze gloed. Gebogen voor het glas tuurt hij naar haar foto, met een knellend vlinderdasje om zijn nek, zijn voorhoofd klam en kloppend alsof hij griep heeft. De geur van zijn eigen zweet als hij het gordijn opzij beweegt.

Hij neemt plaats aan een tafeltje en luistert naar de muzikanten die plichtmatig populaire deuntjes spelen terwijl twee Japanse vrouwen die hij eerder op Ginza flyers zag uitdelen op een podium dansen. Ze hebben hun parasols van rijstpapier verwisseld voor cowboyhoeden en zwaaien hun naakte benen hoog op in het flitslicht. In de schemerige zaal zitten enkele mannen alleen aan tafeltjes, de meesten van hen Japans. Bij het verlichte podium een clubje Amerikaanse militairen die overdreven met hun vingers knippen en bestellingen schreeuwen naar de barman. Achter hem aan de bar zitten nog enkele klanten.

Als de danseressen het applaus van hun bewonderaars in ontvangst hebben genomen, zet de drummer een zachte roffel in.

'Dames en heren,' zegt de saxofonist door een microfoon, 'Club Paris heeft de eer om u de mooiste zangeres van Tokio voor te stellen: Michiko!' Nadat de man zijn aankondiging in het Japans heeft herhaald, gaat het podiumlicht uit.

De plotselinge duisternis tart zijn verbeelding. Hij verlangt naar het volgende moment, vreest het evenzeer. In de tempel die ze lang geleden samen bezochten, vertelde Michiko hem over het boeddhistische levensrad, een voorstelling waarin de mens gevangen zit. De haan, de slang en het zwijn, symbolen van lust, haat en onwetendheid, jagen achter elkaar aan. Pas later drong tot hem door wat ze niet had verteld: dat de dieren in het rad zich met elkaar voeden en tegelijk door elkaar worden verzwolgen. Ineens, als door een wonder staat ze daar, uitgelicht, achter de microfoon, gehuld in een glanzende kimono met duikelende forellen en zilveren lijnen als de stroming van een beek. In haar dikke, zwarte haar steekt een pen met een trosje parels aan het uiteinde. Hij moet zich bedwingen om niet van zijn stoel op te springen en op haar af te stormen. Ze zingt een Japans liedje, de syncopische melodielijn is onmiskenbaar die van de boogiewoogie, gevolgd door een hem onbekend liedje dat de Amerikanen woord voor woord meeblèren. Nieuwe klanten nemen om hem heen plaats en de barman doorklieft met zijn volle dienblad de laaghangende sigarettenrook. Dan begint ze aan haar volgende liedje, in het Japans, hij kan het niet volgen maar het heeft iets theatraals, verhalends. Met haar mimiek en bewegingen lijkt ze uit te beelden dat ze door het water loopt. Halverwege het nummer laat ze met een soepele beweging de kimono van haar schouders glijden. Een zwart doorschijnend jurkje komt tevoorschijn. Haar handen, vaalbleek, gaan omlaag, de vingers strekken zich uit naar de zoom, die tussen duim en wijsvinger omhoog glijdt en eerst de gepolijste vorm van haar knieën ontbloot, dan de kuiltjes waar haar slanke bovenbenen beginnen en vervolgens de zachtheid van haar dijen. De benen die naast de zijne in de herberg hebben gelegen. Hij herinnert zich hun omhelzing op het rotsplateau onder Mount

Fuji, op die verre, heldere dag toen hij zo zeker was van zijn gevoelens. Het jurkje schuift nog verder omhoog en onthult een driehoekje van zilverkleurige glitterstof. Twee kwastjes schudden op haar heupen. Liszt en Brahms heeft ze gezongen! Een uitnodiging van het conservatorium van Frankfurt heeft ze op zak gehad! Dat zilveren driehoekje met die schuddende kwastjes stelt hem in staat van beschuldiging.

In het hoofdstuk van de *Ethica Nicomachea* waar hij gebleven was, introduceert Aristoteles het begrip corrigerende rechtvaardigheid: iemand die door een ander benadeeld is, dient een compensatie te ontvangen gelijk aan het geleden nadeel. Dat is het woord dat bij hem opkomt: compensatie. Hij zal het goedmaken. Michiko buigt voor het publiek. Ze kijkt nu even in zijn richting maar of ze hem heeft opgemerkt, weet hij niet.

Het gaat hem natuurlijk om meer dan vereffening alleen, denkt hij, terwijl zij de kimono van de vloer oppakt en door het gordijn aan de achterzijde van het podium verdwijnt.

Hij is niet over straat gerend, hierheen gekomen, om een misstand recht te zetten, nee, hij zocht haar, hij moest haar zoeken omdat hij bestemd was haar terug te vinden.

Hij bestelt nog iets te drinken en kijkt naar de meisjes die hun westernpakjes voor rokken en hakken hebben verruild. Amerikaanse vrijzinnigheid op zijn Japans. Ze dansen wild met de militairen die zoveel groter zijn dan zij. Ook Michiko heeft zich verkleed als ze de zaal komt binnengelopen. Ze draagt nu een zwarte jurk die tot boven haar knieën reikt en bij de hals in de vorm van een V uitgesneden is. Ze kijkt hem even aan en nu weet hij zeker dat ze hem gezien heeft. Een glans van herkenning, van herinnering, maar het is meer dan dat, ook meent hij opluchting waar te nemen. Hij komt overeind en als ze bij zijn tafeltje is aangekomen, verwacht hij dat ze blijft staan, zijn naam zal uitspreken, een hand zal uitsteken, maar ze kijkt hem zelfs niet aan. Ze loopt naar de bar en gaat op een kruk zitten zonder zelfs haar ogen naar hem op te slaan. Hij zakt neer op zijn stoel en blijft in haar richting kijken, wachtend op een bevestiging, een enkel gebaar, maar ze kijkt langs en over hem heen, alsof hij er niet is. Ze straft hem onverschillig.

Nooit had hij haar het gevoel mogen geven dat haar vertrek uit Tokio hem goed uitkwam. Haar brief had hij niet onbeantwoord mogen laten. Dat teken van angst had zij vast als minachting opgevat. Later heeft hij zichzelf veracht, omdat hij niet anders was dan hij was. Ze moet weten dat hij hier is om het recht te zetten.

Op het podium dreunen de saxofonist en de drummer hun refreinen de zaal in. Eén keer kijkt ze naar hem, een ogenblik slechts, en in het helse kabaal speelt zich tussen hem en haar een woordloze scène als in een stomme film af. Slechts die enkele blik van haar op hem en de constante blik van hem op haar. De wederzijdse spanning loopt hoog op, alsof zij beiden door een toverstaf zijn beroerd en alles opnieuw in beweging wordt gebracht. Op de krappe dansvloer raken de lichamen van de danseressen steeds inniger verstrengeld met die van de Amerikanen.

Hij staat op, loopt naar de bar en gaat naast haar staan. Aan haar andere zijde zit een kleine man in een wit kostuum en met een witte hoed op zijn hoofd.

'Michiko, kan ik met je praten?'

'Waarover?'

'Ik heb je gezocht.'

Ze zwijgt. Haar sleutelbeenderen werpen een zachte, fluwelige schaduw op haar huid.

'Ik ben in Nagano geweest, in het dorp, maar je was al weg.'

Er verandert iets in haar ogen, maar het volgende moment houdt haar blik hem alweer op afstand. Misschien is de ontmoeting met hem, zo onverwacht, onder deze beschamende omstandigheden, onverdraaglijk voor haar.

'Ik ben bezet.' Ze neemt een slok van een groen goedje uit een cocktailglas. 'Dit is mijn werk, ik treed op en ik krijg drankjes.'

'Mag ik iets te drinken voor je bestellen?'

'Dat zou onbeleefd zijn. Deze meneer heeft me iets aangeboden.'

Hij kijkt langs haar heen naar de man. Zijn gezicht is bleek, zijn lichaam breekbaar, als van een castraatzanger met tuberculose, maar zijn ogen staan hard.

'Misschien kun je beter gaan,' zegt ze.

'Maar ik ben voor jou gekomen.'

'Waarom?'

'Ik heb je gemist.'

Ze slikt en hij herinnert zich hoe teder hun eerste aanrakingen waren.

'Heb je mijn brief ontvangen?' vraagt ze zacht.

Hij knikt. 'Het spijt me.' Hij weet dat zijn armzalige excuus niets voorstelt. 'Ik wil je helpen.'

Het lijkt alsof ze genoeg weet, genoeg van hem heeft. 'Wie heeft je om hulp gevraagd?'

'Jij... hier...' zijn blik glijdt snel in het rond, 'arme Michiko.'

Haar gezicht verhardt weer, ze trekt zich terug, nog verder. 'Je vergist je. Goedenavond.' Ze draait zich om en begint in het Japans tegen de man te praten. Woorden die hij niet verstaat, die ook niet voor hem bestemd zijn. Zij sluit hem buiten. Hij houdt zich in, maar hij zou willen schreeuwen, willen loeien, glazen van de bar maaien. Terwijl hij afrekent, valt zijn oog op haar hand, de glinstering van de blauwe steen schenkt hem hoop.

Buiten, aan de overkant van de straat, wacht hij in de schaduw van een portiek en slijpt in gedachten de woorden die alles duidelijk moeten maken en die hij eerder die avond had willen uitspreken als ze hem daartoe in de gelegenheid had gesteld. Het voelt alsof hij door een poos alleen te zijn, door haar brief *niet* te beantwoorden, in het verleden is teruggekeerd en zijn leven van voor zijn ontmoeting met haar in een ander licht is gaan zien. Als hij 's ochtends in de spiegel kijkt, ziet hij niet langer de man die met twee koffers, een Engels woordenboek en een surplus aan ambitie in Tokio aankwam; niet langer de man die op zondagmiddag bij zijn schoonouders op de thee ging.

Met hun armen over elkaars schouder verlaten de Amerikaanse militairen de zaak en lopen weg. De frêle man met zijn flamboyante witte kostuum en hoed stapt in een wagen met chauffeur, en als hij wazig achter het beslagen raam voorbijrijdt, schiet Brink te binnen waar hij hem van kent. Lang geleden verbleef hij als enige Japanner in het Imperial Hotel, op dezelfde etage als Brink. Tijdens het recital in de grote zaal van het hotel vertelde de man hem dat mevrouw Haffner een beroemd muziekpedagoge was die tot aan het hof van de keizer lesgaf. Hij verdween uit beeld tot Brink hem terugzag bij de bloemenwinkel waar hij met Michiko had afgesproken. Hij herinnert zich haar ontsteltenis omdat de man haar in de Buick had zien stappen. Opmerkelijk, dat deze zelfde man vanavond Michiko had 'bezet'.

De laatste klanten komen naar buiten, dan de muzikanten, de danseressen, de barman; een voor een verdwijnen ze in de duisternis. Hij staat al twee uur te wachten als het neonlicht dooft en een wat lompe man in een zwart, te krap colbert verschijnt. De man steekt vanbuiten een sleutel in het slot en controleert of de deur goed dichtzit.

Op dat moment nadert Brink hem van achteren. 'Michiko? Waar is Michiko?'

Klaar om van zich af te slaan, neemt de man hem op. 'Michiko weg,' klinkt het schor.

'Weg? Ik heb haar niet naar buiten zien komen.'

'Andere kant weg,' zegt de man, al wat meer op zijn gemak.

'Waar woont ze?' vraagt hij.

De man verstaat hem niet, doet alsof Brink onzichtbaar voor hem is. Zonder nog een woord te zeggen glipt hij langs hem.

Hij volgt de man op een afstandje, maar verliest hem in de donkere straatjes waar de huizen en het vuilnis onmogelijk dicht opeen staan, al snel uit het oog. Zonder zijn auto met chauffeur, gehuld in smoking en op iedere hoek aangeklampt door opdringerige, met hem oplopende straatblommen, geeft hij zich grote moeite de duistere figuren die hem tegemoetkomen te ontlopen. Flarden van een door dronkenlappen gezongen lied klapwieken door de lucht. Smerige gezichten gluren naar hem door luiken. Japanners kunnen gevaarlijke gekken zijn. Zijn gerechtelijke dossiers hebben al het mogelijke geloof in hun wreedheid bevestigd. Miljoenen slachtoffers hebben ze gemaakt. Daar kan er best nog eentje bij. Eindelijk bereikt hij de straatlichten van Ginza, waar een oude man met zijn grijzende hoofd tegen dat van zijn voorgespannen paard staat. Hij fluistert teder tegen het uitgemergelde dier.

De maan staat hoog aan de hemel. Het is frisser geworden. Hij slaat de kraag van zijn smoking op en tuurt de lange, stille straat af op zoek naar een taxi. 'Je vergist je,' heeft ze gezegd. Dat weigert hij te geloven. Hij heeft haar teruggevonden, dat is een begin. Hij passeert een groot winkelraam waarin hij zich weerspiegelt als een schimmige vlek. Plotseling blijft hij staan en tikt met zijn nagel tegen het kille glas. 'Ga-ra-su.' Drie lettergrepen, die uit zijn mond klinken als een toverformule. Glas.

7

'Gaat het, liefje? Heb je iets nodig?' Mevrouw Takeyama
knielt bij haar en zet een kommetje warme thee voor haar
neer.
Het is warm, nog net licht. Een baksteen voorkomt dat de
openstaande deur dichtwaait. Michiko ligt met Kiju tegen
zich aan op de futon. Net als gister gaat ze vandaag niet
naar haar werk. Boven de lege, verschroeide vlakte stuwt de
wispelturige wind het zwarte stof als een wolk van sprink-
hanen omhoog.
Michiko heeft mevrouw Takeyama verteld dat ze ziek is.
Sommige ontmoetingen kunnen gewoon niet zonder aankondiging. Het was een regelrechte aanslag geweest. Net nu
ze hem had begraven, verrees hij daar tussen het publiek.
Wederopstanding in smoking. Dat allereerste moment van
herkenning... Een nevel was voor haar ogen getrokken en
bijna was ze ter plekke neergestort.
Mevrouw Takeyama schuurt de pannen met zand en geeft
de geranium water. Ze draait het conservenblik zodat Michiko de rode bladeren van de bloem kan zien. Ze verzorgt
haar, praat tegen haar of laat haar met rust als ze merkt dat
Michiko liever alleen is. Vandaag verstikt de oude vrouw
haar met al die goedheid, met de laatste bloem van het sei-
zoen. De grote zorg over hoe het verder moet nu het laatste
beetje voedsel aangesproken is hangt tussen hen in.

Morgen is het zaterdag, betaaldag, er zal niets anders op zitten. Maar ze kan het niet, durft het niet. Een tweede ontmoeting met de rechter zou haar hele leven overhoophalen.

Alsof zijn verschijning alleen al niet genoeg had aangericht, kreeg ze, nadat hij de zaak had verlaten, ook nog de giftige woede van Shikibu te verduren. Zijn ogen gloeiden op en hielden haar blik woest en meedogenloos gevangen. 'Je hebt al een keer een grote fout gemaakt, maak er niet nog een.' Ze had de rechter haar rug toegekeerd. Had Shikibu niettemin aangevoeld dat ze niets, helemaal niets gaf om hem, die haar al zo lang en geduldig het hof maakte en onderhield?

Als Kiju slaapt, komt ze overeind. Voor het eerst sinds twee dagen gaat ze naar buiten. De avond is inmiddels gevallen. Uit het heuphoge onkruid in het open veld rijzen twee figuren die ze niet voorbij heeft zien komen toen ze in het hutje was. Ze kijken voortdurend om en verplaatsen zich snel. De laatste tijd trekken steeds meer mensen naar deze vlakte, oude bewoners die hun huizen herbouwen, maar ook anderen met onduidelijke bedoelingen. Door die toestroom van vreemd volk zijn ze meer op hun hoede. Ze versnelt haar pas tot ze de plek bereikt waar vroeger haar ouderlijk huis stond. Met een ruk draait Hideki zich naar haar om, verschrikt, gekromd, als een gedoemd mythologisch wezen. 'Heb je die twee gezien?' vraagt hij.

Ze knikt. 'Het leek of ze achterna werden gezeten.'

Hij denkt even over haar woorden na. 'Misschien door de politie.' Zijn vingers glijden over een vloerdeel, op zoek naar spijkers. 'Ik heb bijna genoeg voor het vloeroppervlak, volgende week zou ik de palen kunnen teren en ingraven.'

'Dat is goed nieuws.'

Hij pakt iets van de grond. 'Hier.' Hij geeft haar een papieren zak aan. 'Kaarsen.'

Hij is moeilijk te peilen, haar neef, waarschijnlijk omdat hij altijd diep in gedachten is. Soms praat ze tegen hem en zegt hij niets terug. De volgende keer vraagt hij haar te herhalen wat ze zojuist gezegd heeft, terwijl ze geen woord heeft gesproken. De eerste maanden na zijn komst was hij zo futloos en terneergeslagen dat ze niet eens naar hem kon kijken. Hij zat maar voor zich uit te staren, zichzelf te kwellen als een monnik. Nu gaat hij helemaal op in zijn plannen voor het huis. Maar zijn ambities kunnen, eenmaal aangewakkerd, ook een extreme vorm aannemen, dat hebben ze in het dorp gemerkt. Iets in zijn karakter lijkt gevoelig voor zelfopgelegde, onmogelijke opgaven. Zelfs als die tot zijn eigen ondergang dreigen te leiden, laat hij zich er niet van afbrengen. Noch door anderen, noch door het lot. Voorzichtig had ze geopperd dat het bouwen van een huis voor iemand alleen – ze dacht erbij: voor iemand die amper op zijn benen kan staan – misschien te hoog gegrepen was. Inmiddels heeft ze zich verzoend met zijn plan, sterker, ze heeft de bouw van een huisje omarmd en soms fantaseert ze net zo hard met hem mee. Hideki's toewijding aan het plan is belangrijker dan het resultaat.

'In de buurt is alles op,' zegt hij. 'Weet jij nog iets?'

Hij beschouwt haar als een verkenner, iemand die dagelijks de stad in gaat en verslag uitbrengt, iemand die weet waar gebouwd en gesloopt wordt. 'Ik hoorde dat bij Ginza hele blokken worden gesloopt. Weet jij daar iets van?'

'Dat klopt,' zegt ze en voegt daar snel aan toe: 'Maar het is te ver.'

Hideki is een gevangene van de verschroeide vlakte. Hij zal met zijn leven betalen, mocht hij opgepakt worden. Zij en mevrouw Takeyama verschaffen hem onderdak, zij houden hem in leven, ook dat is strafbaar. Hoe lang zal het nog goed gaan, hoe lang kunnen zij nog zo leven? Ze weet dat hij de grenzen van zijn gevangenis de laatste tijd steeds verder oprekt. Het lijkt een kwestie van tijd voor zijn expansiedrift zich tegen hen keert.

Onnadrukkelijk had ze Shikibu gepolst of hij haar kon helpen aan een valse ID-kaart, wetende dat hij haar baas uit de gevangenis had gehouden en dat die gunst nog maar een kleinigheid zou zijn vergeleken bij andere dingen die hij voor haar kon 'regelen'.

'Voor wie?' had hij toonloos gevraagd.

'Voor mijn neef.'

'Wat heeft hij te verbergen?'

'Niets.'

'Dan heeft hij ook geen valse ID-kaart nodig.'

Later die avond had hij haar notitie met Hideki's gegevens in zijn colbertzak weggestoken. Maar dat was vóór de plotselinge verschijning van de rechter zijn furie had opgewekt.

Een warme wind fluistert in de schemering als ze samen met Hideki terugkeert naar mevrouw Takeyama, die de wacht houdt bij Kiju.

Michiko bukt en neemt een stompje kaars uit de zak. Ze steekt het aan, laat wat vet op een blikken schoteltje druppelen en drukt de kaars in het plasje. Een zacht licht vult het hutje. De geur binnen, die van het slapende kind, de oude vrouw en de opgedroogde schimmel in de muren is haar intiem vertrouwd, maakt deel van haar uit, als de liederen die in haar dromen tot leven worden gewekt.

'Hoe lang is het lopen naar Ginza?' Hideki staat achter haar voor de open deur.

Ze kijkt naar hem op, maar hij lijkt inmiddels aan iets anders te denken. 'Te ver, natuurlijk!' zegt ze kortaf. Dat risico zijn een paar oude rotplanken en roestige schroeven niet waard, denkt ze. 'Slaap lekker,' zegt ze, zachter nu.

Maar hij is al verdwenen.

8

Een man met een kruk en een kop van krokodillenleer valt op, mag hij aannemen. Des te meer als hij meent dat de anderen allemaal naar hem kijken, het allemaal weten: daar gaat hij, dat is hem! Sinds zijn komst naar Tokio heeft hij zich terughoudend, schroomvallig opgesteld. Zijn actieradius beperkte hij tot de bouwterreinen in de buurt van Asakusa. Tijdens zijn winterse dwaaltocht was hij aangehouden door twee kerels van de spoorwegpolitie. Natuurlijk wilden ze zijn ID-kaart zien. Hij legde uit dat hij van al zijn bezittingen beroofd was, inclusief zijn geld en kaart. In de vrieskou noteerden ze de naam en het adres die hij met stomende angstadem opgaf – vals, uiteraard – en lieten hem gaan. Dat hoefden ze niet te doen, ze hadden hem ook aan hun collega's van de gemeentelijke politie kunnen overdragen, maar waarschijnlijk hadden die kerels net als hij in het leger gediend en hadden ze medelijden met de verkleumde veteraan of misschien wilden ze gewoon ergens een kop warme thee drinken en moesten ze zo snel mogelijk van hem af. In ieder geval was hij door het oog van de naald gekropen, besefte hij later, want op de meeste politiebureaus van Honshu moest zijn signalement toen al bekend zijn.

Hij weet bijna zeker dat hij in de goede buurt rondloopt. Er zijn hier talloze pandjes als het huisje dat hij zich herinnert van die avond dat ze met een stuk karton boven haar hoofd zijn leven binnenstapte. Die overvloed van op elkaar lijkende krotten maakt het ook zo lastig. Hij dwaalt, straat in, straat uit, en blijft af en toe staan voor een pandje met aangevreten muren en planken voor de ramen. Maar steeds is het niet het huis dat hij zoekt. Net als hij het op wil geven, valt zijn oog op een witgekalkt huisje, of liever, op de rode letters van glas aan de gevel: 'Club Paris'. Met een schok beseft hij dat dit de zaak moet zijn waar Michiko optreedt. Hij bekijkt de foto's achter het glas; die in het midden, met Michiko in een broekje, kan hij nauwelijks aanzien. Voorzichtig trekt hij het gordijn voor de deur iets opzij om naar binnen te gluren. Een oude vrouw met puntige schouders veegt de vloer. Haar met een doek bedekte hoofd is omgeven door glinsterende stofdeeltjes. In paniek vraagt hij zich af wat hij hier doet, oog in oog met een duister mysterie dat niet voor de blik van een onnozele neef bedoeld is. Als de oude vrouw naar hem opkijkt, laat hij het gordijn los en loopt verder.

Eerst groeit in hem de verwarring, dan de teleurstelling, in Michiko omdat ze daar werkt, kan werken. De afgelopen weken is ze stil en lusteloos geweest, zozeer zelfs dat ze een aantal dagen thuisbleef. Als hij 's ochtends een praatje met haar probeerde te maken, keek ze hem nauwelijks aan. Ze had tegen hem gelogen. Las Vegas, Golden Gate, Pigalle, de vreemde, uitsloverige namen ergeren hem. Waar hij ook kijkt, overal gaan mannen met gleufhoeden over straat, en vrouwen met geruite rokken en witte enkelsokjes met hoge hakken, stilering à la USA. Waarom lopen ze allemaal achter de Amerikanen aan, als gedresseerde apen? Zien ze dan niet dat ze zichzelf belachelijk maken? Ze denken waarschijnlijk dat hun leven zo verandert, maar ze verwarren verandering met imitatie. Wij zijn Japanners, denkt hij. Zo komen we nooit een stap verder. Michiko heeft hem bedrogen. Maar zijn gekrenktheid erover maakt terwijl hij de straat afhinkt plaats voor medelijden, om het geheim waar zij mee moet leven.

Op een houten handkar ligt een berg oude troep, planken, stukken golfplaat, kapotte kisten. Intuïtief laat hij zijn blik dwalen, tot die blijft haken aan een boor met een houten greep, precies wat hij nodig heeft. Een hamer, een moker, een breekijzer en schroevendraaiers van verschillende maten heeft hij al – gevonden, geruild of op een andere manier geritseld – maar wat ontbreekt in zijn gereedschapskist is een boor. Bij de jongen die bij de kar staat informeert hij naar de boor. De jongen vertelt hem dat de man die daarover gaat er niet is en dat hij niet weet wanneer hij weer terug zal zijn. Hideki loopt verder en als hij bij de hoek van de straat nog een keer achteromkijkt, ziet hij de jongen net een oud spatbord van een fiets van de kar grissen en er vlug mee onder zijn arm weglopen. Hij aarzelt maar keert dan terug naar de kar, kijkt even om zich heen en grijpt de boor. Gejaagd en verbaasd, op het randje van trots dat hij hiertoe in staat is, stopt hij de boor weg onder zijn hemd en gaat er zo snel hij kan vandoor.

Hij slaat een paar keer een hoek om en belandt in een straatje dat uitkomt op een groot plein, waar een menigte van honderden mensen is verzameld. De geblakerde bomen op het plein zijn bladloos, de sokkels dragen geen beelden, het onkruid langs de randen staat kniehoog. Tegen dit decor van schade scharrelen een stuk of wat duiven, witte, als het levende zinnebeeld van de vrede, maar die stralend witte vogels hebben geen idee wat een bespottelijk figuur ze slaan. Afgemat gaat hij op straat zitten om uit te rusten en kijkt om zich heen. Een man zonder benen zit op een plank met wieltjes en beweegt zich met zijn handen voort. In een border zonder ook maar een enkele plant of bloem ligt tus-

sen het puin een vent met een flinke jaap op zijn ongeschoren wang te slapen. Genoeg afval op de stortplaats om zelf
niet op te vallen. Hij grinnikt om die gedachte. Voor het
eerst die dag voelt hij zich veilig.

De menigte op het plein luistert naar een man op een podium van planken op twee grote kisten. Hij heeft een mooie,
heldere stem, maar meer dan door het geluid ervan, wordt
Hideki gegrepen door de stilte van zijn gehoor. Als maïs in
het veld staan de mensen dicht opeen. Beetje bij beetje concentreert hij zich op de woorden over de onderdrukking
van fabrieksarbeiders en boeren, de veronachtzaming van
oorlogsinvaliden, over het uur van de beproeving. Hij kondigt een nieuwe tijd aan, een tijd van vrijheid en rechtvaardigheid. Er gaat gejuich op. Hideki komt overeind en hinkt
met zijn kruk dichterbij. Een man met een stalen brilletje en
een grijs sikje knikt goedmoedig naar hem. De vrouw die
met de man is knikt hem vriendelijk toe, en samen maken
ze ruimte voor hem zodat hij tussen hen in kan komen
staan luisteren.

De spreker op het podium verkondigt de eisen van de revo-
lutie – meer rijst, meer vrijheid – maar, interessanter, vindt
Hideki, hij roept ook op om weer in een betere wereld te durven geloven, om een einde te maken aan de heerschappij van
de bankiers en de wapenfabrikanten. Dit land is van ons allemaal, zegt hij. Hideki denkt aan zijn vader, aan zijn dorp,
aan hun bossen die in vrachtwagens afgevoerd worden, aan
hun bergen waarvan de kostbaarheden in goederenwagons
verdwijnen. Voor het eerst van zijn leven begrijpt hij waarom zij in hun dorp altijd onwetende arme sloebers zullen
blijven. De mensen hier om hem heen begrijpen dat ook. Er
klinken leuzen. Zachtjes, fluisterend bijna, scandeert hij
mee. Het heeft iets bevrijdends om uit te roepen dat de ver-
drukking overwonnen wordt, om je vuist te ballen tegen de

zaibatsu en hun bedrijvenconglomeraten, om zuivering te vinden in het vuur van de demonstranten die de toekomst opeisen. Tot op deze dag is er nooit een beroep gedaan op de goede kant van zijn karakter. Die moet er zijn. Vandaag twijfelt hij daar niet aan.

Als de mensen uiteengaan, ontdekt hij, op nog geen vier meter afstand, Toru, de schoft die hem van zijn geld beroofde en in dat onderaardse hol achterliet. Hij draagt een schoon overhemd waarvan de mouwen zijn omgeslagen en een nieuwe broek. Toru's blik schiet heen en weer, vindt dan richting alsof hij iemand in de menigte in de gaten houdt. Ze botsen bijna tegen elkaar op. Uit hoe Toru naar hem kijkt leidt Hideki af dat hij hem herkent, maar de man loopt gewoon verder alsof hij niet bestaat. Hij vraagt zich af wat iemand als Toru bij deze demonstratie te zoeken kan hebben. In een opwelling begint hij hem te volgen. Er is iets wat hij hem al heel lang wil zeggen.

Maar Toru is inmiddels in gesprek met twee kerels in wijde, voor deze zomerdag veel te warme kostuums, en hij besluit even te wachten. Ze overleggen kort met elkaar tot Toru met zijn hoofd in een bepaalde richting knikt en die twee, schoudervulling aan schoudervulling, met doelgerichte passen verdwijnen. Zonder nog te aarzelen legt hij de laatste meters naar Toru af.

'Zo, ben je daar weer,' zegt Toru nog voor hijzelf een woord heeft kunnen uitbrengen.

'Dus je kent me nog?'

'Hoe zou ik jou kunnen vergeten, maat?' Toru's ogen schitteren en er plooit een cynisch lachje om zijn mond. Geen spoor van schuldbesef of schaamte, niets wat ook maar op het geringste ongemak wijst. Hideki weet zeker dat hij nog nooit zo'n zelfverzekerde man heeft ontmoet.

'Hoe heette je ook alweer?'

'Hideki.' Hij heeft al spijt zodra hij het heeft gezegd maar de waarheid is impulsief.

Afgeleid kijkt Toru langs hem heen en als Hideki zich omdraait, ziet hij wat Toru's aandacht trekt. De twee mannen staan bij de man met het grijze sikje en zijn vrouw. De man praat tegen hen. Over zijn gezicht ligt een groenige zweem als bij iemand die zwaar zeeziek is. Er drommen mensen om hen heen, maar die worden ruw op afstand gehouden. De man met het grijze sikje wordt afgevoerd.

'Wat gebeurt daar?' vraagt hij aan Toru.

'O,' zegt Toru, 'een controle waarschijnlijk.' En zonder er nog iets aan toe te voegen, alsof hun ontmoeting hiermee als vanzelfsprekend eindigt, begint hij met zijn handen in zijn zakken weg te lopen. Hideki hinkt achter hem aan en als hij hem bijgehaald heeft, kan hij het niet laten: 'Beroof je nog steeds invalide soldaten?'

Zonder op of om te kijken, zonder zelfs maar zijn pas te vertragen, antwoordt Toru: 'Het waren niet alleen maar kneuzen, als je dat soms denkt.'

'Is dat alles wat je daarop te zeggen hebt?'

'Wat? O, het spijt me. Het waren harde tijden.'

'Je bent me 1920 yen schuldig.'

Een gnuivend lachje van Toru volgt op zijn woorden. 'Had je het opgeschreven?'

'Ik wil dat je het terugbetaalt.'

'O ja?' Het klinkt alsof hij hem uit consideratie laat begaan, even, maar niet veel langer.

'Ja.'

'Anders?'

'Anders ga ik naar de politie.'

'Veel succes.' Toru blijft staan en haalt een pakje Golden Bat uit zijn broekzak, steekt een sigaret tussen zijn lippen en biedt hem er ook een aan. Maar Hideki schudt zijn hoofd. Hij wil geen sigaret, hij wil zijn geld.

'Ik heb geen cent op zak,' zegt Toru, 'je treft het weer niet.'
Met een benzineaansteker van roestvrij staal steekt Toru
zijn sigaret aan en klapt dan het klepje van de aansteker tegen zijn dijbeen weer dicht. Als hij doorloopt, zit er voor Hideki niets anders op dan te volgen.

'Wat moest je bij die demonstratie?' wil Toru weten.

'Ik? Ik kwam er toevallig langs. En jij?'

'Ook zoiets. Hoe vond je de preek?'

'Hij zei rake dingen.'

'Vind je? Weet je nog die toespraken voor we in ons nieuwe uniform werden uitgezwaaid? "U bent de ware hoeders
van de Japanse geest en eer. Uw strijd is het begin van de glo-
rie…"' Hij schudt zijn hoofd. 'En we geloofden het ook nog.'

Dat is waar, ook die retoriek had hem aangetrokken,
maar mag hij omdat hij zich toen vergist heeft, nooit meer
in iets geloven?

Alsof Toru zijn gedachten heeft gelezen, vervolgt hij: 'Als
de Roden het voor het zeggen krijgen, komen hun vriendjes,
de Chinezen, en dan… Jij was daar toch? Jij weet toch wat
het betekent, leven onder Chinezen? Nou, ja, *leven.*'

Ze passeren de hoge openbare gebouwen aan de rand van
het plein en lopen over schaduwen als donkere tapijten. Ze
slaan een zijstraat in en nog een. Als hij zich niet vergist, zijn
ze onderweg naar het buurtje met de smalle straten en de
bars waar hij eerder die ochtend heeft rondgedoold.

'Weet je nog dat meisje, dat die avond mee was?' vraagt hij.

'Meisje?' Toru schiet zijn peuk weg.

'Ja, je had een meisje opgehaald en toen naar het hotel gebracht.'

'Dat zou kunnen.'

'Je had haar volgens mij hier ergens in de buurt opgepikt,
Etsu.'

'Etsu? Heette ze zo?'

'Ja, Etsu. Dat heeft ze me gezegd.'

'Die meiden zeggen maar wat.'

'Nee,' houdt hij halsstarrig vol, 'ik weet zeker dat ze de waarheid tegen mij sprak. Etsu moet haar echte naam zijn.'

'Als jij het zegt.'

'Weet jij nog waar dat huis was waar we haar ophaalden?' Toru kijkt schuin opzij en ontbloot zijn tanden. 'Waarom? Is zij je ook geld schuldig?'

Hij breekt zich het hoofd over een geloofwaardige reden voor zijn vraag, een die hem in de ogen van Toru niet belachelijk zal doen lijken, maar voor hij die gevonden heeft, wordt zijn aandacht getrokken door de kar met troep, waar een man met een smerig ongeschoren gezicht en een oude legerpet op zijn smalle hoofd met een agent van de gemeentepolitie staat te praten. Als een geagiteerde vinger in zijn richting wijst, beseft Hideki dat hij in de val zit. Verstijfd blijft hij staan.

'Er schiet me weer iets te binnen, dat grietje dat ik naar het hotel moest brengen...' Toru stopt met praten en kijkt over zijn schouder naar waar Hideki is blijven staan. 'Wat is er met jou?' vraagt Toru. 'Heb je een geest gezien?' Maar dan merkt ook hij de naderende politieagent op. 'Ik snap het, je gaat me aangeven voor de misdaad van de eeuw.'

De agent buigt voor Toru en Toru en Hideki buigen voor de agent.

'Goedemiddag.' De agent richt zich tot Toru, wat onzeker, lijkt het. 'Deze meneer,' hij knikt naar de man naast hem, 'zegt dat de meneer die bij u is, iets van zijn kar heeft genomen.'

'Gejat, hij heeft een boor gejat,' gromt de man.

Toru draait zijn gezicht naar hem toe. Drie paar ogen houden Hideki onder schot. 'Dat is niet waar,' brengt hij zacht uit. De boor onder zijn hemd gloeit tegen zijn huid en de hitte verspreidt zich tot diep in zijn nek.

'Mijn dochter heeft je gezien, leugenaar,' zegt de man. 'De kar stond voor mijn huis en zij zag een vent met een kruk en een kop... zo'n lelijke kop als die van jou...'

'Dat was ik niet,' mompelt hij dof.

'Laat hem maar mee naar mijn huis lopen,' stelt de man voor, 'dan zal mijn dochter zeggen of hij het is of niet.'

'Agent,' mengt Toru zich nu in het gesprek, 'wanneer zou het gebeurd moeten zijn?'

'Een halfuur geleden,' antwoordt de man met de pet, 'ik was net even naar de loods en...'

'Wij zijn ruim drie uur samen en komen rechtstreeks van Shibuya.'

De agent buigt voor Toru. 'Shibuya, zegt u.'

'Ze liegen dat ze barsten. Laat hij maar meelopen, dan zult u het horen, agent.'

'We hebben haast,' zegt Toru, 'we hebben een afspraak, kunnen we dit fatsoenlijk afhandelen, agent, alstublieft?'

'Wat had u gedacht?' De stem van de agent klinkt vermoeid.

'Mag ik vragen wat u precies mist?' Met een ijzig lachje neemt Toru de man op. 'Wat is er van uw kar genomen?'

'Een boor, dat zei ik toch,' klinkt het in een rauw staccato.

Toru laat zijn blik over de troep op de kar gaan. Hij haalt een stapeltje bankbiljetten uit zijn achterzak en biedt de man twee briefjes van honderd aan.

'Het was een perfect ding,' sputtert de man, duidelijk iemand die gewend is om voor iedere yen te onderhandelen.

'Perfect?' herhaalt Toru smalend.

'En nu?' vraagt de man aan de agent als hij merkt dat Toru het bedrag niet zal verhogen. 'Wat gebeurt er met hem?' Hij knikt met zijn hoofd in Hideki's richting.

De politieagent begrijpt dat er iets van hem verlangd wordt en zucht met lichte weerzin. 'Ik zal je gegevens opschrijven en er een rapportje van maken.' Hij steekt zijn hand uit. 'Je ID.'

Hideki beklopt zijn zakken uitvoerig, in een even nerveuze als doorzichtige komedie. 'Het spijt me, agent, mijn kaart ligt thuis.'

Er valt een stilte. De eigenaar van de kar loert naar hem. 'U weet dat er een boete staat op het niet kunnen overleggen van uw ID.' De stem van de agent klinkt voor het eerst fel. Het is duidelijk dat wat hem, de gezagsdrager, betreft nu een grens is overschreden. Dat geval met de boor was kennelijk nog tot daar aan toe, dat Hideki zijn ID niet kan tonen weegt zwaarder.

'Het spijt me, agent.' Dit is wat hij al die tijd gevreesd heeft. Hij had nooit op pad moeten gaan. Al helemaal die boor niet moeten weggraaien. Bijltjesdag, hijzelf zijn eigen beul.

'Dan zit er niets anders op dan dat u mee naar het bureau gaat.'

'Hoeveel is de boete?' Voor de tweede keer pakt Toru het stapeltje bankbiljetten uit zijn achterzak en zonder het antwoord af te wachten geeft hij ook de agent twee briefjes van honderd. In de stilte die valt is het volstrekt ongewis welke kant het uitgaat, hoe de agent de bluf van Toru zal opvatten. Hij lijkt het zelf ook niet te weten, maar dan knikt hij en stopt het geld in de borstzak van zijn jasje weg. God zegene de onderbetaalde, corrupte overheidsdienaar. Zonder er nog een woord aan vuil te maken, trekt de agent zijn notitieboekje. 'Naam?'

'Kishiro Sato.' Het is de naam van zijn maat die zelfmoord pleegde, de naam die hem als eerste te binnen was geschoten toen hij door de spoorwegpolitie werd aangehouden. Opnieuw moet zijn dode maat hem redden.

Met een stompje potlood krabbelt de agent de naam neer

en eronder de opgegeven geboortedatum en het adres. Zodra hij zijn notitieboekje weggeborgen heeft, zet hij zijn onkreukbare gezicht op. 'Ik onthoud u. De volgende keer dat ik u zonder ID-kaart tegenkom, bent u nog niet van mij af.'

Toru en hij lopen verder, beiden stil, in gedachten, hij in ieder geval wel. Toru is de eerste die het zwijgen verbreekt: 'Je kunt goed merken dat het politiekorps van Tokio het afgelopen jaar vier keer gezuiverd is.'

'Dank je,' zegt hij zacht.

'Kishiro!' hoont Toru. 'Wat is er plotseling met Hideki gebeurd?'

'Kishiro is mijn eerste naam, iedereen noemt me bij mijn tweede, Hideki.'

'Je bent een waardeloze leugenaar. Mij best, Kishiro, Hideki, ach, tegenwoordig leeft de halve bevolking onder een andere naam.'

Met zijn zakdoek dept Hideki zijn bezwete voorhoofd en nek.

'We staan weer quitte, maat,' zegt Toru.

'Ja,' zegt hij, 'we staan weer quitte.'

Aangekomen bij een klein eethuis informeert Toru of hij al wat gegeten heeft.

Op zijn hoede, bang dat hij er ingeluisd wordt, zegt hij dat hij geen cent op zak heeft.

'Heb jij het altijd alleen maar over geld?' vraagt Toru.

Binnen ruikt het naar kippenbouillon en sigaretten. Ze gaan aan een lage tafel bij het open raam zitten. Hij kijkt naar de mensen die voorbijlopen, terwijl Toru voor hen beiden bestelt bij de baas, die de indruk maakt Toru goed te kennen.

'Wat doe je tegenwoordig?' vraagt Toru als het eten, gezouten inktvisingewanden, kippenbouillon en rijst met gegrilde zeebaars, is gebracht.

'O, niet veel,' antwoordt hij en snuift de goddelijke geuren van het overvloedige voedsel op.

'Waar woon je?'

'Itabashi,' liegt hij.

'Dat is een verdomd eind weg voor iemand met een kruk en zonder geld voor een buskaartje.'

Die vent kijkt dwars door je heen, denkt hij, die vent is je altijd minstens een stap voor.

'Je bent een voorzichtig man, hè?' grinnikt Toru plagend. 'Wat heb je te verbergen?'

'Niets. En jij, wat doe jij tegenwoordig, als je geen militairen berooft?'

'Handel... Kleding, voedsel, horloges, eigenlijk van alles, het liep uitstekend, maar de laatste tijd wordt het link.'

'De controles?'

'Nee, dat stelt niets voor. De buitenlanders. Ze nemen de zwarte markt over. En die jongens lopen gelijk met machinegeweren te zwaaien.' Toru's spreektrant is vloeiend en joviaal. Geen wonder dat hij daar de eerste keer is in getrapt. 'Laten die Formosanen, Singaporezen en Koreanen elkaar maar uitroeien voor een paar centen,' zegt Toru. 'Deze jongen doet niet meer mee.'

'En nu, waar leef je dan nu van?'

'Ik ben overgestapt naar een andere sector.' Hij glimlacht. 'Heb je het gehoord op de radio? Een miljoen urnen van gesneuvelde maten zijn niet opgevraagd door de familie. Het bureau voor demobilisatie heeft geen idee meer welke as in welke urn zit en als ze het al weten kunnen ze de familie niet vinden. Een miljoen urnen, daar kun je een brandweerkazerne van bouwen.'

De twee mannen die hij op het grote plein bij de demonstratie heeft gezien, komen binnen en groeten Toru. Een van de twee, een vlezige vent, blijft bij hun tafel staan met een grijns op zijn gezicht. 'Hij stierf bijna,' richt hij zich tot Toru, 'we moesten met de ramen open naar het bureau rijden, die strontlucht was niet te harden.'

De mannen doen hun colbert uit, nemen in hun doorweekte hemd plaats aan een andere tafel en geven vlot hun bestelling door.

Hij denkt aan de man met het sikje, het leek hem een fatsoenlijke, minzame man. Waarom zou zo iemand naar het bureau gebracht moeten worden? Hij buigt zich over zijn kom met rijst en gegrilde vis.

'Zijn ze van de politie, die twee?' vraagt hij zacht.

'Zo zou je het kunnen noemen.'

'Waarom hebben ze geen uniform aan?'

Toru haalt de rug van zijn hand over zijn kin. 'Een uniform zou niet echt helpen bij het soort werk dat ze doen.'

'Recherche?' Hij kan het niet laten. 'Wat was er met die man die ze meenamen?'

Toru kijkt even opzij om te controleren of de mannen meeluisteren, maar ze zijn druk in gesprek.

'Er bestaan allerlei soorten gevaren,' verklaart Toru gewichtig, 'messentrekkers en pyromanen, maar ook ultranationalisten die de rol van de keizer in ere willen herstellen, communisten die voor Mao spioneren, extremisten die het hoofdkwartier van de Amerikaanse generale staf willen opblazen. Sommige gevaren zijn reëel, andere verzonnen, het valt niet mee om het onderscheid te maken. Zeker niet voor de Amerikanen.'

Hij heeft in tijden niet zo heerlijk gegeten, en dankbaar voor de lunch is hij bereid om een aandachtig publiek te zijn voor Toru, die zichzelf met zijn verhaal kennelijk groot probeert te maken.

'Weet je hoe de Amerikanen naar Japan kijken?' vraagt Toru.

'Ze willen Japan veranderen,' weet hij. 'Met *sex, sport* en...' hij kan niet komen op het derde s-woord waarover hij gehoord heeft.

'*Screen*,' vult Toru aan. 'Sex, sport, screen. Dat is maar een verhaaltje, reclame, de Amerikanen zijn gek op pakkende slogans. Maar hun werkelijke concept gaat uit van angst, van een samenleving die voortdurend bedreigd wordt.'

'Door die man die is opgepakt?'

'Door individuen, al dan niet werkend in een groter, internationaal verband. Heb je wel eens van het woord "subversief" gehoord?' Toru steekt met zijn stokjes een stuk vis in zijn mond en smakt erop los. 'Als je bijvoorbeeld in het openbaar zegt dat de zaibatsu aangepakt moeten worden, dan valt dat onder subversief...'

'De Amerikanen willen toch juist de macht van de grote zakenfamilies breken?'

'Je loopt achter, vriend. Eerst hebben ze hun zakenimperiums ontmanteld, maar nu zijn de Amerikanen weer vriendjes met de zaibatsu. Ze zijn als de dood voor de groeiende invloed van de vakbonden. Ze richten zich nu op bestuurders, politici, schrijvers, intellectuelen. Die vent die op het plein opgepakt werd, werkt aan de universiteit.'

'En jij, wat heb jij ermee te maken?' Hideki draait zijn gezicht naar de twee mannen aan de andere tafel.

'Of ik een collega van die twee ben?' Toru glimlacht bij het idee. 'Nee, ik ben geen ambtenaartje, ik ben mijn eigen baas.' Met een papieren servet veegt hij enkele rijstkorrels van zijn mond. 'Alles draait om kennis, namen.'

'Jij zorgt voor die namen?'

'Voor resultaten.' Hij leunt wat naar voren. 'Heb je nog contact met oude maten die in China krijgsgevangen hebben gezeten?'

'Nee.' Hij ondergaat iets van onbehagen.

'Je moet toch nog wel iemand kennen? Zo'n klootzak die daar niet gecrepeerd is, niet met een manke poot terugkwam, maar met een speklaag op zijn rug en het rode boekje van Mao in zijn hoofd. Het zijn infiltranten, landverraders, vergis je niet.'

Hij veinst diep na te denken over Toru's vraag.

'De fascisten zijn verslagen,' zegt Toru, 'maar de Rooien winnen terrein, Rusland, China, Europa... de Amerikanen kijken vooruit... de communisten, daar zit toekomst in, daar schuilt het gevaar. Denk nog eens goed na, je kent vast wel...'

'Je verspilt je tijd.' Zijn afwijzing klinkt botter dan bedoeld.

'Kom nou toch, maat, kijk eens naar jezelf: met je rubberpoot en die kop van kaarsvet. Ik durf er alles om te verwedden dat je aan de grond zit. Kijk nou toch naar wat ze je hebben aangedaan.'

Wat bedoelt Toru, dat de goden hem al voldoende gestraft hebben en hij daarom ontslagen zou zijn van de verantwoordelijkheid voor wat hij anderen aandoet, dat hij met een gerust hart iemand kan verlinken?

'Of voel je je daar soms te goed voor?' Toru buigt met zijn bovenlichaam over tafel, strekt met een snelle, katachtige beweging zijn arm naar hem uit en grijpt door de stof van zijn hemd heen de boor vast. 'Een dief met een valse naam.' Hij laat hem los en gaat weer rechtop zitten. 'In je eentje red jij het niet, maat. In je eentje zat je nu op het politiebureau peentjes te zweten.'

Een enorme vent met een stierennek verschijnt in de deuropening van het restaurant. Hij spiedt rond en komt dan met onverwacht lichte, vlugge passen naar hun tafel. Hij tikt Toru op zijn schouder en knikt zonder een woord naar het raam. Buiten staat een witte, glimmende Amerikaanse wagen. Toru komt met zichtbare tegenzin overeind en loopt, duidelijk een stuk minder op zijn gemak, achter de klerenkast aan naar de wagen. Er gaat een raampje naar beneden. Op de achterbank zit een iele man met een witte hoed op. Zijn gelaatstrekken hebben iets teers, bijna vrouwelijks. Toru buigt diep en blijft in die houding staan. Zonder enige expressie op zijn gladde gezicht is de man aan het woord met korte zinnen, die Hideki niet kan verstaan, maar die, wat de inhoud ervan ook moge zijn, Toru's arrogantie tot aan de grond toe slechten. Zelfs het flegma van Toru moet zijn meerdere erkennen. Toru haalt een mapje dat aan een koordje om zijn nek hangt onder zijn hemd vandaan. Hij trekt iets uit het mapje, een kaartje of een briefje, lijkt het. De man neemt het van hem aan en daarmee is de conversatie beëindigd, want het volgende moment rijdt de auto weg.

'De grote Toru,' hoort Hideki aan de andere tafel.

'Piep piep, zegt de muis die rekent op begrip van de kat...' De mannen lachen geluidloos.

Als Toru weer bij hem komt zitten, trekt hij het pakje Golden Bat uit zijn borstzak en tikt er een sigaret uit. Hij biedt er Hideki ook een aan en nu accepteert hij hem. Terwijl Toru's trillende hand hem het benzinevlammetje voorhoudt, ontdekt Hideki de verandering in Toru's gezicht.

'Impotente hond!' vloekt Toru tussen zijn tanden.

'Poot stijf gehouden, Toru?' Het is het plagerige toontje dat Hideki zich uit het leger herinnert. 'Je zou hem die foto toch niet afstaan? "*Niemand* ertussen" had je toch gezegd?'

'Sterf!' sist Toru en de mannen nemen elkaar met pretogen op. 'Heb je hem gezien?' vraagt hij dan aan Hideki. 'In zijn grote auto. Zoals die man praat, met dat stemmetje... alsof een kind je door de stront trekt.'

'Wie was dat?' vraagt hij.

'Iemand die denkt dat hij onkwetsbaar is.' Toru's stem klinkt gesmoord. Hij zuigt gretig aan zijn sigaret en blaast de rook in een kegel langs zijn bovenlip omhoog.

De twee mannen rekenen af en komen aan hun tafel staan. Een van hen zakt naast Toru door zijn knieën. Hij wrijft zijn vette haar glad. Met een zachte, indringende stem voegt hij Toru toe: 'Er zijn er meer die geprobeerd hebben hem te passeren.' Langzaam schudt hij zijn hoofd.

'We zullen zien,' reageert Toru.

Als de mannen het restaurant hebben verlaten, lijkt Toru weer zodanig te kalmeren dat Hideki zijn vraag durft te herhalen. 'Wie was die man in de auto?'

'Shikibu. Zijn vader had fabrieken waarin tijdens de oorlog voor Defensie werd gewerkt. De Amerikanen waren nog maar amper geland in Tokio of hij verraadde zijn eigen vader. Hij heeft een paar jaar in Amerika gestudeerd en wist alles over de invloedrijke families. Precies op het juiste moment kwam hij in contact met de man die de hoogste in rang is bij de Amerikaanse inlichtingendienst. Dat was zijn geluk. De fabrieken die vroeger van zijn vader waren, zijn nu van hem. Die stem van hem, iemand zou hem zijn tong moeten uitsnijden…'

Niet dat hem alles duidelijk is, maar hij begrijpt genoeg om zich een voorstelling te maken van Toru's 'sector'. In toenemende mate bekommert hij zich nu om zijn veiligheid. Want dezelfde man die hem nog maar net heeft behoed voor een gang naar het politiebureau en daarmee misschien zijn leven heeft gered, zou, mocht hij beseffen dat hij tegenover de voortvluchtige dader zat van een drievoudige moord op Amerikaanse militairen, zonder met zijn ogen te knipperen veranderen in zijn verrader. Hij moet weg, maar hoe pakt hij het aan, zonder een verdachte indruk te wekken? Toru heeft sake besteld. Als ze met de kommetjes klinken, neemt hij zich voor een enkel slokje te nemen, het nog enkele minuten uit te zingen en dan Toru voor zijn gastvrijheid te bedanken. Hij zal die tijd zonder fouten te maken doorkomen met luisteren naar de eigenaardige man die zonder gêne, fier zelfs, uitkomt voor zijn vermogen het pad der gerechtigheid te corrumperen, het goede in te wisselen voor het kwade of, bij hoger rendement, het kwade voor het goede. Aan schuldgevoel doet hij niet. Als hij zijn excuses aanbiedt, is dat een loos gebaar. Ondertussen foetert Toru door over de man met de witte hoed. Hoe die het Toru en anderen onmogelijk maakt om rechtstreeks contact te hebben met de Public Safety Division, en als hij, Toru, maar zelf Engels had gesproken, zou hij die mannen van de CID allang in zijn zak hebben... Hideki luistert al niet meer. In gedachten reconstrueert hij de weg die hij vanochtend heeft genomen en dadelijk in tegenovergestelde richting zal afleggen. Buiten begint het wat te waaien en dat zou op naderende regen kunnen duiden.

'Daarom was hij de enige Japanner die in het Imperial Hotel sliep,' vangt hij op.

Het Imperial Hotel. Die naam kent hij. Het is de plek waar Toru hem in de kapotte kelder beroofde en aan zijn lot overliet. Ook tot Toru lijkt die gedachte door te dringen. Hij heft zijn kommetje schuin boven tafel en als ze opnieuw klinken, zegt hij: 'Het spijt me dat ik je toen zo moest achterlaten.'

Moest? Die durft. Hideki gaat er niet op in, vastbesloten als hij is om niet een nieuw gespreksonderwerp aan te snijden nu hij zich opmaakt om naar huis te gaan. Hij zet zijn kommetje neer en haalt diep adem, bereidt zich voor om zijn afscheidswoorden te spreken. In gedachten staat hij al buiten, als Toru zegt: 'Dat meisje,' hij lijkt even te twijfelen of hij verder zal gaan, alsof hij een afweging maakt, 'dat meisje was door hem besteld.'

'Je bedoelt... Etsu?'

Toru knikt. 'De volgende ochtend is ze achter het hotel gevonden. Op het bureau lieten ze me foto's van haar bekijken.'

Hij kan niet geloven dat hij het goed heeft begrepen. 'Wat voor foto's?'

'Die wil jij niet zien. Ik was opgepakt omdat iemand in de spoelkeuken van het hotel zo slim was geweest om mijn naam te noemen. Goddank hebben ze gelijk daarna een van de piccolo's gearresteerd, anders hadden ze mij ervoor op laten draaien.'

Hideki voelt een druk in zijn hoofd alsof het daarbinnen borrelt en dampt, en alles op springen staat. 'Waarom,' vraagt hij hees, 'waarom heeft hij haar vermoord?'

Toru haalt zijn schouders op. 'Moet er een reden zijn? Hij is opgepakt, hij is ervoor opgedraaid... Ik leverde die meiden af, hij zorgde voor de rest. Tot die keer was het goed gegaan.'

'Juist dat meisje...' steunt hij.

'Iedere dag worden dode meisjes op straat gevonden.' Toru steekt een tandenstoker in zijn mond. 'De dood van het ene meisje verschilt niet van die van een ander. Wat ik nooit heb begrepen, is wat die klootzak van een Shikibu met haar moest.'

'Jij wist toch heel goed waarom je haar daar naartoe bracht.'

'Hij schijnt hem niet omhoog te kunnen krijgen.'

Buiten vallen de eerste regenspatten neer. Hideki komt nu overeind, moeizaam, de pijn in zijn overvolle hoofd is nu onverdraaglijk en zijn lichaam is stijf als uitgedroogd leer van het op de vloer zitten. Hij buigt voor Toru. 'Dank je voor het eten. Voor alles.'

'Waar ga je heen?'

'Naar huis.'

'Onthoud wat ik heb gezegd over oude maten die in China krijgsgevangen hebben gezeten. Zoek ze op, klets met ze. Het is eenvoudig genoeg. Zodra je wat hebt, kom je naar het restaurant en vraag je naar mij.'

'Je kent me niet.' Hideki schuift zijn kruk onder zijn oksel.

'Nee?' Op Toru's gezicht verschijnt weer die kleinerende uitdrukking waar hij patent op lijkt te hebben. 'Tot ziens.'

Als hij buitenkomt, regent het al wat harder. Toru roept hem door het open raam nog iets na. Hij loopt verder. Binnen enkele minuten zijn zijn gezicht en handen nat. De contouren van de boor tekenen zich af in zijn vochtige hemd. Hier zien ze hem nooit meer terug.

In het hutje van meneer Kimura is het afgekoeld na de regen. Hij heeft zijn schoenen uitgedaan en liggend op zijn futon staart hij door de deuropening. De lucht heeft de kleur van gepoetst koper. Op de terugweg heeft hij de vreselijkste angsten uitgestaan dat het nog mis zou gaan en hij opgepakt zou worden. Hij was bang voor de politieagent geweest en Toru, die hij voor onbevreesd aanzag, was op zijn beurt weer bang geweest voor die man. Voor wie zou die man bang zijn? Hij herinnert zich De Beer, de korporaal die hem lang geleden als een smeulende briket uit de vuurzee van de laadbak had getild en hem daarna met water had overgoten. Een man die voor niemand bang was en voor wie alle anderen beefden, die zijn eigen moed leek te voeden met de doodskreten van Chinese soldaten en het gejammer van Chinese meisjes. 'De beste manier om je eigen angsten te bezweren is anderen angst aanjagen, Hideki.' Het was een goedbedoelde raad geweest.

Uit het hutje van mevrouw Takeyama treedt Michiko naar buiten, met schoon, gekamd haar en in haar hand een tasje met de door hem gerepareerde schoenen met hoge hakken. Ze heeft Kiju gezoogd en zich omgekleed. Ze is klaar voor wat ze moet doen en ze zal het doen, vandaag net als gisteren, en de dag ervoor, net als morgen en overmorgen. Nog even en mevrouw Takeyama zal hem roepen voor het eten. Hij is veilig, hij heeft niet te klagen.

9

Hij is een kleine jongen en zit naast zijn vader in de Oldsmobile met de glimmende wijzers, klokjes en meters in het dashboard. De welvende motorkap straalt als een ster. Het leer van de stoelen ruikt nieuw. Zijn vader draagt een kreukloos kostuum en een zijden das. Ze zijn samen op weg, waarheen weet hij niet. Lui zakt hij weg in de zachte stoel, schommelend op de vering van de wagen, en hij staart naar de voorbijglijdende Brabantse akkers. Hij houdt van de akkers, hij houdt van zijn vader.

Hij is even weggedommeld toen hij de hem toegestuurde concepten van de deelvonnissen op zijn bed doorlas. Waar hij niet bij kan, is dat hij in de droom van zijn vader hield, echt hield. Nog kan hij de tinteling voelen toen zijn vader hem over zijn kortgeknipte jongenshoofd streek. Het is alsof hij niet terugdenkt aan zichzelf maar aan iemand anders die hij nooit geweest is.

Hij stapt uit bed en zet de grammofoonplaat waarbij hij in slaap is gevallen opnieuw op. Het is een opname van Beethovens tweede pianoconcert, die hij in Tokio onlangs op de kop heeft weten te tikken. Het volume laag nu, want het is inmiddels over elven. Hij steekt een sigaret op en strekt zich met zijn handen onder zijn hoofd gevouwen uit op bed. De muziek is overal, om en in hem. Hij gelooft niet in God, of het ceremonieel van de kerk, waarvan hij beseft dat hij het soms mist. Maar om dit leven niet alleen maar te kunnen doorstaan, om de feiten betekenis te geven, heeft hij mysterie en vervoering nodig. Zijn werk, de wetboeken, de rechtszaal, zonder zou hij niet kunnen. Maar zonder muziek lijkt alles zinloos. Hij overdenkt zijn droom. Wat zou zijn vader van hem denken, gedacht hebben; nu hij weer wakker is, ligt zijn vader, wat er nog van hem over is, weer op zijn achterafplekje op het kerkhof – dat zijn de spelregels in het land der wakenden. Rechter in Tokio, op de krantenfoto met generaal MacArthur, aan de Angelsaksische tafel met Northcroft en lord Patrick. Zijn vader heeft nooit geweten dat hij rechter wilde worden, dat hij zich heilig had voorgenomen op een dag een eerbiedwaardige meneer te zijn. Hij leerde de juiste mensen kennen. Procureurs-generaal, bankiers, commissarissen van raden van bestuur, leden van de Hoge Raad. Hun wereld werd de zijne. Ieder jaar klommen ze een sportje hoger, ieder jaar werden ze een beetje rijker en dikker. Wie het meest in de krant werd genoemd, stond bovenaan. Hij is een van hen, hij kent het spel, daarom kan hij het goed met mannen als Northcroft en Patrick vinden. Altijd heeft hij lid van de club willen zijn, maar nu hij eenmaal lid is, de ballotage van niet alleen de nationale maar ook de internationale club heeft doorstaan, zegt hij zijn lidmaatschap op, bedankt hij voor de eer.

Nou, ja, bedanken... Eruit gezet is hij. Ze schrijven aan het vonnis. Zonder hem. Ze vergaderen in de rechterskamer. Zonder hem. Ze ontbijten aan de Angelsaksische tafel. Zonder hem. Hij ontvangt concepten, waarop hij *mag* reageren. En dat doet hij. Tot diep in de nacht werkt hij aan ellenlange memo's, waarin hij schrijft over feitelijke onjuistheden, naar jurisprudentie en artikelen in wetboeken verwijst, en naar de geschriften van de aartsvaders van het recht, naar Aristoteles en, altijd weer, naar Grotius. Zijn kamer is een pakhuis van aantekeningen en verslagen. Het ruikt er naar papier. Hij heeft alle feiten op een rijtje. Hij maakt meer uren dan zijn collega's die het vonnis schrijven en aan het eind van de middag zichzelf op sherry in de lounge trakteren. Lord Patrick heeft hem toegezegd dat ze al zijn memo's ter harte zullen nemen. Die belofte verandert niets aan het feit dat hij niet meer meedoet.

Zijn verbanning uit de rechterskamer, hoe krenkend ook, heeft hem minder beziggehouden dan hij verwachtte. De kwestie van Michiko speelt een stekeligere, urgentere rol in zijn bestaan. De dag nadat hij haar gevonden had, keerde hij terug naar Club Paris. Ze was er niet. De volgende ging hij weer. Opnieuw was ze er niet. Hij informeerde bij de meisjes die er werkten, bij de barman, bij de baas, maar niemand die hem verder kon of wilde helpen, hij kan maar geen peil trekken op die Japanse hoffelijkheid, die voor je buigt maar in werkelijkheid geen millimeter meegeeft.

Voor de tweede keer was hij haar kwijtgeraakt. Had die dreun hem binnen de rechtersgroep nog dwarser gemaakt dan hij al was? Voor het gemak houdt hij het erop dat het autonome moed is die hem tegen zijn collega's deed en doet ingaan. Dat beweren dwazen graag over zichzelf, hij had het vaak genoeg meegemaakt, dat een verdachte, overduidelijk een eersteklas uilskuiken, er prat op ging dat hij niet zozeer stom of misdadig maar moedig was geweest. De zoetheid van de gedroomde bewondering door zijn collega's in Tokio en door zijn vrouw en schoonfamilie in Nederland, de bittere angst voor afwijzing door lord Patrick, Willink van de ambassade en de minister van Buitenlandse Zaken in Den Haag, dat alles heeft hij opgeofferd aan die moed – of dwaasheid.

Er wordt tegen de muur gebonkt. Zijn nieuwe buurman is een beroemde Amerikaanse producent die een film in Tokio wil gaan opnemen, een geschikte vent, die Beethoven kennelijk niet op waarde weet te schatten. Hij zet de plaat af. In de badkamer wast hij zijn gezicht en kamt hij zijn haar. Hij trekt zijn jasje aan en verlaat zijn kamer.

Nog één keer.

Het kind aan de bar van Club Paris bij wie hij naar Michiko informeert meent dat het hem om 'een meisje' gaat, niet om 'dat ene meisje' en niemand anders, en ze ruikt haar kans. Ze lacht en komt wat dichter bij hem zitten. Hij biedt haar een drankje aan om zo, onder het scherp oordelend oog van de patron, de huisregels te eerbiedigen. Ze is niet onsympathiek, niet lelijk, maar net als bij de andere meisjes in de zaak is hij zich bewust van haar door vulgariteit misvormde leven. Ze vertelt hem dat ze Michiko niet meer gezien heeft.

'Blijft ze wel eens meer een poosje weg?' vraagt hij.

'Niemand blijft weg,' zegt ze. 'Weg is voor altijd weg.' Ze giechelt en vraagt plichtmatig: 'Wat doe je?'

'Filmproducent,' zegt hij.

'Film? Voor bioscoop?'

Hij knikt.

Haar geestdriftige gilletje maakt dat hij al spijt heeft dat hij niet 'boekhouder bij de Nederlandse ambassade' heeft gezegd.

'Waar woont Michiko?' vraagt hij.

'Waarom vraag je?'

'Ze moet toch ergens wonen. Het is heel belangrijk.'

'Voor film?'

Hij zou haar kunnen uitleggen dat hij maar een grapje maakte, maar die onnozele blik van haar weerhoudt hem daarvan. Onbegonnen werk. 'Ja, voor film,' zegt hij. Er valt een lange stilte waarin hij naar de westerndanseressen op het podium kijkt.

'Asakusa zij woont, misschien,' klinkt het naast hem. Ze neemt het laatste slokje van de oranje drank en houdt haar lege glas even omhoog. Gehoorzaam geeft hij de barman een teken met zijn hoofd.

'Asakusa?' De naam zegt hem iets, maar dat doen wel meer straten en buurten.

Ze lacht haar tanden bloot terwijl de barman haar inschenkt en herhaalt dat ene woord: 'Misschien.'

Nu herinnert hij zich dat Michiko hem over Asakusa heeft verteld. Het is de wijk waar haar ouders woonden voor de bombardementen er alles met de grond gelijkmaakten. Als hij hoopvol doorvraagt naar een adres of iets wat hem verder zou kunnen helpen, blijft het meisje hem de antwoorden schuldig en hij besluit het erbij te laten. Hij betaalt de drankjes, sluit in gedachten het hoofdstuk in deze club af. Hier hoeft hij niet meer terug te komen, dat is het goede nieuws van zijn nederlaag. Hij heeft zijn hoed al op. 'Waarom is ze niet meer gekomen, denk je?'

'Waarom?'

'Ja,' verduidelijkt hij, 'is ze ontslagen, is ze ziek...?'

'Misschien ziek,' antwoordt het meisje. 'Wil je dansen?'

'Nee, ik moet terug naar het hotel. Dus ze is ziek, denk je?'

'Wie?'

'Michiko. Is ze ziek?'

'Misschien,' zegt ze.

Misschien, daar heb je het weer, alles wat dat kind zegt staat op losse schroeven. Ja of nee, wil hij horen. Maar een beetje duidelijkheid is kennelijk te veel gevraagd. Onbegonnen werk, hij wist het.

Maar dan zegt ze: 'Of baby misschien.'

Hij twijfelt even of hij haar goed begrepen heeft. 'Baby?'

'Misschien baby Michiko ziek.'

In een fractie van een seconde verandert alles, de muziek,

de danseressen, de lichten boven de bar. 'Heeft Michiko een baby?' vraagt hij. 'Hoe oud? Hoe oud is de baby?'
Ze haalt haar schouders op. 'Baby klein.'

Terug op zijn hotelkamer kleedt hij zich uit en gaat op bed liggen. Baby, aanvankelijk alleen maar een woord als een bijensteek, maar nu al meer een aanwezigheid, ademend, een wezentje, ergens, waar weet hij niet. Hij moet zien te achterhalen hoe oud het kind is om uit te kunnen rekenen of het van hem is. De mogelijkheid van een andere vader zet de stugge afwijzing van Michiko toen hij in de club opdook, en haar verdwijning daarna, in een ander licht.

Hij huivert bij de gedachte, zelfs al zou die andere man definitief van het toneel verdwenen zijn, en vraagt zich af wat erger is: het kind van een ander of het kind van hem?

10

Ze beseft maar half waar ze met haar vlugge, hooggehakte passen naartoe loopt, maar haar benen weten precies waar ze haar over deze straten heen voeren. Ze passeert het affiche dat de afgelopen dagen iedere keer dat ze, onderweg naar haar werk, erlangs kwam, haar aandacht trok. 'Recital: Schubert, Liszt, Rossini.' Daaronder de namen van de uitvoerenden, die van mevrouw Haffner het grootst en als eerste vermeld. Ze gaat naar binnen via de artiesteningang, en neemt de trap naar boven. Op de eerste etage kijkt ze door het raam naar buiten. De wolken zijn zachtoranje in het westen, de zon als een gloeiend stukje kool ertussen wegsmeltend, de hemel bezaaid met van zee terugkerende vogels. Ze knikt naar de toneelmeester en de caissière, die samen theedrinken. Ze buigen vanaf hun plek, herkennen haar nog. Hun gezichten staan verbaasd, niet onvriendelijk. Misschien verbeeldt ze het zich, maar als ze doorloopt voelt ze de steelse blikken, het veroordelend gefluister.

In het halfduister van de coulissen blijft ze staan. De stemmer, meneer Noguchi, gehuld in zijn grijsblauwe stofjas, slaat op de concertvleugel steeds dezelfde noot aan, speelt een loopje en begint een volgende noot aan te slaan. De lange, magere cellist Honda, die twee jaar boven haar aan het conservatorium studeerde en met wie zij vele uitvoeringen heeft gegeven, bladert in zijn muziekboek. Ze vraagt zich af welke stukken ze vanavond zullen spelen, wat de sopraan op het affiche zal zingen. Liszt? *Der Fischerknabe?* Mevrouw Haffner had altijd haar repertoire uitgezocht, haar begeleid op de vleugel. Ze stelde originele programma's samen met liederen erin waar niet iedereen zich aan durfde te wagen.

Er kwamen ontwikkelde lieden bij haar over de vloer, sommigen van hen werkelijk deskundige liefhebbers, maar niemand haalde het bij mevrouw Haffners kennis van de muziekliteratuur. Altijd was zij het vanzelfsprekende middelpunt geweest. Ze kende de belangrijkste zakenlui, politici en toneelspelers; de professoren van de muziekschool in Tokio; de directeuren van de conservatoria en operagebouwen in Frankfurt, Wenen en Londen. Hun namen en telefoonnummers stonden in haar adresboek, ze wist hoe hun kinderen heetten. Wat wist ze eigenlijk niet?

Michiko had genoten van de sfeer, de glinstering van de karaffen van bergkristal, de zilveren bladen, de op zijn Europees, piramidevormig gevouwen servetten op de hagelwit gedekte tafels voor de soupers na afloop. Op zo'n avond werd haar fantasie geprikkeld door het heerlijke eten – gemarineerde hertenbout, gegrilde vis – dat op tafel zou komen en waarvan zij voor het slapengaan in de keuken van mevrouw Tsukahara de restjes opgediend kreeg.

Honda is gaan zitten en begint een stukje op zijn cello te spelen. Ze doet haar ogen dicht en neemt het resonerende geluid in zich op. Ha! *Wiegenlied.* In gedachten fladdert ze vooruit naar het punt waar de sopraan invalt. Ze moet zich verzetten tegen de aanvechting om mee te neuriën. De eerste noten en woorden wellen in haar op. De melodie, de muziek, de woorden, alles wijs, diep, onverklaarbaar. Ze slikt en vecht tegen haar tranen.

'Welkom, mevrouw Michiko.' Achter haar staat de oude

toneelknecht met een rol elektriciteitskabel over zijn schouder. Hij buigt. 'Het is goed om u weer te zien, mevrouw Michiko.'

'Dank u, meneer Shigura.' Ze buigt, verheugd dat zijn naam haar precies op het juiste moment te binnen schiet.

'Hoe is het met u?'

'Dank u. Komt u weer optreden?'

'Nee,' zegt ze. 'Ik treed niet meer op.'

'Jammer.' Hij knikt nadenkend en even lijkt het of hij het hierbij laat, maar dan vervolgt hij: 'Maar misschien begrijp ik het...'

De cellist is opgehouden met inspelen, maar de stemmer slaat onverdroten de volgende noot op de vleugel aan. Ze kijkt de oude toneelmeester aan, bang dat ze hem verkeerd heeft ingeschat, en zet zich schrap voor wat komen gaat. Hij begrijpt het. Ze ruiken het.

Hij brengt zijn kalende schedel wat naar voren. 'Japan heeft scholen en ziekenhuizen nodig, meer dan...' Hij knikt naar het podium. 'De arbeiders worden uitgekleed en de kinderen zwellen op van de honger.'

'Ja,' zegt ze opgelucht om zijn simpele, onschuldige opmerking. 'De tijden zijn hard.'

'Maar niet voor iedereen.'

Wat ze met zijn opmerking over de overbodigheid van concerten aan moet, weet ze niet. Er is een tijd geweest dat ze ervan overtuigd was dat muziek de ellende van alledag draaglijk maakt en neutraliseert; dat voelde ze tot in haar gebeente, het was de zekerheid van haar bestaan.

Op het podium verschijnt een jonge vrouw met opgestoken haar in een lange, zwarte jurk. Ze wisselt enige woorden met de cellist en neemt in het midden van het podium plaats. Een schijnwerper springt aan en spreidt een helder licht over de jonge vrouw uit. Vanuit de schemering in de coulissen verslindt Michiko de stralende vrouw in het zwart, die geduldig afwacht tot de stem van de technicus heeft geklonken en de schijnwerper weer dooft.

Er wacht een rij mannen en vrouwen in avondkleding buiten bij de kassa. Dit is haar wereld. Nog steeds. Die constatering is zo vanzelfsprekend dat het gevoel van weemoedigheid en verlies dat haar in de schemering van de coulissen overviel van haar afglijdt.

Het is een zachte zomerse avond, niet te warm. De laatste weken, sinds de rechter is opgedoken, had ze gedacht dat alles in haar leven zomaar gebeurde, als een soort wervelwind die door niets werd gestuurd of tegengehouden en alles op zijn weg meesleurde. Maar nu, voor het eerst sinds tijden, ziet ze weer een patroon in haar leven, een orde, ook al kan ze die niet een-twee-drie naar haar hand zetten.

Ze moet doorlopen, ze mag niet te laat komen, want dan zal de bazin van de Golden Gate in haar opschrijfboekje een kruisje achter haar naam zetten en wordt haar loon ingehouden. Ze versnelt haar pas. Ze dacht dat ze triest was, dat ze een stommiteit had uitgehaald door het theater binnen te gaan. Maar zo is het niet.

De Golden Gate bevindt zich in een pand waar vroeger een deftig theehuis was gevestigd en zoete lekkernijen werden geserveerd. Nu staat er 'music hall' op de gevel en komen er in plaats van suikerzuchtige Japanse dametjes bier drinkende Amerikaanse militairen. Het personeel van de zaak bestaat uit een oudere vrouw voor de garderobe en de toiletten, twee kelners, een portier met een uniformpet op, en vier meisjes, van wie zij er een is. Amerikaanse plaatjes uit de jukebox schetteren de zaal in. Soms zingt ze hardop mee, dan is ze zangeres. Soms wordt ze uitgenodigd om te dansen, dan is ze danseres. Ze heeft geoefend, voor de grote spiegel in het kamertje boven de zaal, als niemand keek. Ze probeerde de bewegingen van de andere danseressen te imiteren. Het was moeilijker dan ze dacht, de losheid van die Amerikaanse dansen. Nu zit ze met donkere lijntjes om haar ogen aan de bar en drinkt ze de likeurtjes die haar worden aangeboden. Ze hoedt zich voor hoogmoed tegenover de andere meisjes, maar ze weigert zich door hun atmosfeer van inschikkelijkheid te laten verstikken.

Als de bewegende slede van de jukebox met een mechanisch, tikkend geluid op zoek gaat naar de volgende plaat, stapt Shikibu binnen. Ze heeft hem vier weken niet gezien en hoopte behalve Club Paris ook hem achter zich gelaten te hebben. De bazin laat zich van haar vaste barkruk glijden om hem met haar handen gevouwen te begroeten. Haar stem klimt naar een ijle hoogte: 'Welkom, meneer Shikibu.'

Hij knikt zonder haar aan te kijken. Dan schraapt hij zijn keel en zegt op die verheven, belerende toon: 'Bent u het met me eens, mevrouw Kawabe, dat je rustig mag stellen dat afhankelijkheid van aalmoezen, uitbuiting door prostitutie, geslachtsziekten, zuigelingensterfte, verdwijningen, de hoogste moord- en zelfmoordcijfers en een algemene uitzichtloosheid slechts enkele van de problemen zijn waar bepaalde jonge vrouwen zonder familie mee kampen?'

De bazin haalt haar schouders op, ten teken dat ze zich niet goed raad weet met zijn opmerking. Hoe zou ze ook, de in stijve zinnen vervatte boodschap is niet voor haar bedoeld, ook al vermoedt ze van wel. 'We proberen onze meisjes zo veel mogelijk bij te staan, meneer Shikibu,' klinkt het verontschuldigend.

Hij houdt zijn hoofd iets schuin en kijkt strak en afwezig langs haar heen, zijn blik rust op de flessen achter de bar, zijn gezicht verraadt geen enkele emotie, alsof hij iets ziet wat hem alles doet vergeten, mevrouw Kawabe, de bar, zijn eigen monoloog. Mevrouw Kawabe trekt zich achterwaarts lopend en buigend terug, en verankert zich weer op haar barkruk achter het kasboek.

Nog steeds zonder enige uitdrukking op zijn gezicht komt hij naast Michiko aan de bar zitten. 'Dus hier ben je.' Op zijn hand zitten krassen, alsof iemand eroverheen heeft geschaatst.

'Je ziet het.'

Hij bestelt iets te drinken, ook voor haar. Ze zet een niet te vriendelijk gezicht op. Van onder de rand van zijn hoed loert hij naar de dansvloer, waar Amerikaanse plattelandsjongens met hun brede borst en harige armen met de meisjes dansen. Ze voelt zijn walging van de kirrende sensualiteit waarmee de meisjes zich laten omhelzen, ronddraaien en als hooibalen omhoog gooien.

De jonge kelner bedient een groepje Amerikanen dat aan een tafeltje zit te drinken en te kletsen. Hij lacht zijn tanden bloot, buigt diep. 'Johnny is good guys!' roept hij uit als ze hem de biljetten over tafel toeschuiven. 'Thank you, sir!'

'Als ze onder elkaar zijn,' zegt Shikibu, 'noemen de Amerikanen ons apen. Apen op hun knieën, een stad op zijn knieën.'

'En jij?' Ze doet haar haar achter haar oren. 'Jij werkt toch samen met ze?'

'Ik ben ondernemer. Ik doe wat nodig is. Op mijn knieën hoef ik voor niemand.'

Dan vist hij een briefje uit zijn binnenzak, brengt het dicht bij zijn gezicht en begint bijna fluisterend iets voor te lezen. 'Vierentwintig jaar oud, één meter achtenzeventig, linkerzijde van het gezicht verminkt, loopt met een kruk, bloedgroep A...'

Zijn waterige blik richt zich nu op haar. Hij heeft haar nog niet teruggevonden of hij speelt alweer een spelletje met haar.

Hij leest verder, lispelend bij haar oor. 'Geboren in de Nagano-prefectuur, rang: sergeant bij de artillerie, Kyokujitsu-sho-orde...' Opnieuw neemt hij haar op, nu van heel dichtbij.

Ze voelt het bloed uit haar hoofd en hals wegtrekken naar haar maag.

'Correct?' vraagt hij.

'Hangt ervan af.'

Hij glimlacht. Het is dat onaangename glimlachje, alwetend en verhullend tegelijk. 'Ze weten dat hij in Tokio zit. Ze hebben zijn spoor. Ik vraag me af of het nog zin heeft, een valse ID-kaart.'

'Ik moet hem proberen te helpen, begrijp je?'

'Nee.'

'Er is niemand anders die hem kan helpen.'

'Heb je de rechter nog gezien?'

'Nee. Daarom werk ik nu hier. Omdat ik hem niet meer wil zien.' Jou ook niet, denkt ze, behalve nu, op voorwaarde dat je in staat bent om iets goeds te verrichten.

'Het is beter om sommige mensen nooit meer te zien.' Hij tuurt in zijn glas. 'Eigenlijk kunnen ze beter helemaal van de aardbodem gevaagd zijn, voordat ze nog meer schade aanrichten.' Hij neemt een slokje van zijn whisky en houdt het glas omhoog tegen het licht, bekijkt het kritisch, zet het op de bar en schuift het dan met omlaaggetrokken mondhoeken weg. 'Ze hebben drie van hun militairen in een diepe grot gevonden. Dat nemen ze niet licht op. Besef je wel wat er met jou gebeurt als ze hem te pakken krijgen?' Ze staart naar haar handen. 'Er is niet veel tijd meer.' Hij zwijgt nu en ze weet dat het haar beurt is. Hij wacht net zo lang tot ze iets zegt.

'Kun je…' Haar adem stokt, de bar met de flessen en lampjes begint wazig te worden.

'Kun je *wat*?' vraagt hij terwijl hij haar aan één stuk door blijft aankijken.

'Waarom?' fluistert ze. 'Waarom geef je niet gewoon antwoord?'

'Ga morgen met hem naar een fotograaf en laat pasfoto's maken.' Hij trekt zijn gouden clip en geeft haar drie briefjes van honderd yen. 'Neem die pasfoto's morgenavond mee.'

'Dank je.'

'Je wordt hier om acht uur opgehaald door mijn chauffeur.'

'Morgen kan ik niet,' is het enige verweer dat haar binnenvalt. Opgehaald worden, naar zijn huis gaan, dat wil ze niet.

'Overmorgen dan.'

Ze doet nog een onderdanige poging tot tegenspraak. 'En mijn werk?'

Hij heft zijn hand op, alsof hij een bevel uitvaardigt dat niemand durft te trotseren. 'Mevrouw Kawabe zal geen bezwaar maken.' Hij buigt zich dicht naar haar toe. Er zitten bulten in de huid van zijn wang. 'Ik wens je hier nooit meer te zien. Dit is de laatste keer dat ik hier ben.' Zonder de barman aan te kijken legt hij enkele briefjes op de bar.

'Tot overmorgen, meisje.' Het klinkt bijna vriendelijk.

'Ik kan de foto's aan de chauffeur meegeven,' probeert ze.

'Nee,' zegt hij. Dat is alles. Met zijn armen stram langs zijn lijf verlaat hij de bar.

11

De paarse ochtendhemel is gevuld met het gekras van kraaien. Stijf en koud ligt hij op zijn rug tussen zijn bouwmaterialen te staren tot het licht wordt. Sinds er 's nachts spullen van hem gestolen zijn, houdt hij hier de wacht. Hij mag de bouw van het huis niet langer uitstellen, maant hij zichzelf, hij moet zo snel mogelijk palen ingraven, planken vastspijkeren, golfplaten vastschroeven. Voorkomen dat dieven ermee aan de haal gaan. Voor je het weet, is het herfst en te koud en te nat om in de openlucht onder een dekentje te waken. Hij krabbelt overeind in het voornemen aan het werk te gaan. Maar uit gewoonte, machtiger dan zijn wil – hij wijkt er niet van af, geen dag –, begint hij zijn laatste buit te sorteren. Spijkers en schroeven, hij legt ze op maat weg in de daartoe bestemde doosjes. Hij peinst even en kiept de doosjes dan leeg op een stuk triplex. Eerst telt hij de spijkers: 140 lang, 121 kort. Daarna de schroeven: 73 lang, 64 kort. Hij stalt zijn gereedschap uit: hamers, beitels, schroevendraaiers, duimstok, pioniersschop, boor, slijpsteen, alles op gelijke afstand van elkaar. Hij staart naar zijn rijkdommen, het bezit ervan maakt hem gelukkig, maar kwetsbaar. Niets is veilig. Ook bij mevrouw Takeyama moet er steeds iemand achterblijven om te voorkomen dat het fornuisje en de futons verdwijnen. Hij doet de schroeven en spijkers terug in de doosjes en het gereedschap in de grote kist, deksel dicht.

Hij gaat op de kist zitten en denkt na over de palen en de gaten. Als hij ze een meter diep graaft, moet dat genoeg zijn. Bij het hutje staat een auto, een politieauto. Hij gaat op zijn knieën zitten en gluurt van achter een hoop stenen naar de twee agenten en mevrouw Takeyama, die haar hoofddoek draagt. Ze praten met elkaar en dan stappen de agenten in de auto. Langzaam komen ze zijn kant op rijden. Hij laat zich plat op de grond vallen en kruipt weg achter de stenen. Als ze hem gepasseerd zijn en het geluid van de auto is weggestorven, blijft hij nog een tijdje onbeweeglijk liggen, gissend naar de reden van hun bezoek. Een stekende hoofdpijn komt opzetten terwijl hij de mogelijkheden overdenkt. Hij richt zich op, de auto is verdwenen, met zijn kruk onder zijn oksel hompelt hij zo snel hij kan naar de hut.

Mevrouw Takeyama draait zich verschrikt naar hem om, en ook Michiko's gezicht staat angstig als hij er aankomt.

'Kom snel binnen,' zegt zijn nicht. Voorzichtig, alsof hij dun ijs betreedt, gaat hij het hutje in. Hij laat zich zakken naast de houten teil die hij enige weken geleden heeft gevonden en waarin Kiju nu gebaad wordt. Ineengedoken als een hond die straf verdient, wacht hij af wat Michiko gaat zeggen.

'We moeten praten.'

'Wat kwamen ze doen?'

'Ze wilden weten of er iemand bij ons woont.'

Hij knikt langzaam, vraagt zich af of dit wel echt is en niet de droom die steeds terugkeert. Daarin wordt hij door agenten aangehouden en begint hij aan een verhaal, een verzonnen verhaal vol leugens en een enkele halve waarheid. En dat verhaal dreigt met hem op de loop te gaan, waardoor hij het met nog meer woorden probeert te redden. Maar hij verpest het, zoals hij uiteindelijk altijd alles verpest.

'Ze zullen terugkomen.'

'Zeiden ze dat?' Een grote spin verdwijnt tussen de vloerplanken. Hij pulkt aan het vermolmde hout en port zijn vinger erdoorheen. Het huis dat hij gaat bouwen, zal van betere kwaliteit zijn.

'Ze vroegen of we wisten welke straf er staat op het verlenen van onderdak aan een voortvluchtige misdadiger.'

Hij strijkt een poosje over de stugge plukken op zijn hoofd. De pijn achter zijn ogen is niet meer te harden. In de bonkende stilte voelt hij hoe hij, Michiko en mevrouw Takeyama de angst aan elkaar doorgeven. Alleen Kiju blijft verschoond. Hij slaat vrolijke geluidjes makend met zijn vlakke handje op het water. Spatten raken Hideki's gezicht. Hij staart naar het dun behaarde hoofdje van de jongen, zo licht, zo zacht. Hideki klautert op.

'Wat ga je doen?' vraagt ze naar hem opkijkend.

'Mijn spullen pakken.'

'En dan?'

Hij haalt zijn schouders op. 'Weg.' Hij moet hen verlossen van die angst.

De oude vrouw neemt hem afwachtend op. Haar gelaat is spierwit. In haar bevende handen een theekom. 'Het moet een misverstand zijn, ze zoeken een moordenaar.' Haar ogen tasten zijn gezicht af.

'Het is geen misverstand, mevrouw Takeyama.' Dat woord, 'moordenaar', een grotere schande kan hij zich nauwelijks voorstellen. Maar haar verklaren hoe het zit, daar begint hij niet eens aan, want niet alleen zijn tong, ook zijn verstand is als verdoofd. Geef me een verhaal, denkt hij, een verhaal zonder woorden dat alles verklaart en goed genoeg is om de anderen te behoeden voor mijn stommiteiten.

'Het was geen moord,' zegt Michiko. 'Die mannen hadden zes vrouwen verkracht, onder wie een meisje van dertien en zijn zuster, en ze kwamen terug om het nog een keer te doen.'

'Natuurlijk is Hideki geen moordenaar,' zegt mevrouw Takeyama, 'hoe zou hij dat kunnen zijn?'

'Het spijt me, mevrouw Takeyama,' fluistert hij. 'Ik had hier nooit heen moeten komen.'

Hij gaat het hutje van meneer Kimura binnen om zijn spullen bij elkaar te zoeken.

'Waar denk je heen te gaan?' vraagt Michiko, die in de deuropening is komen staan. 'Bij het eerste het beste treinstation is het afgelopen met je.'

'Dan moet het zo zijn.'

Haar ogen schieten vuur. 'Probeer voor de verandering eens een oplossing te bedenken waarbij je zelf niet het slachtoffer bent.'

'Er ís geen oplossing.'

'Idioot!' Haar schorre stem klinkt wanhopig. 'Was je gezicht!'

Hij neemt haar niet-begrijpend op.

'Neem me niet kwalijk,' zegt ze, zacht nu, 'hier is een kam. Was je gezicht en kam je haar.'

12

In hemdsmouwen zit Brink 's middags aan zijn bureau. Zijn kamer staat blauw van de rook. Per dag gaan er twee pakjes Lucky Strike doorheen en zelfs zijn dagelijkse wandeling heeft hij opgegeven. Links van de asbak liggen de uitgetypte aantekeningen van zijn eigen onderzoek in de documentenkamer en rechts de officiële transcripties van de verklaringen en kruisverhoren van Shigemitsu en Togo, de twee oudpolitici die naar zijn overtuiging vrijspraak verdienen omdat niet is bewezen dat zij verantwoordelijk waren voor de oorlogsmisdaden. Hij hoopt nog steeds dat hij zijn collega's kan overtuigen van het noodzakelijke onderscheid tussen de bevelhebbers van de strijdkrachten en de haviken in het kabinet enerzijds en de gematigde politici die de oorlog wilden beëindigen anderzijds. Enkele dagen geleden ontving hij de conceptvonnissen van de meerderheidsgroep. Na bestudering kan hij niet anders concluderen dan dat het er niet best uitziet voor de twee oud-politici. Een zware straf, wellicht de zwaarste, hangt hun boven het hoofd. Voor de zoveelste keer gaat hij met een potlood in de hand door de transcripties van de verhoren en verklaringen van Togo, al kan hij ze inmiddels dromen. Ook nu weer treft hem Keenans toon, hard, onbeschoft, waarmee de hoofdaanklager de tengere, intellectuele voormalig minister van Buitenlandse Zaken aanpakte. Hij had hem uitgemaakt voor leugenaar, voor lafaard, hij had hem verweten zich te verschuilen achter diplomatiek 'geleuter'. Togo met zijn ingetogen voorkomen en zachte stemgeluid had met onuitputtelijke reserves aan hoffelijkheid op al Keenans vragen antwoord gegeven. De volgende zitting had Keenan Togo nog eens op de pijnbank gelegd. Opnieuw had Togo verklaard hoe tijdens de mislukte onderhandelingen met de Verenigde Staten niet hij, maar de premier en de minister van Defensie de voorwaarden bepaalden. Tegen zijn wil in hadden de strijdkrachten hun verrassingsaanval op de Amerikaanse vloot in Pearl Harbor uitgevoerd. Dag in dag uit hakte Keenan op Togo in. De verdachte hield overtuigend voet bij stuk, maar dat zegt niets, weet Brink. Ook niet dat Togo een waardige, beschaafde indruk maakt. Of dat hij getrouwd is met een Duitse vrouw van Joodse afkomst. Argumenten voor Togo's onschuld had Brink in de dossiers gevonden. De man had zich al ver voor de oorlog tegen een gewapende strijd uitgesproken, wat hem met zijn regering in conflict had gebracht. En net als Shigemitsu had hij ook het driemogendhedenpact met Duitsland en Italië afgewezen. Om die reden werd hij als ambassadeur uit Berlijn teruggeroepen. Aan zijn toetreding tot het kabinet als minister van Buitenlandse Zaken had hij de uitdrukkelijke voorwaarde verbonden dat de weg van onderhandelingen zou worden gevolgd en de militaire aspiraties zo veel mogelijk zouden worden teruggedrongen. Naar Brinks overtuiging had de aanklager niet voldoende bewijzen voor Togo's schuld geleverd. Maar misschien heeft hij iets essentieels over het hoofd gezien of onjuist geïnterpreteerd, waardoor hij tot een andere conclusie komt dan de meerderheid van zijn collega's in hun conceptvonnis. Mocht hij niets over het hoofd hebben gezien, dan is dit zijn laatste kans om een nog sterker argument te vinden dan alle die hij eerder inbracht, een overtuigend, onweerlegbaar feit dat zijn gelijk aantoont en waarmee hij tijdens de finale beraadslagingen over de vonnissen Togo's nek en die van Shigemitsu kan redden. Zijn telefoon gaat. Hij neemt op. Beneden in de lobby is bezoek voor hem.

Dat moet Willink zijn, die langs zou komen om 'een praatje te maken'. Hij heeft er geen zin in, maar kan er niet langer onderuit, daarvoor heeft hij de ambassadeur de laatste tijd al te vaak en te bot afgewimpeld.

De briefjes en telefoontjes waar Willink hem de laatste weken mee bestookt zijn er steeds openlijker op gericht om hem af te brengen van het schrijven van een afwijkende mening die aan het vonnis zal worden toegevoegd. Nóg iets, naast zijn kruistocht voor de twee oud-politici, dat hem als dissident te boek doet staan. Die rol heeft hij niet opgezocht, maar hij ziet geen andere mogelijkheid. De meerderheidsgroep heeft hem kaltgestellt. Alleen door het publiek maken van een afwijkende mening zal duidelijk worden hoe *hij* over de schuldvraag oordeelt. Willinks slotoffensief tegen Brinks plannen bestond in de 'goedbedoelde' waarschuwing dat Den Haag Brink zou terugroepen. Natuurlijk blufte de ambassadeur, dat was overduidelijk, want niemand – al helemaal die Haagse helden van bordkarton niet – zat in deze allerlaatste fase van 'het tribunaal waar maar geen eind aan komt' nog te wachten op een schandaal. Hij had Willink geadviseerd zich vooral geen zorgen om hem te maken. Dat deed hij zelf immers ook niet. Vervolgens bracht de ambassadeur hem persoonlijk een brief van de rector magnificus van Brinks universiteit in Leiden. De boodschap in het schrijven was helder: het college van bestuur had sterke bedenkingen over Brinks terugkeer naar zijn faculteit, gezien zijn 'houding' in Tokio. In stilte had Brink gevloekt, maar niets van zijn woede liet hij aan Willink merken. Hij schreef stug door aan het laatste deel van zijn reeds eenenveertig pagina's beslaande afwijkende mening. Niets zou hem van de voltooiing en het openbaar maken ervan kunnen weerhouden, zoveel was zeker. Zij het niet voor Willink, kennelijk, maar de man deed ook maar zijn werk.

Het blijkt niet Willink te zijn die in de lobby op hem wacht. Aan een tafeltje bij het raam ontdekt hij Michiko. De afgelopen weken heeft hij zich erbij neergelegd dat het over was voor haar. Want toen hij was teruggekeerd om zich in spijt aan haar voeten te wentelen, had ze geen woord voor hem overgehad. Hij passeert lord Patrick en Northcroft, die samen met Cramer hun laatste thee van de dag uitzitten en zo te zien Webb in de gaten houden, die de pers te woord staat.

Brink neemt tegenover Michiko plaats, met zijn rug naar zijn collega's. Ze ziet bleek, haar lippen hebben nauwelijks kleur. Ze kijkt naar hem alsof hij een vreemde is.

'Het spijt me dat ik je hier lastigval,' zegt ze.

'Ik heb naar je gezocht,' zegt hij. 'Mijn enige hoop was dat jij wist waar ik was.'

'Je zei dat je me wilde helpen.'

'Dat wil ik nog steeds.'

Ze aarzelt en legt haar hand op tafel. Aan haar smalle vinger glinstert de gouden ring met de blauwe steen. Hij bestelt thee bij een van de serveersters. Hij heeft een vermoeden van wat ze hem komt vertellen, het kindje, maar hij wacht af, wil haar de pas niet afsnijden.

'Het is moeilijk om erover te beginnen,' zucht ze.

Hij knikt en spreidt zijn hand over de ring. Ze trekt haar hand bijna onmerkbaar terug. 'Ik denk dat ik het begrijp,' probeert hij haar te helpen.

'Ja?' Haar ogen plotseling donker, gesloten poorten van het raadsel wat zij voor hem voelt.

'Het kind?' zegt hij.

'Kind?' Haar verwarring tekent lijntjes in haar voorhoofd.

'Hoe oud is het?' Zijn geduld legt het af, nu al, tegen zijn nieuwsgierigheid.

Ze sluit haar ogen alsof ze ze even rust moet geven. 'Dat zou jij moeten kunnen raden,' zegt ze stroef.

'Is het van mij?'

Ze opent haar ogen weer. 'Nee, het is van mij, *hij* is van mij.'

'Maar…'

'Jij bent de vader.'

'Waarom heb je me niet in de brief geschreven dat je zwanger was?'

'Had dat verschil gemaakt?'

'Misschien.'

'Het zou geen verschil mogen maken.'

De serveerster brengt de thee en een schaaltje met importkoekjes. Ze schenkt hun beiden in. Over de dampende koppen kijkt hij Michiko aan.

'Woon je alleen met het kind?' vraagt hij als het meisje weer weg is.

'Daarvoor ben ik niet gekomen.'

'Het spijt me, ik wil het weten, Michiko, met wie woon je?'

'Met mijn neef uit Nagano en met een oude buurvrouw van vroeger.'

'Waar je met je ouders woonde, in Asakusa?'

Ze knikt.

'Laat me je alsjeblieft helpen.'

'Dat is de reden dat ik hier ben.'

'Ik kan je financieel ondersteunen, jou en het kind. Je hoeft niet in een… je hoeft dat werk niet te doen.'

Dan verschijnt toch Willink, met zijn hoed in de hand. Ze groeten elkaar.

'Het spijt me,' zegt Brink kortaf, 'maar ik heb nu geen tijd.' Willink laat zijn blik op Michiko rusten. Hij knikt naar haar, niet onvriendelijk, nieuwsgierig eerder, en zij knikt terug. Brink vraagt zich af of hij ze aan elkaar moet voorstellen, maar hij wacht te lang en dan is het moment voorbij.

'Ik heb nog niet geluncht,' zegt Willink, die een en al ontspannen monterheid voorwendt. 'Als je klaar bent, kun je me vinden in het restaurant, of zal ik even wachten en doe je met me mee, op kosten van het koninkrijk?'

'Nee, dank je.'

'Goed, tot later dan maar.'

'Het spijt me dat ik je in verlegenheid breng,' zegt ze als Willink wegloopt.

'Dat doe je niet. Ik ben gelukkig dat je hier bent, maar ik weet me niet goed een houding te geven, dat is alles.'

Ze opent haar tas en haalt er een vel papier uit, vouwt het open.

'Mijn neef, hij heeft een nieuwe ID-kaart nodig. Hier staan alle gegevens op, zijn naam, geboortedatum, geboorteplaats, alles.'

Niet begrijpend wat ze van hem verwacht en met stijgende verbazing als het beetje bij beetje tot hem door begint te dringen, luistert hij naar wat ze vertelt. Haar neef kan de ID-kaart zelf niet aanvragen. Iemand met autoriteit, iemand die bij GHQ kan binnenlopen, zou de aanvraag in plaats van hem voor zijn rekening moeten nemen.

'Ik?' brengt hij vol ongeloof uit.

'Dat is wat ik van je vraag. Geen geld, geen beloften, alleen maar dit.'

Als hij wil weten waarom de neef het niet gewoon zelf kan doen, antwoordt ze dat als dat tot de mogelijkheden zou behoren ze hem niet nodig had gehad. Haar neef moet een nieuwe identiteit krijgen. Met spoed. De gegevens op het papier dat ze hem heeft toegeschoven zijn van een jongeman die vrijwel even oud is. Hij is aan buiktyfus gestorven. Ze kent zijn ouders en zij zullen de dood van hun zoon niet aan de instanties doorgeven.

'Waarom heeft hij een nieuwe identiteit nodig?'

'Hij wordt gezocht door de politie.'

'Waarvoor?'

'Voor iets wat in zijn dorp in Nagano is gebeurd, maar hij heeft niets verkeerds gedaan.'

In gedachten keert hij terug naar die afgelegen plek in de bergen en ziet hij zichzelf weer in de vrieskou op zijn te dunne schoenen door de sneeuw ploegen, op zoek naar haar. De politieagent had hem later toen hij weer terug in Tokio was nog gebeld om te informeren naar zijn gewonde schouder. Bij die gelegenheid had Brink het laatste nieuws vernomen: de drie lichamen van de vermiste militairen waren in de grot gevonden. De verdachte van de moord was voortvluchtig.

Hun weerzien heeft een onverwachte, onnavolgbare wending genomen. Hij is bereid om alles te doen. Hij wil smeken om genade, om het geluk dat hij zich heeft laten ontglippen, toen hij haar liet vertrekken in die trein. Waarom vraagt ze hem niet om iets waar hij wél raad mee weet, waarom vraagt ze hem niet om háár te redden, in plaats van een moordenaar? Dat het niet om hem en haar gaat, is niet minder dan een teleurstelling na de euforie van het plotselinge weerzien. Heeft ze ooit echt om hem gegeven?

'Ik zie niet in wat ik kan betekenen, of hoe?'

'Voor iemand als jij moet het een kleinigheid zijn. Je zou kunnen zeggen dat je iemand wilt helpen die je uit het hotel kent, wiens zoon te ziek is om naar de burgerlijke stand te komen.'

'Heeft het te maken met die moord op drie Amerikaanse militairen?'

Nu is zij het die verrast opkijkt. 'Ze hebben in het dorp onder bedreiging van wapens de vrouwen verkracht, waaronder een meisje van dertien, ze hebben ze geslagen en vernederd waar hun familie bij was. Ook mijn nicht, de zuster van mijn neef, hebben ze verkracht en mishandeld.'

'Dat is afschuwelijk, maar...'

'Ik ben nog niet klaar. Ze kwamen een week later terug om de vrouwen opnieuw te verkrachten. Dat heeft hij voorkomen. Hij is een goed mens.'

Hij knikt langzaam. 'Dat wil ik van je aannemen, en ik sluit niet uit dat een rechter ook tot die conclusie gekomen zou zijn.'

'Een rechter? Wat bedoel je, dat hij zich moet aangeven?'

'Zo werkt het.'

'Hij zou ter dood veroordeeld worden. Dat is hoe het werkt. Is het fout om de wet te overtreden om mensen te beschermen die dat zelf niet kunnen, als hun beschermers de geweldenaars zelf zijn?'

'Nee,' zegt hij, 'dat is niet fout.' Hij steekt een sigaret op en inhaleert diep. Webb poseert voor een persfotograaf die met een bliksemende flitslamp een portret van hem maakt.

'Zijn dat je collega's?' vraagt ze.

Hij knikt.

'Als mannen zoals jullie menen duizenden kilometers van huis voor God te mogen spelen en over het leven van anderen te beschikken, zou hij dan niet zijn eigen moeder en zuster mogen beschermen?' Ze neemt haar kopje thee in haar hand maar zet het weer terug zonder ervan te drinken.

'Dat is onder bepaalde omstandigheden een recht,' zegt hij.

'Kijk eens naar buiten.'

'Wat?'

'De overkant van de straat.'

Aan de overkant leunt een man die eruitziet als een bedelaar tegen de stenen gevel van een hoog huis. Zijn ene schouder hangt scheef, als een ingestorte dakgoot, gestut door een houten kruk. 'Ik heb hem gevraagd om mee te komen zodat je met eigen ogen ziet over wie ik het heb.'

Die paarsige gloed, die spons van dood vlees aan de mismaakte kant van het gezicht. De man ziet er eerder uit als iemand die zelf ternauwernood en met de grootst mogelijke schade een moordaanslag heeft overleefd dan als een man die in staat is drie Amerikaanse militairen naar de andere wereld te helpen.

'Was hij al invalide toen het gebeurde?'

'Zo is hij uit de oorlog teruggekomen. Hij minacht zichzelf, maar eigenlijk is hij een groot man.'

'Wat is dat?' vraagt hij, 'een groot man?'

'Iemand die dingen doet die tegen zijn aard en opvattingen indruisen. Omdat het nodig is.'

Haar hint ontgaat hem niet en de stilte die ze laat vallen sluit hem in, alsof hij in een net zit dat beetje bij beetje strakker wordt aangetrokken.

'Ik ben blij dat ik je weer terugzie,' brengt hij verstikt uit.

'Ik ook dat ik jou weer zie,' reageert ze.

'De afgelopen jaren heb ik een goed contact met de manager van het hotel opgebouwd. Een jonge Japanse vrouw die Engels en Duits spreekt zou hij zeker aannemen. Ik heb het er met hem over gehad. Er zijn mogelijkheden. Misschien lijkt het je wat.'

'Eerst dit,' zegt ze. 'Ik ben hier niet voor mezelf.'

'Ik moet hierover nadenken.'

'Daar is geen tijd meer voor.'

Met de kalmte van een stil, aanvaard verdriet rusten haar ogen op hem. De tijd dat ze elkaar niet meer zagen heeft haar veranderd, zelfbewuster, sterker gemaakt. Harder ook. Dit is niet meer de vrouw die hij naar het station bracht. 'En?' vraagt ze.

Hij vindt geen woorden meer en zit haar hulpeloos draaiend met zijn theekopje aan te staren. Al eenmaal eerder heeft hij haar met het venijn van de twijfel opgezadeld. Hij voelt wel, daar kan niets meer bij. Onder zijn hemd lekt heet zweet. 'Besef je wel wat je van me vraagt?'

'Als je het niet doet, begrijp ik het.'

Ze lijkt hem te willen bevrijden en hij grijpt de geboden kans aan. Hij schudt het hoofd. 'Ik ben een rechter.' Hij sterft duizend doden en werpt nog een blik naar buiten, naar de invalide man met de kruk die staat te wachten als een zwerver zonder dak. 'Ik kan dit niet.'

'Met kunnen heeft het niets te maken,' zegt ze.

13

De kuil die hij gegraven heeft, is een halve meter diep en precies groot genoeg om er languit in te kunnen liggen. Hij wordt afgesloten door een canvas dekkleed dat aan de randen met stenen en planken verzwaard is om het op zijn plaats te houden. Wie op zijn bouwplek zou komen zoeken, zou geen idee hebben dat hij zich onder het canvas tussen de stapels stenen, palen en planken schuilhoudt. Hij vraagt zich af of zijn jas en zijn pet met oorkleppen hem in de nacht warm genoeg zullen houden. En of het maar voor alleen deze ene keer zal zijn.

Mocht Michiko met een ID-kaart terugkeren, dan is het misschien met een nacht, hooguit twee bekeken. Maar dan? Zouden de politieagenten, als ze weer terugkwamen en hem, die manke waar ze jacht op maakten, ondervroegen, zich met een valse kaart af laten wimpelen? Daar mag hij niet van uitgaan. Hij zou weer kunnen reizen, de controles op stations en op straat met een gerust hart tegemoet treden, maar op deze plek blijven zou nog steeds een groot waagstuk zijn. Ook voor Michiko, Kiju en mevrouw Takeyama.

Hij moet een besluit nemen, maar voor het zover is, moet hij afwachten en, vooral, op zijn hoede zijn. Op scherp staan, zelfs in je slaap, iedere minuut, iedere seconde. Zoals aan het front toen de opmars van zijn onderdeel werd gestuit en ze zich in de koude aarde moesten ingraven tegen het spervuur van Mao's troepen. 'De keizer zal ons beschermen,' prevelde hij tijdens die bange, nachtelijke uren die maar niet leken te verstrijken. Mevrouw Takeyama heeft hem een pakje met kleefrijst en een kruik gekookt water meegegeven voor in zijn kuil. Daarna is ze snel weer haar hutje binnengegaan, waar ze zich de hele dag al met Kiju had opgesloten en door de kieren in de muur had gegluurd alsof ze verwachtte ieder moment een politiewagen te zien aankomen.

Hij moet sterker zijn, mag zich niet hechten, zich niet veilig wanen. De afgelopen maanden hier, met al die mooie toekomstfantasieën van hem, hebben hem misleid en week gemaakt. Hij moet harder zijn, een soldaat in de soldatennacht. Zijn vingers omklemmen het handvat van de schroevendraaier onder zijn jas. Zand schuift in zijn nek als hij iets gaat verliggen onder het donkere zeil. De politie is in aantocht, of die mannen in de wijde pakken, ze zijn allemaal naar hem onderweg. Hij sluit zijn ogen. Is het toeval dat ze ineens achter hem aan zitten? Ergens in zijn achterhoofd klinkt een vals lachje, en die heeft de klank van Toru's stem. Zo'n onbenul als hijzelf zal altijd aan het kortste eind trekken. Verdient het om opgepakt te worden, opgehangen, omdat hij zo hopeloos stom is. Anderen hadden ook de oorlog meegemaakt, de bombardementen, de honger en de pijn van de krijgsgevangenenkampen, sommigen waren net als hij zwaar gehavend teruggekeerd, en hun lukte het wel om de draad van het leven op te pakken. Ze verdienden hun geld op de zwarte markt, bekostigden hun eigen studie, onderhielden hun familie, waren vriendjes geworden met de Amerikanen. Waarom hij niet?

Toru wist niet beter dan wat hij hem op de mouw gespeld had, dat hij in Itabashi woonde, en dat was een heel eind weg van Asakusa. De politieman die hem had gevraagd naar zijn kaart, misschien was hij het geweest. Terug op het bureau was hem het opvallende signalement van een voortvluchtige Amerikanendoder uit de Nagano-prefectuur onder ogen gekomen... Het begin van een zoektocht.

Het dekkleed is wat ingezakt. De geur van canvas maakt hem steeds benauwder, zodat hij het wat opzij trekt. Een hoekje van de nacht opent zich. Er glanst licht op het zwarte fluweel van de hemel. Hij trekt het canvas nog iets verder weg tot hij de maan kan zien, vol en helder. Hij snuift de koele avondlucht diep in zijn longen op. Dezelfde maan als boven de kale berg van zijn dorp, dezelfde maan als toen in China. Kishiro Sato had bij volle maan gevraagd welk hemellichaam volgens hem groter was, de zon of de maan. Hij had geantwoord: ongeveer even groot. Kishiro had geglimlacht. De zon was vierhonderd keer groter, vertelde hij, maar hij stond veel verder weg en daardoor leek hij even groot. Het was zijn grote wens geweest om ooit een totale zonsverduistering te mogen zien, waarbij de maan precies voor de zon schoof. Beeldend had hij Hideki beschreven hoe het licht op dat moment alleen nog maar langs de randen van de maan sijpelde als een ring van diamanten.

Kishiro zou die magische verduistering nooit meer meemaken, maar misschien hij wel, en dan zou hij Kiju de vraag kunnen stellen welke van de twee het grootst was, de zon of de maan.

Hij neemt een slokje water en drukt de kurk weer in de hals van de kruik. Er klinken stemmen. Snel trekt hij de punt van het dekkleed terug, maar het lukt hem niet om het weer op zijn plaats te krijgen en de kuil volledig af te sluiten. Hij spitst zijn oren. De stemmen naderen. Een mannenstem, en in de andere meent hij die van mevrouw Takeyama te herkennen, maar daar zit niets verontrustends in. Of wel?

Na een korte stilte hoort hij de vrouw zachtjes schreien. Mevrouw Takeyama? In een flits ziet hij het voor zich, de politiemannen die de oude vrouw dwingen hen naar zijn schuilplaats te leiden. Het lukt hem niet langer om stil op zijn rug te blijven liggen. Hij draait op zijn zij, probeert als vanzelf in elkaar te kruipen, maar de kuil is te klein om zijn knieën op te trekken. Hij anticipeert op de lage tonen van de mannenstem, maar in plaats van dat geluid hoort hij nu dat van Michiko. Uit de hoogte en het ritme van haar stem probeert hij de aard van het gesprek af te leiden. Hij vangt een enkel woord uit haar mond op: 'Sterkte.' En dan, langzaam, naderende voetstappen, geschuifel over zand en planken.

'Hideki?' klinkt Michiko's stem.

Hij klapt het dekkleed weg en steunt op zijn ellebogen.

Ze torent boven hem uit met de vlam van een brandende kaars in de kom van haar hand. 'Gaat het, neef?' vraagt ze.

'Waar is mevrouw Takeyama? Waarom huilt ze?'

'Dat was mevrouw Washimi. Ze is hier samen met haar man. Vanmiddag hebben ze hun zoon begraven. Moge zijn ziel in vrede rusten.'

Mevrouw en meneer Washimi heeft hij de laatste tijd regelmatig gezien. Op de plek waar hun oude huis verloren ging, zijn ze begonnen een nieuw huis te bouwen. Hun zoon heeft hij nooit ontmoet, de jongeman bestond voor hem alleen in de verhalen van Michiko, die hem nog uit haar kindertijd kende.

'Is het gelukt?' vraagt hij.

Ze schudt haar hoofd. Een lamlendige slapheid doordrenkt zijn lichaam.

'Nog niet,' zegt Michiko, 'maar het komt voor elkaar. Houd vol tot morgen.'

Hij zegt niets terug.

Ze trekt het kleed strak en legt een steen op de hoek van het canvas.

Weer alleen, teruggetrokken in de duisternis en de stilte, komen de twijfels waarvan hij dacht dat hij er zich van bevrijd had. Ze bestormen hem eensgezind, alsof ze in een hinderlaag op dit moment gewacht hebben. Hij sluit zijn ogen. Op een dag, en die is zeer nabij, moet hij die gedachten tot aan het uiteinde, de conclusie, doordenken. Die kaart, hij had hem al voor zich gezien, met de pasfoto die hij had laten maken erop. Een nieuwe kaart, een nieuwe naam, een nieuw leven, maar welk? Hij wil niet weg. Hij heeft niemand om naartoe te gaan. Hij mag de anderen niet in zijn ondergang meesleuren.

Hij opent zijn ogen, maar het blijft donker. Met schurend zand in zijn nek staart hij in een zwarte diepte. Als stofdeeltjes worden zijn gedachten erin weggezogen. Een onbekende kracht als een stil gebed trekt hem de leegte in. Hij aarzelt tussen verzetten of meegeven, tussen vasthouden of loslaten.

Midden in de nacht tikt er iets. Van het ene op het andere moment staat hij weer op scherp. Hij is alleen en van de keizer hoeft hij geen bescherming te verwachten. In de duisternis is hij aangewezen op zijn gehoor en reuk. Opnieuw klinkt het getik, als van regen. Hij luistert, hij ruikt, is zich bewust van andere zintuigen, aan de andere kant van het canvas, die ook luisteren en ruiken.

Het laatste beetje moed zakt uit hem weg. Hij houdt zijn adem in. Het canvas buigt in het midden door en raakt zijn klamme gezicht. Een schorre kreet ontsnapt zijn droge mond.

'Miauw!' De roep is teder en zo dichtbij dat hij uit hemzelf lijkt voort te komen.

Hij zucht en probeert zijn adem weer onder controle te brengen. De aarde onder hem walmt vochtig. Hij fluistert, hij fluistert lieve woordjes tegen de kat.

Hij werkt zijn hand onder de rand door en steekt hem in de koele nachtlucht omhoog. Een zachtharig vel streelt zijn vingers.

14

De Golden Gate is nog gesloten, de jukebox zwijgt. Als enige zit Michiko aan de bar en wacht met het envelopje met
de pasfoto's van Hideki in haar hand tot ze afgehaald zal
worden. Ze vraagt zich af wat haar meer van streek zal maken, dat de chauffeur van Shikibu voorrijdt of dat hij niet
komt opdagen?

In de zaal vervangt een van de kelners enkele lampen boven de dansvloer en als hij klaar is, keert hij terug naar de
bar: 'Je kunt niet horen dat je uit Nagano komt.'

Terstond is ze op haar hoede, want aan niemand, aan deze
snotneus zeker niet, met hem wisselt ze nooit een woord,
heeft ze verteld dat ze in Nagano geboren is. 'Hoezo?' wil ze
weten.

Hij schiet in zijn zwarte vestje zonder mouwen. 'Vanmiddag waren hier twee kerels van de recherche. Ze vroegen de
bazin van alles.'

'Wat wilden ze nog meer weten?'

'Of je neef hier geweest is... Klopt het dat hij invalide is?'

'Wat antwoordde ze?'

'Dat ze niet meer over jou wist dan dat je eigenlijk zangeres bent en dat je ouders bij de bombardementen van '45
zijn omgekomen.'

Hij schuift door de smalle opening achter de bar en begint
glazen bij de spoelbak neer te zetten, nette, rechte rijen for-
merend. 'Wat heeft hij geflikt, die neef van je?'

'Er is geen neef.'

Vanochtend was er een politieauto in Asakusa opgedoken en enkele uren later waren er rechercheurs op haar werk. Misschien had Shikibu gelijk gehad toen hij zei dat het wellicht al te laat was. Of zat hij er zelf achter, om haar te laten voelen dat ze geen kant op kan en hij haar enige hoop is? De jongen knippert met zijn ogen alsof hij in het zonlicht kijkt. 'Jij bent toch eigenlijk zangeres, een echte.'

'Ja, een echte,' zegt ze.

'Zou je dat niet liever doen?'

'Wat denk je zelf? Dit hier is tijdelijk.'

'Ik zou gaan studeren aan de technische hogeschool. Maar er is geen geld thuis. Nu ben ik hier.' Hij kijkt om zich heen alsof hij alles voor het eerst goed in zich opneemt.

'Het gaat er niet om waar je nu bent,' zegt ze. 'Het is nog lang niet voorbij.'

De jongen knikt naar haar, dankbaar bijna.

Toen ze zijn leeftijd had en aan het conservatorium wilde gaan studeren, hadden haar ouders geprobeerd haar van dat voornemen af te brengen, omdat ze andere plannen hadden, een ander soort toekomst voor haar nastreefden. Het idee van hun dochter als zangeres sprak hen domweg niet aan. Achteraf lijkt in de wereld van toen alles zo overzichtelijk en vanzelfsprekend, zelfs de dingen die op het moment zelf onmogelijk complex waren. Daags voor de inschrijving liep ze een hele avond in de koude regen over straat. Haar ouders waren bezorgd geworden omdat ze tegen haar gewoonte in zo laat nog niet thuis was en haar vader ging haar zoeken. Hij vond haar langs de Sumida, waar grote druppels terugkaatsten op het rivierwater. Van haar kruin tot aan haar schoenen was ze doorweekt. Zonder een woord te zeggen trok haar vader haar natte jas uit en legde die van hem over haar schouders. Hij sloeg zijn arm om haar heen en leidde haar terug naar huis. Haar moeder hielp haar in droge kleren en wreef met een handdoek haar haren droog voor het vuur van de oven. Ze bleef tot diep in de nacht in haar eentje bij het vuur zitten en kwam tot de bittere conclusie dat als haar ouders dat van haar verlangden er niets anders op zat dan dat ze hun gehoorzaamde.

De volgende ochtend, toen haar vader zijn haar in een rechte scheiding kamde voor hij naar zijn werk ging, sprak hij slechts een enkele zin: 'Het is goed.' Twee maanden later begon ze aan haar opleiding aan het conservatorium.

Klokslag acht uur verschijnt in de deuropening een kolos van een man met een korte, brede nek, als altijd gehuld in een zwart kostuum en met een chauffeurspet op zijn vierkante hoofd. Zijn spleetogen kijken in haar richting. Ze staat op, strijkt haar jurk glad en gaat naar buiten. Met een ironische hoffelijkheid buigt hij en houdt het portier voor haar open.

Nog niet eerder reed ze alleen met hem mee in de auto. Altijd was het met Shikibu naast haar. Ze zit weggedoken, dicht tegen het portier aan, buiten het gezichtsveld van de chauffeur in het spiegeltje. Zwijgend stuurt hij de wagen over de donkerende straten. Ze weet niet veel meer van hem dan dat hij van Koreaanse afkomst is en, als hij al eens iets zegt, gebrekkig Japans spreekt. Zijn functie vereist nauwelijks taal. Hij bestuurt de wagen en schermt Shikibu af. Ze hadden een keer voor een kruising gestaan toen een mannenhand met een ring tegen het raam aan de kant van Shikibu tikte. Een schel, opdringerig geluid waar ze van opschrok. Op straat stond een man met lang achterovergekamd haar die Shikibu op een opgewonden toon toevoegde dat hij hem moest spreken. Shikibu reageerde niet, keek zelfs niet in de richting van de man, die in het gezelschap bleek van nog enkele louche uitziende figuren. Shikibu trommelde met zijn kleine vingers op het leer van de bank en knikte kort naar de Koreaan, die met de bereidwillige blik van een afgerichte hond zijn baas in het spiegeltje in de gaten hield.

Met een voor zijn lichaamsomvang opmerkelijk gemak was de Koreaan uitgestapt. Alles leek plotseling stil. Met een korte, snelle beweging sloeg de Koreaan zijn machtige arm om de nek van de man. Ze zag het verkrampte gezicht purper aanlopen, het haar over het voorhoofd vallen. Het volgende moment zakte het verwrongen gezicht langs het glas omlaag en verdween uit haar beeld. De Koreaan stapte in, legde zijn handen op het stuur, keek even over zijn schouder of er verkeer aankwam en reed kalm weg.

De Koreaan steekt een sigaret op, wat ze hem nooit eerder heeft zien doen. Zij is niet meer dan een pakketje dat op tijd afgeleverd moet worden. Hoeveel van die pakketjes zou hij al vervoerd hebben?

Om haar gedachten af te leiden trekt ze de pasfoto's uit het envelopje en bekijkt ze het ernstige gezicht van haar neef, die in zwart-wit en tweevoud terugkijkt. Van de vier foto's die de fotograaf afgedrukt had, hoefde ze er maar twee mee te nemen voor de ID-kaart. De verminkte huid van zijn gezicht oogt in het licht van de fotolampen als een uitgebeten vlek. Alles heeft zijn prijs, en veiligheid is niet bepaald het goedkoopste artikel op de lijst. Ze herinnert zich Hideki's gezicht toen ze afscheid namen voor de winkel, zijn sombere ogen.

'Ga in één keer terug en verstop je,' had ze gezegd. 'Vertoon je aan niemand tot ik je zeg dat je tevoorschijn kunt komen.'

Hij knikte, met strakke, droge lippen. Ze keek hem na toen hij met zijn slepende tred en zijn kruk verdween tussen de mensen op straat. Nooit eerder voelde ze zich zo gedeprimeerd door dat beeld van hem. Diep in haar schrijnde de vrees dat hij tot aan het eind van zijn leven op haar zou blijven leunen.

Ze kijkt naar buiten en herkent de straten met de grote, elegante huizen in westerse stijl, de brede trottoirs afgezoomd met gezonde bomen. Dit is de buurt waar voor de bezetting de mensen uit de betere kringen woonden, tot ze hun huizen moesten afstaan aan generaals en westerse diplomaten met hun gezinnen. Ze passeren het winkeltje waar zij iedere week voor vijfhonderd yen aan verse bloemen moest kopen. Vijfhonderd! Als ze de straat van het huis van mevrouw Haffner in rijden, verbeeldt ze zich heel even dat ze voor haar deur zullen stoppen en zij zal uitstappen. Dat ze het huis binnen zal gaan en alles wat er met haar gebeurd is voorbij zal zijn, uitgegumd zodra ze de deur achter zich sluit.

Op de houten veranda van het huis waar ze woonde, flikkeren tientallen kaarsjes. En achter het raam van haar kamertje schemert een zacht licht. Als ze verder rijden, slaat de angst toe. Ze moet zichzelf onder controle krijgen. Als ze eenmaal bij hem binnen is, mag ze geen vrees tonen. Het koude zweet stroomt langs haar kuiten.

Ze stoppen voor een hoog hek met zware metalen spijlen, waarvan de vergulde punten in het licht van de koplampen als vlammen omhoog wijzen. Op de varens in de tuin flonkeren dauwdruppels, zwaar als kwik. Ze kent dit huis, talloze malen kwam ze hier langs. Het is het grootste huis in de buurt en het staat zo ver van de weg dat je alleen een stuk van de bovenste etage en het dak achter bomen kunt ontwaren. Het werd destijds verbouwd, het was er een komen en gaan van vrachtauto's met materialen.

Het schrille, schrapende geluid van de handrem doet haar ineenkrimpen. De Koreaan steekt zijn hand naar haar uit. Hij heeft iets vast, een envelop van cellofaan, blijkt als ze het van hem aangenomen heeft, met een paar Amerikaanse importnylonkousen waarvoor de meisjes van de Golden Gate elke Joe of Jim zijn gang zouden laten gaan. 'Hij wil dat je ze aantrekt.' Zijn mond krult minachtend en zijn ogen schieten bijna gesloten, afwijzend, over haar heen.

'Nu?' vraagt ze, maar hij is al uitgestapt en loopt in de felle lichtbundels naar het hek. Hij bukt, trekt een pin omhoog en duwt de ene kant van de toegangspoort opzij. Het autoportier heeft hij open laten staan. Het diepe geluid van de motor vermengt zich met het geruis van de bomen in de tuin. De avondlijke schaduwen ritselen en buigen naar elkaar toe en lijken elkaar iets in te fluisteren. Nerveus voelt ze aan het cellofaan. Ze rilt over haar hele lichaam.

De Koreaan loopt naar de andere kant. Als ze hier binnengaat, geeft ze alles uit handen. De laatste ogenblikken in de wagen zijn eeuwigheden van angst en walging, een nauwelijks te onderdrukken misselijkheid van zichzelf. Ze kijkt naar het dak van rode pannen, naar de grote goudkleurige vis in de verlichte vijver die uit zijn bek een straal water omhoog spuit. Met haar tanden scheurt ze het cellofaan stuk.

Tussen de pilaren die de veranda op de eerste etage ondersteunen beklimt ze op haar hakken de natuurstenen treden. Het nylon dat haar benen als een tweede huid omsluit verguldt de contouren van haar dijen en enkels. Twee palmen in potten flankeren de hoge, dubbele deuren met houtsnijwerk. Achter de deuren klinken voetstappen. Lang had ze hem op afstand weten te houden. Ze had haar rol goed gespeeld. Maar hij is beter. Hij is bezeten, dat is het verschil. De deur zwaait open.

'Welkom.' In de vestibule met marmeren wanden en vloeren helpt hij haar uit haar jas. Zonder de breedgerande hoed op zijn hoofd lijkt hij in de hoge, galmende ruimte nog tengerder. Zijn haar is dun en glanst door de vette, geparfumeerde crème die erin zit.

Hij leidt haar rond door het huis, dat veel groter is dan dat van mevrouw Haffner, dat haar al als kolossaal voorkwam. Het ene vertrek volgt na het andere, slaapkamers, badkamers, een werkkamer, een bibliotheek, de meeste ruimtes ingericht met westerse meubelen en schilderijen die rechtstreeks uit een oud Europees landhuis of kasteel lijken te komen. Geen kras, veeg of bladder, nergens. Hij vertelt haar dat zijn grootvader in het midden van de vorige eeuw een groot stuk grond met bossen en watertjes aan de rand van de stad kocht. In die tijd liepen er nog herten en wilde zwijnen rond. De meeste poeltjes en stroompjes werden gedempt of omgelegd, daarna volgde de aanleg van wegen en de apotheose was zijn opdracht aan architecten en hoveniers voor een villa met park.

De rondleiding eindigt buiten bij de verlichte vijver met de fontein. Onder de schittering op het wiegende wateroppervlak zwemmen grote gevlekte karpers. Met zichtbaar plezier strooit hij uit een blik dat op de rand van de vijver staat wat voer op het water. De vissen komen onmiddellijk aanzwemmen om met hun bekken als beweeglijke, rubberen ringen de vlokken op te slobberen. 'Ik voer ze iedere ochtend zelf. Eigenlijk mogen ze maar één keer per dag eten, maar dit is te leuk om je niet te laten zien. Dertien zijn het er, het waren er veertien, een cadeau van het hoofd van de CID, toen ik het huis betrok. Een Amerikaanse legertruck met een gevulde badkuip in de laadbak leverde ze af.' De karpers schuiven langs elkaar en bevechten de beste plekjes tot uiteindelijk in hun gewoel het laatste vlokje verdwijnt.

Weer binnen leidt hij haar naar een salon met donkere lambrisering en boekenkasten tot aan het gedecoreerde plafond. Onder een spiegel met een vergulde kroonlijst brandt een haardvuur.

'Het meeste hier komt uit Frankrijk en Italië.' Hij staart naar de vlammen van het vuur zonder iets te zeggen.

'Verzamelde je familie westerse kunst en antiek?' vraagt ze.

'Van hun oude meubilair is niets meer over. Ik heb alles vervangen. Het is eeuwenoud, maar nieuw.'

'Het is prachtig,' zegt ze. 'Het hele huis is indrukwekkend.'

'Het is groot.' Hij kijkt haar aan. Het vuur van de haard schijnt door zijn oren heen. 'Vroeger woonde ik hier samen met mijn ouders en mijn broer. Toen was het al veel te groot. Laat staan voor een man alleen.' Zijn dunne, vette haar spant als een bos zwarte elastieken over zijn hoofdhuid. In zijn ogen ontdekt ze voor het eerst de pijn, een diep verlangen, een zachtheid die het al ontelbare malen afgelegd moet hebben tegen dat duistere gekras in hem.

'In deze kamer zijn admiraals en generaals ontvangen, en ministers uit vele kabinetten.' Als op slag heeft de uitdrukking op zijn gezicht weer haar gebruikelijke aanzien van afstandelijke ondoorgrondelijkheid aangenomen. 'Mijn vader kende ze allemaal: minister Hirota, die vanaf het begin van het tribunaal zijn kaken stijf op elkaar houdt; admiraal Kishiro Sato, die het niet heeft afgewacht en eerst zijn familie uitmoordde en toen de hand aan zichzelf sloeg; en ook Tojo kwam hier, toen hij nog minister-president was en voor een eervol en fatsoenlijk man doorging. Nu zijn zij de slechten, en de slechten van destijds de goeden, maar op een dag zullen de slechten van nu weer de goeden zijn. Heraclitus wist het al: voor de god is alles mooi en goed en rechtvaardig, het is de mens die ervan uitgaat dat het ene rechtvaardig is en het andere niet.'

Hij wijst naar een bankje van verguld houtsnijwerk. De dikke kussens van rood fluweel zijn afgezet met goudkleurig borduursel. 'Ga toch zitten, alsjeblieft.' Zijn blik glijdt langs haar in nylon gehulde benen.

Ze blijft staan. 'Waar wonen je ouders nu?'

'Mijn moeder leeft niet meer. En mijn vader woont, of liever, *zit* in Sugamo.'

'De gevangenis?'

'Bij zijn vrienden, ofschoon ze geen contact mogen hebben.'

Ze herinnert zich de verhalen over de zoon die een dag na de capitulatie zijn eigen vader aan de Amerikanen verraadde.

'Het huis zou nu van mijn broer zijn,' gaat hij verder, 'als het aan mijn vader had gelegen. Mijn broer reed paard, zonder zadel, liefst in zijn blote bast. Daar hield mijn vader van. Ik was de slappeling met astma. Op mijn veertiende stuurde mijn vader me naar de Alpen om te kuren en op mijn achttiende stuurde hij me naar de Verenigde Staten om te studeren, maar de werkelijke reden was dat ik hem en zijn vrienden niet meer onder ogen kwam.'

'Hier zijn de foto's,' onderbreekt ze hem. Ze houdt het envelopje omhoog en wacht tot hij naar haar toe loopt om ze aan te nemen.

'Ga zitten.' Het klinkt nu niet meer als een uitnodiging.

Ze gaat zitten en legt haar handen op haar knieën.

'Het is een Frans rustbed uit 1705, het snijwerk bestaat uit lelies. Zegt dat je iets?'

'Nee,' zegt ze, 'maar ik heb het vermoeden dat die onwetendheid van korte duur zal zijn.'

'Bravo!' Hij ontbloot zijn tanden voor een lachje, met geluid, een zeldzaamheid. 'Lelies zijn het wapenteken van de Franse koninklijke familie.' Door zijn wimpers heen neemt hij haar en het bankje met welgevallen op. 'Het is mijn laatste aanwinst, en ik wist niet wat ik ervan moet denken, maar nu zie ik dat het volmaakt is.' Hij trekt de pasfoto's uit het envelopje en bekijkt ze. 'Hij is een paar jaar te laat, je neef, anders zou hij er een erekruis voor gekregen hebben. Spijtig dat hij zo'n slecht gevoel voor timing heeft. Wil je thee?'

'Nee, dank je.'

In de hoek van het plafond klingelt een koperen belletje. 'Excuseer me, het afdelingshoofd van Burgerzaken is gearriveerd, naar ik mag aannemen met zijn lijmkwast en stempels.' Net als zijn meubels lijkt zijn woordgebruik afkomstig uit een vervlogen tijd. Het gezochte ervan doet aanstellerig aan. Hij buigt kort voor haar en verlaat de kamer. Vanaf het bankje kijkt ze naar de boekenkast, met titels die ook bij mevrouw Haffner thuis stonden. Filosofen, architecten, klassieke romans, biografieën van knappe koppen en kunstenaars.

Een oude, westerse vrouw in een zwart dienstbode-uniform met kanten kraagje en met een wit schort voor brengt thee. Nadat ze het dienblad op een bijzettafel heeft achtergelaten, vertrekt ze geruisloos. Het theekopje, bijna doorschijnend als een huid, is laag, met een sierlijk bloemenmotief. Als ze haar vinger achter het vergulde oor van het kopje haakt en het van het schoteltje tilt, voelt ze dat het tere, bijna gewichtloze voorwerp tot een andere, verre en verfijnde wereld hoort. Het getik van de penduleklok op de schoorsteen begint haar op de zenuwen te werken. Het kopje thee trilt in haar hand en snel zet ze het terug op het dienblad. Ernaast ligt een krant: 'Regering belooft distributieproblemen aan te pakken,' leest ze. En: 'Vonnis tribunaal snel verwacht.' Ze onderdrukt de aanvechting om de krant te pakken en blijft stokstijf op het bankje zitten, want ze heeft de hele tijd het gevoel dat ze bespied wordt. Ze wil op dit moment niet aan de ontmoeting in het Imperial Hotel terugdenken. Eén front tegelijk. Ergens achter haar komt het gegons van een vlieg tot leven. Het geluid verstomt zodra de deur openzwaait en Shikibu met de ID-kaart in zijn hand binnentreedt. Met zijn rug naar haar toe sluit hij omzichtig de deur. De kaart legt hij op een kabinet van notenhout op fragiele pootjes. In het kabinet fonkelen flessen van bergkristal gevuld met drank.

'Wil je iets drinken?' vraagt hij. 'Ik heb de beste muntlikeur van Tokio.'

Zijn smachtende blik gaat langs haar benen. Opnieuw bedekt ze met haar handen haar knieën.

'Wilde je iets drinken?'

'Nee.'

'Ik heb een fabriek in Osaka overgenomen,' zegt hij, 'chemische industrie heeft de toekomst. Insecticiden, kunstmest, verf, plastic, nylon. Vind je het goed als ik even bij je kom zitten?' Zonder haar antwoord af te wachten neemt hij naast haar plaats op het bankje. 'Je hebt je niet opgemaakt,' mompelt hij, 'je begint het te begrijpen.'

Ze ademt weer door haar mond. De angst die in haar oplaait, moet ze onderdrukken, verbergen. De hond met de staart tussen zijn benen wordt als eerste gebeten. Haar macht over hem, voor zover die bestaat, ligt in de brutale nonchalance, de fierheid, ook al is ze geveinsd, waarmee zij hem tegemoet treedt. Ze twijfelt er niet aan dat hij niets liever zou zien dan dat ze die brutale onverschilligheid aflegt, maar tegelijk weet ze zeker dat het haar enige bescherming tegen hem is. Ze moet zich gedragen alsof ze naast hem aan de bar zit, met de kleverige, gekleurde glaasjes, het gedreun van de muziek, de stemmen van de klanten. Maar dit is zijn huis, zijn koninklijk rustbankje, waarop hij zijn hoofd nu tegen haar schouder vlijt. De sterke geur van zijn haarcrème kriebelt in haar neus.

'Je bent een bijzondere vrouw, dat wist ik al toen ik je bij mevrouw Haffner zag. Geloof je in bestemming?'

'Is dit een tentamen?' vraagt ze.

Hij glimlacht. 'Ik sluit niet uit dat wij kunnen leren om het goed met elkaar te vinden.' Hij legt zijn hand op haar knie en blijft haar opnemen met zijn oplettende ogen, alsof hij een kanarie in een kooitje bestudeert.

'Wat zijn je plannen?' vraagt hij.

Daar heeft ze geen antwoord op. Als het over de Michiko aan de bar van de Golden Gate ging, zou ze wel iets weten te verzinnen. Maar nu het over haarzelf gaat, duurt het even. 'Mijn plannen gaan niemand aan,' zegt ze.

'Waarom maak je het jezelf zo moeilijk?' De hoeken van zijn kleine mond buigen omlaag. 'De Amerikanen maken hier de dienst uit, het zwijn heeft zichzelf voor het diner uitgenodigd en staat nu met alle vier zijn poten op tafel. Om in de wereld van de zwijnen te overleven kun je niet zonder plan.'

Hij laat zich van het bankje glijden en omvat met beide handen haar enkel. Hij sluit zijn ogen terwijl zijn handen langs haar kuit omhoog kruipen. Met al zijn vingers tegelijk bevoelt hij haar knie, als een blinde die het gezicht van een vreemde aftast. Zijn neus en wang wrijft hij langs haar nylonkous. Hij snuift tussen haar dijen. Er klinkt een droge snik.

'Raak me aan,' brengt hij gesmoord uit.

Ze legt haar hand op zijn schouder. Haar lichaam trilt nu zo hevig dat de vulling van zijn jasje mee vibreert. De penduleklok tikt luid alsof de slinger in haar gehoorgang heen en weer zwaait. Met een ruk recht hij zijn rug en kijkt naar haar op.

'Waarom beef je?' Nu hij zo op zijn knieën zit, met het opgerichte kleine hoofd, wit als gewassen inktvisvlees, ziet ze voor het eerst het complete beeld, van het eeuwige kind voor wie afwijzing een gegeven is en achterdocht een manier van leven.

Ze klemt haar handen in haar oksels om het trillen tegen te gaan. 'Ik heb het koud,' zegt ze, maar het is al te laat voor een smoes. Ze voelt het aankomen, ziet het in zijn vertrokken gezicht, hoort het in de schorre klank van zijn stem als hij zegt: 'Ik begrijp het.'

Hij staat op, strijkt langzaam en precies zijn broek glad en maakt de middelste knoop van zijn jasje vast. Een ogenblik blijft hij zo staan, in gedachten, een lichtgevende schim in het schijnsel van de kroonluchters. Zonder iets te zeggen loopt hij naar het kabinet en schenkt zichzelf een glas cognac in. Hij neemt een slok en wacht een poosje voor hij de drank doorslikt. Dan neemt hij de ID-kaart in zijn hand en bekijkt hem onderzoekend.

'Je hebt veel voor hem over, voor je neef, nietwaar?'

Wetend dat hij haar in de val lokt, glimlacht ze.

'Hoeveel?'

'Hoe bedoel je?'

'Het lijkt me een duidelijke vraag.' Hij houdt de kaart omhoog, zijn ogen staan hard en donker, hij klimt weer naar gelijke hoogte met de wraakzuchtige goden.

Is dit het geschikte moment om naar hem toe te lopen of moet ze het nog even uitstellen?

'Daar ging het toch allemaal om? Ik zou het op prijs stellen als je eerlijk tegen me bent. Waar wacht je op?' Hij wappert met de kaart. Een vanzelfsprekend, dwingend gebaar, van iemand die gewend is te bevelen, te bepalen wanneer iets begint en voorbij is.

Ze komt van het bankje overeind. Het bloed stijgt naar haar hoofd als een golf die over het strand slaat. De kamer vervaagt en als ze naar hem toe loopt vangt ze in de spiegel een glimp op van haar asgrauwe gezicht.

Zodra ze bij hem is, laat hij zijn hand met de kaart langs zijn broekspijp zakken. 'Voel je jezelf te goed voor mij?'

'Nee, ik waardeer je om wat je voor me doet.'

'Hoe moet ik dat opvatten? Als een verzachtende leugen?'

De kaart zweeft nu ineens voor haar gezicht. Ze steekt haar hand uit, pakt hem en stopt hem weg in haar tas. 'Dank je.'

'Jammer,' lispelt hij.

'Ik moet nu gaan. Het is al laat.'

'Het was je eigen keuze om te komen. Het is ook je eigen keuze om te gaan. Mijn chauffeur is de chef van Burgerzaken wegbrengen, ik verwacht hem ieder moment terug.'

'Dat is niet nodig. Ik kom zelf wel thuis.'

'Dat lijkt me onverstandig op dit uur. Maar niets of niemand houdt je tegen. Pas goed op jezelf, meisje.'

Zijn stem klinkt toegeeflijk. Hij draait zijn rug naar haar toe. Ze wacht nog even, het is als in zo'n kinderdroom, dat je kunt ontkomen, dat je moet vluchten zodra de draak verveeld of afgeleid is, maar je kan niet weg, want je zit tot aan je middel in het moeras vast. Dan trekt ze haar zolen los van de vloer en begeeft zich naar de deur. Ze legt haar hand om de kruk en duwt hem omlaag, maar de deur geeft niet mee. Ze draait zich om. Zijn blik staat koud en leeg en via haar ogen gaat hij bij haar naar binnen, knijpt haar keel dicht, jaagt haar hart op, daalt van haar borst naar haar samentrekkende buik, en vandaar naar haar benen die voor de dichte deur onbedwingbaar wankelen.

Ze slaat haar ogen neer, hoort hem in het kabinet rommelen, met vlugge pasjes op haar toelopen. Als ze weer opkijkt, heeft hij de sleutel in zijn hand.

Ze maakt plaats voor hem bij de deur en hij steekt de sleutel in het slot. Dan neemt hij haar van opzij op. Zwijgend blijft hij kijken, een beetje langs haar heen, alsof achter haar nog een Michiko staat en hij zijn blik richt op die andere. De penduleklok tikt en zweet druipt van tussen haar schouderbladen naar haar onderrug.

'Waarom behandel je me alsof ik een stommeling ben?' zegt hij zacht.

'Dat is zeker niet mijn bedoeling,' brengt ze nauwelijks hoorbaar uit. Een aanval van misselijkheid trekt door haar lijf, haar spieren verslappen. 'Maak de deur open, alsjeblieft.' Heel even ziet ze zichzelf door zijn ogen: de vrouw voor de gesloten deur, met een voorhoofd dat glanst van het zweet, de vrouw op zwikkende hakken omhuld door een zure geur van angst.

Hij laat de sleutel die in het slot steekt los en draait zijn lichaam naar haar toe. Hij brengt zijn gezicht dicht bij dat van haar om iedere vierkante millimeter van haar verwarring in zich op te nemen. Ze voelt zijn adem op haar huid. Op zijn voorhoofd zwelt een kloppende ader op.

'Ik wilde je niet beledigen,' zegt ze.

'Beledigen? Denk je dat jij daartoe in staat bent?' Zijn mond is heel klein nu, toegeknepen alsof hij in een citroen heeft gebeten. 'Een hoer!'

Ze knijpt haar handen dicht, haar nagels snijden in haar handpalmen. Ze haalt diep adem en concentreert zich op haar buik, alsof ze op het podium aan een aria begint. 'Genoeg,' zegt ze, 'we zijn uitgepraat.'

Ze probeert langs hem heen naar de deur te stappen. Onverwacht schiet zijn hand naar haar keel. Met zwellende neusvleugels en zijn schouders gekromd, beweegt hij zijn vrije hand, een glinstering, een veeg door de ruimte. Haar ademhaling klinkt als het gepruttel door een rietje met een laatste plasje op de bodem van het glas. Hij haalt naar haar uit. Ze weert de klap af en voelt een voorwerp, scherp als glas, het vlees van haar opgeheven arm openhalen. In een flits ziet ze de punten aan de metalen ringen om zijn knokkels, die opnieuw op haar afkomen. Ze dringen in haar huid. Door de kracht van de klap valt ze op de grond. Een felle pijn trekt door haar schouder. Ze probeert bij hem weg te kruipen, maar de vuist met de punten valt neer op haar flank, valt neer op haar heup, valt neer op haar buik, valt neer op haar gezicht. Ze schuift bij hem vandaan maar hij graait naar haar enkels, sleurt haar woest naar zich toe. Zijn bloeddoorlopen ogen puilen uit in het witte gelaat. Ze trapt, hij laat niet los. Met haar wang plat op de vloer ziet ze een meter of drie bij haar vandaan de pootjes van het kabinet en trapt naar achteren, de eerste keer mis, de tweede raak. Aan de weerstand voelt ze de kracht waarmee ze zijn scheenbeen treft. Hij kreunt. Het lukt haar zich enigszins op te richten maar hij is alweer bij haar, snuivend, om uit te halen. De steken zijn onverdraaglijk. Hij smijt zich boven op haar en drukt zijn knie in haar borst. Ze ligt op haar rug en kijkt hem in zijn gezicht, vuurrood, de vette zwarte sliertjes zwaaiend voor zijn ogen. Ze steekt haar arm uit om hem van zich af te houden. De boksbeugel suist rakelings langs haar pols, schiet door en hij verliest zijn evenwicht. Ze werkt zich onder hem vandaan. Duizelig trekt ze zich aan de grepen van de lade op. Snel, in één beweging, rukt ze de stop van de fles en mikt de drank recht in zijn gezicht als hij op haar afstormt. Hij scheldt en vloekt en jankt nog steeds als ze de deur bereikt en de gang in strompelt. Vanaf haar wang druipt bloed in haar mond, zoet van smaak. Ze rukt de dubbele deur open en valt in de avondwind.

's Nachts staat hij vloekend bij de rivier en staart over het donkere water. Hij is bereid tot alles om Michiko's pijn en ellende weg te nemen, maar juist dat is onmogelijk. Ze had geprobeerd hem te helpen. Toegetakeld en gebroken was ze in de armen van mevrouw Takeyama gevallen toen ze eindelijk terugkwam. Sinds het einde van de oorlog had hij veel en lang nagedacht en geprobeerd de ziel van de onnozele idioot met zijn machinegeweer die hij geweest was te verfijnen. Maar nog steeds wroette hij in de grootste vuiligheid rond. Een kleine boot met een olielamp op de plecht tornt tegen de wind in. Hij hoort de roeispanen in het water plonsen. Het olielichtje wordt steeds kleiner, van hem afdrijvend als een papieren lantaarn met een kaarsje erin, te water gelaten voor het heil van de geesten van de voorouders. Hij komt overeind en loopt tot aan de rand van de oever. Het water zal hem omsluiten, opnemen, en met een minuut of drie is het bekeken.

De andere weg is doorgaan, van deze plek naar een volgende en vandaar weer verder, steeds opnieuw proberen zijn eigen leven te redden, steeds opnieuw de keuze maken voor zichzelf. Onvermijdelijk zal hij daarbij een beroep moeten doen op anderen. Zoals hij eerst op zijn ouders heeft gedaan en daarna op Michiko en mevrouw Takeyama. Zij beschermden hem en uit dank zadelt hij hen op met zijn problemen. Hij wil niet langer vechten voor zichzelf, bang zijn om zichzelf, maar kalm aanvaarden wat onvermijdelijk is, van meet af aan al is geweest. Drie minuten angst en pijn op de bodem van de rivier, misschien niet eens pijn, en het zal voorbij zijn. Over een paar dagen zal de waterpolitie een lichaam opdreggen en de hele affaire met de drie vermoorde Amerikanen in een afgelegen dorpje in de Nagano-prefectuur behoort – zaak opgelost – tot het verleden. Michiko stelt anderen boven zichzelf, hij boft dat hij iemand als zij heeft leren kennen. Hij is haar iets verplicht. Hij is nog niet klaar. Hij keert het water zijn rug toe.

Tijdens het laatste uur van een slapeloze nacht wakkert een koude wind van zee aan, vol van as en gruis. Op zijn plekje tussen de bouwmaterialen draait zijn gekloofde hand in eindeloze herhaling de slinger van de slijpsteen rond. Van het uiteinde van de schroevendraaier schieten vonken langs zijn bottige polsen. Het platte, rechthoekige stukje metaal dat in een schroefsleuf past, verandert langzaam in een punt. Als hij klaar is, duwt hij het vlijmscherpe uiteinde in een flessenkurk en stopt de schroevendraaier weg onder zijn jas. Zijn geest is helder, de hoofdpijn heeft plaatsgemaakt voor concentratie.

Hij trekt zijn kruk onder zijn arm en hinkt de weg af naar het hutje van mevrouw Takeyama.

Binnen speelt Kiju met de gladde, houten blokken die hij voor de jongen heeft gemaakt. Michiko ligt onder een deken op haar futon. Aarzelend blijft hij in de deuropening staan, onmachtig om de aanblik van haar stukgeslagen gezicht te verdragen.

'Alles is mislukt.' Haar stem is nauwelijks hoorbaar. 'Ze zullen komen. Deze man zal alles doen om mij te raken. En er is niemand om ons te beschermen.' Haar pupillen zijn wijd en haar slapen glinsteren van het zweet. 'Je moet gaan.'

Hij knielt bij haar neer, neemt de mouw van haar kimono in zijn vingers en bedenkt wat hij tegen haar wil zeggen. Haar wangen lijken hol van de pijn. Voor het eerst sinds hij haar kent, is ze niets meer waard. 'Het spijt me,' zegt hij zacht. Dan neemt hij de jongen in zijn armen en trekt hem even tegen zich aan. Buiten breekt de zon door de mist en de stralen zetten de lege vlakte in een nerveus trillend licht. De oude vrouw drukt hem een pakketje, dichtgeknoopt met vliegertouw, in zijn handen. 'Iets te eten voor onderweg.' Lang en diep buigt hij voor mevrouw Takeyama.

Het kost hem anderhalf uur om de wijk te bereiken. Hij heeft een keuze gemaakt, omdat er anders voor hem gekozen zal worden. Hij heeft zijn wapen geslepen, de aloude krachten van haat en woede opgeroepen. Nog één keer krijgsman, zijn laatste schreden over het slijk. Kom maar op, mannen in wijde pakken, marxisten, fascisten, Rode Legers, informanten, politiemannen in vodden. Deze mankepoot zal zich redden, veel tijd heeft hij niet nodig. Zijn handen trillen niet. Hij heeft niets te vrezen, niets te verliezen. Hij heeft zijn lot aanvaard. Een tragedie is het niet om te sterven, bijzonder al evenmin. Vandaag zullen er nog duizenden anderen de dood vinden. Mannen, vrouwen, kinderen. Japanners, Chinezen, Australiërs. Zijn leven stelt niet veel voor, heeft dat nooit gedaan. Maar zijn einde zal als een glimlach komen.

Zijn plan: aanbellen, naar de man vragen, kalm blijven, de kurk van de schroevendraaier trekken, toeslaan.

De poort staat open en achter de spuitende fontein ontwaart hij het immense huis. Hij moet slikken en loopt een stukje door om alles nog een laatste keer te overdenken.

Misschien doet iemand anders open. Misschien is de man niet thuis. Misschien zal hij het zelf verprutsen.

Achter het hek van de volgende tuin is een man aan het werk. Hij staat op een trappetje en snoeit de langste takken van een haag. Een onzichtbare vogel zingt met heldere hoge tonen, een gulzig repeterende roep. Hij blijft naar de man staan kijken. Als die zijn werk even onderbreekt, knikt hij naar Hideki. 'Goedemorgen,' zegt de man vriendelijk. 'Goedemorgen,' antwoordt hij. De man gaat weer door met zijn werk. Afgeknipte takken vallen op een hoopje. Hideki had graag even met hem gepraat, maar hij gaat volledig op in zijn bezigheden.

Hideki staat nog een poosje te kijken, maar dan ineens loopt hij terug naar de grote poort.

In zacht herfstlicht glanst de tuin hem tegemoet. Zijn huid voelt kleverig, zijn neusvleugels trillen, zijn gepookte oksel gloeit. Hij moet zijn helderheid bewaren. Aan de rand van zijn gezichtsveld schemert een hoed die in het gras langs de vijver ligt, maar hij laat zich niet afleiden en houdt zijn blik strak gericht op de deur. Hoe sneller het gebeurd is, hoe beter. Hij is klaar om te doen waarvoor hij gekomen is, klaar om te gaan. Als hij de treden opgeklommen is, ontdekt hij dat de deur op een kier staat. Achter hem valt het water van de fontein in een onstuimig geraas. Hij aarzelt, draait zich om en kijkt vanaf zijn hoge positie om zich heen. Bij de vijver, in de nabijheid van de hoed, ligt een omgevallen blik met een bergje vlokken ernaast. Iets in de vijver trekt zijn aandacht, een wit deinend laken, is zijn eerste indruk, maar als hij nog eens goed kijkt, onderscheidt hij onder de waterspiegel de vorm van een lichaam, een man in een wit kostuum, het hoofd omlaag. In de roze gekleurde kring om hem heen zwemmen grote vissen die de contouren van zijn lichaam verkennen en met hun zachte bekken zijn gezicht aftasten. De schittering op het water van de vijver, de glinsterende struiken, het ochtendkoor van de vogels, het fascineert en verwart tegelijk. Twijfelend aan wat zijn volgende stap moet zijn – aanbellen, naar binnen glippen, of eerst onderzoeken aan wiens oorlellen de karpers sabbelen –, blijft hij peinzend staan. Een onverhoeds geluid onderbreekt zijn overdenkingen en als hij opkijkt rijdt een glimmende, witte slee met een droog geknerp onder de banden de poort door. De chauffeur, een reus van een man gekleed in een zwart pak, stapt uit. Onmiddellijk herkent Hideki hem: van zo'n exemplaar loopt er geen tweede rond. De man is met een gevulde papieren zak van een kruidenierswinkel onderweg naar de trap, maar als hij de hoed op de grond opmerkt, blijft hij staan. Na een onderzoekende blik in de vijver komt zijn enorme lichaam met een hevige schok in beweging. De papieren zak laat hij vallen. Met zijn kleren en schoenen aan stapt de man in de vijver. Tot aan zijn middel waadt hij door het water. De karpers schieten weg en zoeken dekking onder de leliebladeren. Bij het lichaam aangekomen, laat hij zich zakken, tot het wateroppervlak zijn kin raakt. Hij komt weer overeind en tilt het lichaam in het witte kostuum boven zijn onrustige, in scherven uiteenvallende weerspiegeling. Het lichaam, slap en tenger, lijkt vederlicht als dat van een kind, verkleed in grotemensenkleren, rustend in de armen van een reus die met zijn machtige dijen door het water ploegt. Boven de hemdsboord tekent zich een diepe, paarsrode kerf af, waar de keel is doorgesneden. De mond hangt open en is op twee roodgekleurde rijen tanden en kiezen na leeg. Op het witte gezicht ligt de grimas van de dood.

De man legt het lichaam op de stenen rand van de vijver en klimt op de kant. Het water druipt van zijn kleren als hij zich, op zijn knieën gezeten, over de opengehaalde keel en het rode tongloze gat van de mond buigt. Plotseling richt hij zijn stierenkop op en loert met die kleine, flitsende oogjes van hem om zich heen.

Als hun blikken elkaar kruisen, veert de man soepel overeind. Nog even blijft hij Hideki opnemen, maar dan verliest hij zijn aandacht, speurt hij opnieuw de tuin af, alsof hij vreest iets belangrijks over het hoofd te hebben gezien.

'Waar is hij?' briest de man. 'Waar is Toru?'

Zoals hij de man herkende, herkent de man nu hem. Ook van iemand zoals hij loopt er geen tweede rond.

'Ik weet niet waar hij is.' Zijn stem trilt. 'Ik ben alleen.'

De man heeft inmiddels de trap bereikt, stroopt zijn natte jasje van zijn lichaam en begint naar de plek te klimmen waar Hideki op zijn kruk leunt. Achter hem staat de deur op een kier en een benauwde hartslag lang overweegt hij om naar binnen te glippen en de deur achter zich op slot te draaien. Je laatste kans, denkt hij. Wat wordt het: je vonnis aanvaarden of in angstige twijfel om uitstel strijden? Hij blijft staan in het zonlicht dat door de bomen van de tuin priemt en zijn gezicht verwarmt. Een vreemd soort geborgenheid neemt bezit van hem. Het laatste restje angst slaat hij als een vlieg van zich af op het moment dat het imposante lijf hem in de schaduw zet. Hij weet hoe het eindigt. Hij is bereid, hij heft niet eens zijn hand om de mokervuist af te weren als die op zijn gezicht af suist. De klap ontploft met een scherpe pijn achter zijn ogen en tijdens zijn wazige tuimeling naar de grond klampt hij zich vast aan een laatste beeld. Dat van het lichaam op de rand van de vijver.

16

Als Brink na een gehaast diner in zijn eentje weer onderweg is naar de hotellift, verrijst, als een leeuw uit zijn hinderlaag, Willink uit een van de leren fauteuils in de lobby. Aan Willinks houding leest hij af dat de ambassadeur hem dit keer niet zal laten ontkomen.

'Ik heb net koffie besteld, mag ik je even aan mijn tafel uitnodigen?'

'Ik wil mijn aantekeningen doornemen. Voor de laatste beraadslagingen morgen.'

'Je ziet er beroerd uit, kerel. Dat gedoe met Leiden, daar wordt aan gewerkt. Er is contact met de rector magnificus en zoals het er nu naar uitziet behoud je gewoon je aanstelling als hoogleraar.'

'Dat is mooi,' zijn stem klinkt vlak, 'maar daarover maak ik me geen zorgen.'

'Ik begrijp dat je vrouw dat wel doet.'

'Dorien? Hoe zou jij dat nou weten?'

'Ja, Brink, de afstand tussen Japan en Nederland is in zeker opzicht kleiner dan je denkt.'

Het gesprek is nog amper begonnen of hij voelt zich al in een hoek gedrukt. De verkeerde instelling.

'Er ligt overigens misschien iets anders in het verschiet. Genève, de Verenigde Naties. Buitenlandse Zaken moet iemand voordragen. Ze zoeken een man met expertise op het gebied van het internationaal recht, die goed Engels spreekt en ervaring in het buitenland heeft.' Willink laat een stilte vallen en kijkt hem nu recht aan. 'Wat denk je, zou dat niet iets voor jou en Dorien zijn, zo'n avontuur in Zwitserland?'

'Dat weet ik niet. Op dit moment heb ik andere dingen aan mijn hoofd.'

'Mocht je interesse hebben, wacht niet te lang, want op zo'n positie azen velen, dat zul je begrijpen.'

'Ik zal erover nadenken,' zegt hij, 'bedankt dat je aan mij hebt gedacht.'

'Dat spreekt vanzelf. Heb ik het goed begrepen dat in de rechtersvergadering van morgen de hoogte van de straffen wordt bepaald, maar dat de inhoud van de vonnissen vaststaat?'

'De vonnissen zijn al geschreven, dat klopt. Maar ik verwacht dat er ruimte zal zijn om, naast het bepalen van de strafmaat, ook de inhoud van enkele vonnissen aan te passen. En van die mogelijkheid ga ik gebruikmaken, het is mijn laatste kans.'

'Aan je kennis van de dossiers zal het niet liggen. Ik sprak Webb van de week en die zei dat jij de enige man in Tokio bent die alle vijfenvijftigduizend pagina's van de bewijslast heeft gelezen.'

'Ik hoop dat dat een reden voor Webb en anderen zal zijn om mijn mening zwaar te laten wegen.' In het kort zet hij zijn argumenten voor vrijspraak van Shigemitsu en Togo uiteen: hun pogingen om oorlog te voorkomen en toen dat niet lukte om hem zo snel mogelijk te beëindigen.

'Verwacht je echt dat die twee vrijgesproken zullen worden?'

'Het is van groot belang dat het gebeurt. Het vonnis moet zien te voorkomen dat politici die vrede nastreven zich in de toekomst wel tien keer zullen bedenken voor ze in tijden van oorlog tot een regering toetreden, omdat ze, ongeacht hun goede bedoelingen, daarmee een zware straf riskeren.'

'Neem me niet kwalijk dat ik het zo zeg, maar je klinkt als een advocaat.'

'Omdat ik niet verantwoordelijk wil zijn voor de dood van een onschuldig man?'

'Je kunt tegen de doodstraf stemmen. Tegen alle voorgestelde doodstraffen.'

'Sommige verdachten verdienen in dit speciale geval de zwaarste straf.'

'Vind jij. Zoals collega's van je er net zo van overtuigd zijn dat bepaalde verdachten, misschien andere dan die jij op het oog hebt, het verdienen. Is dat niet de essentie? Elf rechters uit elf landen, die, ondanks verschillende inzichten, tot een gezamenlijk oordeel komen?'

'Gezamenlijk? Als je daarmee "unaniem" bedoelt, dan heb je het mis. Al sinds Pal te kennen gaf dat hij een afwijkende mening zou schrijven is dat uitgesloten.'

'Pal wordt niet serieus genomen, behalve door de ultranationalisten van Japan. Belangrijker is wat jij doet.'

'Dat weet je al. Webb zal bij het voorlezen van het vonnis bekendmaken dat rechter Brink uit Nederland een afwijkende mening heeft en dat die, net als die van Pal, aan het vonnis is toegevoegd.'

'Nu nog één keer, Rem.' Willinks gezicht een professioneel masker van ingehouden ergernis. 'Je hoeft je afwijkende mening toch niet openbaar te maken? Niet nu. Waarom volstaat het niet om je opvattingen later, op een geschikter moment, te publiceren?'

Hij haalt diep adem. 'Je begrijpt nog steeds niet waar het om draait.' Hij knikt en wil al weglopen, maar Willink zet een stap opzij en verspert hem de doorgang.

'Je bent de rechter van Nederland in Tokio. Gedraag je er

dan ook naar. Wat moeten je landgenoten die in de jappen-kampen van Nederlands-Indië zo hebben geleden denken als hun rechter zich voornamelijk inzet voor vrijspraak van de verdachten?'

'Alleen voor de verdachten die het verdienen. En ik ben niet *hun* rechter.'

'Ook internationaal gezien kunnen wij ons niet permitteren dat onze man de risee van het tribunaal blijkt te zijn.'

'Risee?' Het woord ontploft in hem als een granaat en even duizelt het hem.

'Ja, wat dacht je dan?' Willink heeft zijn beleefde protocol afgewerkt, nu is het tijd voor openlijke afschrikking. 'Een rechter die eerst een motie voor unanimiteit in stemming brengt en later zelf degene is die die unanimiteit schendt, een man die het met het weldenkende deel van zijn collega's aan de stok krijgt, een man die zich voornamelijk beijvert voor vrijspraak van oorlogsmisdadigers, een man die er openlijk een Japanse maîtresse op na houdt.'

Brink heeft even nodig, zijn mond is droog. Met wie heeft Willink zijn plannetje uitgedacht? Verenigde Naties, Genève, eerst de worst, en nu de stok. Op het randje van beheersing, vechtend tegen een opkomende woede, zegt hij: 'We verdoen beiden onze tijd, Willink.'

'Zo openlijk dat je je afvraagt of hij eropuit is dat zijn vrouw erachter zal komen.'

Hij doet zijn best om nog een laatste beetje oprechtheid in de ambassadeur te ontdekken, tevergeefs. 'Zeg eens eerlijk, bedenk je dit allemaal zelf?'

Willinks lichtgrijze ogen gloeien onder zijn overhangende wenkbrauwen. 'Ik heb het beste met je voor, maar als je die afwijkende mening aan het vonnis toevoegt, is er niets meer wat ik voor je kan doen.'

'Je hebt al meer dan genoeg gedaan, meer dan ik ooit van

een ambassadeur zou verwachten. Jullie hebben de naam voornamelijk sherry te drinken en golf te spelen, maar nu ik jou ken, weet ik beter. Goedenavond.'

Die nacht is hij nog laat wakker. Hij wil niet over Willink piekeren, niet over Dorien, niet over Michiko. Hardop leest hij zijn aantekeningen voor de beraadslagingen en verdringt zo alle andere gedachten. Wat telt, waar het op aankomt, is dat hij morgen zijn tekst uit het hoofd en met overtuiging zal brengen. Daarna, en geen seconde eerder, begint de rest van zijn leven met de bijbehorende zorgen. Zijn kamer staat blauw van de rook. Hij opent het raam en staart naar de tuin. In het licht van de schijnwerpers valt de motregen in schuine banen omlaag.

Hij bedenkt dat morgen hij en zijn tien collega's voor de laatste keer bij elkaar komen in de rechterskamer. Als ze die weer verlaten, zit hun taak erop. Hoe beslis je met zijn elven, hoe kom je tot een gezamenlijk oordeel? Zelfs al had je die hele berg aan dossiers, de totale bewijslast, empirisch kunnen toetsen zoals in de natuur- of scheikunde, dan nog zou je in laatste instantie aangewezen zijn op het menselijk oordeel, op de rechter die wikt en uiteindelijk beschikt. Daar was het allemaal om te doen en dat was precies wat hem aangetrokken had in de wet, in het ambt van rechter. Door kennis en inzicht, op de schouders van de vaders der wetten die het recht verfijnden, streven naar een gewetensvol en rechtvaardig oordeel. Maar nu de meesten van zijn collega's andere conclusies trekken dan hij, wankelt zijn geloof in het systeem en zijn eigen rol. Met vijf of vier collega's, misschien volstond drie al, die net zo dachten als hij en het overwicht hadden van iemand als lord Patrick, zou alles anders verlopen. De vraag is: zou het vonnis daarmee rechtvaardiger zijn geweest?

471

Hij voelt hoe moe hij is. Voor de laatste keer pakt hij zijn aktetas in. Hij denkt aan de oude mannen met de bleke gezichten in hun cellen waar het licht altijd brandt. Ook voor hen zal over enkele uren alles definitief zijn. Zij waren met zijn achtentwintigen toen het tribunaal begon, inmiddels zijn er drie afgevallen. Het was ontnuchterend dat hun mogelijke vonnis, veroordeling tot de strop, niet een natuurlijke dood had uitgesloten. Eén was aan een longontsteking gestorven en een ander aan een zwak hart. Een derde verdachte was opgenomen in het gekkenhuis en stond niet langer terecht. Volgens sommigen was hij, de gek, de gewiekste van allemaal.

Hij doucht en scheert zich in de badkamer en kleedt zich aan. Als eerste komt hij de ontbijtzaal binnen. Hij eet aan het verste tafeltje in de hoek van het restaurant en is al weg voordat zijn collega's verschijnen.

De ochtend is dampig en kil. Zijn nieuwe chauffeur, een vriendelijke, zij het wat overgedienstige Japanse jongeman, houdt het portier voor hem open. Sergeant Benson is twee maanden geleden teruggekeerd naar Oklahoma. Iederéén is weg, terug naar huis. Nu, ja, iedereen die er niet meer toe doet.

Zijn chauffeur spreekt een beetje Engels, maar Brink weet niet meer van hem dan dat hij aan de technische hogeschool heeft gestudeerd en vader van een dochter is. Brink maakt zich geen illusies dat hij hem veel beter zal leren kennen, zelfs al zou het tribunaal nog een jaar duren. Hij kijkt naar buiten. Ontelbare malen heeft hij deze route gereden en gelopen. Gaandeweg zag hij steeds minder haveloze mensen die hun dagen als kakkerlakken tussen het vuil en de puinhopen doorbrachten. Steeds minder vuil en puinhopen ook.

Bij de hoofdingang worden twee Japanse mannen met hoeden op weggestuurd door de Amerikaanse MP's. Hierin is niets veranderd. Zo ging het op de eerste dag van het tribunaal, zo gaat het nog steeds. Zijn chauffeur ziet ook hoe die twee keurige heertjes bars naar de zijingang worden verwezen, maar zal er niets over opmerken. Dat wel doen zou een risico inhouden. En zoveel heeft Brink inmiddels wel begrepen van het Japanse volk, dat het niet graag risico's neemt, niets onbezonnen doet. Bedachtzaamheid en behoedzaamheid boven alles. Tot de vaandels zwaaien, de kanonnen bulderen. Hij vermoedt dat zijn chauffeur en diens generatiegenoten het beter willen doen dan hun ouders. Dat is misschien wel de essentie van deze eerste jaren van de vrede, de mogelijkheid om het beter te doen, niet dezelfde fouten te maken als hun voorgangers. Hij wilde het ook beter dan zijn vader doen, hééft het ook beter gedaan. Hij nam wél zijn verantwoordelijkheid. Toen Michiko hem vroeg haar te helpen, had hij geweigerd omdat hij niet anders kon.

Een halfuur voor de vergadering begint, gaat hij op zijn oude plaats in de rechterskamer zitten. Hij is alleen. Een parketmedewerker brengt hem koffie. Hij pakt zijn tas uit en legt zijn aantekeningen en zijn pen neer. De volgende die binnenkomt is voorzitter Webb, zichtbaar verrast dat iemand nog vroeger is dan hij. Webbs getekende gezicht verraadt dat ook hij op zijn laatste benen loopt. Ze groeten elkaar en Webb verdeelt elf stapeltjes papier over de tafel. Zijn hand trilt een beetje. Zijn adem ruikt naar whisky. De laatste dagen stond Webb in alle kranten en klonk hij op ieder radiostation. Hij zette een stem op voor de grote gebeurtenissen, maar eigenlijk was het steeds hetzelfde ingestudeerde verhaaltje: het grootste proces uit de historie was vrijwel voltooid, de samenwerking van de rechters was uitstekend geweest. Ondanks alle kritiek op zijn persoon omdat het proces zo lang duurde heeft Webb het toch maar mooi volbracht.

473

Brink schuift het stapeltje papieren naar zich toe. De namen van de verdachten staan onder elkaar getypt. Achter iedere naam is een hokje waarin de strafmaat moet worden aangetekend. Er zijn drie mogelijkheden: een getal voor het aantal jaren detentie, een 'a' voor vrijspraak en een 'd' voor doodstraf.

In gepeins verzonken trekt Webb zijn vingers omlaag langs zijn wangen, de huid heel even van zijn ogen rekkend. Hij zal achter geen enkele naam een 'd' neerschrijven, weet Brink. De standpunten over en weer zijn bekend. Aan Brink de taak om een aantal van zijn collega's te overtuigen van zijn gelijk, van een 'a' op het formulier.

De andere rechters komen binnen, sommige in groepjes, andere alleen, stiller dan gewoonlijk. Brinks blik kruist die van lord Patrick. De oude Brit knikt hem toe. Zijn dunne, zilveren haar is in een lok over zijn voorhoofd gekamd en plakt aan zijn slapen. Dan klinkt Webbs stem vanaf het hoofd van de tafel. 'Ik zie dat iedereen er is. Heren, collegarechters...'

De vergadering duurt al meer dan vier uur als ze bij Shigemitsu zijn aanbeland. Hij staat op en neemt het woord. 'Shigemitsu trad in april 1943 als minister van Buitenlandse Zaken tot het kabinet toe,' begint hij. 'Hij behield die post tot het eind van de oorlog. Hij draagt geen enkele verantwoordelijkheid voor de gebeurtenissen die tot de uitbraak van de oorlog leidden. De belangrijkste vraag is of zijn acceptatie van een ministerspost in oorlogstijd noodzakelijkerwijs tot de conclusie leidt dat hij verantwoordelijk is voor het uitbreken van de oorlog en voor de misdaden die tijdens de oorlog zijn begaan. Om die vraag te kunnen beantwoorden moeten we terug in de tijd gaan.'

'Gaat de professor college geven?' wil Patrick weten.

'Nee, ik ga uiteenzetten hoe Japan in de oorlog verzeild raakte en proberen aan te tonen dat Shigemitsu al in 1931, vanaf de Japanse invasie van China, tegen de oorlog was en dat ook altijd is gebleven.'

'We hebben uw memo gelezen,' zegt Northcroft. 'Of heeft u daar nog iets van belang aan toe te voegen?'

'Ik vraag u slechts om nog eenmaal naar mijn argumenten te luisteren. Zoals u weet is dit de laatste mogelijkheid om iets voor een onschuldig man te kunnen betekenen.'

Hij is twintig minuten ononderbroken aan het woord, citeert uit brieven, telegrammen, dagboeken en notulen die aantonen dat Shigemitsu zich, net als Togo, ingespannen heeft om de militaire kliek, die feitelijk de dienst uitmaakte in het land, af te remmen. Patrick kijkt hem geen enkele keer aan. De collega's met wie hij wel oogcontact heeft laten hem, de een beleefd, de ander geïnteresseerd, lijkt het, zijn verhaal doen. Northcrofts lippen zijn op elkaar geklemd en zijn gezichtsuitdrukking maakt duidelijk hoe de Nieuw-Zeelander erover denkt: iemand staat hier kostbare tijd te vermorsen. Als Brink uitgesproken is, valt er een stilte. Hij verwacht een discussie, maar terwijl hij om zich heen kijkt houdt iedereen zijn mond. Dan klinkt de stem van Northcroft, die zich niet tot hem maar tot Webb richt. 'Goed, ik stel voor dat we naar het volgende onderwerp gaan.'

Het is al bijna donker als Brink het gerechtsgebouw verlaat met het gevoel alsof hij een graf heeft dichtgegooid. Als hij achter in zijn auto stapt, wil hij niet naar het hotel; de gedachte aan zijn collega's bij elkaar in de lounge met een glaasje port of sherry staat hem tegen. Hij laat zijn chauffeur naar zee rijden en stapt uit. Schelpen kraken onder zijn schoenen als hij over het strand loopt. Hij gaat op een omgekeerde boot zitten en luistert naar de donkere golven. Hij overdenkt zijn betoog dat niet heeft kunnen verhoeden dat de twee voormalige ministers voor wie hij zo zijn best heeft gedaan zware straffen kregen opgelegd. Shigemitsu zeven jaar, Togo twintig. Een derde verdachte die volgens hem vrijspraak verdiende, Hirota, is zelfs tot de strop veroordeeld. Brink vraagt zich af of hij, als hij zich niet van de meerderheidsgroep had afgezonderd maar van binnenuit had geopereerd, iets anders bereikt had. Zelf heeft hij vijf keer een 'd' op zijn formulier genoteerd. Die keuze had hij al veel eerder gemaakt.

Na afloop nodigde Webb hem uit om mee naar de kerk te rijden. Webb had niemand tot de strop veroordeeld, het gebod 'gij zult niet doden' niet overtreden. De juridische problemen waren absurd ingewikkeld geweest, ook voor Webb, maar op dit moment benijdde Brink de Australiër om zijn eenvoudige en ongecompliceerde hart waarin nooit ruimte was geweest voor twijfel aan het bestaan van God. Webb wist zich verzekerd van de liefde van Christus en kon op ditzelfde moment in de kerk om vergeving vragen voor alles wat onder zijn voorzitterschap verkeerd is gegaan. Voor Brink valt er niets te halen in de kerk van Webb. In zijn ogen is het geloof niet alleen een leugenaar maar ook een monopolist die zich allé deugden toe-eigent: zachtmoedigheid, barmhartigheid, oprechtheid, zelfs wroeging. Daar kan hij alleen maar zijn eigen geloof tegenoverstellen, in fatsoenlijke, rechtvaardige wetten, de handhaving ervan en de bestraffing van de overtreders.

Een zoete, donkere geur van drogende zeealgen waait hem tegemoet. Hij steekt een sigaret op en kijkt naar de sterren aan de hemel. Zijn vader duikt voor zijn geestesoog op. Een smalend lachje dat hem lijkt uit te dagen met de vraag: wat verwijt je mij eigenlijk? Ja, wat? Dat hij het af liet weten toen het nodig was, ertussenuit kneep, uit gebrek aan moed?

Brink had het niet aangedurfd om te doen wat Michiko van hem vroeg. De keuze om de neef van Michiko te redden, had hij niet gemaakt. Daar had hij zinnige redenen voor. Die zouden moeten baten, maar baten doen ze op dit moment niet. Zijn hele leven heeft hij de mond vol gehad van integriteit, moed en zuiverheid, maar nu ziet hij zichzelf ongenadig. Niet zoals hij probeert te zijn, maar zoals hij in diepste wezen misschien is: laf. De zoon van zijn vader. Waren de oude zwakten dan toch langs sluipwegen teruggekeerd?

's Avonds in het hotel vult zijn eenzaamheid zich met een grauw soort melancholie. Hij laat een fles whisky op zijn kamer brengen en met de lichten uit werkt hij zich gestaag naar de bodem. Hij luistert naar het pianoconcert van Beethoven en als de plaat afgelopen is, zet hij hem opnieuw op en opnieuw. Onverschillig voor het gebonk op zijn muur.

17

De rivier, het water, steeds opnieuw. Het ene moment ligt hij op zijn buik op een rotsblok en dobbert zijn hand in de stroming. Het geruis, het licht, alles vredig, volmaakt. Het volgende moment ligt hij op de kiezels op de bodem en schieten de rode kieuwen van forellen over hem heen. Hij hapt naar lucht. Hij probeert zich omhoog te werken maar hij kan zich niet bewegen. Een verre stem, voetstappen, een stekende pijn in zijn arm. 'Good morning.' Vaag en dof als door een waterlaag dringt de stem tot hem door. Er klinkt een schrapend geluid, als van een lucifer die over de ruwe kant van het doosje strijkt. Een flauw schijnsel flikkert op. Hij knippert met zijn ogen en tussen de plakkerige haartjes sijpelen naalden van licht door. Een vrouw in witte kleren staat met haar rug naar hem toe. Onscherp eerst, dan scherper, badend in een zee van licht dat door een rechthoekig vlak binnenvalt en over haar heen stroomt. Ze maakt iets vast, een lange lap stof, misschien een gordijn.

Hij sluit zijn ogen en zakt weer terug naar de bodem van de rivier.

'Are you here?' Hij opent zijn ogen. Boven hem drijft een gezicht als een witte ballon. 'What's your name?' Dezelfde vrouw? Het licht valt anders nu, niet meer van opzij maar vanaf het plafond uit een lamp. Er hangt een typische geur die ergens diep in zijn geheugen is opgeslagen.

Hij ligt in een bed. Hij kan niets voelen, niets bewegen. Zijn lichaam is slap. In de ader van zijn onderarm steekt een naald met een doorzichtig slangetje eraan. Over zijn borst loopt nog een slangetje naar zijn neus. Die geur en die slang, hij is terug, terug in de tijd. Hij ligt weer in het ziekenhuis. *Come, come sing along. What's your name; how are you; does this bus stop near the zoo?*

Daar is het gezicht weer, niet zo jong, lichte ogen. Verpleegster, dat is het woord.

'Are you here?' Ze wikkelt iets om zijn bovenarm en knijpt met haar hand in een rubberballetje. Het voelt alsof ze zijn arm als een fietsband oppompt.

'Are you here?'

Hij knippert met zijn ogen.

Ze leest iets af in een metalen kastje en het volgende moment loopt zijn arm sissend leeg. 'What's your name?'

Hij denkt even na en sluit zijn ogen. Nog een poosje klinkt de stem van de vrouw, maar hij kan haar niet verstaan en houdt zijn ogen stijf dicht tot het helemaal stil is.

Een woudzanger verstrikt in zijn net, de op- en neergaande borst van blauwe en rode veren – blauw en rood ineenvloeiend tot een waas dat langzaam oplost, zijn hand die zich voorzichtig in het net werkt om het vogeltje te pakken. Het net schudt. Zijn hele lichaam schudt. Hij probeert om niet toe te geven. Hij wil hier niet weg. Hij heeft het bevederde lijfje bijna te pakken, moet het voelen, in zijn hand voelen, maar hij redt het niet, het lukt hem niet om te blijven.

Als hij bijkomt, staan er twee verpleegsters en een arts aan zijn bed. De arts is een grote blanke man met grijzende slapen en een van de verpleegsters is de vrouw die hij eerder zag en van wie hij aanneemt dat ze Amerikaanse is. Ze schudt aan zijn schouder.

'He's awake.'

De andere verpleegster, een Japanse, geeft hem aanwijzingen terwijl de dokter met een lampje in zijn ogen schijnt en met een stethoscoop naar zijn hart en longen luistert. 'Diep inademen,' spoort ze hem aan, 'goed zo, nu weer uitademen.'

Aan het voeteneinde van zijn bed smoezen ze nog even en dan verlaat de dokter met de Amerikaanse verpleegster de kamer. De Japanse blijft bij hem achter en controleert de doorzichtige zak met vloeistof die boven zijn bed hangt.

'Een van je ribben is gebroken en heeft je rechterlong geperforeerd. Je hebt een inwendige bloeding, waarschijnlijk je maag, maar je bloeddruk is verbeterd. Je bent geopereerd.'

'Wanneer?'

'Drie dagen geleden. Je hebt geluk gehad dat ze je hierheen hebben gebracht, majoor Scott is de beste chirurg in Tokio.'

Geluk? De geest die het genoeg vindt, maar het lichaam wil door, alsmaar door. 'Wie hebben me gebracht?'

'Twee Amerikaanse militairen in een jeep reden langs. Een tuinman hield ze aan. Je lag op straat.'

Langzaam komt het terug, de grote poort, de vijver met de karpers, de verdronken man in het witte kostuum.

'Weet je nog wat er gebeurd is?'

De reus die met zijn kletsnatte hemd aan zijn lijf geplakt de trap opkwam. 'Nee.'

'Je hebt veel bloed verloren en bent in shock geraakt. Hoe heet je?'

Hij pijnigt zijn hersenen op zoek naar het juiste antwoord. Zijn eigen naam opgeven is uitgesloten. Hij staat op het punt om die van zijn dode maat te lenen, maar hij slikt hem in. Mochten ze die naam natrekken, wat ze in het ziekenhuis kunnen doen, dan komt hij in de problemen.

'Denk goed na,' zegt ze, 'hoe heet je?'

'Ja, ja,' zegt hij.

Ze slaat de deken van hem af en trekt het ziekenhuishemd wat omhoog om het vlees van zijn dij vrij te maken. Ze tikt met haar nagel tegen het transparante deel van de injectiespuit. 'Hou je vast!'

Hij knikt en zet zich schrap. De koude naald glijdt in zijn vlees.

18

Zwaar met beide handen steunend op de rand van de houten teil komt Michiko overeind. De medicinale kompressen drijven in het badwater, hun sterke geur hangt in de verwarmde lucht onder de dakplaten. Ze hebben hun werk gedaan: de wonden zijn bedekt met geelroze korstjes; de zwellingen in haar gezicht zijn op de terugweg; infectie is haar bespaard gebleven. Ze geneest snel, dat deed ze als kind al. Ze heeft nog pijn, maar het ergste is voorbij. De deur staat op een kier. Buiten balanceert Kiju, ingepakt tegen de kou, op één been en klemt zich vast aan de hand van mevrouw Takeyama, terwijl hij zijn andere voet optilt en hem in verwondering onderzoekt. Nog even en hij kan zelf staan. Naast het oventje dept ze haar gezicht en schouders met een schone doek. Het is een goede nacht geweest, de eerste dat ze een beetje sliep en de pijn als ze op haar goede zij lag te verdragen was. De eerste ochtend dat ze wakker werd en niet meteen dacht aan wat haar overkomen was, maar gewoon een poosje naar de tere schaduw onder Kiju's mooie wimpers kon kijken. Op een dag zal wat overblijft niet meer dan een paar littekens en een zwarte herinnering zijn.

Gekleed in haar gevoerde kimono met een versleten dikke jas erover stapt ze naar buiten. Het is koud maar droog. Ze ziet dat de laatste bloem van de geranium tot dor en broos kant is verschrompeld. Kiju zit op een kleed met zijn houten blokken te spelen. Mevrouw Takeyama houdt de zwarte lap stof omhoog en bekijkt onderzoekend de scheuren en gaten.

'Ik heb hem gewassen en ik kan hem proberen te maken, maar de naden zullen zichtbaar zijn en er ontbreekt een stuk, daar moet een lapje achter.'

'Verbrand hem.'

'Weet je het zeker?'

Ze knikt. Samen tillen ze de teil met badwater naar buiten. Hevige pijn vlamt op in haar zij, maar ze laat niets merken en samen kiepen ze hem achter het hutje leeg. Voorzichtig gaat ze bij Kiju zitten en neemt zijn mutsje af om zijn haar te borstelen.

Meneer Washimi, lang, mager en met de tekenen van het verdriet in iedere pas waarmee hij zich voortsleept, nadert met een rieten mandje aan zijn hand. Hij buigt voor haar en mevrouw Takeyama en hurkt neer.

Op de kapotte voering van zijn jas stalt hij zijn ruilhandel uit. Vier eieren, een zakje met tweehonderd gram rijst, een witte kool, en een stukje gedroogd vlees.

'Goed?'

'Goed,' zegt Michiko.

Nadat mevrouw Takeyama de spullen veilig heeft gesteld, maakt ze aanstalten om met meneer Washimi mee te lopen, maar Michiko zegt dat zij dat klusje vandaag voor haar rekening neemt. Voor ze op pad gaan, wendt ze zich tot mevrouw Takeyama. 'Verbrand hem nu.'

'Mag ik kijken?' vraagt meneer Washimi.

Ze knikt. Geconcentreerd, zijn kippige ogen tot spleetjes toegeknepen, zoekt hij tussen de stapels. Hij neemt een lange plank in zijn handen, tuurt er met één oog langs, en legt hem weer terug. Sinds enige dagen ruilen Michiko en mevrouw Takeyama Hideki's erfenis voor voedsel. Ze heeft berekend dat ze zich er nog een week of twee mee in leven kunnen houden. Het loon dat ze nog tegoed heeft zal ze bij de Golden Gate ophalen, maar werken kan ze niet meer.

Meneer Washimi mompelt ten teken dat hij zijn keuze heeft bepaald. De geselecteerde palen en planken liggen bij elkaar. 'Je zult het wel niet goedvinden als ik ook even bij het gereedschap kijk?'

'Ga uw gang.'

Dat loon is goed voor nog een week, dan houdt het zo'n beetje op. Drie weken om te herstellen en iets te bedenken, iets nieuws.

Meneer Washimi heeft een boor gepakt en houdt hem zo dicht bij zijn gezicht dat het lijkt of hij op het punt staat zijn kleine gele tandjes erin te zetten. 'Deze, wat denk je?'

Ze aarzelt, ze vindt het lastig om de waarde van een stuk gereedschap te bepalen. Meneer Washimi's houding fluistert haar in om haar huid duur te verkopen.

'Morgen neem ik extra vlees mee, en melkpoeder voor de kleine. Hebben jullie nog genoeg zout?'

'Driehonderd gram melkpoeder,' zegt ze, 'wat denkt u?'

Nu is het meneer Washimi die in gedachten een rekensom maakt. Hij knikt. 'Goed.'

De man sjort de palen en planken met een stuk touw vast en hijst ze op zijn schouder. De boor neemt hij in zijn hand. 'Vanochtend was er politie bij ons aan de deur.' Zijn ogen schieten als die van een vogel heen en weer. 'Je weet dat we sinds we het huis verloren bij mijn zuster inwonen.'

Ze knikt. Ze heeft vaak meegeluisterd als mevrouw Washimi bij mevrouw Takeyama haar hart luchtte over haar kribbige, gierige schoonzuster.

'Ze kwamen om te zeggen dat onze zoon een ongeluk had gehad.'

Ze neemt de man niet-begrijpend op. Zijn zoon, met wie zij nog op school gezeten heeft, is enkele dagen geleden gecremeerd. 'Ze zeiden dat hij in het ziekenhuis lag. Bijna had ik gezegd: dat is onmogelijk. Maar toen bedacht ik dat ik je neef al een paar dagen gemist had.'

Het begint tot haar door te dringen waar hij op zinspeelt. Haar schuldbewuste fantasie had haar de afgelopen dagen beelden voorgetoverd van Hideki die in zijn eentje over straat zwierf, buiten in de kou sliep. Aan een politiebureau had ze ook gedacht, maar de mogelijkheid van een ziekenhuis was niet bij haar opgekomen. 'Wat heeft u tegen ze gezegd?' vraagt ze.

'Ik heb ze bedankt dat ze het me waren komen vertellen.'

'Dank u.'

'Beloof me één ding, Michiko, zoek uit wat er aan de hand is. Ik weet niet of ze terugkomen, maar als ze dat doen vermoed ik niet dat ze nog een keer zo vriendelijk zullen zijn.'

Meneer Washimi sjokt met zijn spulletjes de weg af. Ze gaat op de gereedschapskist zitten en kijkt uit over de vlakte. Op steeds meer plekken verrijzen geraamtes van huizen in aanbouw. Ze luistert naar de geluiden van het gehamer, dat koppige geram. Ze had het hem gegund, maar had ook voorvoeld dat van Hideki's plan om een huis te bouwen niets terecht zou komen. Meneer Washimi loopt over de stoffige weg in de richting van de rivier, onbewust van zijn eigen kracht en moed. Hem gaat het lukken, dat nieuwe huis. Een man die instinctief de juiste keuzes maakt, ook als de politie hem iets komt vragen. Michiko draait haar gezicht naar de andere kant. Ver weg zit mevrouw Takeyama samen met Kiju voor het hutje. Boven hen, uit de scheve schoorsteen, ontsnapt dikke, zwarte rook.

19

Na het urenlange voorlezen van het vonnis door Webb, verlaat Brink samen met zijn collega's de rechtszaal. Hij hangt zijn toga voor de laatste maal op, trekt zijn marineblauwe winterjas van kamgaren aan en zet zijn hoed op. In de gangen rennen journalisten naar de hoofduitgang om de deadlines van hun kranten te halen. Hij ontloopt iedereen en verlaat het gebouw aan de kant van de parkeerplaats. De verdachten worden juist door zwaarbewapende MP's een voor een de geblindeerde bus in geleid voor hun rit terug naar de gevangenis. Hij blijft even staan om te kijken hoe de geboeide en overwonnen monsters worden afgevoerd. Ooit waren het jongetjes in korte broeken en met zachte wangen, kinderen die hutten bouwden en tikkertje speelden. Ergens nam hun leven een wending en werd hun noodlot bepaald. De een maakte welbewust de verkeerde keuzes, de ander werd speelbal van de geschiedenis en bleek weerloos tegen de gebeurtenissen die hij kon voorzien noch beïnvloeden. Als de laatste in de bus is verdwenen, stapt hij in zijn auto en vraagt zijn chauffeur naar Asakusa te rijden.

Hij bestudeert het formulier dat hij bij GHQ heeft opgehaald. Niet dat hij iets begrijpt van wat erop staat. De Japanse karakters, aanvankelijk verwachtte hij er wel een paar van te leren, maar hij moet erkennen dat het schrift voor hem hermetisch afgesloten is gebleven. Enkele dagen geleden is hij gezwicht voor een gloeiende spijt omdat hij Michiko heeft weggestuurd. Hij besloot om informatie in te winnen bij de manager van het hotel, een behulpzame Amerikaan met wie hij het goed kan vinden. De man geeft leiding aan meer dan honderd Japanse personeelsleden, voor wie hij als hoogste baas regelmatig papierwerk in orde maakt. Hij hielp Brink aan het telefoonnummer van de juiste man op GHQ. De rest bleek eigenlijk vrij eenvoudig, het onderwerp van zijn bemoeienissen, een verdachte van een drievoudige moord, buiten beschouwing gelaten.

Hij stopt het formulier weer weg en kijkt naar buiten. Rechtvaardigheid volgt geen vaste lijnen. Voor misdrijven gepleegd in de onderhandelingen tussen twee naties, zullen de schuldigen niet boeten, evenmin als voor misdrijven in de intimiteit van twee personen. Een fietsendief komt voor de rechter, een despoot die miljoenen mannen, vrouwen en kinderen opoffert aan een even pervers als schimmig ideaal wordt beloond met een standbeeld in iedere provincieplaats van zijn rijk. Toch bestaat er in zijn ogen geen beter systeem, geen betere procedure dan die van het gerechtshof.

Een invalide Japanse man die verantwoordelijk is voor de dood van drie Amerikaanse militairen zal nooit voor de rechter verschijnen. Brink gaat daarvoor zorgen. Het is het laatste waartoe hij zich in staat had geacht, maar zo liggen de feiten.

Na een proces van tweeënhalf jaar heeft hij er vijf ter dood veroordeeld; zonder enige vorm van proces zal hij een enkele man – zaak geseponeerd – laten gaan. Steeds legere en meer kapotte straten glijden achter zijn raampje voorbij, alsof hij tegen de tijd in rijdt, terug naar zijn aankomst in Tokio.

'Hier begint Asakusa, meneer,' zegt zijn chauffeur.

'Ik wil naar het deel dicht bij de rivier, waar de huizen zijn afgebrand door de bombardementen.'

Zijn chauffeur knikt en buigt en neemt hem in het spiegeltje op.

Als ze even later een vlakte zonder bomen bereiken, met hoog onkruid, groepjes van in elkaar geflanste hutjes en hier en daar het staketsel van een huis in aanbouw, laat Brink hem stoppen. Hij legt zijn chauffeur de reden van zijn bezoek uit, en verzoekt hem om navraag te doen naar waar Michiko woont. Uiterlijk onbewogen luistert de jongeman naar wat hij zegt. Brink voelt zijn verbazing, die verborgen, enigszins melancholieke, morele onbuigzaamheid van de Japanner die, weet hij inmiddels al te goed, de buitenlander allerlei exotische gewoontes, ongepaste behoeftes en vreemde kuren toedicht; een onuitputtelijke bron van blunders op het gebied van ethiek en etiquette. Waarschijnlijk denkt zijn chauffeur, die niet helemaal zeker van zijn zaak uitstapt, dat hij nu met een van die rare westerse miskleunen van doen heeft. Daar kan hij nog wel eens gelijk in hebben.

Brink ziet hoe zijn chauffeur afstapt op twee vrouwen die gehurkt voor een hutje zitten en boven een houten kom een grote knol raspen. In de deuropening kruipen baby's, hun gezichtjes steken vuil uit de kragen van hun voddige jasjes. Waarom is armoede altijd zo lelijk? De vrouwen wijzen in een bepaalde richting en even later stapt zijn chauffeur – vergenoegd, zo te zien – weer in.

'De twee huizen links, daar is het,' zegt hij.

Nog voor zijn chauffeur weer verder rijdt, stapt hij uit. Met zijn glanzende wagen voor komen rijden lijkt hem ongepast. De twee uit sloophout en verroeste golfplaten opgetrokken krotjes – dat 'huizen' van zijn chauffeur is een eufemisme van heb ik jou daar – staan op een meter afstand van elkaar. Er zitten gaten en scheuren in de planken, ramen

ontbreken, vervaarlijk achterover hellend steekt een rokende schoorsteenpijp uit het dak. De deur van het ene hutje
staat op een kier. Een geur van kool walmt hem tegemoet.
Hij blijft bij de deur staan, vervuld van de weerzin die hem
in alle hevigheid bevangt – en dan schijnt vandaag de zon
nog. Hij voelt plaatsvervangende schaamte, net als toen hij
haar terugvond op dat podium. Natuurlijk wilde ze dat ook
niet. Hoe durft hij zich, vraagt hij zich vol afkeer van zichzelf af, zonder haar instemming, zonder rekening te houden
met haar gevoel van eigenwaarde, hier te vertonen, met de
geraffineerde ijdelheden van een fat? Maar op zijn schreden
terugkeren zal hij niet. Net als de verdachten die na vandaag weten wat hun boven het hoofd hangt, moet hij hier
doorheen; een moment, het ligt voor hem, hij moet de stap
nemen, moed putten uit de liefde die ze hem in het verleden
heeft geschonken. In zijn binnenzak zit een formulier dat
behalve haar neef ook zijn gezicht moet redden.

De deur gaat wat verder open en een oude vrouw met
vodden aan haar magere lichaam komt uit het hutje. Ze
heeft een pan in haar handen en neemt hem verbaasd op.

'Michiko?' vraagt hij zo kalm en vriendelijk mogelijk.

Argwaan versombert haar uitgeteerd gezicht.

'Michiko?' herhaalt hij, zich bewust van haar groeiend
ongemak. Ze kijkt opzij en hij volgt haar voorbeeld, maar
ziet niets dan een lege stoffige weg en een enkele verre boom,
kaal en geblakerd. Dan klinkt een kinderstem achter het
tweede hutje. Hij loopt erheen en kijkt aan de andere kant
van de uit oude deuren opgetrokken wand. Daar, op een uitgespreid kleed, in de herfstzon en uit de wind, zit ze. Hij herkent haar nauwelijks, de vrouw in een opgelapte winterjas
en een verschoten kimonobroek. Haar donkere glanzende
haar is vettig en slordig opgestoken. Tussen haar knieën zit
een in grauwe lagen gehuld kind met een mutsje op.

Ze schrikt van zijn plotselinge verschijning, maar hij schrikt niet minder van de schrammen en blauwe plekken op haar gezicht.

'Wat is er met je gebeurd?' vraagt hij.

'Wat doe je hier?' Het jongetje kruipt weg op haar schoot. Het gezichtje blozend rond als van een cherubijntje – met westerse trekken, stelt hij vast.

'Ik moest je zien.'

'Waarom?'

'Het tribunaal is voorbij.'

'Dat weet ik.'

Hij ziet zichzelf door haar ogen, de meneer in zijn dure kleren, de rechter die vijf Japanners tot de strop heeft veroordeeld en nu met zijn ingewikkelde fijngevoeligheid waar niemand wat mee opschiet afscheid komt nemen voor hij weer terug naar huis vliegt. Nu hij bij haar is, merkt hij dat hij haar maar weinig te zeggen heeft. Zij hem ook. Hij vist het formulier uit zijn binnenzak, doet een stap in haar richting en geeft het haar, stijf, formeel – als een deurwaarder die een dwangbevel overhandigt, oordeelt hij zelfkritisch.

'Wat is het?'

Terwijl ze het formulier bestudeert, ontdekt hij de rechte rij korsten, ronde, donkere punten in het zachte vlees van haar onderarm.

'Als je dit ingevuld met twee pasfoto's aan mij geeft, zorg ik voor mijn vertrek dat die ID-kaart er komt.' Hij zou willen dat het anders was, maar zijn stem en houding ademen kunstmatigheid, de gewichtigheid van de man die zelfs op deze armzalige en verkommerde plek nog denkt alles en iedereen de wet te moeten stellen. Hij begrijpt dat hij zich kleiner moet maken, bereid moet zijn steken te laten vallen, maar hij weet domweg niet hoe.

'Dank je,' zegt ze.

'Wat is er met je gebeurd?' vraagt hij opnieuw.

'Een ongeluk. Blijf je daar staan?'

Hij gaat op het kleed zitten en legt zijn hoed op zijn schoot. In de zon is het buiten net uit te houden, maar het zal gaan vriezen zodra de nacht valt. Hij kijkt naar het kind en het kind kijkt naar hem. De ogen van de jongen maken een levendige indruk. Brink ziet de lange donkere wimpers, de roze lippen, pruttelend op zoek naar woorden. Zoon, denkt hij. Mijn zoon. Hij voelt geen speciale genegenheid of trots bij dit pro Deo verkregen vaderschap. Als er al sprake van verdienste is dan moet die op het conto van het kindje geschreven worden. Tegen alle wenselijk- en redelijkheid in heeft het zijn bestaan aan de wereld opgedrongen. Hij ís er, de volgende in lijn, en zit pontificaal op de schoot van zijn moeder, met haar armen om hem heen geslagen. Afgunst, heel even overvalt hem een gevoel van afgunst om de onaantastbare plek die de jongen in het leven van Michiko inneemt.

Een raaf landt op het verroeste dak en kijkt brutaal nieuwsgierig op hen neer. Over de weg komt een pezige man op sandalen voorbij, op zijn schouders torst hij een lange stok met aan beide zijden een volgeladen mand. Heel even en zoveel heimelijker dan de vogel met zijn wakkere oogjes kijkt de man in hun richting. Met een ondoorgrondelijke uitdrukking op zijn gezicht stapt hij voort. Kijken en oordelen in stilte, denkt Brink, vooral jezelf niet blootgeven. Moet hij Michiko's gereserveerde, 'Japanse' houding zo interpreteren? Een weigering om hem haar diepere gevoelens te tonen. Maar wat voor gevoelens? Zij is niet afhankelijk van hem, hij wel van haar. Hij is háár gaan opzoeken. Haar gezicht is verhard, dat is duidelijk, maar ze draagt nog steeds zijn ring.

491

Het jongetje is van haar schoot geklauterd en durft het aan. Zijn vingertjes onderzoeken de veters van zijn schoenen. Met zijn ogen volgt Brink het aandachtige gepruts, de zichtbare voldoening van het kind als het, verwonderd over zijn eigen succes, de gestrikte veters lostrekt. Zijn eerste goocheltruc. Hij herinnert zich hoe hij als kleine jongen ziek thuis was en bij zijn moeder in de keuken rondhing, in de tijd voor ze de zwijgende, zenuwzwakke tijdbom werd. Neuriënd bakte ze pannenkoeken voor hem, die hij zich hangerig en koortsig bij haar op schoot in stukjes liet voeren. Hij mist de geur van de gesmolten boter en suiker, hij mist haar, voor het eerst van zijn leven. Hij mist zelfs zijn vader, die klootzak, het hypnotiserende gezwaai van de stropdas boven zijn bedje als zijn vader 's avonds laat nog even bij hem kwam kijken. Als hij zijn blik weer opricht, schenkt Michiko hem haar eerste glimlach en hij herinnert zich weer hoe teer en zacht haar overgave was geweest en hoe wonderlijk geborgen hij zich bij haar had gevoeld. Zijn lichaam ontspant zich eindelijk.

De zon trekt zich langzaam terug en als Michiko volledig in de schaduw wordt gezet, komt ze naast hem zitten.

'Wanneer ga je?' Ze houdt de kraag van haar jas aan de voorkant dicht.

'Volgende week,' zegt hij. 'Het spijt me dat ik je brief niet beantwoord heb. Ik was bang. Bang voor wat er zou gebeuren.'

Ze schuift wat naar achteren en leunt met haar rug tegen de muur. Hij volgt haar voorbeeld, en zit nu in een gerieflijkere houding. Ze laat haar kraag los en zoekt met haar hand de zijne. Zo zitten ze een poosje stil in het laatste reepje zonlicht. Hij zucht en diep binnen in hem gebeurt iets; het heeft te maken met die houding van hem, aangeleerd, lang geleden.

'Maar ik ben wel naar het dorp gegaan om je te zoeken. Uiteindelijk wel.'

'Het is goed.'

'Nee,' zegt hij en kijkt naar het kindje dat aan zijn voeten rondscharrelt, 'hoe zou het goed kunnen zijn?'

'Ik heb de jongen, ik heb mevrouw Takeyama. Met zijn drieën hebben we elkaar.'

Ineens ziet hij haar door de schrammen en builen heen, en treedt weer dat knappe gezicht naar voren, de intelligente oogopslag, de vastberaden voornaamheid. Ook hij, met zijn rug tegen een smerig krot, is verrassend genoeg alleen maar zichzelf. Blij dat hij even niets hoeft op te houden. Niet de rechter van het tribunaal, niet de westerling met het Japanse meisje. Hij wil haar zeggen hoeveel ze voor hem betekent, nog steeds, maar ze komt overeind en tilt het kind op.

'Het wordt koud,' zegt ze.

Hij knikt en krabbelt ook op, zijn rug en benen stijf van het lange zitten.

'Ik vraag me af of je weet dat je nog steeds niet eerlijk bent,' zegt ze als ze tegenover elkaar staan.

'Niet?'

Zwijgend blijft ze hem aankijken.

'Misschien niet de hele tijd,' zegt hij en schraapt zijn keel, maar hij weet even niets meer te zeggen. Hij voelt de kleinheid van zijn leven.

'Ik zorg dat het formulier en de foto's er morgen zijn,' zegt ze zacht.

'Zie ik je nog?'

'Het zal bij de receptie liggen.' Ze heeft een in zichzelf gekeerde, vreedzame blik gekregen.

Met het kindje tussen hen in kust ze hem op zijn wang en hij weet dat hij op het punt staat haar weer te laten gaan.

'Hoe heet hij?' vraagt hij.

'Kiju,' zegt ze en ze verdwijnt om de wand van het hutje. Hij luistert hoe ze bij hem wegloopt, met die kaarsrechte rug en lichtheid. Haar geur, hij kan haar geur nog ruiken, als het begin van wat hun leven had kunnen zijn.

In de PX in Ginza, waar alles te koop is, maar uitsluitend voor Amerikaans personeel en bevoorrechte mensen zoals hij, laat hij zich door zijn chauffeur adviseren bij de keuze van voedingsmiddelen. Op de damesafdeling koopt hij een dikke jas, vesten, gevoerde rokken, schoenen. Daarna zoekt hij wat kinderkleren uit. Met een gevulde kofferbak keert hij terug naar het hotel. Voor hij uitstapt, draagt hij zijn chauffeur op om terug naar Asakusa te rijden en de spullen af te leveren.

'Begrepen?' vraagt hij.

'Ja, meneer,' antwoordt zijn chauffeur.

Hij bedenkt dat je nooit een vraag moet stellen die met 'ja' beantwoord kan worden. Omdat voor de Japanner iets beamen een elementaire vorm van beleefdheid is en verder niets betekent. 'Wat er ook tegen je gezegd wordt,' preciseert hij zijn opdracht, 'je laat de spullen bij haar achter en neemt ze niet mee terug.'

Brink stapt uit en wacht tot de auto wegrijdt. Hij kijkt hem na tot hij in het verkeer is verdwenen.

20

Hij lijkt in diepe slaap verzonken als ze met haar nieuwe jas aan de hoge kamer binnenkomt. Op haar tenen loopt ze naar zijn bed en blijft een poosje naar hem staan kijken. Een doorzichtig slangetje verbindt een plastic zak boven zijn bed met zijn arm. Het littekenweefsel op zijn gezicht glanst als parelmoer in het lamplicht. Ruim een week geleden is hij, 'meer dood dan levend', binnengebracht, weet ze van de verpleegster. Zijn donkerpaarse oogleden trillen als de vleugels van een vlinder voor ze opengaan. Het duurt even voor het tot hem doordringt dat ze er staat.

Ze buigt over hem heen, kust hem op zijn voorhoofd en fluistert: 'Je hebt goed gegokt.' Ze richt zich weer op en haalt de ID-kaart uit haar jaszak. Ze houdt hem voor zijn gezicht zodat hij de gegevens kan lezen.

'Moet jij me wéér redden.' Zijn stem klinkt zacht, zijn haar staat recht overeind en zijn droge lippen zijn gebarsten. Van het kussen kijkt hij naar haar op als een man voor wie onbeholpenheid een gegeven is en schuld de spil van zijn ziel.

'Hoe is het?' vraagt ze.

'Ik krijg drie keer per dag te eten. Amerikaans brood, Amerikaans vlees, Amerikaanse bonen.'

'Je kunt het slechter treffen,' zegt ze. 'Volgens de zuster was je er niet best aan toe.'

'Was ik dat niet al voor die tijd? Als die Amerikaanse dokter had geweten wie er op zijn operatietafel lag, zou hij waarschijnlijk een stuk minder zijn best hebben gedaan.'
Ze glimlacht.
'Je gezicht ziet er beter uit dan de laatste keer dat ik je zag,' zegt hij.
'Nu dat van jou nog.'
'Die man in het witte pak...' Hij haalt voorzichtig adem en een nerveus lachje flakkert op zijn gezicht.
'Wat is er met hem?'
'Hij is dood.'
Hij vertelt haar niets nieuws. Dat heeft ze al gehoord in de Golden Gate toen ze haar loon ging ophalen. 'Ben jij daar geweest?'
'Ja, maar hij lag al tussen de karpers. Hij kan je niets meer maken.'
En jou ook niet, denkt ze. Want zou hij nog geleefd hebben, hij zou alles in het werk gesteld hebben om Hideki te laten oppakken. Al was het maar om haar te raken. 'Morgen ga je naar de zaal, zegt de zuster, en volgende week mag je weg.'
Hij knikt. Een poosje kijken ze elkaar zwijgend aan en in de onbeholpen stilte blijft het onuitgesprokene tussen hen in hangen, als de bijtende ziekenhuislucht in het vertrek.
'Dat komt goed. Ik denk dat ik naar Izu Oshima ga.'
'Waarom daarheen?'
'In de eerste plaats omdat het een heel eind van Tokio ligt.'
'Daar zit wat in.' Misschien is een klein, ver eiland geen slechte keuze. Voorlopig.
'Hoe is het met Kiju?' wil hij weten.
'Goed.' Ze onderdrukt de trotse aanvechting om eraan toe te voegen dat Kiju's vader zijn redder is. Hoe graag zou ze hem op dit moment ophemelen om zijn onverwachte be-

zoek, de ID-kaart, haar jas en de andere kleren, de voorraad conserven met groenten en vis en vlees, om alles. Maar dat zou onverstandig zijn. Wat het oor niet verneemt, kan de mond niet doorvertellen. Ze zegt: 'Gisteren stond hij voor het eerst helemaal zonder hulp.'

'Dan is hij al verder dan ik.'

'Bestudeer de gegevens op de kaart en zorg dat je ze uit je hoofd kent.'

'Komt voor elkaar. Maak je geen zorgen.'

'Stuur me een bericht als je een vaste plek hebt gevonden.'

Snel voegt ze daaraan toe: 'Over een tijdje.'

'Dat doe ik.' Hij ontbloot zijn tanden. 'Over een tijdje.'

'Ik moet terug naar huis.' Ze kust hem op zijn haar. 'Als je nog ergens mee komt te zitten...'

'Dat zal niet nodig zijn,' onderbreekt hij haar, 'niet nog eens.'

Ze passeert het glazen hokje van de portier en gaat naar buiten, de glinsterende stad in. Ze loopt een hele tijd, tot haar hoofd weer kalm is. Hij moet het nu zelf doen. Ze weet dat hij het gaat proberen. Hij moet zijn best doen. Begrijpen dat hij het waard is om gered te worden, het waard is om zichzelf te redden. Ze herinnert zich haar schaamte toen ze met hem van het Imperial Hotel naar Asakusa terugkeerde, onverrichter zake, nadat de rechter zijn hulp had geweigerd. Hideki zei niets, maar ze was zich sterk bewust van zijn medelijden met haar, en van zijn verachting van Kiju's vader. Dan draait ze zich om en haast ze zich terug naar het ziekenhuis.

Een verpleegster met een metalen bakje met een injectiespuit erin komt juist uit zijn kamer. 'Hij moet nu rusten,' zegt ze.

Ze buigt. 'Eén seconde,' zegt ze. 'Ik ben iets vergeten.'

Het gordijn voor zijn raam is dicht. In de schemering richt hij zijn hoofd op en neemt haar met ronde ogen van verbazing op. Ze loopt op hem toe en kijkt hem aan. 'Kiju's vader heeft je kaart geregeld,' zegt ze.

Snel draait ze zich om en als een wazige schaduw glipt ze de kamer uit, alsof ze er nooit geweest is.

Op straat klinkt haar naam. 'Michiko!' Het is meneer Honda, de magere cellist. Hij draagt een hoed en is stijf als ijzerdraad in de benen. 'Wat een geluk dat ik je tref, ik wilde je spreken, maar niemand wist waar je woont.' Zijn licht gebogen houding geeft hem iets verontschuldigends, innemends. 'Ik maak deel uit van een nieuw gezelschap. Over drie weken begint onze eerste tournee op Honshu en Hokkaido; zeven steden, twaalf optredens in totaal. Het is al in de kranten aangekondigd. Er gaat ook een zangeres mee, maar een paar dagen geleden is zij met bloedspuwingen in het ziekenhuis opgenomen, waarschijnlijk tuberculose. Enfin, toen viel jouw naam.'

'Ik heb lang niet opgetreden.'

'Het programma bestaat uit bekend repertoire, het zal je niet voor onoverkomelijke problemen stellen.'

Hij schuift zijn hand onder zijn jas en haalt een kaartje tevoorschijn.

'De organisatie en de zakelijke kant zijn in handen van meneer Nakaya, die je nog kent van het conservatorium. Hij is er weg en heeft zich gevestigd als impresario.' Hij geeft haar het kaartje. 'Hier staan zijn adres en telefoonnummer op. Ik zou je adviseren om snel contact op te nemen.'

'Dank je.'

Meneer Honda licht zijn hoed en loopt weer verder, zonder te beseffen wat hij heeft aangericht. Ze zoekt steun bij een muur van een huis en wacht tot ze weer wat is bijgekomen. Met haar mouw droogt ze haar tranen en haast zich naar het station van de Ginza-lijn.

21

Midden in de nacht begint hij met wat hij veel te lang heeft uitgesteld, het ordenen van zijn dossiers en de volgeschreven kladblokken. Wat weg kan gooit hij op een hoop op de vloer naast zijn bureau. Wat mee terug naar Nederland moet, stopt hij samen met de brieven van Dorien en zijn grammofoon en platen in een hutkoffer, speciaal voor dit doel aangeschaft, want hij keert met veel meer bagage terug dan hij kwam. In de hutkoffer verdwijnen ook de cadeau's voor Dorien en de kinderen waarvoor hij op pad is geweest. De afgelopen dagen heeft hij op het ziekelijke af met geld gesmeten. Alsof hij er vanaf moest. 's Avonds was hij soms zo rusteloos dat hij niet kon slapen en dan liet hij zijn chauffeur door de donkere straten van de stad rijden tot hij weer gekalmeerd was.

Boven op de spullen legt hij de bewaarde kranten met artikelen over de rechtersgroep, natuurlijk ook het exemplaar van de *Stars and Stripes* waarin hij, 'judge Brink of the Netherlands', naast MacArthur afgebeeld staat. Op de dag dat de foto gemaakt werd, was hij tevreden over vrijwel alles in zijn leven. Hij sluit het deksel, maakt het hangslot vast en stopt het sleuteltje in zijn vestzak.

Hij loopt nog eenmaal de kamer na om te zien of hij niets is vergeten, maar alle spullen, tot zijn scheerkwast en de kindertekeningen aan de muur aan toe, zijn ingepakt. Na zijn vertrek zal hier worden geschrobd, gestoft en gelucht, de gordijnen zullen gewassen en het matras zal vervangen worden, maar dan nog moet de volgende gast iets van zijn twee-enhalfjarige aanwezigheid kunnen opsnuiven.

In de middag, als de bagage door een piccolo van de kamer is gehaald, ligt bij de receptie een brief uit Leiden voor hem klaar. Hij trekt zich terug aan een tafeltje, zo ver mogelijk verwijderd van de plek waar Pal omringd door Japanse verslaggevers en fotografen een 'persconferentie' geeft. Dit is hun laatste kans om 'de kampioen van het tribunaal' nog enige wijze woorden te ontlokken. Ook Pal keert vandaag terug, hij naar Bombay en zijn schare kinderen en kleinkinderen. Men zal hem op eigen bodem, waar de antikoloniale geest euforisch rondwaart, als een nog grotere held inhalen. De man, hun man, die boog voor de beklaagden, maar niet voor de samenspannende, racistische, westerse collega's; de Aziaat die durfde te zeggen waar het op stond: Azië voor de Aziaten; de rechter die alle verdachten onvoorwaardelijk vrijsprak en zich niet tot een afwijkende mening bij het vonnis beperkte, maar een compleet eigen vonnis van meer dan duizend pagina's presenteerde. Het moet mooi zijn om terug te keren als de trots van de natie. Die ooit door hemzelf gekoesterde droom heeft Brink een hele poos geleden laten varen. Over zijn status maakt hij zich geen illusies. In Nederland wordt hij beschouwd als de afvallige rechter die zijn arme landgenoten die in Indië slachtoffer van de Japanse terreur waren, een trap na geeft. In Japan weten ze niet goed raad met hem. Voor zijn geopenbaarde afwijkende mening bestaat weliswaar sympathie, maar de juridische fijnslijperijen waarin die mening vervat is zijn te ingewikkeld om in een paar pakkende krantenzinnen samen te vatten. Daarbij komt dat hij, op voorhand verdacht want een vertegenwoor-

diger van een koloniale, westerse macht, maar liefst vijf-
maal voor de doodstraf stemde. Brink kan alleen maar hopen dat toekomstige generaties van juristen zullen oordelen
dat zijn honderdzestig pagina's bestrijkende rebellie waardevol is geweest.

Terwijl Pal, de risee van weleer, geheiligd wordt in een zee
van flitslicht, leest hij dat er geen plek meer voor hem is in
Leiden. Nou, als ze verwachten dat hij om genade zal smeken, hebben ze het mis. Ze mogen die rotbaan houden.

In vol ornaat, bontjas, fonkelende diamanten aan haar
oren, het haar hoog opgestoken, en begeleid door haar
knappe Japanse assistente in zijden kimono, schrijdt mevrouw Haffner over het marmer. Met een boeket bloemen
in haar hand posteert ze zich zonder enige aarzeling tussen
de fotografen en Pal in. De Indiër komt uit zijn stoel overeind om haar te begroeten en de bloemenhulde in ontvangst
te nemen. Hij kust haar hand. Brink kan niet verstaan wat
er gezegd wordt, maar Haffners' litanie aan loftuitingen ten
afscheid laat zich raden.

Hij drinkt zijn koffie en leest in de *Stars and Stripes*, dat
propagandakrantje van niets, maar dat hij, zegt zijn voorge-
voel hem, nog gaat missen. Op de voorpagina staat een artikel over het liefdadigheidswerk van mevrouw MacArthur
voor de weeskinderen van Japan. Zijn gedachten dwalen af
naar Kiju. De jongen is door hem verwekt, zal zijn familie-
lijn, hoewel niet onder de naam Brink, op Japanse bodem
voortzetten. In geen enkel opzicht kan hij aanspraak op de
jongen maken, daar heeft Michiko geen misverstand over
laten bestaan. Er circuleren verhalen, die naar hun aard
zorgvuldig buiten de kolommen worden gehouden, over
het groeiend aantal kinderen geboren uit Japanse meisjes
en Amerikaanse militairen. De manager van het hotel wist
hem te vertellen dat deze halfbloeden, verstoten en gewan-

trouwd door hun omgeving, niet zelden in kindertehuizen belanden.

Mevrouw Haffner houdt stil bij zijn tafel met het air van iemand die gewend is te worden onthaald met applaus.

'Goedemiddag, rechter Brink.'

Hij staat op om haar een hand te geven.

'Keert u ook binnenkort terug naar uw land?' vraagt ze.

'Vandaag.'

'Niets meer om voor te blijven, nietwaar?'

Iets in haar ogen maakt dat hij zich afvraagt of haar opmerking dubbelzinnig bedoeld is.

'En u, blijft u in Tokio?' vraagt hij.

'Talent gedijt het beste daar waar het het meest wordt gewaardeerd. Mijn agenda is tot ver in het volgende jaar gevuld. Weet u, ik heb mijn hart verpand aan dit land. Hoe gaat het met Michiko?'

Dat had hij niet verwacht. Maar nu ze uit zichzelf blijk geeft van interesse in haar voormalige protegee, is de verleiding groot haar eens te polsen. Al met al is het allemaal lang geleden. Wellicht zit de straf erop, acht mevrouw Haffner de tijd rijp om haar banvloek op te heffen. Op de valreep Michiko een tweede kans bezorgen, zou zijn afscheid aanmerkelijk verlichten. Het verleden wegstrepen, zijn schuld wegstrepen. Hij is tot veel bereid, zichzelf verlagen inbegrepen. Hij schenkt haar de lach van de tenniskampioen van weleer.

'Ik heb lang geen contact meer met haar gehad, maar onlangs heb ik haar toevallig weer gesproken.'

'Ze was in het theater, hoorde ik,' zegt mevrouw Haffner, 'misschien heeft ze heimwee.'

'U begrijpt dat soort dingen beter dan ik, natuurlijk, maar ze is geboren om te zingen, om op te treden.'

'Ik wist dat ze spijt zou krijgen. Ik hoop dat ze haar lesje geleerd heeft.'

Hij probeert haar woorden te wegen, de schittering in haar bleekblauwe ogen te peilen.

'En u, heeft u uw lesje geleerd, meneer de rechter?' Triomfantelijk heft ze haar kin en kijkt langs hem heen naar een punt in de verte. Haar onaantastbare gezicht waarop opnieuw die oude en kalme minachting ligt, verkruimelt zijn hoop, maakt duidelijk waarom ze moeite doet om afscheid van hem te nemen. Haar bloemen voor Pal, haar gelijk voor hem.

'Meer dan één lesje,' zegt hij, 'maar niet dat waar u op doelt.'

Haar ogen keren nog even tot hem terug. 'Vaarwel, rechter.' Met ruisende kleding en als een schaduw gevolgd door haar inheemse rekwisiet in kimono begeeft ze zich naar de uitgang.

Hij blijft achter met haar woorden, die met terugwerkende kracht, na het geleverde bewijs van haar onverminderde rancune, aan betekenis winnen. Haar toespeling laat zich eenvoudig duiden: hij, de barbaar, heeft een inheemse gestrikt, zich met zijn westerse lichaam boven op haar geworpen, en nu trekt hij verder, net als de andere vaders van bastaardkinderen. Terwijl zij, de geniale Professorin, de pulserende kracht achter zuiverheid en moraliteit, trouw blijft aan het land waar ze zo van houdt. Die overtreffende grootsheid waar ze zo prat op gaat, denkt hij giftig, wat heeft die nu eigenlijk om het lijf? Veel meer dan de verstokte levenshouding van hou je bij je eigen soort, kan hij er niet in ontdekken.

Zijn hart blijft kloppen in zijn keel. Het lukt hem maar niet om dat ongenoegen af te schudden. Schuchter buigend komt zijn chauffeur naderbij.

'Het is vier uur, meneer.'

'Ik kom eraan.'

Hij weet dat hij nu moet opstaan, dat het zinloos is om nog langer te blijven. Hij moet naar de luchthaven, door de douane, en nog wat papierwerk voor het overgewicht van de hutkoffer in orde maken. Hij zal wachten tot het zonlicht van zijn tafeltje schuift, spreekt hij met zichzelf af. Behalve nog meer kleding en levensmiddelen heeft hij zijn chauffeur ook een briefje laten bezorgen bij Michiko. Met de datum en het tijdstip van zijn vertrek. Een niet mis te verstane hint. Maar hij weet eigenlijk al waar het op uit zal draaien. Weer wacht hij tevergeefs.

Ze zou hem niet toestaan om in Tokio te blijven. Niet dat hij het zou doen, zelfs al had ze het gewild. Hij blijft niet. Hij kan niet blijven. Hij is getrouwd, vader van drie kinderen. Hij is een rechter. Het proces is voorbij.

Hij neemt afscheid van Pal, van de manager, van de portier. Voor hij in zijn wagen stapt, spreekt zijn chauffeur hem aan. 'Meneer?' zegt hij onzeker, 'er is iemand die naar u vraagt.' Zijn hart slaat over en hij hapt naar adem. 'Waar?' De chauffeur gebaart met zijn hoofd naar de straat waar een invalide man, gehuld in een massa verschoten kleding en zwaar leunend op zijn kruk, oversteekt. Als een hinkende vogel die uit het nest is gevallen komt hij op hem af. De ogen in het gehavende gezicht blijven strak op hem gericht terwijl hij nadert. Brinks aanvankelijke teleurstelling slaat om in argwaan. Deze strompelende wraakengel in zijn armoedige plunje, wat komt hij in godsnaam doen? Hij denkt aan de valse ID-kaart en de risico's die er voor hem persoonlijk mee verbonden zijn, mocht zijn chauffeur er lucht van krijgen.

Kennelijk voelt zijn chauffeur zijn ongemak aan, want hij vraagt: 'Zal ik hem wegsturen, meneer?'

Hij knikt en zijn chauffeur opent het portier al voor hem.

'Zeg hem dat ik naar de luchthaven moet, dat ik haast heb.' Snel stapt hij in en het portier valt met een geruststellend geluid in het slot. Door het glas van het raampje hoort hij zijn chauffeur de invalide toespreken, kort, zonder dat er een reactie op volgt. Als zijn chauffeur is ingestapt en de wagen in beweging komt, durft Brink het aan om goed naar de man te kijken. Roerloos en gelaten leunt hij op zijn kruk. Hij straalt een gebutst soort aandoenlijkheid uit. Een groot man, had Michiko deze schooier genoemd. Brink had hem niet vertrouwd, het niet aangedurfd om hem wel te vertrouwen, maar één enkele blik in die zachte, gekwetste ogen volstaat om te begrijpen dat hij het mis had.

'Heeft hij nog wat gezegd?' vraagt hij aan zijn chauffeur.

'Hij wilde weten of dit de auto van de Nederlandse rechter was. Toen ik dat bevestigde, zei hij dat hij op u zou wachten. Hij had u dit willen geven.' Zijn chauffeur overhandigt hem een velletje papier. Hij vouwt het open. Onder het briefhoofd van het Amerikaanse militaire hospitaal is anderhalve regel in het Engels geschreven. Het handschrift, schuin, klein, precies, schijnt hem vrouwelijk toe. De naam aan het eind lijkt door iemand anders neergepend.

'Het spijt me als ik u in een moeilijke situatie heb gebracht. Dank u voor alles. Hideki.'

Brink vouwt het vel papier weer dicht. Hij had niets voor de invalide man gedaan. Hij zou ook nooit zijn nek voor hem uitgestoken hebben. In geen honderd jaar. Alles wat hij gedaan had, was om iemand anders.

Ze passeren de kruidenierswinkel die hij opgebouwd heeft zien worden. De zoon van de eigenaar rent achter een rode bal aan. De wind uit het noorden blaast de gevallen boombladeren over de rijweg. Nog even en het is winter.

22

Over de loopplank schuifelt hij tussen de andere scheep
gaande passagiers aan boord. Op het bovendek vindt hij
een plek bij de reling. Met zijn oude legerpet met de gevoer
de flappen tot vlak boven zijn ogen getrokken trotseert hij
de koude wind. In zijn jaszakken heeft hij conservenblik
ken: bruine bonen, macaroni met gehaktballen, en corned
beef, die de Japanse verpleegster hem bij zijn ontslag uit het
hospitaal toestopte. Behalve die Amerikaanse mondvoor
raad heeft hij een kaart met zijn nieuwe naam op zak. Hide
ki laat hij achter op de wal beneden hem, waar families om
ringd door dichtgebonden koffers en plunjebalen afscheid
nemen. Mannen kussen de kade voor ze de loopplank op
gaan en worden nagezwaaid door zakdoeken. Zijn leven
bestaat uit vertrekken, steeds weer, en niet omdat hij weg
wil maar omdat de grillen van de oorlog het zo hebben be
paald. Voor de oorlog had het zo vanzelfsprekend geleken
dat hij, de eenvoudige zoon van een bosarbeider, tot aan
zijn laatste ademtocht in de bergen zou blijven, langs de ri
vier op zijn buik zou liggen met de jonge forellen sabbelend
aan zijn vingers. Nog steeds komen er passagiers aan boord,
mannen, vrouwen, bejaarden, kinderen, gezinnen, dicht op
een en vol bepakt. Op de wal worden de laatste karren met
koffers, dozen en kisten afgeladen. Hij kijkt naar de sterren
boven de donkere zee, grote en kleine, hun geschitter als

antwoord op zijn vraag om raad. Dit is mijn leven, denkt hij.

Naast hem in het flauwe licht van een deklamp komt een man staan. Zijn bagage, een knapzak van een dichtgeknoopt laken en een bamboekooi met eenden, zet hij neer. De man steekt een sigaret op en biedt hem er ook een aan. Hij aarzelt, maar accepteert hem dan toch, buigt zich voorover naar de hand van de man die een kommetje maakt.

De man blaast de rook uit. 'Ze zeggen dat we een halfuur vertraging hebben.'

'Ik heb geen haast,' zegt Hideki.

'Waar ga je heen,' wil de man weten, 'naar Izu Oshima?'

'Tot zover de boot gaat.' En op mijn eigen voeten kan ik altijd nog een stukje verder trekken, denkt hij.

'Ik ga er bij Izu Oshima af, terug naar mijn familie. Ik heb het geprobeerd in Tokio, maar het is me niet gelukt. De mensen zijn zo anders daar. Of het is de tijd, dat kan ook. Dat gewoon alles veranderd is.'

De man zegt nog iets tegen hem, maar zijn gedachten dwalen alweer af. Naar die andere keer dat hij scheep ging, met zijn maten, het lijkt een eeuwigheid geleden, een vorig leven. Zelfgenoegzaam, trots als apen, droegen ze hun duizendstekenriemen, zongen ze soldatenliederen in de nacht. Toen werden de plicht tegenover de keizer en het vaderland, heldenmoed in de oorlog, en hogere gemeenschappelijke gevoelens als heilige zaken beschouwd. Maar de oorlog is verloren en de mensen beweren dat dat de grootste ellende van alles is, de oorzaak dat niets meer overeind staat, niets meer van waarde is. Aanvankelijk heeft ook hij in die veronderstelling geleefd, maar nu ziet hij in dat die verklaring misschien wel troost biedt maar niet de waarheid vertelt. Hij inhaleert de rook van zijn sigaret en ontdekt de maan die, stralend en gemarmerd met donkere vlekken, langzaam aan zijn klim boven de heuvels van de stad begint. Er moet een kracht bestaan, zoals dat vlijtig en onbaatzuchtig wentelen daar in de oneindige ruimte boven hem, die de winst-en-verliesrekening van een oorlog overstijgt. Hij zal proberen zichzelf aan die kracht, hoe onbarmhartig en ongemotiveerd die misschien ook is, toe te vertrouwen.

'Ik ga eenden fokken.' De man knikt met zijn hoofd naar de bamboekooi. 'Ik neem vers bloed mee, dat spul op het eiland is allemaal inteelt. Dus je weet nog niet waar je van boord gaat?'

Hij bedankt de man voor de sigaret en loopt zo ver mogelijk naar voren. Met zijn rug naar het gewoel en het geklets op het dek, kijkt hij uit over de donkere zee. Volgens zijn maat zou de maan in 1955 volledig de zon verduisteren. Een paar honderd miljoen jaar geleden stond de maan nog zo dicht bij de aarde dat hij de zon ruimschoots bedekte en er van een diamanten ring van licht geen sprake geweest kon zijn. Over een paar honderd miljoen jaar zal hij al zo ver weg staan dat hij te klein zal zijn om de zon helemaal te bedekken. Dat was hun geluk, beweerde zijn maat, dat zij er op het juiste moment waren, tijdens deze ene hartslag van het universum waarin de maan precies op de zon paste.

Hij gaat zitten op het deksel van de grote kist waarin de reddingsvesten zijn opgeslagen en wrijft de kilte uit zijn handen. Een zoute zeegeur waait naar hem omhoog. Waar weet hij nog niet, maar dat wonder aan de hemel zou hij mee kunnen maken. Het bonkende geluid van de motoren in het binnenste van het schip zwelt aan. De hoge schoorsteen spuwt gele, vurige wolken stoom uit en met een langgerekte schreeuw van de fluit drijft het schip langzaam van de kade weg. Het wendt zijn voorsteven naar de stille leegte. Gereed om de zee op te gaan.

Dankwoord

Voor *De offers* heb ik vele bronnen geraadpleegd: documentaires, speelfilms, fotoboeken, tentoonstellingscatalogi, rechtbankverslagen, krantenartikelen, brieven, dagboeken, korte verhalen, romans en biografieën. Ook specialistische werken over Japan en de Tweede Wereldoorlog heb ik in mijn onderzoek betrokken. Een beknopt overzicht:

- Neil Boister en Robert Cryer (editors), *Documents on the Tokyo International Military Tribunal* (Oxford, 2008)
- Nicolas Bouvier, *Chronique japonaise* (Editions Payot, 1975)
- Arnold C. Brackman, *The Other Nuremberg* (William Morrow, 1987)
- Ian Buruma, *The Wages of Guilt: Memories of War in Germany and in Japan* (Plume, 1995)
- A. Cassese en B.V.A. Röling, *The Tokyo Trial and Beyond* (Wiley, 1994)
- Haruko Taya Cook en Theodore F. Cook, *Japan at War: An Oral History* (The New Press, 1992)
- John W. Dower, *War Without Mercy: Race and Power in the Pacific War* (Pantheon, 1986)
- John W. Dower, *Embracing Defeat: Japan in the Wake of World War II* (W.W. Norton, 1999)
- Eta Harich-Schneider, *Charaktere und Katastrophen* (Ullstein Verlag, 2006)
- Sukehiro Hirakawa, *Michio Takeyama en het Showa-tijdperk* (Fujiwara Shoten, 2013)
- J. Malcolm Morris, *The Wise Bamboo* (Nabu Press, 2011)
- L. van Poelgeest, *Nederland en het Tribunaal van Tokio* (Gouda Quint, 1989)

- H.Q. Röling, *Röling in Tokyo* (uitgave in eigen beheer)
- Calvin Sims, '3 Dead Marines and a Secret of Wartime Okinawa', *The New York Times*, juni 2000)

-*Japan News 1945, 1946*, US National Archives film
-*Japan Under American Occupation*, The History Channel,
2002

Naast de makers van bovengenoemde werken ben ik ook de
volgende personen erkentelijk. Takashi Enjo en, vooral, Toru
Takagi van NHK (de publieke omroep van Japan), japanoloog
Geert van Bremen en regisseur Pieter Verhoeff. Ik prijs me gelukkig dat zij op mijn weg kwamen en dank hen voor hun wijze,
verhelderende inbreng. Ook de redacteuren van De Bezige Bij
wil ik voor hun toewijding bedanken. 心からの感謝の気持ちを受け
取ってください。
Tot slot ontbreekt nog één naam. Die van mijn vrouw Tatjana,
die vier jaar lang het wisselende getij van mijn euforie en mijn
frustratie over het 'Japanse boek' geduldig, raadzaam, opoffe-
rend en liefdevol doorstond. 君を心から愛している。